FRÉDÉRIC   CHOPIN

DU MÊME AUTEUR

LOUIS VIERNE, LE MUSICIEN DE NOTRE-DAME, Albin Michel, *épuisé*.

JEHAN ALAIN, MUSICIEN FRANÇAIS, Albin Michel.

LES FRANÇAIS SONT-ILS MUSICIENS ? Editions du Conquistador, *épuisé*.

POUR OU CONTRE LA MUSIQUE MODERNE ? Flammarion, *épuisé*.

LES SOUVENIRS DE GEORGES ENESCO, Flammarion.

LA MUSIQUE ADOUCIT LES MŒURS, Gallimard, *épuisé*.

DIX GRANDS MUSICIENS, Gautier-Languereau.

L'ARME À GAUCHE, Beauchesne, 72, rue des Saints-Pères.

LES GRANDS INTERPRÈTES (30 albums), Kister, *épuisé*.

VINGT GRANDS INTERPRÈTES, Ed. Rencontre, Lausanne, *épuisé*.

PARLER, PARLER *(Collection l'Idée fixe)*, Julliard.

LETTRE À MOZART SUR LA MUSIQUE, Emile-Paul.

A paraître :

LES GRANDS MYSTÈRES DE LA MUSIQUE, Ed. de Trévise.

LA VOLONTÉ DU BONHEUR.

ALFRED CORTOT, Ed. de la Baconnière.

REYNALDO HAHN, LE MUSICIEN DE LA BELLE ÉPOQUE, Stock.

BERNARD GAVOTY

FRÉDÉRIC
CHOPIN

BERNARD GRASSET

PARIS

*A la mémoire de deux ombres chères
— ma mère, ma sœur — à côté de
qui je suis devenu musicien.*

PRÉLUDE

Bernard Privat et Robert de Saint Jean m'ont demandé, il y a des années, d'écrire ce gros livre « faisant le point » sur un musicien qui a suscité quantité d'ouvrages, parfois romancés, mais qui devait bénéficier des plus récentes recherches. Car, c'est un fait, à mesure qu'un homme illustre s'éloigne dans le temps, son histoire, elle, se nourrit de révélations qui ont mis longtemps à venir au jour. Elle se précise, elle s'éclaire, elle approche de l'insaisissable vérité.

Nombreux sont les travaux français, polonais, russes, anglais, italiens et espagnols consacrés, depuis une trentaine d'années, à Frédéric Chopin. Certains s'étayent sur des hypothèses douteuses, que nous exposons avec les réserves nécessaires. D'autres font état de faits nouveaux, sérieusement contrôlés, ou de précisions relatives à ce que les biographes français ont traité trop brièvement : la jeunesse polonaise.

Car il y a deux Chopin, selon les biographes.

D'un côté, le Polonais à part entière, le poitrinaire de naissance, l'amoureux transi, l'éternel nostalgique, le compositeur qui fait rêver les jeunes filles et déraisonner les musicologues épris d'images héroïques.

De l'autre, le Français, qui retrouve à Paris le climat paternel, l'homme gai, bien portant, robuste, l'amant gaillard qui, vers la fin de sa vie, éprouve quelques ennuis de santé, dont il trépasse sans trop se plaindre.

J'ai lu beaucoup de livres dérivant de l'une et l'autre tendance. Aucune de ces biographies à thèse ne m'a convaincu.

Parce que, tout simplement la vérité — loin d'être, comme on dit, « entre les deux » — est tout autre.

L'hérédité de Chopin se partage entre les deux pays qui ont vu naître ses parents : la Pologne et la France. Dans leur ardeur à s'annexer totalement Chopin, des Polonais sont allés jusqu'à prétendre que Nicolas, père de Frédéric, était issu d'une lignée slave et s'appelait de son vrai nom « Szop ». L'un de ces exaltés est venu me trouver, tout exprès, à Paris, pour m'apprendre qu'à l'époque de la naissance (1771) du père de Chopin, à Marainville, dans les Vosges, la Lorraine était polonaise, du fait de Stanislas Leczinski. Un autre m'a démontré, sans aucune preuve à l'appui, que Frédéric Chopin était le fils de Justynia, polonaise, et d'un officier du roi Leczinski. J'ai éprouvé le plus vif plaisir à détromper ces imposteurs.

Donc, Chopin est, si l'on peut dire, un « demi-sang ». A ce titre, il participe de deux races. Mais il est bien évident que les dix-neuf premières années, vécues à Varsovie, ont pesé lourd dans la balance de sa formation. Sans contredit, sa musique est d'essence polonaise, ce qui n'a pas empêché la culture et l'ambiance parisiennes de jouer un rôle notable dans le développement de son génie. Dans un chapitre de ses *Aspects de Chopin* [1] : « Ce que Chopin doit à la France », Alfred Cortot fait la part des choses. Une étude attentive des œuvres composées à Varsovie et à Paris est, à cet égard, convaincante.

Il y a donc un intérêt majeur à décrire longuement la période de formation d'un talent aussi caractéristique et la nature d'un jeune homme qui, depuis le jour où il quitte Varsovie, jusqu'à celui où il meurt à Paris, ne changera guère. En insistant sur la période polonaise (1810-1830), nous croyons avoir été fidèle à la vérité et, peut-être, avoir apporté du nouveau.

Le désir de peindre Chopin tel qu'il fut nous a fait éviter avec soin des prises de position flatteuses, mais irréelles.

Poitrinaire dès le berceau ? Non, certes ! Mais fragile de

1. Albin Michel.

naissance, sujet à des affections inquiétantes, révélatrices pour la médecine d'aujourd'hui, sinon pour celle, fort ignorante, du XIXe siècle. Anémique, médiocrement viril, incapable d'efforts physiques prolongés. Après quelques années de répit, vécues à Paris, très vite, les symptômes de la consomption tuberculeuse se déclarent. Est-ce notre faute si les praticiens qui le soignent parlent d'une affection chronique du larynx ? Curieuse laryngite, qui provoque hémoptysies, oppressions, névralgies, étouffements, inflammations ganglionnaires, etc.

Qu'en dépit de ses tourments, Chopin ait été souvent gai et charmant, c'est l'évidence. Comme tout esprit supérieur, il a tout en partage : l'exubérance et la mélancolie, la drôlerie et le désespoir. N'oublions pas sa devise : « Les gens qui ne rient jamais ne sont pas des gens sérieux... » *Homo duplex.*

Que ce sylphe aux allures aristocratiques ait parfois le mot cru et la plaisanterie un peu lourde, est tout aussi certain. L'homme est, par essence, divers et le grand homme ne fait pas exception à la règle.

Sur le comportement amoureux, assez décevant, de notre héros, j'insiste assez au long de ce livre pour ne pas vouloir résumer en quelques lignes un « cas » complexe, à bien des égards troublant et, finalement, incertain. Le long épisode de sa liaison avec George Sand est délicat. Ne voulant être « chopinien » ni « sandiste », j'ai cherché simplement l'équité, en fournissant toutes les pièces d'un procès qui ne finira sans doute jamais d'être plaidé. Se trouvent face à face deux natures antagonistes et complémentaires. Un roman de la taille de ceux qu'écrivait Sand — mais celui-là sincère et véritable — ne serait pas de trop pour rendre à George ce qui est à George et à Chopin ce qui lui revient de droit.

Que les malheurs de la Pologne aient joué dans sa vie un rôle capital n'implique en aucune manière qu'à chaque note écrite sur son papier réglé, Chopin ait étouffé des sanglots inspirés par les tribulations de son pays natal. Toutes les *Valses,* toutes les *Etudes,* non plus que la *Barcarolle,* la *Berceuse,* la *Tarentelle,* le *Boléro,* les *Ecossaises,* etc., ne sont pas autant d'allusions au calvaire de Varsovie écrasée sous la botte russe. Mais, à montrer Chopin tel un dandy parisien, plus soucieux de son bien-être que des souffrances de son pays opprimé, on se tromperait davantage. L'image de l'exilé, chantre lointain d'une nation douloureusement éprouvée, aucunement ridicule, est, de surcroît, conforme à la réalité des faits, comme aux confidences de Chopin à ses intimes.

Littéraire ? Pas le moins du monde. Ne cherchons pas à coups d'adjectifs et d'images tempétueuses la réalité d'une œuvre qui ne se veut que musicale. La poésie n'a guère retenu ce poète des poètes — et, sans doute, l'allergie qu'il éprouve à l'endroit de la musique de Schumann, si attentif pourtant à l'œuvre de son confrère et contemporain, tient-elle au fait que Schumann accorde à la littérature une valeur inspiratrice que Chopin lui refuse, à deux ou trois exceptions près. Chopin ne commente pas ses émotions, il les vit, au piano ou à sa table de travail. Jamais il n'épilogue sur un événement, un abandon, un chagrin. Son journal intime, il ne le rédige pas avec des mots : seulement avec des notes. Ni Delacroix, ni Balzac, encore moins George Sand, ne l'intéressent en tant qu'artistes. « Musicien, rien que musicien », juge sainement l'auteur de *Lélia*. Et ses confrères les plus illustres — tels Schumann, Liszt, Berlioz et Mendelssohn — s'attirent de la part de Chopin plus de coups de griffe que de caresses. Indifférent à tout ce qui ne touche pas son œuvre, sa famille et « les siens » : les Polonais. Non pas égoïste : égocentrique.

Est-ce le portrait d'un artiste décevant qui se profile dans ces pages liminaires ? Nullement. Je sais peu d'hommes aussi attachants que Chopin, et aucun, peut-être, sauf Mozart et Schubert, qui provoque à ce point la tendresse. Les autres, on les admire : celui-là, on l'aime. D'amour. Alors, tentons de lui vouer un amour clairvoyant.

Pourquoi un livre aussi volumineux ? Je répondrai qu'à moi il a paru bref, trop bref, parce que, négligeant le moins de faits possibles, vivant au jour le jour avec mon héros, je m'attachais à lui, au point d'avoir l'illusion d'être son ami, et non son historiographe. Je crois féconde cette intimité du conteur avec le raconté et j'ai l'espoir que bon nombre de mes lecteurs éprouveront à l'égard de Chopin l'attachement passionné qu'il a suscité en moi. Peu d'aventures plus touchantes, peu d'hommes aussi compliqués. Il fallait éclairer l'existence et scruter une âme inquiète. Tout cela prend du temps et de la place.

Un avant-propos est toujours, plus ou moins, un plaidoyer où l'on joue l'avocat de soi-même — le meilleur, le plus dévoué qui soit. Ayant expliqué au lecteur les raisons qui m'ont conduit à être long, je souhaite que ce récit leur paraisse court. Dans ce but, je n'en ai pas alourdi la trame par des analyses musicales, que les auteurs incluent généralement dans le cours de leur travail, sans doute pour exercer le lecteur à les mieux sauter. Les descriptions laborieuses ont le même sort. Cela pour légitimer le parti que j'ai pris de reléguer à la fin du volume un chapitre plus technique et détaillé sur les ouvrages musicaux de Chopin. Le consulteront qui voudront. Les autres n'en seront pas gênés.

Et, maintenant, au fait : aux faits !

B. G.

PREMIÈRE PARTIE

POLOGNE

« Tout est si beau quand on se
retourne, lorsqu'on sait qu'on ne
reviendra jamais. »

BARBEY D'AUREVILLY.

Frédéric Chopin dans sa seizième année, à Varsovie,
d'après Ambroise Miroszewski.
(Bibliothèque polonaise de Paris)

Masque mortuaire moulé par le sculpteur J.B. Clésinger (1814-1883)
le dix-huit octobre 1849.

I

« MAZOVIEN, CORPS ET ÂME... »

Une lettre.

« Mon cher Père et ma chère Mère,

« Dans l'incertitude où je suis que mes lettres vous soyent
parvenues, je ne vous écris que deux mots seulement pour
m'informer de l'état de votre santé et vous prouver mon respect et mon attachement. Depuis deux ans passés, je n'ai
point de vos nouvelles, je ne sais à quoi l'attribuer ; cependant, chères parens *(sic)*, mon éloignement ne fait qu'augmenter mon respect envers vous en me faisant connaître de
quel bonheur je suis privé d'être si longtemps sans vous voir
et sans recevoir aucune de vos nouvelles. Comme Madame
Weydlich vous a écrit aussi plusieurs lettres en vous chargeant de vous informer au sujet de ses affaires à Strasbourg,
auxquelles vous n'avés pas répondu. Je vous dirai que Nous
savons bien que M. Malard est payé, mais que nous ne
savons pas s'il a touché de l'argent pour les créanciers.
Comme les affaires avec Monsieur le Comte Pac ne sont pas
encore finies et qu'il demande une rendition des comptes de
la terre de Marainville fait que j'étais sur le point de partir
pour Strasbourg pour finir les dittes affaires au nom de Monsieur Weydlich. Mais comme nous avons appris que la France
n'était pas encore tranquille par les révolutions qui s'y sont
faites a été cause que mon voyage a été différé, mais cependant je crois partir sous peu de tems, car Monsieur Weydlich

s'est arrangé avec un Banquier qui ne tardera pas à partir pour la France. Cependant, avant que je parte, je vous prie de m'informer si la milice n'est pas plus stricte qu'elle était car on nous a dit que tous les jeunes garçons depuis l'âge de dix-huit ans sont tous soldats : c'est ce que nous sommes curieux de savoir, car, étant dans un pays étranger comme j'y suis et où je peux faire mon petit chemin, je ne pourrais le quitter qu'avec regret pour me rendre soldat, quoique dans ma patrie, vu que Monsieur Weydlich n'a que trop de bontés pour moi et dont je prévois des suites heureuses. Je vous prie donc, chères Parens, de me faire réponse le plus tôt possible pour que je puisse partir en toute sûreté et jouir du bonheur de vous voir, ainsi que tous mes chères parens. J'ai l'honneur d'etre, avec le plus profond respect

Cher Père et chère Mère
de vos enfants, votre très
humble et très obéissant fils.

Nicolas Chopin.

« A Varsovie, ce 15 7bre 1790.

« P. S. Monsieur et Madame Weydlich vous font bien des complimens et vous prie d'assurer Monsieur le Curé de leur respect. Je vous prie de lui assurer aussi de ma part. J'embrasse mes sœurs de tout cœur, ainsi que tout mes parens et amis. Je vous donne mon adresse, de crainte que la lettre ne soit égarée, car je ne puis concevoir que depuis deux ans passés, je n'aye reçu aucune lettre, dont voici :

A Monsieur
Monsieur Chopin
Par Dresde à Varsovie
en Pologne
(poste restante). »

De Lorraine en Pologne.

Telle est la lettre qu'après deux ans d'absence, Nicolas Chopin, émigré en Pologne, adresse à ses parents demeurés en Lorraine. Ce Français de pur sang écrit dans sa langue natale avec plus d'incertitudes que ne le fera son fils, né à Varsovie et à demi polonais. Il est vrai que les Chopin de Lorraine sont de souche modeste et de culture problématique. Le grand-père du musicien dont nous contons l'histoire cumule les métiers de charron et de vigneron, dans son village de Marainville, situé au pied de la colline de Sion, près de Nancy. En 1949, à l'occasion du centenaire de Frédéric Chopin, une plaque fut apposée par les soins du Comité exécutif de l'année Chopin, sur un mur de la très modeste maison paysanne des Chopin à Marainville. Taillée dans une pierre provenant de Zelazowa-Wola, village natal du compositeur, elle rappelle que « *dans cette maison est né, le 15 avril 1771, Nicolas Chopin, père du génial compositeur polonais* ». Depuis des générations, les Chopin habitaient la Lorraine. On retrouve leurs traces dans maints villages des Vosges : à Ambacourt, à Bralleville et à Marainville. Certains Polonais désireux de s'annexer complètement Chopin ont prétendu que ses ancêtres polonais, « Szop », seraient venus en Lorraine avec Stanislas Leczinski. Cette hypothèse, jadis soutenue par Wanda Landowska, est aujourd'hui abandonnée. A Marainville, les vignes n'occupent ni ne nourrissent l'homme durant toute l'année. Aux époques de relâche, entre les saisons vouées aux travaux des champs, François Chopin répare les voitures, ajuste moyeux et mancherons aux charrues et construit force brouettes.

De son union avec Marguerite Deflin est né, le 15 avril 1771, un fils, Nicolas, que précédaient deux filles. Les deux tantes, qui passeront à Marainville toute leur existence, vivront à l'époque où Frédéric séjournera lui-même à Paris. Jamais, toutefois, il n'éprouvera la curiosité d'aller les voir ou de leur écrire. Il ne semble pas, d'ailleurs, que Nicolas Chopin ait élevé son fils dans le culte de sa famille française.

Jamais Frédéric ne revendiquera une appartenance que les historiographes français sont les seuls à lui rappeler fièrement. « *Je suis mazovien, corps et âme* », déclarera le jeune musicien, frais émoulu du Conservatoire de Varsovie. Un seul aveu, toutefois, à la fin de sa vie : « ... *les Français, que j'ai fini par aimer comme les miens propres...* ». Mais revenons au père, trop peu connu, à notre gré.

Pourquoi, lesté d'un brevet d'études secondaires — l'orthographe [1] de la lettre citée plus haut démontre que la culture du scripteur laisse beaucoup à désirer — ce jeune Lorrain de dix-sept ans, décide-t-il de quitter sa province et sa famille au bénéfice d'un pays lointain et agité ? On ne le saura sans doute jamais — à moins que d'autres lettres [2] ne viennent éclairer ce point d'histoire demeuré obscur. On sait seulement que le fief de Marainville était alors l'apanage d'un seigneur polonais, Michel Pac, venu en Lorraine avec la suite du roi Stanislas Leczinski. Le domaine lorrain était administré par un certain Adam Weydlich, que Nicolas Chopin fréquentait depuis son enfance. Habitué à vivre en milieu polonais, peu tenté par l'héritage du métier paternel, rendu ambitieux par le succès de ses études classiques, sans doute avait-il tout naturellement suivi Weydlich quand celui-ci, aux approches de la Révolution française, regagna la Pologne ? En ces temps de voyages difficiles et de carrières aléatoires, les cadets de famille s'expatriaient volontiers dans le but, souvent illusoire, de faire fortune ailleurs. Dans le cas présent, le choix de la Pologne était tributaire de bien des aléas.

Destin de la Pologne.

Ce malheureux pays, qui n'avait jamais réussi à conquérir, au long des siècles, une unité durable, était victime de sa

---

1. Que nous avons intentionnellement respectée.
2. Celle que nous avons citée n'a été découverte qu'en 1949. Jusqu'alors, on avait imaginé que Nicolas Chopin avait quitté les siens en raison de dissentiments familiaux. La vérité ne surgit que très lentement du puits de l'histoire.

situation géographique. Coincée entre la Prusse, l'Autriche et la Russie, séparée de la Suède par le couloir baltique, la Pologne préservait périodiquement son indépendance en s'alliant à l'Allemagne pour repousser les invasions mongoles, ou aux Autrichiens pour battre les Turcs. Entre deux assauts des barbares, il lui fallait faire face aux convoitises de ses terribles voisins qui, d'un coup de dents, lui arrachaient un lambeau, une ville, une province.

La Pologne jouait alors le rôle du cheval de picador, sur lequel le fauve apaise ses ardeurs. Sans doute, devenue chrétienne à la fin du Xe siècle, bénéficiait-elle du soutien de la papauté. Mais, là encore, elle figurait un enjeu, plus qu'une alliée. Le Saint-Siège protégeait la Pologne dans la mesure où il jugeait politique de s'opposer à la croissance du pouvoir impérial germanique. Vassale de Rome, Cracovie subissait le contrecoup des caprices pontificaux. Les ères de tranquillité lui étaient chichement dispensées. Pour que la Pologne fût, un moment, libre d'assurer son propre destin, il fallait que l'empereur et le pape fussent occupés ailleurs. Sous la dynastie des Piast, jusqu'aux deux tiers du XIVe siècle, la nation polonaise avait vu se consolider son unité ethnique. Les Polanes s'étaient annexé Mazoviens et Silésiens, abandonnant la Bohême au contrôle de l'Allemagne. La Pologne demeurait essentiellement une province ecclésiastique, dotée d'un clergé important et d'une noblesse ambitieuse. Toutefois, les souverains Piast — Boleslas, Casimir, Mieszko — assurent-ils au pays un état relativement prospère et pacifique, en préparant l'avènement des Jagellons, qui consacreront l'union de la Pologne et de la Lituanie. Sous leur égide, Polonais et Lituaniens seront maîtres ou suzerains de la Prusse occidentale et de la Prusse ducale, de la Livonie, de la Courlande et de la plus grande partie de l'Ukraine, jusqu'à la révolte des cosaques en 1648. Peu après, les Suédois, sous le règne de Charles X, envahissent la Pologne, mais, pour compenser cet assaut, que Louis XIV cherche à arbitrer, Jean Sobieski bat les Turcs sous les murs de Vienne et détermine ainsi le déclin de la puissance ottomane, qui a été si longtemps le fléau de la chrétienté. Après Sobieski, le pays entre dans une ère de décadence. A la fin du xviie siècle, la Pologne cesse d'être indépendante. La Prusse, l'Autriche et la Russie s'unissent contre elle, sauvagement — mais si forts sont les réflexes chrétiens qu'elles décrètent l'un des partages de leur ennemie « au nom de la Très Sainte Trinité », sans préciser au juste si cette trinité sainte est formée de leur alliance terrestre, ou de l'union dans le ciel des Personnes divines !

A la faveur de ce partage, Frédéric le Grand reprend la Prusse occidentale et toute la partie nord de la grande Pologne. L'Autriche s'approprie la Galicie et la Russie occupe le vaste territoire qui s'étend au-delà de la Duna et du Dnieper. Les partages de 1793 et 1795 aggraveront encore les amputations. A la fin de l'année 1795, le dernier roi de Pologne abdiquera à Grodno et s'en ira mourir en Russie. Après huit siècles d'une histoire souvent glorieuse, la Pologne des Piast et des Jagellons a disparu, les trois puissances copartageantes s'engagent réciproquement à ne jamais se servir d'un titre capable de rappeler l'existence d'un royaume de Pologne. Si la royauté a succombé, du moins l'honneur du pays est-il sauvé par l'insurrection à la tête de laquelle Kosciuszko s'illustre. Mais, en dépit de beaucoup d'héroïsme dépensé en pure perte, la Pologne a vécu.

La Pologne en 1788.

Nicolas Chopin, arrivant à Varsovie en 1788, tandis que ces événements s'accomplissent, a pris part au soulèvement de Kosciuszko. Un hasard le fait échapper à la mort. Sa compagnie, commandée par le cordonnier Kilinski, a été appelée des avant-postes dans le centre de la ville, avant l'attaque et le massacre du faubourg de Praga. Ainsi donc, pris entre deux feux, ou deux risques — celui de se voir appelé sous les drapeaux français, celui de combattre en volontaire dans les rangs d'une puissance étrangère — il a choisi le second. Etrange instinct d'un Français, devenu polonais de cœur, au point d'en oublier son pays natal !

Ce qu'il trouve en Pologne a de quoi satisfaire, malgré tout, une âme aventureuse. Echappant au destin monotone d'une existence paysanne, Nicolas Chopin aborde un pays dont les malheurs avivent le courage naturel. L'occupation russe coïncide en effet avec une étonnante floraison intellectuelle et artistique. En dépit de l'oppresseur, un vent de liberté a soufflé sur le pays. Sans doute le servage subsiste-t-il encore : il ne sera aboli qu'en 1863. Mais les paysans, échappant à la tyrannie sans contrôle de leurs seigneurs, se trouvent placés sous la protection du pouvoir public. La noblesse, dont les privilèges extravagants remontent au xiii° siècle, voit s'affaiblir la puissance qui lui avait été jadis concédée par Casimir le Juste. Cette noblesse d'épée s'est acquis des biens considérables. Les Radziwill possèdent six cents villages. Les Lubomirski détiennent une fortune gigantesque. D'une princesse cracovienne, très âgée, la légende affirme qu'elle possède en millions le chiffre de ses années. De manifiques châteaux émaillent la plaine polonaise. Mais cette nation gouvernée par l'argent comme elles le sont toutes, a gardé toutefois le culte des valeurs idéales.

Une nation chrétienne.

Après huit siècles passés, la Pologne se souvient de sa vocation chrétienne, qui lui a valu un clergé actif et, même, tyrannique. La Vierge noire de Czestochowa, qui a protégé la Pologne au Moyen Age, est considérée comme la patronne du pays. Les saints nationaux foisonnent : saint Hyacinthe, saint Adalbert, saint Czeslaw, sainte Cunégonde, saint Stanislas Kostka, sainte Bronislawa, sainte Jadwiga. En l'an 1000, l'empereur Othon III, alors souverain de l'Empire romain, s'était rendu en pèlerinage avec le roi Boleslaw Chrobry au reliquaire de saint Adalbert, qui avait trouvé quelques années auparavant la mort chez les Prussiens de la Baltique. Les deux souverains — celui de Rome et le futur roi de Pologne — parcoururent pieds nus une grande partie du chemin menant aux ossements de Gniezno. Le pays tout entier a été marqué profondément au coin de la chrétienté : il s'est éveillé tout ensemble à la foi et à la vie nationale. La symbiose Christianisme-Eglise-Etat, réalisée dès l'origine, est plus que jamais vivante. Il est curieux que, placé dans le bouillon de culture catholique, Nicolas Chopin n'ait jamais témoigné du moindre sentiment religieux. Un goût très vif pour l'œuvre de Voltaire — il en a emporté un volume de Marainville — explique jusqu'à un certain point son indifférence métaphysique. Il faut dire que, jusqu'à l'heure de sa dernière maladie exclusivement, jamais son fils Frédéric ne laissera deviner le moindre souci de l'au-delà, la plus fugitive préoccupation surnaturelle. Le nom, la pensée de Dieu ne vient pas une fois en trente ans sous sa plume [1].

Orient-Occident.

Venu en Pologne avec une flûte, un violon et quelques livres, Nicolas Chopin va trouver dans son pays d'adoption ce que son canton vosgien lui a refusé : l'occasion de compléter son instruction et d'acquérir une culture raffinée. La comparaison entre la lettre citée au début de cette étude et d'autres adressées plus tard à son fils, accuse la métamorphose qui transforme assez rapidement un petit paysan français en un bourgeois polonais de la plus fine espèce. Nicolas Chopin parlera et écrira le français, l'anglais, le polonais, l'allemand et le latin — toutes langues qu'il enseignera d'ailleurs à son fils.

Vers 1794, en dépit de ses malheurs, jamais, depuis l'épo-

1. Il est possible — et même probable — que Nicolas Chopin, semblable en cela à tant d'hommes de son temps, ait appartenu à la franc-maçonnerie. Le fait que Frédéric ait fréquenté à Paris des francs-maçons notoires, tels Albert Grzymala et le banquier Léo, a fait croire à son appartenance maçonnique. Aucun fait précis n'est toutefois venu étayer cette thèse.

que si brillante de la Renaissance, le pays n'a connu un plus vif essor des lettres et des arts. Par son passé, sa religion, les tendances générales de sa culture et de son instinct, il appartient, moralement, à l'Ouest. Artiste dans le sang, le peuple polonais a le goût inné des livres, la passion d'apprendre, une tradition scientifique dont un Copernic figure le fleuron. Irréductiblement chrétienne, par nature agricole, géographiquement située à la charnière de deux civilisations, la nation bénéficie des méthodes de penser occidentales et des particularités du caractère slave. L'épreuve de l'occupation russe ne fait que rendre plus exigeant le sens patriotique, considéré comme une seconde religion. Varsovie renferme parmi ses cent mille habitants l'élite intellectuelle et sociale du pays. Somme toute, c'est un choix heureux qu'a fait Nicolas Chopin, en suivant Weydlich en Pologne. Certes, échappant à une révolution, il est tombé dans un soulèvement national. Mais quel est, en cette fin du XVIIIe siècle, la nation d'Europe qui peut se targuer de connaître la paix ? L'heureuse conséquence de tant de troubles guerriers va se faire sentir et les symptômes d'un renouveau sont déjà perceptibles : le romantisme est proche.

Vers l'enseignement.

En l'an de grâce 1794, Nicolas Chopin se soucie fort peu de cela. Il faut vivre : la tournure de son esprit, foncièrement réaliste, ne le porte point à rêver. Ce Lorrain acclimaté en Pologne a emporté dans son maigre bagage les vertus de son terroir : il a l'esprit clair, l'âme méticuleuse, un solide instinct d'économie gouverne tous ses actes. Plus tard, il trouvera le moyen de mettre de côté, sur ses gages de professeur, une somme de vingt mille roubles qu'il prêtera à son pupille, Michel Skarbek. Musicien, épris de l'art brillant du XVIIIe siècle, jouant un peu de flûte et de violon en amateur, il en saura assez pour reconnaître d'emblée les dons exceptionnels de son fils, mais, toujours, il gardera la tête froide, et, dans une certaine mesure, Frédéric héritera cette pudeur de sentiments qui nous vaudra, côte à côte, une musique brûlante et des commentaires réservés. Bon père, peu expansif, époux assidu, maître de maison avisé, chef de famille ferme et tolérant, Nicolas laissera à ses enfants le regret qu'inspirent généralement les hommes à l'humeur égale et à la vie bien réglée. Il a rempli plusieurs emplois, sans aller jusqu'à « faire ces trente-six métiers » dont notre Duvernois note spirituellement qu'ils conduisent rarement à un trente-septième avantageux... Dès son arrivée à Varsovie, il s'est lié avec un compatriote qui gère une petite manufacture de tabac. Nicolas en assure la comptabilité. Le soulèvement de 1793 aura pour conséquence la fermeture de la fabrique. S'il a gagné dans la bataille des rues des galons d'officier, Nicolas a perdu son gagne-pain. Dès la paix revenue, il s'interroge : que faire ? A deux reprises, il imagine de rentrer en France : par deux fois, une maladie bénigne le contraint à rester sur place. Ses moyens d'existence sont précaires. Enseigner le français ? Soit — mais à condition de s'être perfectionné dans la connaissance d'une langue qu'il possède imparfaitement. C'est en apprenant soi-même qu'on devient un bon professeur. Voici donc Nicolas Chopin donnant des leçons de français à droite et à gauche. Ses élèves sont nombreux. A Varsovie comme à Moscou ou à Pétrograd, le comble de la distinction est de parler français, cela vous pose un homme, comme on le voit en lisant les romans de Tolstoï, où abondent les dialogues dans notre langue. Parmi ses élèves, Nicolas Chopin compte une jeune aristocrate, Maria Laczynska de Czerniejew qui, plus tard, sous le nom de Marie Walewska, aura un destin historique. Ignorant à cette époque jusqu'au nom de Napoléon, dont elle sera un jour la maîtresse malheureuse, elle est, en toute innocence, la camarade de jeux du jeune Frédéric Skarbek, âgé de dix ans. La comtesse Skarbek apprécie le précepteur des jeunes Laczynski, elle lui confie l'éducation de ses cinq enfants qui vivent, avec elle, à une soixantaine de kilomètres de Varsovie, en pleine campagne, à Zelazowa-Wola.

Zelazowa-Wola.

Au cœur d'un beau jardin capricieusement dessiné, planté
d'ormes et de châtaigniers, parcouru d'un ruisseau qui se
déverse dans un petit lac, s'élève un manoir aux murs recou-
verts de plantes grimpantes. La maison est confortable,
d'aspect rustique [1]. Dans ce cadre campagnard, Mme Skarbek, divorcée, est secondée, dans l'éducation de ses enfants,
par une cousine pauvre et orpheline, Justyna Krzyzanowska.
Cette jeune fille, lointainement apparentée aux Skarbek, a
vingt ans — l'âge de « faire une fin », c'est-à-dire de commencer une existence conjugale. Son emploi d'intendante est
précaire et la vie est longue, quand rien ne l'égaye. Sans doute
est-elle bien traitée et les enfants, dont l'aînée a dix ans, l'adorent. Modeste, non pas vraiment jolie, mais fine, d'allures distinguées, le visage éclairé d'yeux très bleus, divisé par un nez
busqué qu'elle léguera à son fils, une tête racée couronnée
d'épais cheveux blonds, Justyna pratique, sans la moindre
affectation, l'effacement éclatant : rien ne la fait remarquer. Sa réserve même la désigne à la sympathie. A la voir,
tous les jours, à table en face de lui, à la rencontrer sans
cesse dans les couloirs de la petite maison, sevré comme elle
de toute distraction qui ne fût pas campagnarde, Nicolas
Chopin sent son intérêt s'éveiller pour cette jeune fille simple
et charmante. Son caractère égal lui paraît un gage de bonheur. Il l'observe tout à loisir, du haut de ses trente et un
ans, qui lui ont appris à prendre son temps pour décider des
choses sérieuses. Au long de quatre années, il étudie sa
future femme, il vit avec elle l'alternance des saisons. Durant
les longues soirées d'hiver, il joue du violon ou de la flûte,
accompagné au piano par Justyna, qui possède un aimable

---

1. La maison natale de Chopin, dépendant du manoir, existe
toujours. Elle est, de mai à octobre, le but d'un pèlerinage
assidu. On vient, du monde entier, visiter cette maison où
subsiste un des pianos de Chopin ; des virtuoses polonais s'y
succèdent pour faire entendre aux touristes les pages célèbres
du compositeur.

talent d'amateur. Ensemble, ils chantent des romances polonaises et françaises. Nicolas cultive la poésie, il compose
de petits poèmes dans l'une et l'autre langue. Rien de
plus favorable que cette vie retirée à la campagne pour se
bien connaître et juger des caractères. D'autant plus que,
dans le cas présent, chacun des hôtes de Zelazowa-Wola
est appelé à sortir de son rôle strict pour rendre de menus
et mutuels services. Nicolas Chopin soulage la comtesse
Skarbek des soins d'une comptabilité domestique qui l'obsède. Il accompagne Justyna chez les paysans voisins, que
la châtelaine secourt. A faire ensemble la charité, ils s'en-
trestiment. Sans se l'être avoué, ils s'avisent un beau jour
d'un sentiment réciproque. Le 2 juin 1806, le mariage est
célébré dans l'église de Brochow. Nicolas a trente-cinq ans
— onze de plus que sa femme. Secrètement flatté d'épouser
une « aristocrate », il n'a point cherché à dissimuler l'humi-
lité de ses origines. Sa bonne mine, gage de distinction, parle
en sa faveur plus éloquemment qu'un brevet de noblesse.

Le jeune couple s'installe dans un pavillon proche de la
maison principale : trois pièces sommairement meublées.
Apparemment, rien n'est changé dans le rythme de la vie
quotidienne. La jeune Mme Chopin continue d'aider sa cousine, elle partage avec la fille aînée la gestion de la maison.
Le plus âgé des garçons Skarbek va poursuivre ses études
au lycée de Varsovie. Un bonheur sans ombre éclaire le
ménage de Nicolas Chopin.

L'Empereur arrive.

Sans ombre sentimentale — mais non pas sans orages
nationaux.

Au mois de mai 1806, Napoléon, après les victoires
d'Austerlitz et d'Iéna, dirigeait ses armées sur Varsovie. Des
bataillons polonais, qui avaient combattu sous l'étendard
français en Italie et qui s'y étaient d'ailleurs fait décimer,
étaient de retour au pays. Ils apportaient des nouvelles cons-
ternantes. Quatre ans plus tôt, cinq mille d'entre eux avaient

été envoyés à Saint-Domingue pour y réprimer un soulèvement et la malaria avait fauché leurs rangs. L'Empereur
multipliait les promesses et signait des traités de paix, tout
en enchaînant guerre sur guerre. Son arrivée en Pologne
était de mauvais augure, nul n'ajoutant foi à ses promesses.
Nicolas Chopin, que les jeux de la politique laissent profondément indifférent, se dit que l'empereur des Français
est bien mal avisé de venir aggraver la situation d'un pays
qui est déjà sous la botte de l'occupant russe. Aucune sympathie patriotique ne le porte vers Napoléon. Il admire trop
Voltaire et Rousseau pour ne pas se méfier d'un dictateur,
fût-il couronné.

Certes, Napoléon vient d'affaiblir considérablement les
trois nations ennemies de la Pologne : l'occasion ne s'offre-
t-elle pas à lui de restaurer dans son indépendance le pays
qui a tant souffert de la Prusse, de l'Autriche et de la
Russie ? Les légions polonaises qui l'accompagnent dans sa
marche victorieuse constitueront l'ossature de l'armée rénovée : hélas ! la paix de Tilsit décevra, le 3 juillet 1807, bien
des espérances ! Craignant d'irriter le tsar en faisant revivre
le royaume de Pologne, il se contente d'ériger la province
centrale — un cinquième du pays — en « duché de Varsovie », placé sous la souveraineté de Frédéric-Auguste, roi de
Saxe [1]. Plus tard, il promettra à Marie Walewska que son fils,
Alexandre, sera un jour roi de Pologne. Chimère, dont elle
ne se bercera même pas ! La paix de Vienne, conclue le
14 octobre 1809, ne donnera pas davantage l'entière satisfaction escomptée — les Russes devant refuser la restitution de tous les territoires subtilisés à la Pologne en 1795.

Naissance de Frédéric.

Au moment précis où le « duché de Varsovie » va passer
sous le contrôle de l'administration française, un premier
enfant couronne l'union des Chopin : Louise-Ludwilla naît,

1. En 1815, le duché sera réuni à la Russie.

le 6 avril 1807. Deux ans plus tard, un second enfant s'annonce. L'hiver de 1810 est extrêmement rigoureux : n'est-il pas imprudent d'accoucher en rase campagne ? Nicolas décide de faire confiance à l'excellente santé de sa femme [1] et l'événement lui donne raison, puisque le vendredi 1ᵉʳ mars 1810, né sans difficulté, Frédéric-Francis Chopin pousse son premier cri. Deux mois plus tard, le curé de Brochow le baptise à Zelazowa-Wola et profite de cette occasion pour le déclarer à l'état civil, avec une erreur à la clé : sur le registre officiel, la naissance est enregistrée à la date du 22 février. Nicolas Chopin, qui signe l'acte en compagnie de deux témoins, Josef Wyrzykowski et Frédéric Gert, ne rectifie pas l'erreur [2]. L'enfant est baptisé le 23 avril dans l'église de Brochow par l'abbé Duchnowski. La comtesse Skarbek, sa marraine, le tient sur les fonts.

L'année 1810 marque l'entrée dans le monde de Chopin, de Schumann et de Musset. Un an plus tard, Liszt naîtra. En 1813, ce sera le tour de Wagner. Le « cru » de l'époque est excellent.

La pension Chopin.

Frédéric ne passe que les six premiers mois de son enfance à Zelazowa-Wola. En effet, le professeur de français de petites classes du lycée de Varsovie étant tombé malade, le recteur Bogumil Linde demande à Nicolas Chopin de le remplacer. Cette proposition est accueillie d'autant plus volontiers que le manoir commence à se dépeupler. Les enfants

---

1. Mme Chopin vivra jusqu'à plus de quatre-vingts ans, son mari jusqu'à soixante-treize ans.
2. Mais, par la suite, Frédéric Chopin affirmera à mainte reprise être né le 1ᵉʳ mars, sous le signe des Poissons : « Il tient cette date de ses parents, qui, s'étant trompés une première fois, ne risquaient pas de commettre une seconde erreur. » De nombreux biographes persistent à assigner à la naissance de Chopin la date du 22 février : elle figure — faussement — sur la plaque apposée sur la maison parisienne où il est mort, 12, place Vendôme.

Skarbek le quittent, l'un après l'autre, et les parents de
Frédéric Chopin voient s'amenuiser leurs rôles respectifs.
Le lycée de Varsovie leur offre de vastes locaux et des conditions financières à vrai dire si modestes que, très rapidement,
Nicolas Chopin, imitant en cela d'autres maîtres de l'établissement, sollicite et obtient l'autorisation de prendre des
élèves en pension chez lui. Ses premières recrues seront les
deux jeunes fils Skarbek et trois de leurs cousins. Ainsi
s'établira tout naturellement le renom de la pension Chopin
qui passera pour l'établissement « chic » de la capitale. A
l'exemple des Skarbek, mainte famille de l'aristocratie et de
la bourgeoisie confiera ses rejetons à Nicolas et à Justyna
Chopin, dont la maison, bien tenue, jouit d'une excellente
réputation. Dans ses *Mémoires*, le comte Frédéric Skarbek,
devenu lui-même professeur à l'université de Varsovie, loue
les grandes qualités de son premier éducateur. Nicolas
Chopin tient au « standing » de son pensionnat ; avec un
flair très sûr, il n'y admet que des garçons de bonne
famille, qui seront les premiers amis de Frédéric : Titus
Woyciechowski, Julien Fontana, Jean Matuszynski, les frères
Wodzinski, Jean Bialoblocki.

Le 9 juillet 1811, un troisième enfant, Isabelle, naît chez
les Chopin. Méthodiquement, le père fait face à des charges
accrues et sollicite deux nouveaux emplois : le voilà nommé
professeur de français à l'Ecole de préparation militaire et
à l'Ecole d'artillerie et du génie. Quand, deux ans plus
tard, la petite Emilie viendra au monde, Nicolas accédera,
avec un traitement supérieur, aux grandes classes du lycée.
L'ordre règne, sinon à Varsovie, du moins à la pension
Chopin.

Troubles nationaux.

Nationalement, les choses se gâtent. En 1812, Napoléon
déclare la guerre à Alexandre Ier. Les Polonais y voient,
bien à tort, un gage de retour à l'indépendance. En fait,
l'Empereur enrôle cent mille Polonais, en embrigade un tiers

sous les ordres de Joseph Poniatowski, les engage à Smolensk, à Borodino et à la Berezina, voit fondre leurs bataillons et laisse les Russes occuper Varsovie. Le 26 septembre 1815, au Congrès de Vienne, interrompu par le retour de l'île d'Elbe, la Pologne subit son quatrième partage. L'ancien duché de Varsovie, quelque peu retaillé, est rattaché à la Russie, Cracovie devient ville libre, une Pologne autrichienne et une Pologne prussienne sont très artificiellement constituées. La souveraineté nationale est fictivement accordée au pays, dont la majeure partie retombe sous la botte russe. Une fois encore, la vie intellectuelle et artistique sortent de l'épreuve, non pas affaiblies, mais rénovées. En 1818, une université s'ouvre à Varsovie, la société des sciences prend un vif essor, la vie des lettres est plus florissante que jamais, la musique prospère. Stanislas Potocki, ministre de l'Instruction publique, dirige son département avec une vigueur peu commune. Par malheur, Adam Czartoryski, ancien ministre des Affaires étrangères, et Kosciuszko, général en chef, sont écartés du pouvoir par le tsar, promu roi de Pologne. D'où une recrudescence de haine : dans tous les foyers polonais couvent des projets de revanche contre l'occupant maudit. On voue un culte passionné aux héros qui, à travers les âges, ont combattu pour la patrie : Kosciuszko, Sobieski, tout récemment Poniatowski. La *polonaise*, danse nationale, est doublement à la mode. Rien d'étonnant que Chopin lui prête les accents de son génie. Autour de son berceau, on ne fredonne que des chants de revanche.

II

DÉBUTS

Sur les premières années du musicien, on ne sait, hélas, rien de précis. L'intérêt passionné qu'aujourd'hui nous portons aux moindres faits et gestes de Frédéric Chopin ne s'exerce évidemment pas à l'égard d'un enfant considéré par tous — et par ses parents les premiers — comme semblable aux autres. On sait seulement qu'assez vite deux clans se forment entre les quatre enfants Chopin : il y a le « club des grands », formé par Louise et Frycek — et le « coin des petits » où s'agitent Isabelle et Emilie. Louise est la plus vigoureuse et la mieux portante. Les trois autres sont sans cesse enrhumés et en proie à l'anémie. La pédiatrie est, en ce début du XIXe siècle, une science dans les limbes, les docteurs Roemer et Malez, fréquemment appelés en consultation par Mme Chopin, se contentent d'administrer les empiriques à la mode.

Premier contact.

Le premier contact du futur compositeur avec la musique est décevant. Frycek écoute une fanfare et pousse des cris affreux. Il a dû honnir d'emblée la musique bruyante et vide. Plus tard, revenant sur ce souvenir d'enfance, il stigmatisera les « fanfares en cuivre » de son ami Berlioz, jugées par lui « sonores et vaines ». Epris de la « musique qui dit les choses à mi-voix », il déteste les propos hurlés à pleine gorge. Ainsi, une déception le guette dès l'orée de sa carrière. Heureusement, les récidives sont pleinement encourageantes. Il écoute avec plaisir son père, flûtiste et violoniste amateur [1]. Sa sœur Louise, qui montre pour tous les sujets d'études des dispositions précoces, apprend le piano « pour donner l'exemple à Frycek ». C'est elle qui met la première les doigts du petit frère sur le clavier du piano familial. Faute de connaître le résultat de la première leçon, force nous est de brûler les étapes. Du moins savons-nous avec certitude que « des dons évidents s'affirment » — si bien qu'à trois ans, Frycek improvise des petits morceaux au clavier, supplie qu'on le laisse jouer à sa guise, passe des mains de sa sœur à celle de sa mère, laquelle déclare un beau jour qu'à un enfant aussi bien doué, il faut un professeur convenable. L'heure de Zywny a sonné.

D'après Dickens.

Adalbert Zywny, violoniste et clavicordiste, est venu de Bohême avec le prince Sapieha. Nommé pianiste de la Cour, il a connu de grands espoirs, qui se sont effondrés avec la Cour elle-même. Désabusé, Zywny s'est réfugié dans l'existence médiocre de professeur de quartier, il va de porte en porte, donner des leçons à des enfants qui, généralement, n'en méritent point. L'homme, tel que le dépeint son élève, est haut en couleur : perruque rousse de travers, lunettes de fer chevauchant un long nez aigu, dans les narines duquel il enfourne prise sur prise, un gros mouchoir rouge à carreaux et, en guise de pochette, un énorme crayon qui lui sert au besoin de baguette pour menacer les doigts fautifs. S'adressant à son petit élève, il lui parle cérémonieusement, à la troisième personne, comme c'était la coutume en Allemagne au xviiie siècle. La candeur du vieux monsieur — il a soixante et un ans — ravit la nature malicieuse de

----

1. Dont, plus tard, il jugera, non sans humour, le talent incertain...

Frycek. Un jour, âgé de quinze ans, celui-ci écrira à son
ami Jean Bialoblocki :

« Cher Jeannot,

« Mon cher Jeannot — encore une fois, mon bien cher
Jeannot ! — sans doute as-tu trouvé bizarre que je ne t'aie
écrit depuis si longtemps. Voici. Il y a trois jours, j'étais
assis à ma table, la plume à la main. J'avais déjà écrit la
première période. Comme elle sonnait musicalement, je me
mis à la lire en grande pompe à Zywny, qui donnait une
leçon à Gorski [1], à peu près endormi sur le piano.

« Aussitôt, Zywny de claquer les mains, de se moucher,
de rouler son mouchoir, de l'enfoncer dans la poche de sa
crosse redingote ferte si pien rempourrée, puis de remettre
sa perruque en place et de dire :
— A qui écrit-il donc cette lettre ?
« Je réponds :
— A Bialoblocki.
— Hum, hum, à Monsieur Bialoblocki ?
— Mais oui, à Bialoblocki !
— Bon, et où adresse-t-il la lettre ?
— Où ? A Sokolowo, comme d'habitude.
— Et comment va M. Bialoblocki ? Ne le sait-il pas ?
— Assez bien, dis-je, sa jambe va mieux.
— Ah ! elle va mieux. Hum, hum, hum, bon ! Et lui,
a-t-il écrit à M. Friedrich ?
— Il m'a écrit, répondis-je, mais il y a déjà assez long-
temps.
— Ah ! Et combien de temps y a-t-il ?
— Pourquoi me le demandez-vous ?
— Hé, hé, hi ! hé ! hi ! se met à rire Zywny.
« Etonné, je lui demande :
— Savez-vous quelque chose de lui ?

---

1. Cajetan Gorski, élève du pensionnat Chopin. En 1825,
Frédéric a cessé depuis trois ans de prendre des leçons avec
Zywny.

— Hé ! hé ! hé ! hé ! hé ! Et il rit de plus belle, agitant sa charmante petite tête.

— Il vous a donc écrit ?

— Pour sûr qu'il m'a écrit !

« Et il nous apprend alors une triste nouvelle : ta jambe ne va pas mieux et tu es parti faire une cure en vieille Prusse, pour la guérir.

— Mais pour où est-il parti ? Où est-il donc ?

— A Bischofswerder.

« C'était la première fois qu'une voix humaine me disait ce nom. En autre temps, il m'eût fait éternuer et rire mais, à ce moment-là, il m'a fait beaucoup de peine. »

A lire ce récit, on imagine Zywny sous les traits d'un vieillard délicieusement baroque, tel qu'il en fourmille dans les romans de Dickens. Mais ce fantoche, « qui est à la maison l'âme de toutes les réjouissances, qui se laisse attraper par Maman en ployant le dos », témoigne d'un rare mérite à l'égard du petit Chopin. D'abord, il diagnostique presque tout de suite un talent hors du commun. Ensuite, au lieu de faire jouer à Frycek les horreurs à la mode, il se souvient du culte que lui-même, tout enfant, a voué aux grands classiques, particulièrement à Bach et à Mozart. C'est lui qui les révèle à Frycek, dont ils seront désormais les dieux. Bien plus tard, à Paris, Chopin jouera par cœur devant une élève médusée plusieurs *Préludes et fugues* du *Clavecin bien tempéré* : « Cela ne s'oublie pas... » dira-t-il en souriant. Et, en effet, ce qu'on a appris dans le jeune âge, ce qui a nourri l'imagination naissante, ce pour quoi on a éprouvé le « coup de foudre » de l'enfance nous reste dans la mémoire jusqu'à la fin de nos jours.

Ainsi, dès sa septième année, au bout d'un an d'études sérieuses — mais, de son propre aveu, jamais Chopin ne fera plus de trois heures par jour de piano — Zywny lui fait jouer des *sonatines* de Mozart et les plus accessibles *Préludes et fugues* du terrible *Clavecin*. Frycek y est « comme chez lui », Bach et Mozart sont de sa famille artistique. Nul doute que ses soucis stylistiques, Chopin les ait puisés à cette source. Jamais, au feu des ardeurs les plus déchaînées, il n'oubliera la leçon d'écriture et de pensée des deux maîtres classiques.

Un maigre répertoire.

De quoi, vers 1817, pouvait se composer, à Varsovie, le répertoire d'un apprenti pianiste ? Outre Bach et Mozart — déjà cités et auxquels Frycek voue une prédilection tout à fait exceptionnelle pour l'époque [1] — Beethoven (Chopin a travaillé plusieurs sonates jusqu'à l'opus 58. D'un des derniers trios de Beethoven, il écrit « qu'il n'a jamais rien entendu de si beau : Beethoven se moque du monde entier... »), Haendel, Scarlatti, Weber. Il jouera plus tard un peu de Mendelssohn, rien de Schumann, non plus que des clavecinistes français des XVIIe et XVIIIe siècles ; et, naturellement, les compositeurs-pianistes de son temps — Ries, Hummel, Kalkbrenner — ainsi que les Polonais contemporains ou légèrement antérieurs, tels que Oginski, Kaczkowski, Kawriewski, Lessel, Maria Szymanowska, Kurpinski, Lipinski, Mirecki, Nowakowski, Nidecki, Dobrzynski, Elsner, etc. Sans la moindre curiosité historique [2] il n'a probablement connu de la musique polonaise savante, monodique et polyphonique, que ce qu'il a pu entendre, ici ou là, dans une église, à la faveur d'une cérémonie. Du florilège national constitué à partir du XVe siècle par les Radomski, les Jean de Lublin, les Leopolitanus, les Szadek, les Zarka et les Krainski, il n'a sans doute rien soupçonné. Au théâtre lyrique — fort récent : l'Opéra de Varsovie date de 1765 — il entendra, à partir de sa quinzième année, des ouvrages de Rossini (il aime fort *le Barbier* et tient le finale du premier acte du *Comte Ory* pour un chef-d'œuvre), Weber (*le*

---

1. On considérait alors Bach comme un « faiseur d'exercices ». Plus tard, à Leipzig, Mendelssohn suscitera le culte de Bach.
2. En quoi, à son époque, Chopin ne fait d'ailleurs pas exception.

Freischütz), Cimarosa, Onslow, Spontini, Elsner et Kurpinski. Il porte dès son enfance le plus vif intérêt au folklore national, se fait chanter des *mazurkas* moyennant une obole par une « Catalani de village » et prend idée, sinon modèle, du rythme si caractéristique de la *polonaise* en lisant celles d'Oginski et de Kaczkowski. Il suit les cours de philosophie esthétique populaire professés par Brodzinski. La vie musicale à Varsovie est active entre 1810 et 1830. Outre quelques virtuoses de passage, on a souvent l'occasion d'entendre tel de ces orchestres entretenus par les familles seigneuriales ou de riches bourgeois. C'est ainsi qu'on se réunit fréquemment pour faire ou entendre de la musique dans les salons des Jablonowski, Nakwaska, Kicka, Zamoyski, Plater, Brzostowski, Grabowski. Enfin, l'amateurisme « distingué » joue un rôle important. Nul doute que Chopin ait entendu fréquemment ces musiciens mondains, instruits dans leur art, qui avaient nom princesse de Wirtemberg, Laure Potocka, F. Kochanowska, comtesse Chodkiewicz, comte Rzewuski et Mlle Beydale. Pour l'époque, un tel horizon musical, sans être très vaste, est déjà important. Mais revenons aux débuts de l'enfant prodige.

Pianiste-né.

L'étonnant est que, justement, on n'élève pas en couveuse le petit poussin. Nicolas Chopin a le rare mérite de traiter cet oiseau rare selon la loi normale et d'imposer à Zywny un comportement à la fois simple et rigoureux à l'égard de son élève. On s'avise que Frycek a — c'est l'évidence — une main de pianiste, idéalement constituée dès son jeune âge, une mémoire prompte et fidèle, du goût dans l'exécution, un don d'imitation qui s'exerce dans ce domaine comme en tous les autres — enfin, que, très tôt, s'éveille en lui un instinct créateur qui s'exprime en de menues compositions, typiques et mieux qu'encourageantes. L'enfant travaille docilement, sans se faire jamais prier ; pour lui, les choses vont

« toutes seules », sans problème ni cas de conscience, la musique est son élément, il y nage en eau claire. Détail qui a son importance : s'il aime la musique plus que toute autre chose, il n'est pas exclusif dans ses goûts et ses habitudes ; ses travaux scolaires sont correctement accomplis et, différent en cela d'autres petits phénomènes qu'on n'arrache pas facilement à leur piano ou à leur violon, il consent très volontiers à changer d'occupation, à prendre de l'exercice, à se distraire. Frycek est un enfant sensible, mais équilibré. La musique est son pôle — non point son boulet : il a d'autres horizons — mais ses yeux sont fixés sur une étoile qui le guide dans la nuit de l'adolescence.

On ne possède aucun portrait de Chopin enfant [1]. Personne — maître ou parent — n'a rien noté sur son caractère d'enfant. On sait seulement qu'il est de nature primesautière, aimant à faire des farces, riant sans motif, taquinant ses sœurs, turbulent, traité par elles avec affection, mais sans trop de considération pour ses dons étonnants, respectueux de ses parents, un peu délicat de santé, d'appétit capricieux et souffrant assez souvent des dents. L'ambiance familiale est celle même que l'on peut souhaiter à un enfant de son espèce, en ce que la discipline s'y équilibre d'une chaude affection. Et le pensionnat Chopin procure à Frycek de jeunes camarades de son âge, dont la plupart resteront ses amis. Fils, pour la plupart, de propriétaires terriens qui se trouvent dans la nécessité de faire instruire leurs enfants au loin, ceux-ci ont nom Titus Woyciechowski, Jean Bialoblocki, Julian Fontana, Jean Matuszynski, Pruszak, Skarbek, Gorski, Zabolli, Rogozinski, Podbielski, Lesser, Wolowski, Zalewski, Witwicki, Magnuszewski, Mochnacki, etc. Nous en retrouverons plus d'un au cours de ce récit. Appartenant tous à une classe aisée, de bonne souche et d'éducation soignée, ils procurent à Frycek le plus agréable compagnonnage. L'enfant acquiert à leur contact de belles et bonnes manières, qui le font rapidement distin-

---

1. Le premier portrait connu est de Miroszewski ; il date de la dix-septième année de Frédéric Chopin.

guer. Aucun musicien au monde n'a reçu l'éducation raffinée dont Chopin a bénéficié. L'image, rebattue, du « jeune
prince » est, ici, parfaitement justifiée.

Peu après leur installation à Varsovie, les Chopin ont
déménagé. Primitivement installé dans les locaux du palais
Saxon, le lycée va occuper l'ancien palais Casimir, faubourg
de Cracovie. Tous les avantages sont réunis : le nouvel
appartement de la famille Chopin est plus spacieux que le
précédent. Il occupe toute une annexe du palais proprement
dit : ainsi ne s'opère-t-il aucune confusion entre les pensionnaires de Nicolas Chopin et les élèves libres du lycée. Frycek
et ses camarades n'ont qu'une simple cour à traverser pour
aller suivre leurs classes. Un vrai parc s'étend autour des
bâtiments scolaires. Enfin, par un hasard heureux, le Conservatoire de musique est tout proche, dans la même avenue.
L'expression « avoir tout sous la main » — famille, maison,
école, jardin — revêt ici un sens exact. On vit au cœur de
Varsovie, et, cependant, en pleine nature. Un regard — et
l'on se croit à la campagne. Un pas — et l'on est dans la rue.
Le spectacle en vaut la peine.

Varsovie en 1820.

Varsovie s'éveille de très bonne heure. Dès quatre heures
du matin, on entend rouler les voitures chargées de fruits et
de légumes, qui vont approvisionner les marchés — les
grands chars en bois, grinçant et cahotant par les rues pavées
de neuf, arrivent aux barrières de Mokotow, de Wola et
de Marymont, apportant du foin, du grain et des volailles.
En pleine nuit, les boulangers distribuent aux étalages le
pain frais et les pâtisseries odorantes. Les pêcheurs trient
dans les baquets les tanches, brochets et saumons pêchés
la veille au soir. A l'usage des ouvriers venus des quartiers
périphériques, les gargotes servent des saucisses, du bortsch
et du chou bouilli. Avant le jour, la moitié des Varsoviens
sont déjà debout.

A cinq heures, manufactures et usines ouvrent leurs portes.

Sur les chantiers, on reprend le travail, interrompu par la nuit. Dès six heures, les ménagères apparaissent dans les rues. Elles se rendent sur les principaux marchés — sur la place Pode Lwem (Au Lion), derrière Zelazna Brama (la Porte de Fer) au quartier Grzybow ou vers la vieille ville, pour acheter aux paysans, négligeant les intermédiaires, volailles, farine, semoule, beurre, fromages, œufs, légumes et fruits. L'animation des marchés de plein air rend la ville semblable à un immense village. N'étaient les hautes maisons et le quadrillage des petites rues, on se croirait à la campagne.

A sept heures en été, à huit heures en hiver, se répand à travers les rues l'essaim des écoliers en uniforme, leurs cartables à la main, leur goûter dans la poche. Cette bruyante jeunesse s'engloutit derrière les grilles massives qui rendent tant d'écoles semblables à des prisons ! Mais l'animation de la rue ne ralentit pas pour autant. Durant tout le jour, des chariots chargés de troncs et de planches arrivent du quartier de Praga, les fiacres se croisent et, parfois, s'accrochent, de grandes voitures basses livrent aux détaillants les tonneaux de vin et de bière. Les breaks légers passent au galop de leurs pur-sang, distançant aisément les véhicules utilitaires qui transportent le sable, les briques, la chaux, les pierres. Dans les quartiers résidentiels, les carrosses exercent un droit de passage prioritaire. La circulation est intense et, dans les rues sans trottoirs, les piétons se fraient avec peine leur chemin.

Vers neuf heures, c'est la fin des marchés, l'ouverture des bureaux et des administrations. Les élégants mettent le nez dehors, la fraction oisive de la ville paraît aux portes. Les magasins des rues habitées par l'aristocratie — Krakowskie, Przedmiescie, Nowy Swiat, Krolewska et Miodowa — s'animent. Les raffinés dégustent leur chocolat matinal chez Lessel, Buol ou Semadeni. Les cours des demeures privées sont envahies par une foule de camelots, joueurs d'orgue de Barbarie, chiffonniers et marchands d'ail. Sur les places publiques s'installent, entre quatre cordes ou sur des estrades de fortune, des jongleurs, bouffons et joueurs de lyre, qui psalmodient les élégies populaires. L'armée défile au son des orchestres militaires.

L'heure de midi amène sa trêve. Restaurants et auberges s'emplissent. A deux heures, les ministères se vident : la journée du fonctionnaire est terminée.

Vers cinq heures, c'est à ne pas mettre un pied devant l'autre : les ouvriers rentrent des usines, les enfants des écoles, les élégants des déjeuners en ville. Les dames partent en promenade aux environs de Varsovie, ou, sans quitter la ville, au parc Saski ou au parc de Lazienki. Les messieurs en costumes à la mode, cols et manchettes empesés, souliers vernis, chapeaux hauts de forme, accompagnent les dames ou se promènent, solitaires. Dans la haute société il est bon ton de redouter le grand air : « Je ne te trouve pas bien bonne mine, aujourd'hui », déclare le prince Czartoryski à sa femme, « je parie que tu es encore allée te promener à travers champs ! » A chaque pas, on croise des étrangers — Français, Italiens, Allemands — reconnaissables à leurs costumes. Et si l'on n'y coudoyait pas tant de militaires, polonais ou russes, tant d'espions et d'indicateurs de police, on se croirait à Paris ! Le soir venu, les fenêtres s'illuminent, les cabarets sont assiégés, ceux qui ne dînent pas chez eux vont passer la soirée dans l'un des innombrables cafés qui offrent à la conversation comme au loisir l'agrément de salons confortables : Pod Kopciuszkiem (Cendrillon), Dziurka (le Petit Trou). A la « Vieille Pologne », les cafés de Brzezinska et de Paris sont les plus fréquentés. Vers onze heures s'achèvent les représentations au Théâtre national et à la Heca. Cafés et restaurants croisent leurs volets, les dernières voitures circulent, les jeunes mondains regagnent leurs demeures.

Une ville hétéroclite.

A l'époque où se situe ce récit, Varsovie, avec ses cent mille habitants, fait figure de grande ville [1] — une des plus

---

1. Lyon en compte 106 000, en ce même temps.

grandes d'Europe. Elle offre un aspect curieusement hétéroclite, alignant dans la même rue palais et masures, belles
demeures patriciennes et sordides échoppes. Les palais, au
nombre de cent cinquante, sont construits dans le style italien. Les grands immeubles de pierre aux façades sculptées
alternent avec de simples maisons de bois qui flambent avec
une facilité consternante. Les rues sont dégoûtantes ; dès
qu'il pleut, on s'enlise, en les traversant, dans un fleuve de
boue. La voirie est rudimentaire, la discipline sanitaire
inexistante. Sans doute, l'assainissement, tout relatif, de
la ville fait-il des progrès rapides grâce à Wojda, qui prend,
en 1815, la tête de la municipalité. En quinze ans, la population de la ville croîtra d'une bonne moitié.

Ville de passage — ville de contrastes, où l'on observe,
selon Tolstoï « un rapprochement de la pompe asiatique
et de la saleté du Groenland ». Moscou, à la même époque,
n'est guère plus ragoûtant et, sous l'aspect de la propreté
comme de l'hygiène, Paris ne l'emporte guère sur Varsovie.
Quel que soit le degré de civilisation du pays, toute ville,
jusqu'à l'époque des découvertes modernes relatives à la
voirie et à l'élimination des déchets, est tributaire de semblables défectuosités. Celle-ci détient le privilège de la « couleur locale » et d'une extrême variété de types humains :
élégants à la dernière mode de Paris, officiers en garnison,
épées et bottes rouges, Juifs barbus, Turcs, Grecs, Russes,
Italiens, quelques Français — Varsovie telle que l'a connue
Chopin est un carrefour où se rencontrent la civilisation
occidentale et la tenace tradition d'un Orient coloré. La ville
a du caractère.

Mais bien des aspects du pays laissent à désirer.

Une nation rurale.

En 1815, on dénombre 3 200 000 habitants dans l'ensemble de la Pologne. En quinze ans, la population s'ac-
croîtra d'un million d'âmes.

Sur le premier de ces chiffres, les statistiques imputent 2 400 000 paysans, 400 000 bourgeois, 200 000 aristocrates et tenants de la « petite noblesse », 200 000 Juifs. Nation essentiellement agricole (21 % seulement de la population habite la ville), où la terre est, pour sa plus grande part, le bien des grands propriétaires terriens. 30 % de paysans sont sans terre et doivent, pour vivre, travailler chez les riches. La liberté personnelle est accordée aux paysans par la constitution de 1815 — autant dire que l'esclavage a été aboli — mais, paradoxalement, la corvée a été maintenue. De surcroît, le propriétaire foncier a le droit de chasser de sa terre le paysan dont il n'est pas satisfait. Il use de ce droit [1], car le travail, mal dirigé, est, aussi, mal exécuté et les rendements sont déplorables. Malgré la situation précaire et souvent misérable de la classe paysanne, les révoltes sont rares. Entre les prolétaires et les riches possédants s'étend la classe moyenne des petits propriétaires terriens, toujours endettés, débiteurs éternels.

Trois classes sociales, dans l'ensemble du pays. Le « monde » : aristocrates et possédants — banquiers, industriels et fabricants, souvent d'origine étrangère. Une bourgeoisie moyenne, dont le train de vie est comparable à celui de la petite noblesse terrienne : à défaut d'exercer une influence sur la vie sociale du pays, elle participe à ses loisirs. La classe ouvrière, à laquelle s'agrègent commerçants et employés. La durée même de la journée de travail — de douze à seize heures — interdit à cette classe toute acti-

---

1. Vers 1949, à l'occasion du centenaire de Chopin, on a projeté dans le monde entier — mais avec un taux de diffusion modeste — un film communiste sur *la Jeunesse de Chopin*, qui travestissait les faits et les caractères, conformément aux dogmes marxistes. Les épisodes polonais montraient l'occupant russe sous un aspect débonnaire, jouant un rôle quasi providentiel (!). En revanche, les propriétaires terriens passaient le plus clair de leur temps à faire knouter leurs ouvriers. Quant à Chopin, loin d'être attiré par l'aristocratie polonaise, il ne se plaisait qu'aux fêtes populaires et préférait de loin les servantes d'auberge aux duchesses. Ce communiste avant la lettre jouait fort bien du piano : c'était son seul trait commun avec Frédéric Chopin !

vité secondaire désintéressée. Enfin, une plèbe dans les rangs de laquelle grouillent des prisonniers libérés et des vagabonds.

Education de prince.

Un tiers seulement de la population accède aux bienfaits de l'instruction. Les deux autres tiers forment une masse d'illettrés et, même, d'analphabètes. La situation de l'Université et des écoles est précaire : peu de professeurs ; encore ceux-ci sont-ils très mal payés [1]. Mais, comme c'est la règle dans les pays à faible niveau d'instruction, les gens cultivés le sont à l'extrême. La langue parlée dans les salons est le français. Outre cette langue, qu'il tient de son père, Frédéric Chopin apprend le grec, le latin, l'allemand, l'anglais et l'italien ! En marge du lycée et du Conservatoire, il suivra un cours d'éloquence et de déclamation, une classe d'enseignement religieux et un cours supérieur de chant. En outre, il participe volontiers à des « assemblées », prétextes à des discussions littéraires. Répétons que l'éducation de Chopin, tout à fait exceptionnelle, l'apparentera dès sa jeunesse aux princes de sa race, dont il préférera la compagnie à toutes les autres, non par snobisme, mais par sentiment d'égalité intellectuelle : il pense comme eux, il parle leur langage.

Il commencera par espérer, avec tous les étudiants, dans l'action positive et bénéfique du grand-duc Constantin, frère du tsar qui, secondé par Nowosiltsow, gouverne en fait la Pologne, avec le concours des deux chambres de la Diète nationale : mais celles-ci, par malheur, ne peuvent se réunir qu'en présence du « roi ». Rapidement, toutefois — et surtout à partir de la mort en 1825 d'Alexandre Ier, auquel succède Nicolas Ier sur le trône des tsars —, après des tentatives plus ou moins sincères d' « ouverture » libérale, Cons-

---

1. Nous avons expliqué précédemment que, pour cette raison, Nicolas Chopin a dû, pour élever sa famille, ouvrir un pensionnat dont les revenus s'ajoutent à son traitement de professeur.

tantin en vient à pratiquer une politique de « russification »
à outrance. Les bases de la Constitution, rédigées par le
prince Adam Czartoryski dans le sens le plus favorable à
son pays, tombent en désuétude et une opposition larvée se
fait jour, principalement dans les milieux estudiantins. Deux
organisations secrètes — *Panta Koïna* (Tout en commun)
et la *Société des Filomates*, fondée par Mickiewicz — sont
découvertes ; elles valent la déportation à leurs initiateurs. Il
existe bien une douzaine de journaux à Varsovie, mais contrôlés par la censure et privés de toute information politique
sérieuse. D'où le rôle important joué par les sociétés occultes
et, notamment, par la franc-maçonnerie. Ce sont ces associations qui fomenteront, en 1828, la première insurrection et
prépareront de loin le soulèvement national de 1830.

Tel est le « climat » politique et social dans lequel le
jeune Chopin va évoluer jusqu'à sa vingtième année.

Célébrité.

Très vite, le voilà célèbre à Varsovie — célèbre comme
on l'est à son époque : c'est-à-dire que trois ou quatre cents
personnes parlent de lui, l'entendent et l'apprécient. Mais
ces privilégiés font, comme l'on dit, la pluie et le beau temps
dans la ville ; grâce à eux, une réputation est vite bâtie.

Bien que les parents ne fassent rien pour promouvoir la
jeune carrière de Frycek, celui-ci devient assez rapidement
la coqueluche des salons. On parle de lui comme d'un second
Mozart. On a beau railler les enfants prodiges ou les trouver agaçants, rien ne remplace, dans l'esprit du public,
l'extrême précocité des dons. Dès l'âge de sept ans, le petit
Chopin joue avec autant de goût que de brio. Né pianiste, il
surmonte avec une grande aisance les difficultés du clavier,
sa mémoire ne le trahit jamais et son invention lui permet
d'offrir, en marge des morceaux classiques du répertoire, de
petites pièces de son cru. En 1817, une première *Polonaise*,
dédiée à la jeune comtesse Victoire Skarbek, fille de sa marraine, aura les honneurs de la gravure. Un prêtre ami, l'abbé

Cybulski, fait imprimer cette œuvrette du compositeur en culottes courtes qui, par un comble de grâces, s'attire un article élogieux dans la *Revue de Varsovie* : « Le compositeur de cette danse polonaise n'a que huit ans. Il est le fils de Nicolas Chopin, professeur de français et de littérature au lycée de Varsovie. Non seulement il exécute au piano, avec une facilité et un goût remarquables, les morceaux les plus difficiles — mais il a déjà composé plusieurs danses et variations qui remplissent d'étonnement connaisseurs et critiques. S'il était né en Allemagne ou en France, sans doute serait-il déjà célèbre dans tous les pays du monde. Puisse cet article rappeler au lecteur que notre pays peut aussi donner le jour à des génies... » Certes !

Frycek lit cet article. Va-t-il « s'en croire » pour autant ? Pas le moins du monde. Enfant sage, de nature malicieuse et tendre, il reste un gentil camarade de jeux pour ses sœurs et il porte à ses parents une ardente tendresse, comme en témoignent ces deux billets — les deux premiers qui soient de sa plume — adressés, dans sa sixième et sa septième année, à Nicolas et à Justyna pour le jour de leur fête :

« Mon Papa, quand tout le monde célèbre ta fête, moi aussi je me réjouis en te souhaitant d'être heureux, de ne connaître jamais des coups désagréables et d'avoir toujours un favorable sort. Tels sont les vœux ardents de

F. Chopin. »
(6 décembre 1816.)

« Reçois, Maman, mes félicitations pour ta fête ! Que les cieux réalisent ce que désire mon cœur : sois toujours bien portante et heureuse. Passe la plus longue des vies dans le bonheur.

F. Chopin. »
(16 juin 1817.)

La famille.

Par malheur, on sait très peu de chose des membres de
la famille. De Mme Justyna, on possède trois lettres adressées à son fils, durant son séjour à Paris. Ces lettres dénotent une sollicitude émouvante (« la plus dévouée de toutes
les mères », inscrit-elle avant de signer), un rappel insistant
de la présence et de la bonté de Dieu, point de fantaisie,
une grande rectitude de jugement, l'ordre d'une bonne
ménagère et la vigilance d'une mère aimante. Voilà bien tout
ce que nous savons d'elle. Frycek est et demeure pour elle
un fils tendre et respectueux. Physiquement, il tient de sa
mère sa bouche charnue, son nez aquilin et ses yeux inquiets.
De son père, il hérite une réserve, une modération qui
empreindront tous ses actes. Très vite, il y aura dans son cerveau comme une cloison : d'un côté, une imagination tumultueuse alimentée par une sensibilité maladive — de l'autre
un jugement clair et sans complaisance. On chercherait en
vain, dans sa correspondance comme dans les rapports le
concernant, un élan de vanité, un témoignage d'autosatisfac-
tion. Né à la lisière de deux siècles, il emprunte au second
son ardeur fiévreuse, au premier sa clarté exigeante. Roman-
tique-né, mais de culture et de formation classiques, en
aucune circonstance, il ne se départira d'un sens critique
vétilleux. Dans les pires traverses, son écriture musicale
demeurera limpide et son style littéraire sera, au fond, celui
du xviiie siècle. Toute sa vie, il donnera un magnifique
exemple de passion dominée par le souci du style. En quoi
il différera des autres romantiques.

Louise, la sœur aînée, sa préceptrice, est elle-même une
très bonne musicienne, ne se lassant pas de jouer à quatre
mains avec Frycek. Elle est et restera la confidente de son
frère, auquel elle rendra visite à Nohant et à Paris. Elle sera
à ses côtés quand sonnera l'heure suprême. Intelligente,
cultivée, très française d'esprit et de culture, bavarde,
curieuse de tout, elle comprend Frédéric, à qui elle ressemble
beaucoup ; elle ne cessera de le conseiller affectueuse-

ment, en grande sœur qui sait son métier et connaît la fragilité du cœur fraternel. Elle épousera un professeur de droit et d'administration à l'Institut d'agronomie de Marymont, Calassante Jedrzejewicz.

La seconde sœur, Isabelle, a moins de caractère. Bonne musicienne, mais peu brillante, elle épousera un homme honorable et ennuyeux, Anton Barcinski, qui ne lui donnera pas d'enfants. La plus jeune sœur, Emilie, est née poète. En 1824, à onze ans, elle écrit avec son frère — pour fêter l'anniversaire de M. Chopin — une comédie en vers qu'elle joue avec lui. Trois ans plus tard, en collaboration avec Isabelle, elle traduit un long roman de l'allemand. Puis les deux aînées, Louise et Isabelle, s'associent pour composer des livres à l'usage des enfants. Ainsi donc, musiciens, intelligents, vifs, gais, pétulants, doués pour tout — tels sont les quatre enfants Chopin. Ils jouent la comédie, fondent une association littéraire et théâtrale, improvisent des charades, imaginent des poèmes dont Frycek écrit la musique, ravissent tous leurs amis par leur exubérance.

Ajoutons que, très tôt, Frycek montre une facilité stupéfiante pour le dessin. Aperçoit-il un visage nouveau que aussitôt il le « croque » avec humour. Caricaturiste-né, il saisit immédiatement le travers d'une silhouette ou la bizarrerie d'un profil. « Au lycée, note un de ses camarades, chaque fois que le maître cite un nom commun, Frédéric l'esquisse au crayon. » Allant d'un bond de son piano à sa table, il interrompt le travail d'une mazurka pour peindre « de très jolis petits riens » qui dénotent, écrit Ferdinand Hoesick, que « s'il s'était consacré au crayon et au pinceau, il aurait pu devenir un grand peintre ». Par jeu, Frédéric écrit un jour à sa famille : « J'ai décidé de devenir peintre, parce que rien n'est plus facile que de passer un pinceau sur du papier et qu'ainsi on reste quand même fils d'Apollon. » Quand il commencera à « sortir dans le monde », son talent de caricaturiste, joint à ses dons étonnants d'imitateur, feront autant pour sa légende que ses succès de pianiste et de compositeur. Un tel éventail de dispositions est assez rare pour se faire remarquer. Mais revenons au pianiste prodige.

Premières auditions.

Le premier fleuron de la célébrité mondaine, il le doit à
la faveur que lui témoigne le grand-duc Constantin. A plusieurs reprises, l'enfant se fait entendre au palais du Belvédère et le frère du tsar, vice-roi de Pologne, le « lance ».
Tel David apaisant les fureurs de Saül, Frycek détient le secret de
calmer les colères furibondes du vice-roi : on le fait venir au
palais dès qu'un orage menace. A son tour, le prince Radziwill, gouverneur de Posnanie, s'intéresse à Frycek. Très bon
musicien lui-même, violoncelliste et compositeur, auteur de
la première musique illustrant le *Faust* de Goethe [1]. Marié
à une princesse prussienne qui, le jour de ses noces, avait
offert à son époux la libération des prisonniers de guerre
polonais détenus dans les forteresses silésiennes, Radziwill
s'est fait construire, en pleine forêt, près de la frontière de
la Silésie, une confortable maison de chasse.

Au milieu des futaies et des étangs, dans un décor de hauts
sapins, le château d'Antonin élève sa façade de bois à l'abri
de laquelle une vaste et agréable demeure ménage à la famille
du prince et à ses hôtes de passage, toujours nombreux, un
séjour plaisant. Frycek y va, tout enfant, joue du piano,
enchante ses auditeurs, s'en fait remarquer par le précoce
raffinement de ses manières. Il est, déjà, ce « prince parmi
des princes » que décrira Franz Liszt.

C'est au palais Radziwill, à Varsovie, que les parents de
Frédéric, après s'être laissé prier, consentent à laisser leur

1. Il faut croire que l'ouvrage n'était pas sans valeur, puisque
Chopin, lorsqu'il en prendra connaissance en 1826, écrira à un
ami : « Il m'a montré son *Faust* et j'y ai trouvé beaucoup de
choses bien pensées, géniales même, auxquelles j'étais loin de
m'attendre. Il y a, entre autres, une scène dans laquelle Méphisto
tente Gretchen, jouant de la guitare et chantant sous sa fenêtre,
tandis qu'on entend, à la même minute, le chœur d'une église
voisine. Le contraste produit un grand effet. Avec cela, le prince
est un gluckiste convaincu. Tu peux en déduire sa manière de
concevoir les choses de la musique. »

fils donner son premier concert public. Quelques jours avant son huitième anniversaire, il joue, le 24 février 1818, un mouvement d'un *Concerto* du Tchèque Gyrowetz, chef d'orchestre de l'Opéra impérial à Vienne. Le petit garçon a été pomponné pour la circonstance par sa mère qui, trop émue, n'assiste pas au concert. Le soir venu, elle lui en demande avidement des nouvelles : « Eh bien, comment cela s'est-il passé ? A-t-on applaudi ? Qu'a-t-on surtout apprécié ? — Mon col blanc, maman... » On ne dira pas, après cela, que l'enfant prodige joue les vedettes ! Julian Ursyn Niemcewicz, homme politique considérable, poète, auteur des *Chants historiques,* publiciste progressiste et auteur satirique, a insisté pour que le petit Chopin jouât au bénéfice de la Société de bienfaisance de Varsovie, qu'il préside. Lui-même fait allusion au concert sous une forme humoristique qui est bien dans sa manière [1].

Une montre.

Entraînés par l'exemple, mis en goût par la vogue, le prince Czartoryski, le prince Czetwertynski, le prince Sapieha, le prince Lubecki, le vice-roi Zajaczek, la comtesse Adam Zamoyska, Mme Grabowska, tour à tour, font entendre « Chopinet ». L'année suivante, le 21 novembre 1819, la célèbre cantatrice Angelica Catalani donne à Varsovie quatre concerts qui obtiennent un vif succès. Dans le salon

1. « Comment faire pour nourrir, tenir au chaud et voir presque quatre cents personnes, alors que la caisse de bienfaisance ne contient plus que quarante-sept zlotys ? Un concert ? Bonne idée ! L'extrême jeunesse du petit Chopin attirera les gens. Il me vient une autre idée, meilleure. Le petit Chopinet a déjà huit ans, mais, pour piquer au vif la curiosité des gens, nous imprimerons sur les invitations que Chopinet n'en a que trois. Un enfant de trois ans jouant un grand concerto sur clavicorde, faisant courir ses menottes à droite et à gauche, ah ! les gens vont accourir en foule pour voir un tel prodige ! Mais, quand ils verront sur la scène que Chopinet n'est pas si petit que cela, quand le subterfuge sera découvert ? »

de Mme Kermançon, sa parente, on lui présente le petit Chopin comme le « meilleur pianiste de la ville ». Charmée par son jeu, elle lui fait présent d'une montre en or dont Frédéric ne se séparera plus. Elle porte, à l'intérieur du boîtier, cette dédicace :

> *Madame Catalani*
> *à Frédéric Chopin*
> *âgé de dix ans*
> *à Varsovie*
> *le 3 janvier 1820.*

« *Génie musical...* »

A son tour, la mère du tsar, Maria Teodorovna, veut entendre la merveille du jour, qui exécute pour la circonstance deux *Polonaises* de sa composition. Vers la même époque, Frycek rejoue au palais grand-ducal et fait la connaissance de la jeune Alexandrine de Moriolles, fille du tuteur du prince Paul : elle deviendra l'une de ses élèves. Sans nul besoin de propagande artificielle, la réputation du petit virtuose-compositeur se fait d'elle-même. Bientôt, il ne sait plus où donner de la tête « pour répondre aux invitations qui lui sont prodiguées [1] ». « N'oublie pas ton piano personnel [2] ! » supplie le bon Zywny qui, de professeur donnant jadis à domicile des leçons à 4 zlotys l'heure, est devenu le familier du pensionnat Chopin, une sorte d'oncle gâteau, dont la perruque mal posée et les façons cérémo-

---

1. Aux noms déjà cités des mécènes qui s'arrachent le gentil Frycek, il faut ajouter, entre autres, celui des Nakwaska, des Pruszak, des Wolicki, des Okolow, des Mokronovski, des Gutkowski, des Kozmian, des Potocki, des Kicka, etc.
2. Une photographie du piano Bucholz, dont Frédéric dispose chez ses parents montre qu'il s'agit en fait d'un clavicorde à table d'harmonie verticale. C'est l'ancêtre immédiat du piano. La sonorité de cet instrument, à cordes frappées (et non plus pincées, comme dans le clavecin), est des plus grêles. Il comporte déjà deux pédales.

nieuses enchantent les enfants. Si curieux que cela paraisse, Chopin n'aura pas d'autre professeur de piano. Ces leçons cesseront en 1822. Frycek a douze ans. « Je n'ai plus rien à lui apprendre ! » soupire comiquement Zywny. « Il m'a tout enseigné », affirmera Chopin [1].

Pour son anniversaire, le 21 avril 1821, Frédéric offre à son vieux maître une *Polonaise en la bémol majeur*. C'est le premier de ses manuscrits à être parvenu jusqu'à nous. Comment juger cette pièce ? D'un homme fait, elle surprendrait par une inexpérience toute relative. D'un enfant de onze ans, elle étonne, pour des raisons diamétralement opposées : car la simplicité de la rédaction est rachetée par un sens inné des proportions que Chopin aura toute sa vie et par un instinct très sûr de l'harmonie. Les basses sont en place, certaines sont ingénieuses, à plus d'un détail un œil expérimenté diagnostique le germe d'un talent supérieur. Ce dont Zywny ne se fit pas faute, mais son avis est sans doute entaché d'une bien naturelle partialité !

Un autre musicien qui, lui, ne pèche point par indulgence systématique, estimera d'emblée les capacités du garçon confié à ses soins : Josef Antonin Franciszek Elsner. Ce Silésien, né en 1769, vient de fonder, cette année 1821, le Conservatoire de Varsovie. Il est déjà le directeur de l'Ecole centrale de musique et, pour trois années encore, chef d'orchestre d'opéra au Théâtre national. Il a composé force musique religieuse, symphonique et de chambre ; en outre, maints opéras sur des sujets historiques (*le Roi Lokiétek*). Il rêve de créer l'opéra national polonais, mais il a l'intelligence de ses limites : aussi ne cessera-t-il de conseiller au jeune Chopin dès sa dix-septième année, de s'adonner au genre qui a ses prédilections : « Faites un opéra ! lui répète-t-il. L'opéra n'est point encore parvenu au faîte de sa véritable splendeur. C'est par un effort commun que doivent l'y mener les poètes et

1. Alfred Cortot est radical : « Chopin n'a jamais pris une seule leçon de piano ! » Disons qu'il a su profiter à merveille d'un enseignement rudimentaire.

les compositeurs de toutes les nations civilisées. Vous vous devez d'ajouter votre pierre personnelle à ce monument. » Peut-être Elsner entrevoit-il l'avenir fécond que le génie de Wagner ouvrira — et refermera d'ailleurs — à ce genre qui représente pour lui le « spectacle total ». Ce n'est pas Chopin, c'est Moniuszko qui, avec un talent assez mince, réalisera partiellement l'espoir d'Elsner.

On présente généralement les maîtres de Chopin sous un jour qui amoindrit leurs mérites. Nous avons fait justice de cette opinion concernant Zywny, que certains historiens décrivent à la manière d'une vieille bête ridicule. Les mêmes auteurs campent Elsner sous les traits d'un honnête Kappelmeister, têtu et borné. Or, Elsner, s'il n'est pas un homme de génie, connaît son métier sur le bout des doigts et il a, de surcroît, l'immense mérite de se juger à sa vraie place. Pédagogue-né, il professe que, « dans l'enseignement de la composition, il ne faut pas donner des recettes trop détaillées, surtout aux élèves dont les capacités sont manifestes et frappantes ; c'est à eux de les trouver, afin qu'ils puissent se dégager eux-mêmes et parvenir à découvrir ce qui n'a pas encore été découvert ».

Précisément, sitôt qu'il voit Frédéric Chopin, qu'il l'entend et qu'il lit ses premiers devoirs d'harmonie, il devine, avec une sagacité exemplaire, le sujet d'élite et — loin d'envier des dons qui dépassent manifestement les siens — il s'engoue d'un talent que jamais il n'égalera. Avec beaucoup d'abnégation clairvoyante, il estime que, « en matière d'art, s'il s'agit de progrès, il convient non seulement que l'élève égale et surpasse, au besoin, son maître, mais qu'il ait encore quelque chose qui lui soit propre et qui le fasse briller ». Rompu à l'enseignement de la composition, il sait combien il est difficile de dogmatiser dans un domaine où l'imagination importe autant, sinon plus, que l'expérience. Cette étincelle, en l'absence de quoi une pièce de musique reste un grimoire obscur, il la devine, tout de suite, chez le petit Chopin. Que va-t-il lui apprendre ? L'harmonie, pour guider son instinct ; le contrepoint sévère, pour assouplir sa plume ; l'analyse des chefs-d'œuvre, pour lui fournir des points de repère utiles. Sur les pièces composées par l'élève, il donne des avis judicieux, capables d'orienter Frédéric sans le contraindre. Là s'arrête l'enseignement d'un art qui s'invente plus qu'on ne l'apprend. Au lieu de se montrer jaloux, comme l'auraient fait à sa place certains maîtres mesquins, il prend le parti de s'émerveiller. « Notre Frédéric, dira-t-il après des années de conseils, ne sait que trop bien à quel point je le respecte et combien je l'aime. En tant qu'artiste de génie, il y a droit, de la part de tous ceux qui sont capables de s'en apercevoir. » Le gros mot de génie, il l'a déjà inscrit au bas du livret scolaire de Frédéric, au terme de sa troisième année d'études : « Aptitude particulière, génie musical [1]. » Décidément, Chopin a les maîtres qu'il mérite !

Durant l'année 1822, le « petit Chopin » prend des leçons particulières avec Elsner et il compose une *Polonaise en sol dièse mineur,* qu'il dédiera à une certaine Mme Dupont. Dès l'automne suivant, Nicolas Chopin jugeant son fils suffisamment préparé par ses soins, le fait entrer en quatrième au lycée de Varsovie [2].

Au lycée.

Rien de tout cela n'évoque le moins du monde l'image familière qu'on se fait volontiers de la jeunesse d'un romantique. Frédéric bénéficie d'une éducation stricte, complète, intelligente et profitable. Son emploi du temps, précisément

1. Voici les notes données par Elsner à Chopin à la fin de chacune de ses trois années d'études à l'Ecole centrale de musique :

1ʳᵉ année. — Leçons de composition et contrepoint. Elève particulièrement doué.
2ᵉ année. — Aptitude remarquable.
3ᵉ année. — Aptitude particulière. Génie musical.

2. Liszt prétendra, sans intention maligne, que le prince Radziwill aurait assumé la charge financière de l'éducation de Frédéric Chopin. Rien n'est plus inexact. Nicolas subvient à tous les besoins de sa famille.

déterminé, ne lui laisse que peu de temps pour flâner. Songe-t-on assez qu'il mène complètement de front éducation musicale et instruction générale, quand la plupart des enfants de son âge se contentent de l'une ou de l'autre ? Encore n'y brillent-ils pas toujours autant que Frédéric, excellent élève dans toutes les matières. Linde, le recteur du lycée, l'aime beaucoup, et le petit Chopin le lui rend bien : il dessine avec talent le portrait du recteur, qui, parfois, remplace au pied levé un maître défaillant — et c'est à Mme Linde qu'il dédie son *Rondo en ut mineur, op.* 1. Les maîtres principaux — Jasinski (mathématiques), Maciejowski (littérature ancienne), Dziekonski (littérature polonaise), Vogel (dessin), Skrodzki (physique, chimie, histoire naturelle), Ciampi (littérature grecque) — se louent de l'élève pianiste, qui obtient, trois années de suite, des prix avec félicitations du recteur. Ces succès sont mentionnés par le *Courrier de Varsovie*. Chopin est inscrit au tableau d'honneur, ainsi que plusieurs de ses camarades, parmi lesquels Ostrowski, Matuszynski, Fontana, Potocki, Kolberg, Pruszak et le cher Titus Woyciechowski, ainsi que son demi-frère, Charles Weltz. Titus — bon musicien, fils d'un riche propriétaire terrien —figure, avec Fontana, Bialoblocki et Matuszynski, parmi les pensionnaires de Nicolas Chopin, en compagnie de Magnuszewski, futur romancier et dramaturge, Marylski, qui s'illustrera dans les lettres[1], les trois frères Wodzinski (Antoine, Félix et Casimir, frères de Maria), Guillaume Kolberg[2]. La plupart de ces jeunes garçons sont un peu plus âgés que Frédéric, qui bénéficie, sans y prendre

---

1. « Frédéric Chopin, quand je pris pension chez son père, était un petit garçon débile, exceptionnellement doué pour la musique. Nous nous racontions les uns aux autres des épisodes de l'histoire de Pologne, et le petit Chopin nous jouait tout cela au piano. Il nous est arrivé de pleurer en l'écoutant. Zywny entrait en extase... »
(*Mémoires* d'Eustachy Marylski.)

2. Les deux frères de Guillaume seront aussi parmi les amis de Chopin. Oscar, compositeur médiocre, mais ethnographe éminent, auteur d'une œuvre monumentale ; *le Peuple, ses usages, sa*

garde, de l'expérience de ses aînés, acquérant à leur contact une maturité relative. Deux répétiteurs de Nicolas Chopin sont fréquemment les hôtes de la famille : Anton Barcinski (il épousera plus tard Isabelle Chopin) et Podowski, dont Frédéric goûte le savoir étendu sans pédantisme. Elsner et Linde sont de fidèles habitués. Un ex-soldat de Napoléon, Casimir Brodzinski, se fait le champion du romantisme naissant et fait publier les poèmes de Mickiewicz, arrêté par les Russes. Jacob-Frédéric Hofman, professeur à l'Université, confie à Frédéric ses marottes, il l'intéresse à la construction d'un nouvel instrument de musique, l'*aelomelodicon* ou *choralion*, grâce auquel il espère révolutionner l'art.

Dans cette ambiance de culture — serre chaude, mais non pas forcerie — notre héros se développe rapidement.

« *Polichinades* ».

Surtout, qu'on n'imagine pas un entourage austère, ni des conditions de vie étriquées. Une franche gaieté règne dans le clan des enfants Chopin. L'imitation par Frédéric du pauvre Petzel à l'église réformée met en joie ses camarades. Le garçon témoigne d'une drôlerie vraiment irrésistible. Comédien-né, il rêve de théâtre autant que de musique et, faute de jouer de vraies pièces, il invente avec ses sœurs des charades, des tableaux vivants, ce qu'il appelle lui-même des « polichinades ». A certains jours, les plaisanteries tournent à l'aigre — par exemple, lorsque Frédéric, pour représenter le roi Sigismond Auguste, croit bon d'endosser le costume de cérémonie que son père, Nicolas, revêt à la loge maçonnique de Varsovie. L'affaire fait grand bruit. Dès le lendemain, Frédéric a le bon esprit de faire disparaître sa Bible à la première page de laquelle il a, pour faire rire ses camarades, tracé son nom avec des syllabes bégayantes : « Chochocho-

façon de vivre, ses langages, ses légendes, ses proverbes ; Antoine, peintre de talent, fera plus tard l'un des meilleurs portraits de Chopin.

chochopin. » Il a déjà le goût des surnoms. Pour son ami de
cœur, Titus Woyciechowski, un peu plus âgé que lui, il est
et restera « Chopinet ». C'est dire que, lorsque, bien plus
tard, George Sand l'affublera de sobriquets de plus ou moins
bon goût — « Chip », « Chop », « Chipette » et, même,
« Mon cher cadavre » — il ne s'en formalisera point [1].

Une soirée particulièrement réussie met en vedette Frédéric et sa plus jeune sœur, Emilie. Ensemble, ils ont composé une pièce en vers — *Une méprise ou le filou présumé* —
dont ils interprètent ensuite les deux personnages principaux
sous les noms transparents de Frédéric et Emilie Pichon.
Dans le rôle d'un bourgmestre ventripotent et asthmatique,
Frycek se taille un joli succès. Un comédien notoire, Pisarski,
l'écoute et affirme que le jeune garçon a toutes les qualités
requises pour devenir un grand acteur. Toute sa vie, il aura
le goût des déguisements, des imitations et des pantalonnades.
Mais, à l'âge d'homme, ces accès de gaieté seront semblables
à des éclairs dans un ciel généralement orageux, alors que,
durant l'adolescence, Frycek « explose de rire » à chaque
instant. Curieux destin ! Une enfance sans histoire et une jeunesse, somme toute très heureuse, ne laissent en aucune
manière deviner la fin de l'histoire. A dater de l'arrivée à
Paris, Frédéric deviendra un tout autre homme. Grandi
dans la joie, il emportera de sa Pologne natale un souvenir
que l'éloignement rendra poignant.

A Szafarnia.

Ses vacances de 1824, il les passe joyeusement, dans la
famille de son ami Dominique Dziewanowski, fils d'un élève
de Nicolas Chopin, à Szafarnia, dans une ambiance mondaine par la qualité des hôtes, et cependant rustique, de

---

1. Vers la même époque, Mme d'Agoult appelle Liszt : « Crétin » et, plus tard, la princesse de Sayn le nommera familièrement : « Bon Besson ». Liszt signe souvent ses lettres B.B.
Désarmant...

par la situation du manoir en pleine campagne. Frédéric s'en donne à cœur joie. Et, certes, il ne songe pas qu'à la musique !

« Je m'amuse bien, écrit-il à son ami Guillaume Kolberg. Il n'y a pas que toi qui ailles à cheval, moi aussi je sais monter ! Ne me demande pas comment — mais je sais : tel un singe sur un ours ! Je ne suis pas encore tombé, parce que ma monture ne l'a pas encore voulu, mais je tomberai le jour où ça lui fera plaisir... »

A l'usage de sa famille, demeurée à Varsovie, il rédige un *Courrier de Szafarnia,* imité du *Courrier de Varsovie,* qui est, en somme — signée de « Sieur Pichon », anagramme de Chopin — la chronique de ses vacances.

« Mes parents bien-aimés,

« Je me porte bien, grâce à Dieu, et le temps passe fort agréablement. Je ne lis pas, je n'écris pas, mais je joue du piano, je dessine, je jouis du bon air en me promenant en voiture ou, comme hier, en parcourant la campagne sur le blanc participe du verbe *connaître* [1].

« J'ai un appétit extraordinaire. Mais, pour satisfaire tout à fait mon maigre ventre, il suffirait qu'on me donnât la permission de manger à satiété du pain de campagne.

« Samedi, il y avait beaucoup de monde. Dimanche, nous sommes allés à Gulbiny, aujourd'hui, nous sommes à Solokowo.

« Une nouvelle importante nous est parvenue : une dinde ayant couvé par hasard dans un recoin du grenier, un jeune dindon y est venu au monde. Le grand événement ne contribue pas seulement à l'accroissement de la famille de ces volatiles, mais aussi à celui des revenus fiscaux et il assurera leur développement ultérieur. Hier, pendant la nuit, le chat s'étant faufilé dans la garde-robe, a cassé une bouteille de sirop.

1. *Connaître* est en français dans le texte. C'est un jeu de mots. Le participe passé « connu » correspond phonétiquement au mot polonais *na Koniu,* qui signifie « à cheval ».

Si, d'une part, il mérite d'être pendu, il a droit à des félicitations pour avoir choisi la plus petite !

« Lors d'une réunion musicale, le sieur Pichon a fait étalage du *Concerto* de Kalkbrenner devant plusieurs personnages et demi-personnages. Cette œuvre n'a pas remporté autant de succès, surtout auprès des auditeurs de moindre importance, que le *Petit Juif*[1], que le sieur Pichon a interprété ensuite.

« La fête de la moisson a été célébrée à Obrow. Tout le village réuni devant le château s'est réjoui sincèrement, spécialement après la vodka. Et les enfants ont chanté, d'une voix aiguë, détonnante et fausse, la chanson que voici :

Devant le château, les canards sont dans la mare,
Notre Madame est tout en or.
Devant le château est tendu un cordon,
Notre Monsieur fait le plongeon.

Devant le château pend un serpent,
Notre demoiselle Marianne se marie.
Devant le château il y a un bonnet,
Notre chambrière a l'air niais !

« P. S. Le sieur Pichon a des démêlés avec les cousins qu'il a rencontrés à Szafarnia, où ils se pressent en foule. Ceux-ci le mordent autant qu'ils peuvent, mais, heureusement, ils épargnent son nez qui, sans cela, deviendrait plus grand encore[2]. »

1. Chopin publiera, en 1834, après l'avoir quelque peu révisée, cette *Mazurka, op.* 17, n° 4.
2. Ce n'est pas la seule fois que Chopin fait allusion à son grand nez, non plus qu'à sa maigreur. De fait, sur le premier tableau connu, celui de Miroszewski représentant Chopin âgé de dix-sept ans, le grand nez, hérité de ses parents, est perceptible. Assez rares sont les portraits accusant la courbe caractéristique de l'appendice. Ni Ary Scheffer, ni Maria Wodzinska ne la marquent. En revanche, le grand nez busqué et les lèvres épaisses apparaissent dans les toiles et les esquisses de Delacroix, Sand, Rubio, Winterhalter, Kolberg et, naturellement, dans l'irrécusable masque mortuaire moulé par Clésinger.

Musique populaire.

Pour la première fois, Frédéric prend contact avec la
terre polonaise et les paysans qui l'habitent. La fête de la
moisson d'Obrow lui a fourni des images précieuses. Un
jour, il avise une paysanne chantant à pleine voix sur la
lisière d'une prairie. Il aborde « cette Catalani de village »
et lui offre « trois sous pour qu'elle lui redise sa chanson ».
Longtemps, elle se récuse. A la fin, elle se décide et chante
une mazurka dont voici les premiers vers : « Vois comme derrière les montagnes danse le loup, derrière les montagnes
danse le loup — Mais il n'y a pas de femme, et c'est pourquoi il se chagrine tant *(bis).* » En une autre occasion, le
maître de maison, M. Dziewanowski, surprend « Petit
Pichon » à jouer sa mazurka *Le Petit Juif* : « Il appelle
aussitôt son fermier israélite pour lui demander ce qu'il pense
du jeu du virtuose. Mosiek s'approche de la fenêtre, introduit son sublime nez courbé dans la chambre, écoute et conclut que, si le sieur Pichon voulait jouer aux noces juives, il
pourrait gagner chaque fois au moins dix écus. Cette déclaration encouragera M. Pichon à travailler le plus possible
ce genre de musique et peut-être se vouera-t-il dans l'avenir
à des harmonies aussi lucratives ! » Ces lueurs brèves, ce
contact sporadique avec la campagne polonaise et la vie paysanne lui suffiront pour édifier, sur des bases réelles et fragiles, un monument tout imaginaire, mais plus vrai que le
plus minutieux « reportage ». Les articles, les films qui montrent le jeune Chopin passant sa vie dans les milieux populaires nous trompent doublement. D'abord, les faits rapportés sont inexacts. Ensuite, c'est faire preuve d'une grande
méconnaissance de ce qu'est un cerveau d'artiste : un paysage
illuminé par une étincelle, une réaction chimique où il n'y
a pas de proportion entre la cause et l'effet. En une heure de
flânerie campagnarde, durant ses vacances d'enfant, Chopin
a vu réellement bien plus de choses que n'en enregistrent
des ruraux qui passent leur existence entière aux champs.
Notre Chopin, dans la fleur de ses quatorze printemps,

laisse percer dans ce précieux *Courrier* — c'est le premier
document sûr émanant de lui — cette fraîcheur d'impressions, cette exubérance, ce don de l'observation visuelle, ce
sens de la caricature que nous avons déjà soulignés. Pour un
jeune génie choyé, apprécié, adulé, il n'est guère blasé.
Simplicité, acceptation de sa jeunesse, parfaite aisance —
toutes choses bien rares chez un garçon de son âge.
Nature charmante, primesautière, nullement mélancolique. Et
la santé, sans être parfaite, n'est pas encore très mauvaise.
A plusieurs reprises, il se déclare « en état satisfaisant » et
jamais ne se plaint d'être fatigué. Pas la moindre trace du
fameux *zal,* rarement défini, toujours invoqué pour dépeindre la nature secrète de Chopin.

Qu'est-ce que le « zal » ? A en croire Liszt, le mot reve-
nait souvent dans la bouche de Chopin quand on lui demandait quels sentiments il avait enfermés dans sa musique. *Zal*
est malaisément définissable : « *Zal !* s'écrie lyriquement
Liszt, substantif étrange, d'une étrange diversité et d'une plus
étrange philosophie ! Susceptible de régimes différents, il
renferme tous les attendrissements et toutes les humilités
d'un regret résigné et sans murmure, aussi longtemps que son
régime direct s'applique aux faits et aux choses. Mais, sitôt
qu'il s'adresse à l'homme, il signifie le ferment de la rancune,
la révolte des reproches, la préméditation de la revanche, la
menace implacable grondant au fond du cœur en épiant la
revanche, ou s'alimentant d'une stérile amertume ! En vérité,
le *zal* colore toujours d'un reflet tantôt argenté, tantôt
ardent, tout le faisceau des ouvrages de Chopin. »

Eh bien, le *zal* est absent des premières œuvres de Chopin, comme, d'ailleurs, des nuances de son caractère d'adolescent.

Un jeune virtuose.

Les années qui suivent s'écoulent harmonieusement. Au
lycée, Frédéric travaille régulièrement. Au mois de mai 1825,
désireux d'effacer le pénible souvenir qu'a fait naître dans

le cœur des Polonais un procès intenté à un officier
convaincu d'avoir fondé une association clandestine — le
jeune musicien a assisté, perdu dans la foule, à l'horrible
cérémonie de la dégradation — le tsar Alexandre Ier vient
présider un concert public donné à l'église évangélique de
Varsovie. On y présente un étrange instrument, inventé par
Brunner et Hoffmann : l'*aelomelodicon,* sorte d'harmonium
doté de tuyaux de cuivre [1].

Frédéric, à qui le pianiste Würfel a donné des leçons
d'orgue, ainsi, chose curieuse, que de contrebasse, improvise
sur *l'aelomelodicon.* Le tsar, charmé, lui offre une bague en
or, avec des brillants.

Quelques jours plus tard, et à deux reprises — le 20 mai
et le 10 juin 1825 — Frédéric Chopin récidive, en public.
Il participe à deux concerts donnés pour faire valoir l'*aelopantaleon* [2], variante améliorée du précédent, construit par
un ébéniste ami des Chopin, Dlugosz. Le second concert réunit cent soixante-dix auditeurs, chiffre considérable pour
l'époque, et dont s'émerveille le rédacteur de l'*Allgemeine
Musikalische Zeitung* de Leipzig, qui décrit Chopin « maître dans l'art de jouer de cet instrument et se faisant remarquer, dans ses improvisations, par la richesse de ses idées
musicales ». Avant d'improviser, il a joué un *allegro* de
Concerto de Moscheles.

Dès ce moment, le jeune garçon tient régulièrement l'orgue
des Visitandines, pendant la messe chantée par les élèves du
lycée. « Je suis devenu organiste, écrit-il à Bialoblocki. Ma
femme et tous mes enfants doivent me respecter pour deux
raisons. Ha ! mon bon monsieur, ce que je suis important !

---

1. « La force du son produite par des soufflets mus par les
pieds de l'exécutant peut se déchaîner jusqu'à égaler le bruit
produit par cinquante chanteurs et cinquante instrumentistes.
On modifie le timbre du son en accentuant ou en diminuant la
pression de l'air. » (Sikorski.)
2. L'*aelopantaleon* tient de l'harmonium et du piano. Certains
pianos, construits par le facteur Pantaléon Herbestreit, portaient
à l'époque le nom de « pantaléons ». Chopin use couramment
de ce mot.

Je suis le premier personnage après monsieur le Curé ! » Un jour, il a maille à partir avec l'organiste titulaire, un certain Bialecki — « un brave homme se mouvant dans son art comme un cheval au fouloir ». Chopin, ne pouvant supporter son piètre rabâchage, se met au clavier et commence d'improviser sans faire attention au prêtre qui disait la messe. « Parfois, ne pouvant supporter une fausse note ou une dissonance, il écartait de force Bialecki et, s'asseyant au clavier, jouait en son lieu et place [1]. »

Rêves champêtres.

Ses vacances de 1825, il les passe à Szafarnia. Il fait des excursions, et même de brefs séjours à Kowalewo, à Dantzig, à Plock, à Torun, où il visite la maison natale de Copernic. Surtout, il rêve et s'abandonne à ses impressions :

« Il est à présent huit heures du matin, et nous ne nous levons jamais avant sept. L'air est frais, le soleil brille délicieusement, les oiseaux pépient ; il n'y a pas de ruisseau, car il ferait du vacarme ; mais il y a en revanche un étang et les grenouilles chantent merveilleusement. Le plus amusant est le merle qui, devant la fenêtre, me raconte ses aventures — et, en plus du merle, la petite Kagila. Elle n'a pas encore deux ans et demi. Elle s'est prise d'amitié pour moi et elle babille : « Kagila vous aime ! » Comme Kagila pour moi, je brûle un billion de fois pour vous, Papa et Maman. Je baise vos mains et vos pieds [2] ! »

Resté très enfant lorsqu'il écrit à ses parents, Frédéric se « lance » pour éblouir son ami Matuszynski. Visiblement,

1. Skrodzki, *Souvenirs sur Chopin.*
2. Comment prétendre, après cela, que Chopin n'a pas le sens de la nature ? La fraîcheur de ses impressions campagnardes dément cette assertion. Il est vrai que lui-même, plus tard, dira, du séjour à Nohant : « Je ne suis pas fait pour la campagne... » Mais peut-être s'ennuie-t-il un peu à Nohant...

il « fait du style » et convoque des souvenirs classiques tout récents :

« Ah ! Madame de Sévigné elle-même n'aurait pas été capable de décrire ma joie à la réception si inespérée de ta lettre. J'attendais plutôt la mort que pareille surprise. Je n'aurais jamais cru que ce paperassier endurci, ce philologue enfoncé jusqu'au cou dans Schiller prendrait la plume pour écrire à ce cymbalier [1], à peine aussi délié que le fouet d'un vieillard, à celui qui n'a pas encore lu une seule page de latin, à ce cochonnet qui s'engraisse de déchets et qui projette de s'arrondir du dixième au moins de ta graisse !

« Tu as voulu m'en imposer avec ton lièvre ? A mon tour, je veux humilier le chasseur inexpérimenté que tu es avec mon lièvre, certainement plus gros que le tien et quatre perdreaux que j'ai rapportés hier des champs.

« J'ai vu la maison natale de Copernic et la chambre, malheureusement quelque peu profanée aujourd'hui. Dans le coin de la chambre où Copernic est venu au monde se trouve le lit d'un Allemand auquel sans doute, quand il a mangé trop de pommes de terre, il doit arriver de lâcher de fréquents zéphyrs... »

Au cours d'une fête paysanne, à l'époque de la moisson, il danse la *Kujaviak* — danse nationale de la province de Cujavie —, s'amuse à voir danser des *valses* et des *oberek* par les moissonneurs, se saisit d'une basse « monocorde et poussiéreuse, et se met à basser avec tant de fougue que tout le monde fait cercle autour de lui ». Une femme de Jasiek « lui dicte une chanson dont la deuxième strophe est l'œuvre d'une fille qu'il a poursuivie, à quelques heures de là, à travers champs ». Une autre fois, il rencontre des marchands juifs, leur fait jouer la marche nuptiale des synagogues — la *majufes* —, les fait danser, est invité à un mariage juif

1. Pianiste. Chopin emploie fréquemment ce mot archaïque, tiré du clavi-cembalo classique.

— bref, il s'amuse et fait récolte d'images et de souvenirs qui ne quitteront plus sa mémoire.

A la rentrée d'octobre 1825, il va au Théâtre national et entend *le Barbier de Séville,* fort bien joué par la troupe locale. L'ouvrage de Rossini le ravit : d'ailleurs, il aimera toujours cette musique spontanée, jaillie sans efforts apparent d'une imagination prodigieusement féconde. Du coup, il compose une *Polonaise* sur un motif dudit *Barbier.* A la même époque, sa sœur Louise compose un *Mazour* [1] « comme on n'en a pas entendu depuis longtemps à Varsovie. C'est son *non plus ultra* ». Il applaudit le pianiste Rembielinski, « qui joue du piano comme je n'en ai jamais entendu jouer par personne. J'aime bien ses *valses...* »

---

1. Danse nationale de la Masovie, province centrale de la Pologne, où sont situées Varsovie et Zelazowa-Wola. La *mazurka* n'est, pas plus que la valse, une composition destinée à la danse.

III

LE JEUNE MAÎTRE

Retour à Zelazowa-Wola.

Les vacances de Noël 1825, il les passe avec Louise à Zelazowa-Wola, où, en compagnie de sa famille, il séjourne fréquemment [1]. Deux des enfants de la comtesse Skarbek — Anne (plus tard, Mme Wiesiolowska) et Frédéric — sont ses marraine et parrain. Invité à dîner avec son père chez Jawurek, professeur au Conservatoire de Varsovie, il y entend un pianiste tchèque — « pas grand-chose à dire de son jeu » — et un certain Zak, élève au Conservatoire de Prague, clarinettiste qui, « d'un seul souffle, arrive à produire deux sons » !

En février 1826, il souffre de ganglions. Le docteur Roemer diagnostique un catarrhe et lui fait poser des sangsues à la gorge. Dès cette époque — et même bien auparavant — Frédéric est soigné au rebours du sens commun, mais selon

---

1. En 1894, lors de l'inauguration du monument Chopin à Zelazowa-Wola, il y aura dans l'assistance un paysan polonais, Antonin Krysiak, contemporain de Chopin et qui se souviendra fort bien des « soirées étoilées durant lesquelles on transportait le piano sous un grand sapin : on y faisait asseoir le jeune improvisateur qui tirait des larmes de ceux qui l'écoutaient. La musique retentissait dans le verger et les gens des villages voisins accouraient. Accoudés à la clôture, ils écoutaient l'hôte venu de Varsovie... »

(Alexandre Rajchman : *le Berceau des Chopin.*)

les convictions de l'époque, qui ne s'appuient malheureusement sur aucune connaissance sérieuse.

Le baccalauréat — dont on désigne l'épreuve en latin : *maturitas* — profile sa menace à l'horizon du printemps de 1826 :

« Pas une lettre de toi depuis plusieurs mois, écrit Frédéric à son ami Bialoblocki, au mois de juin. Comment ? *Cur ? Warum ? Pourquoi ?* Moi, je n'ai guère le temps de t'écrire, car — tu le sais bien — je m'évertue à obtenir mon diplôme, mais il semble que la saucisse ne soit pas pour le chien : *Operam et oleum perdidi* [1], si tu n'as pas oublié le latin...

« P. S. Linde a une petite fille : *ecce femina, non homo.* »

Et voici — miracle ! — Chopin bachelier, en possession du fameux « certificat de maturité » qui va, dès l'automne suivant, lui ouvrir les portes de l'Université. Pour se remettre de ses fatigues et fortifier sa santé, il va faire, avec sa mère et ses sœurs, une cure aux eaux de Reinertz. Non sans avoir assisté à une représentation de *la Pie voleuse,* dont un motif lui inspire une brève *polonaise.*

Cure à Reinertz.

Le village de Reinertz — aujourd'hui Dusziki — est une station balnéaire de la Silésie prussienne. Située à 568 mètres dans une vallée parcourue par une rivière torrentielle, encadrée de hautes montagnes, elle dispense des eaux minérales de bonne réputation. Frédéric y suit le régime habituel, compliqué de petit-lait et de suralimentation. D'une extrême maigreur, il a besoin de s'étoffer un peu. Avec impatience, il subit le défilé des jours monotones et salutaires. Prompt à noter les ridicules des curistes, il écrit à son ami Kolberg :

---

1. C'est-à-dire : « J'ai perdu mon temps et ma peine » (loc prov.).

« Le matin, au plus tard à six heures, tous les malades se réunissent autour de la source. Un orchestre d'instruments à vent, formé par quelques caricatures en tous genres, joue, tandis que les *Kur-Gaeste* se promènent lentement. Après, chacun rentre chez soi pour déjeuner. Je me promène alors. Après-midi, plus grande mascarade encore que le matin, car chacun s'est paré et se montre sous un autre costume... »

Durant ce séjour, prolongé jusqu'au 11 septembre, Chopin donne au théâtre local deux concerts de charité au bénéfice de deux orphelins. Et il rentre à Varsovie, où se préparent de sombres événements.

D'abord, Frédéric décide de renoncer à l'Université, dont son baccalauréat lui a ouvert les portes, pour se consacrer à la musique. Mais, épris de culture générale et désireux d'étudier certaines matières particulières, il s'inscrit aux cours d'éloquence, de littérature et d'histoire professés par Brodzinski et Bentkowski, et prend des leçons d'italien et d'instruction religieuse[1]. Au Conservatoire[2], il suit l'enseignement d'Elsner, avec qui il n'a pris jusqu'alors que des leçons particulières. Harmonie, contrepoint, composition : sept heures de cours ou de travaux pratiques pour chacune

1. Stylé par sa mère, qui est très pieuse, Chopin se comporte, jusqu'à son départ de Varsovie, en catholique convaincu, sinon très fervent. Il ne semble pas qu'ensuite, il ait jamais pratiqué sa religion. Mais il recevra l'extrême-onction et se confessera « pour faire plaisir à sa mère et ne pas crever comme un chien... ». De toute évidence, le sentiment religieux ne joue pas un rôle essentiel dans sa vie. Sur Dieu et la religion, jamais un mot, ni une allusion dans ses lettres. D'après Liszt, seule, sa pudeur naturelle retenait Chopin d'aborder ces problèmes.
2. Fondé en 1821, cet établissement connu aussi sous le nom d'Institut de musique et de déclamation, s'est scindé en 1826 en deux écoles : le Conservatoire, situé dans l'ancien couvent des sœurs de l'ordre de Saint-Bernard, dirigé par Karol Soliva, où se donne l'enseignement instrumental — et l'Ecole centrale de musique, installée dans les bâtiments de l'université. Le recteur en est Joseph Elsner. On y enseigne la théorie.

de ces matières. En outre, il se soigne. Le docteur Malez lui a conseillé de marcher, de prendre des boissons émétiques et de la farine d'avoine, pour engraisser à tout prix — en outre de renoncer à toutes distractions superflues : « Thés, soirées, petits bals, tout est supprimé... » Les camarades de lycée se sont dispersés. Titus Woyciechowski fait son droit et Jean Matuszynski sa médecine. Fontana, pianiste, reste le condisciple de Frédéric au Conservatoire. Bialoblocki soigne à Sokolowo sa jambe atteinte de tuberculose osseuse. Ce jeune garçon, qui mourra de bonne heure, est d'une extrême beauté, Frédéric le raille d'avoir su faire la conquête de Josefowa, la vieille cuisinière des Chopin, qui le juge « plus joli que tous les jeunes seigneurs qui viennent ici. Ni M. Woyciechowski, ni M. Jedrzejewicz, ni personne, personne n'est aussi joli... »

Mort d'Emilie.

Dans la même lettre à « Jeannot » Bialoblocki, Frédéric annonce qu'en ce mois de mars 1827, la maladie a fait son apparition dans sa famille : « Depuis quatre semaines, ma sœur Emilie est couchée. Elle s'était mise à tousser, à cracher le sang et Maman s'était effrayée. Malez a ordonné une saignée, puis une seconde. On lui a posé d'innombrables sangsues, des vésicatoires, des sinapismes. Que d'aventures ! Durant tout ce temps, elle n'a rien mangé et elle a maigri si fort qu'elle était devenue méconnaissable. Tu peux te représenter ce que tous nous avons souffert...

« Le vieux Benik, parrain d'Isabelle, est mort. Sa fille, elle, vient de décéder, après neuf mois de mariage. Pour comble de malheur, la dernière nouvelle — heureusement fausse — qui nous parvint, je ne sais d'où, sans doute de l'enfer, fut celle de ta mort. Elle m'a coûté bien des larmes : Imagine-toi ma mort à moi... (N. B. : je vis...) »

Un mois plus tard, les Chopin conduisaient la petite Emilie au cimetière de Powazki. Sa tombe porte l'inscription que voici :

> Emilia Chopin
> Décédée au quatorzième printemps de sa vie
> Comme une fleur épanouie
> Avec l'espoir d'un fruit magnifique.
> 10 avril 1827.

En cette occasion, qui fut cruelle aux survivants de cette famille si tendrement unie, Mme Chopin prit le deuil et ne le quitta plus jamais. Les trois enfants furent durablement bouleversés. Prenons le temps de nous recueillir durant quelques instants sur la tombe d'une enfant qu'on ne sut pas soigner et cherchons à mieux distinguer l'état de notre héros. Auscultons Chopin, comme on aurait dû le faire, pour le soigner et le sauver !

Une petite santé.

Des antécédents des deux parents, nous ne savons pas grand-chose. Les Chopin de Lorraine étaient des gens solides, qui vivaient longtemps. Des Krzyzanowski, on ignore tout. La mère de Chopin vivra jusqu'à plus de quatre-vingts ans, et son mari mourra à soixante-treize ans, il est vrai d'une affection pulmonaire. Les quatre enfants ont de « petites santés ». Louise meurt à quarante-huit ans, Isabelle à soixante-dix ans, Frédéric à trente-neuf ans, Emilie à quatorze ans. Au siècle romantique, les moyennes de la longévité sont assez faibles.

Frédéric Chopin est présenté, selon les biographes, tantôt comme une fleur fragile, tantôt comme un athlète, selon que l'écrivain, au mépris le plus élémentaire des certitudes historiques, met l'accent sur l'aspect maladif de son art ou, au contraire, sur l'étonnante virilité de sa musique. En fait, l'œuvre de Chopin est tout à tour — et, même, ensemble — ceci et cela. A peine a-t-on fermé un livre qui le décrit comme un prince exténué, créant entre deux accès de toux, qu'on en ouvre un autre où Chopin apparaît comme « un

mâle vigoureux [1] », donnant le généreux exemple d'étonnantes prouesses amoureuses — par malheur imaginaires !
Où est la vérité des faits ?

Durant sa prime enfance, Frédéric est normal, mais assez
frêle. Le jeune garçon de huit à dix ans nous est décrit par
les témoins oculaires comme « débile, chétif, malingre ».
En fait, à l'âge adulte, il est grand, pour l'époque : 1,70 m,
mais il ne pèse pas le poids qu'aurait exigé sa taille : 97 livres en 1840. Jamais il n'atteindra tout à fait 50 kilos !
Extrêmement frileux, il accumule sur lui d'épais vêtements.
Trop maigre, il cherche à engraisser, selon le conseil de la
Faculté, dont les avis sont malheureusement ineptes : ce
n'est pas en se gavant de bouillie d'avoine — et pas davantage en mangeant, cette fois contre l'avis des médecins, du
pain de seigle — qu'il grossira. Tout au plus surmènera-t-il
son estomac, solide, mais capricieux. Un très bon cœur,
mais des bronches délicates et une tendance aux « ganglions » dans la région du cou, qui aurait dû servir de son-
nette d'alarme. Ajoutons que le climat de Varsovie est rude
et que deux de ses meilleurs amis, pensionnaires chez lui
— Jean Bialoblocki et Jean Matuszynski — sont tuberculeux, sans doute contagieux, destinés à mourir, l'un à vingt-
trois ans, l'autre à trente-trois ans, le premier de tuberculose
osseuse, le second de phtisie. La tuberculose fait des ravages, alors. On ne sait ni la déceler, ni la guérir. Evidemment, à l'égard d'un sujet qu'il faut surveiller de près,
parce qu'il offre des symptômes certains d'anémie, ce ne sont
ni l'eau de gomme, ni les émétiques, ni les tisanes, ni le pain
d'épice — encore moins les sangsues et saignées, vésicatoires
et compresses en usage à l'époque — qui vont le fortifier !
Aucune hygiène, cela va sans dire : ni sports, ni exercices
physiques, ni séjours à la montagne. En revanche, dès ses
années de jeunesse, Chopin « sort » beaucoup trop, il danse

---

1. Je me suis permis de faire à mon illustre ami, Arthur
Rubinstein, auteur de cette image hardie, d'affectueux griefs. Je
pense que, pour dépeindre ainsi Chopin, qu'il joue mieux que
personne, il avait commencé par se regarder dans la glace !

à perdre haleine « jusqu'à deux heures du matin », travaille
assidûment, ignore le loisir, bref mène un train de vie exactement contraire à son état de santé. Déjà malade, sans
aucun doute, au moment de son arrivée à Paris, les quelque
vingt médecins qu'il y consultera ajouteront les erreurs aux
carences et le conduiront à la tombe dès sa trente-neuvième
année. Ni les bains dans l'Indre glaciale en compagnie de
George Sand, ni la villégiature aux Baléares durant un
hiver pluvieux et dans des conditions prodigieusement incon-
fortables, ni, à la fin, le séjour dans les brumes britanniques
et écossaises, ne pourront, de toute évidence, enrayer la progression du mal. Toute sa vie, de surcroît, Chopin se couche
tard, alors qu'un homme de son espèce aurait dû être dans
son lit avant dix heures et s'accorder, en outre, des siestes
réparatrices. Quand on aime Chopin, il est irritant de le
voir vivre en un temps où la médecine, faute de bases élé-
mentaires, piétine dans l'empirisme — alors que, de nos
jours, n'importe quel médecin attentif assurerait sans doute
au précieux malade une longue survie. Rêveries stériles.

L'âge ingrat.

La puberté ne provoque chez le jeune garçon aucun trouble : au moins n'en dit-il rien. Sur ce chapitre, il est et sera
toujours d'une absolue réserve. Sa correspondance, à un
détail près[1], est veuve de toute confidence galante ou
simplement vaniteuse. Qu'il plaise aux jeunes filles, c'est
certain — mais il n'y attache aucune importance. Une
seule fois, par jeu, et en italien de comédie, il raconte
à Titus que « Mlle la gouvernante de la maison de la rue
Marszalkowska a un enfant dans le ventre, et la maîtresse de
maison ne veut plus voir le séducteur. Or, avant que la vérité
ne fût découverte, figure-toi qu'on voyait en moi ce séducteur, sous prétexte que j'étais resté à Sonniki pendant plus

1. Cf. p. 153 (Thérèse).

d'un mois et que je m'étais promené souvent dans le jardin avec la gouvernante. Mais je me suis uniquement promené, rien de plus. Elle n'est pas charmante. Et moi, imbécile, je n'avais pas d'appétit, pour mon bonheur... » Ce n'est pas très méchant : c'est même, on ne peut plus innocent. En musique seulement, Chopin nous fait des confidences mystérieuses, sur lesquelles il tient, dans la vie, les lèvres serrées.

Ambiguïté.

Pour écrire à tels de ses condisciples, Chopin use d'un ton exalté qui a pu faire croire à des sentiments moins purs. Lorsque, aux alentours de la dix-septième année — et même un peu plus tard —, il s'adresse à Titus Woyciechowski, à Jean Matuszynski ou à « Jeannot » Bialoblocki, c'est à grand renfort d'expressions tendres, quasi amoureuses : « Mon âme » ou « Mon chéri », « Mon Jeannot », « Mon bien-aimé ». Certes, il faut faire la part de l'exagération romantique, admettre les outrances d'une époque qui use et abuse de l'hyperbole — admettre également que Frycek a été élevé par des femmes entre sa mère et ses sœurs, qu'il est le seul garçon de la famille, et qu'il a acquis à leur contact un je-ne-sais-quoi de féminin. Toutefois, ces relations viriles empreintes de pâmoisons donnent à penser. Il y a mieux. Faut-il croire que la coutume qui laisse les hommes en Russie s'embrasser sur la bouche a cours à Varsovie en ce début du XIXᵉ siècle ? « Je te baise cordialement la bouche, tu permets ? » écrit Chopin à Titus. Il y revient, si l'on peut dire, avec une absence de pudeur ou de gêne, qui plaide d'ailleurs en faveur de l'innocence — d'autant plus qu'à maintes reprises il prend Titus à témoin du sentiment que lui inspire Constance Gladkowska. Cependant, « Aime-moi, mon bien-aimé ! » — « Tends tes lèvres à ton ami ! » — « Je n'aime que toi... » — ou encore, plus gaillardement : « Donne ta bouche ! » sont des formules curieusement équivoques, mais en usage à cette époque dans les mœurs polonaises. Un jour, prenant congé de son ami pour aller dîner, il écrit à Titus : « Tout à l'heure, à la semoule ! Mais, maintenant, à ta bouche ! » Que d'appétits successifs et dissemblables ! On comprend que des exégètes vétilleux aient « tiqué » devant de tels excès de langage.

Une chose est certaine : la grande réserve de Chopin à l'égard du sexe faible. « Il méprise les réalités de la chair », confesse à regret George Sand : « Il dit que certains faits peuvent gâter le souvenir... » De fait, il éprouve une sorte de révolte à franchir le pas qui consacre par un lien charnel un simple attachement du cœur, l'acte amoureux le fait toujours renâcler : disons que, loin de chercher les occasions, ou de céder aux tentations, il s'applique à les fuir. Tout cela est vrai. Mais enfin, on fait moins de bruit autour d'une femme frigide...

Que conclure ? Que la sexualité de Chopin est fragile et que sa « composante » féminine est forte. De même qu'en lui l'imagination l'emporte sur le sentiment du réel, l'idée de l'amour lui paraît plus exaltante que l'amour lui-même, sous sa forme physique. Faut-il croire qu'il ait éprouvé, dans son adolescence, un attrait obscur pour tel de ses amis ? Le goût des mots a dû l'emporter sur toute matérialisation de ses instincts. Rien, dans la suite de ses rapports avec Titus ou Jeannot — l'un et l'autre d'une extrême beauté — ne permet de croire à autre chose. Bialoblocki meurt, tuberculeux, très jeune. Rien à dire sur Matuszynski. Quant à Titus, robuste « gentleman-farmer », il épouse Mlle Poletyllo, après avoir été fort amoureux de Mlle Pruszak [1]. Fréquemment agacé par les effusions de l'ami dont il prise le génie, il ne se gêne pas pour le remettre cordialement à sa place : « Je n'aime pas qu'on m'embrasse ! » supplie-t-il. Point d'invertis parmi les amis de Chopin : il est vrai qu'à cette époque, on est discret à cet

---

1. Et Frédéric se fait le champion déclaré des amours de son ami.

égard. Evidemment, « Mon chéri », « Ta bouche ! » « Tes lèvres » sont des mots étonnants : langage romantique ! Puis il faut compter avec la prodigieuse faculté de substitution qui fait prendre aux collégiens une expression outrée pour un sentiment vrai. L'instinct amoureux est si fort chez un jeune garçon qu'il s'exprime de cent façons abusives et maladroites. Il y a tant de manières de décliner le verbe « aimer », sans même penser à offenser du regard l'objet tout idéal d'une passion nébuleuse ! Comme l'écrit très justement Iwaszkiewicz : « Avant de rêver d'une maîtresse, nous rêvons d'un ami », sur qui se fixent nos pensées et jusqu'à nos désirs. Victime d'une confusion des sentiments plus fréquente qu'on ne l'imagine, Frédéric restera toute sa vie tributaire d'une sorte d'ardeur dégoûtée. Là se borne peut-être la prétendue « anomalie » qui a inquiété quelques psychologues. Evidemment, il n'est pas interdit de penser que, là comme ailleurs, l'extrême réserve de Chopin a pu freiner certaines de ses impulsions. Une âme frêle, un cœur à prendre et, sans doute, des sens à surprendre...

Indépendance.

On est, de fait, assez surpris de la grande indépendance acquise par Frédéric au sein de sa famille, en un siècle où le paternalisme avait droit de cité. Sans doute les dons précoces de l'enfant, les succès grandissants du petit garçon, la faveur mondaine qui auréole son nom et son renom ont-ils aidé à l'émancipation du jeune homme. On ne pouvait astreindre un « phénomène » aux lois qui régissent d'obscurs étudiants. Mais, c'est un fait, dès sa dix-septième année, Chopin a conquis une liberté d'action et d'allures que doivent lui envier plus d'un de ses camarades. Prochainement, il voyagera. Jusqu'à son exode, toutefois, il habitera avec les siens, mais il mène une vie à part. Resté très confiant avec ses parents, très enfant même par la manière de dire les choses, de donner par écrit cent nouvelles haletantes, d'être en quelque sorte la gazette parlée de Varsovie — ville bavarde s'il en fut —, il tient cependant un compte personnel de ses sorties, de ses visites, de ses bals et de ses thés, sans oublier celui de ses travaux.

Au lendemain de la mort d'Emilie, les Chopin abandonnent l'appartement du palais Casimir, trop plein de souvenirs de la jeune disparue, et s'installent au palais Krasinski, 5, faubourg de Cracovie. Tout en vivant sous le toit familial, Frédéric se voit attribuer une pièce mansardée où il installe son piano : c'est là qu'il compose. Il partage son été entre Stryzewo, en Posnanie, chez sa marraine, Mme Wiesilowska — et Antonin, chez les Radziwill, où il se lie d'amitié avec les deux jeunes princesses, Eliza et Wanda. Puis s'ouvre la seconde année d'études au Conservatoire.

Pour la plupart, ainsi qu'il arrive fréquemment dans les villes de petite ou moyenne importance, les élèves du Conservatoire sont des demi-professionnels ou, ce qui revient au même, des demi-amateurs. Il est de bon ton d'étudier au Conservatoire et profitable d'y conquérir un diplôme. Mais, si l'enseignement est bon, le niveau des élèves est assez bas. Quand Mme Sontag, cantatrice illustre, « auditionne » les deux meilleures chanteuses de la classe de Soliva, condisciples de Chopin — Mlles Wolkow et Gladkowska — elle leur trouve des voix « bien trop criardes. Si la méthode qu'on leur a enseignée est, en soi, excellente, elles en font un mauvais usage. Il leur faudra chanter d'autre manière, sous peine de perdre leurs voix d'ici deux ans... » Ainsi, Constance Gladkowska, tout en émouvant le cœur du jeune Chopin, n'était sans doute qu'une médiocre chanteuse. Les condisciples de Chopin feront d'honorables carrières. Parmi eux, il y a Fontana, pianiste et compositeur amateur. Chopin retrouvera à Paris ce fidèle « famulus » — ainsi que le violoniste Orlowski. Chopin aime beaucoup Nowakowski, pianiste et compositeur, « si original qu'on n'en trouverait pas deux comme toi sous le soleil », Dobrzynski, Nidecki, compositeur d'opéras, nommé plus tard codirecteur du Théâtre, Stefani, auteur de polonaises et d'opéras. Celui-là, Chopin le retrouve souvent chez Elsner, qui organise des

réunions musicales où chacun joue les derniers morceaux
qu'il a composés. Mme et Mlle Elsner chantent fort bien,
il règne chez le directeur de l'école une agréable ambiance et
Chopin, en marge de ses leçons proprement dites, s'y produit fréquemment. On joue, on déchiffre, on discute, on
s'emballe. Chopin présente scrupuleusement tous ses travaux
à Josef Elsner. Il va, d'ailleurs, lui dédier sa *Sonate en ut
mineur, op.* 4.

« *Le piano est mon univers...* »

Il compose beaucoup au long des années 1826-1827-
1828. Le *Rondo à la mazur, en la majeur, op.* 5, dédié
à la jeune comtesse Alexandrine de Moriolles, son élève ;
deux *Valses en la bémol majeur* et *mi bémol majeur*, plus
tard transcrites dans l'album de la fille d'Elsner ; la *Sonate
en ut mineur, op.* 4, une *Polonaise en ré mineur*, une *Contredanse en sol bémol majeur* (ces deux dernières pièces en-
voyées manuscrites à Titus Woyciechowski à Poturzyn), les
Variations op. 2 sur le thème de *La ci darem la mano* du
Don Juan de Mozart, dédiées à Titus, éditées à titre posthume
sous le numéro d'*op.* 71 ; une *Mazurka en la mineur* ; un
Nocturne en mi mineur, qui ne sera publié qu'après sa
mort (*op.* 72, n° 1) ; un *Trio en sol mineur*, pour violon,
violoncelle et piano, *op.* 8, dédié au prince Radziwill ; enfin,
le *Rondo en ut majeur pour 2 pianos* (*op.* 73, posth.).

Sauf que le *Trio* fait intervenir deux instruments à cordes [1]
dont le rôle concertant n'est pas très significatif — parmi
toutes ces pièces, du piano, rien que du piano. Il en sera de
même jusqu'à la fin de sa vie, exception faite de deux
Concertos et des *Variations* qui font intervenir l'orchestre
— mais un orchestre si peu symphonique ! — de la *Sonate
pour violoncelle et piano*, et des *Mélodies*. Les pièces marquantes, les vrais chefs-d'œuvre seront tous voués au piano.
Cette prédilection exclusive est à peu près unique dans l'his-

---

1. En 1830, Chopin joue son *Trio* en privé, à Varsovie. Il
en est « assez content », mais une idée lui passe par la tête :

toire de la musique. Ni l'orchestre, ni la musique de chambre, ni la voix humaine, encore moins l'opéra, n'ont durablement tenté Chopin. Le piano est son univers. Mais, considérant cet univers, jusqu'alors assez restreint, en dépit des conquêtes beethovéniennes [1], il va en élargir prodigieusement le cadre et l'horizon à la mesure des rêves qu'il va lui confier. Au vrai, Chopin va créer tout bonnement le piano moderne. Il y aura, dans l'histoire de l'art, le piano d'avant Chopin — et celui d'après.

Dans un chapitre du volume, enflammé de littérature superlative, qu'il lui consacre, Liszt a énuméré certaines des conquêtes pianistiques de Chopin : « C'est à lui, écrit-il, que nous devons l'extension des accords, soit plaqués, soit en arpèges, soit en batteries ; ces sinuosités chromatiques et enharmoniques, dont mainte page offre de si frappants exemples ; ces petits groupes de notes surajoutées, tombant comme les gouttelettes d'une rosée diaprée par-dessus la figure mélodique. Il donna à ce genre de parures, dont on n'avait encore pris le modèle que dans les *fioritures* de l'ancienne grande école de chant italien, l'imprévu et la variété que ne comportait pas la voix humaine, servilement copiée jusque-là par le piano dans des embellissements devenus stéréotypés et monotones. Il inventa ces admirables progressions harmoniques, qui ont doté d'un caractère sérieux les pages qui, par la légèreté de leur sujet, ne paraissaient pas devoir prétendre à cette importance. » A dire vrai, les annexions territoriales de Chopin sont autrement nombreuses et importantes !

c'est de remplacer le violon par un alto, « qui sonnera mieux dans ce registre moyen et s'opposera efficacement au cello ». Le 4 novembre 1829, Antoni Radziwill a accusé réception, en français, du *Trio* qui lui est dédié, priant Chopin « d'en accélérer l'impression, afin d'avoir le plaisir de l'exécuter avec lui à Posen, lorsqu'il se rendra à Berlin ».

1. Si magnifiques soient-elles, les *32 Sonates* se font plus remarquer par la qualité des idées qui s'y expriment que par l'appropriation de ces idées aux ressources de l'instrument appelé à les traduire. Beaucoup, parmi les dernières, semblent appeler un orchestre imaginaire.

D'emblée, ou peu s'en faut, il trouve le moyen mystérieux de faire sonner le piano exactement comme il faut
et comme il veut. Cela tient à la répartition sur le clavier
des notes composant un accord ou faisant partie d'un agré-
gat. Les harmonistes débutants commencent par là, on leur
enseigne les manières différentes de disposer un accord déterminé, de redoubler certaines des notes qui le composent,
de diminuer ou d'agrandir, selon les cas, la distance séparant les différents sons. Certains dispositifs sonnent bien,
d'autres très mal.

Parce qu'il n'était point pianiste et qu'il avait appris la
musique sur une guitare, Berlioz, à la même époque, usait
d'une écriture harmonique détestable, procédant par accords
serrés en grappes : ce pour quoi ses ouvrages, pensés symphoniquement, sonnent si bien à l'orchestre et si désastreuse-
ment lorsqu'on les « réduit » au piano [1]. Chopin, mû par
un instinct de sourcier, va droit au dispositif qui, mis à part
la nouveauté ou le chatoiement de l'harmonie, va sonner au
mieux des intérêts d'un accord, d'une phrase ou d'une
période. Loin de se confiner dans un registre de prédilection,
il prospecte le clavier dans son intégralité : que de découvertes, en chemin ! S'il a parfois des « manies », il en diversifie à tel point les modes d'expression qu'il paraît jongler
avec un arsenal de moyens. La beauté de ses thèmes est
affaire de génie, on n'évoque ici que les aspects du talent
qui en multiplie les prestiges. Car il y a eu en lui un grand
artiste et un artisan minutieux : l'un n'est rien sans l'autre.

Innovation.

Le premier, il répudie l'harmonie procédant par paquets
de notes compactes, le premier, il déploie les accords en

---

1. Tandis que des chefs-d'œuvre orchestraux de Ravel ou
Debussy, transcrits pour le piano, continuent de sonner parfaitement : l'heureux effet sonore tient plus à la rigueur de l'écriture
qu'il ne dépend du choix des timbres.

arpèges élastiques, sans pesanteur, qui n'ont plus, comme chez Beethoven, une fonction purement dynamique, mais qui tiennent un rôle mélodique de premier plan, grâce à quoi l'animation du discours, chez lui, n'est jamais factice ou creuse, parce que toutes les « voix » y concourent. Avec Chopin, chaque note parle, tous les traits chantent [1]. Jamais ils n'assument un rôle simplement décoratif ou d'animation rythmique : les traits ont un dessin, une courbe personnelle, une vie propre, un destin. Nous sommes loin des « batteries » et des formules stéréotypées qui déshonorent, ayons le courage de le dire, quantité de pièces classiques, chez Haydn et Beethoven en particulier, où l'automatisme des procédés d'écriture est parfois consternant. Combien de fois, pour conclure une idée originale, on use d'un truisme :

alors que Chopin met en œuvre des arpèges dont les sinuosités délicates témoignent d'autant d'invention que l'on en trouve dans ses thèmes les plus neufs. Trop longtemps, avant lui, le compositeur s'imaginait — tenant une « idée » ingénieuse, ou un motif pathétique — que le plus fort était fait, si l'on peut dire : et, quant au sertissage de cette perle, on pouvait se fier aux vieilles méthodes qui avaient fait leurs preuves ! Le détail n'était pas toujours à la hauteur du plan, on faisait confiance à la routine, la « finition » n'était

1. Maurice Ravel insiste là-dessus de manière pertinente ; à propos de la *Barcarolle*.

pas très soignée, n'importe qui pouvait achever telle période
« préfabriquée » — tandis que, dans la plus fugitive *mazurka*
de Chopin, l'œil du maître est partout, pas une mesure qui
ne soit ouvragée « à la main » !

Chopin remet tout en question. Il ne sépare pas, candide-
ment le « fond » de la « forme » — autant séparer l'âme du
corps chez un être vivant — il crée un langage qui, solidement appuyé sur les bases classiques, répudiera les automa-
tismes de naguère.

Où trouve-t-il des modèles du style qu'il va imposer ?
Nulle part qu'en lui-même. Field lui a fourni des prétextes,
mais ses « nocturnes » sont des cadres vides. Le théâtre
italien a suggéré à Chopin la manière dont il faut faire
chanter la voix : ses élégies à lui chanteront, sinon les mêmes
choses, du moins de la même manière, avec la flexibilité du
gosier humain. Mozart, Weber et Beethoven lui ont proposé
des schémas de *sonates*, mais il utilisera pour ces architec-
tures classiques de tout autres matériaux. Du coup, ne
voyant pas qu'il innove, on croira qu'il s'égare : « Il a
écrit de beaux *concertos* et de belles *sonates*, note Liszt :
toutefois, il n'est pas difficile de distinguer dans ces productions plus de volonté que d'inspiration. » Pas difficile ? Nous
croyons, au contraire, qu'il faut une vue acérée pour apercevoir l'envers exact de la réalité ! Et nous ne pensons pas
le moins du monde, avec le généreux Franz — pétri d'un peu
de fétichisme pour des formes que son génie, d'ailleurs,
renouvellera — que « la grâce de Chopin se déploie surtout
quand son esprit va à la dérive ». Car, jusque dans l'hallucination, Chopin reste lucide et maître de sa plume. S'il a
brisé certaines structures, c'est qu'il ne s'y sentait pas à
l'aise. S'imposant le corset, il refuse le carcan.

Sa couleur harmonique — sa « note bleue » d'avant la
lettre — il la trouve très tôt. Elle lui est, comme tout ce
à quoi il touche, absolument personnelle et congénitale. S'il
existe d'amusants pastiches de Mozart, les imitations de Chopin sonnent immédiatement faux. Que d'agrégats il invente,
que d'enchaînements nouveaux viennent spontanément sous
sa plume de jeune homme — par exemple ceux dont est tis-

sée la 2ᵉ *Etude en la mineur*, op. 10, composée à Varsovie ! Cette fuite d'un oiseau transparent dans un espace sans pesanteur nous donne, après un siècle et demi, ou peu s'en faut, un sentiment d'originalité éternelle. La moindre mazurka emprunte à un rythme connu et à des harmonies très simples un charme indéfinissable, ce « je-ne-sais-quoi » où aboutit, hélas, toute recherche d'une explication rationnelle qui, s'agissant de Chopin, ne peut s'énoncer clairement. « Pas de musique sans arrière-pensée », notera-t-il un jour. On pourrait ajouter : pas d'art véritable sans mystère infranchissable. Si poussée soit-elle, l'analyse musicale se borne à constater ce qu'elle ne saurait expliquer. Les grandes pièces de Chopin — *ballades, scherzi, sonates, fantaisies* — ne « tiennent » pas en vertu de l'application d'une recette, mais par une sorte de logique qui leur est propre et qui suspend les idées comme en état de lévitation. La musique de Chopin, essentiellement, flotte — ce qui ne signifie pas pour autant qu'elle dérive.

Personnalité dans les rythmes ; personnalité dans la courbe des mélodies ; personnalité de la couleur harmonique ; personnalité dans la forme ; personnalité des accompagnements, enfin traités en adultes, et non plus en enfants traînés par la main — il n'y a peut-être pas au monde une musique aussi totalement neuve ni plus absolument satisfaisante que celle-là. Point de musique plus hardie. Point de musique créant, propageant autour d'elle un univers plus sensible, ni plus poignant. Point de musique mettant harmonieusement d'ingénieux prétextes instrumentaux au service de pensées fulgurantes. Point de musique aussi rêvée, traduite par des moyens aussi purs. C'est en cela que Chopin, d'essence romantique, ne cède jamais à je ne sais quelle hystérie visionnaire ; jusque dans l'état second, il garde une rigueur classique. Tout cela, sinon dès les premières pièces, du moins dès avant le terme de la période polonaise. Il faut dire et redire que Chopin, demi-Français par son père, est d'âme polonaise et qu'il nous arrive à Paris, en 1831, en pleine possession de son génie. Il se développera en France — mais c'est ailleurs qu'il a pris racine.

Tout ce qu'on note au fil de la plume, Elsner, au gré des leçons, en prend conscience. D'où la note attribuée à l'élève miraculeux : « Génie musical ». Les menus griefs du maître s'émoussent au contact d'un si évident prestige. Oui, Chopin refuse d'écrire des opéras — mais il traduit l'épopée nationale d'une autre manière ! Oui, Chopin se confine à des travaux pianistiques — mais, avec lui, les dimensions du piano dépassent le volume de l'orchestre et en égalent la variété de couleurs ! Oui, Chopin, au revers de Brid'oison, néglige la « fooorme » : mais il invente des structures neuves ! Assez vite, Elsner, découragé de prodiguer des conseils inutiles, se rend à l'évidence, avec une noblesse qui égale l'effacement volontaire de Zywny. A défaut d'avoir provoqué la métamorphose, ils ont assisté, spectateurs éblouis, à la transformation de la chrysalide en un insecte parfait : qu'il déplie les ailes et s'envole est dans la loi naturelle. Du moins Chopin gardera-t-il jusqu'à son dernier jour à ses deux anciens maîtres une gratitude émue. De même, jusqu'au bout, il aura pour « les siens » un tendre attachement, une préférence exclusive que l'éloignement aiguisera. Certainement, de leur côté, les parents ont deviné, ils ont su que Frédéric n'était pas « comme les autres [1] ». Ah ! qu'il est émouvant, ce jeune Chopin, à la fois si semblable à tous les garçons de son âge, de tous les temps et de tous les pays — et si prodigieusement unique de son espèce par la singularité du génie ! Un et irremplaçable. Seul au monde...

Voyage à Berlin.

Mais qu'il est gai, primesautier, impatient de voir du nouveau, ce même Frédéric qui, le 9 septembre 1828, monte dans la diligence de Berlin ! L'occasion s'est offerte

1. Selon l'expression si simple et si juste de Jane Stirling, après qu'elle eut, le 17 octobre 1849, fermé les yeux de Chopin.

à lui d'accompagner en Allemagne un ami de son père,
Jarocki, professeur de zoologie à l'université de Varsovie,
qui va assister à Berlin à un congrès de naturalistes présidé
par Humboldt. Le voyage est long : cinq journées fatigantes
à bord d'une « diligence prussienne, montée sur barres, où
l'on se sent broyé comme grains de poivre dans un moulin ! » Berlin fait à Chopin l'effet d'une ville démesurée :
« Elle abriterait au besoin le double de la population qui
y habite. » La propreté, l'ordre, la mise en place du moindre
détail compensent, d'une certaine manière, l'absence de pittoresque.

Du pittoresque, Frédéric en trouve à revendre parmi les
savants qui participent au congrès : « Des caricatures :
je les ai déjà classés en trois catégories ! » L'œil de Chopin
vaut son oreille. Il excelle à saisir le ridicule, l'outrance, le
défaut d'une chose ou d'un visage. Son voisin de table,
professeur de botanique à Hambourg, « d'une pression de
sa patte d'ours, aplatit le pain en galette, alors qu'il me faut
les deux mains pour le rompre ! Il perd en parlant la précieuse boulette qu'il pétrissait, et entreprend de malaxer à
la place mon assiette après en avoir balayé les miettes ! »

Présenté à Lichtenstein et à Humboldt, Frédéric aperçoit
Zelter, Spontini et Mendelssohn. Retenu par la pudeur,
il n'ose s'approcher d'eux. En revanche, il va cinq fois à
l'Opéra où il entend le *Cortez* de Spontini, *le Mariage secret*
de Cimarosa, *le Colporteur* d'Onslow, *le Sacrifice interrompu*
de Winter et *le Freischütz* de Weber. Au concert, il s'enthousiasme pour la *Cäcilenfest* de Haendel. Il accorde une
mention honorable à deux cantatrices, Mlles Tibaldi et von
Schätzel. Quant à leur talent, « tout n'alla pas sans *mais* ; ce
ne sera qu'à Paris, sans doute, qu'il n'y aura plus de *mais*... »
Cela démontre, soit dit en passant, que Chopin a bien l'idée
de visiter Paris, qui jouit alors d'une réputation artistique
considérable.

Trois semaines passent vite, quand on a tant à voir et à
entendre ! Chopin prend le temps de vérifier que la réputation de beauté des Berlinoises est usurpée : « des poupées
en peau de daim ! » Il visite deux fabriques de pianos,

passe deux heures chez l'éditeur de musique Schlesinger et, à la bibliothèque municipale, il déchiffre avec respect une lettre manuscrite de Kosciuszko. Il quitte Berlin, ayant enrichi sa « collection de caricatures », qui alimentent son royaume du rire intérieur.

Sur le chemin du retour, il s'arrête à Cylichowo, où l'on change les chevaux. Apercevant un piano chez le maître de poste, Chopin l'ouvre et se met à jouer. L'auditoire grossit, s'émerveille, oublie l'heure, néglige les appels du postillon, bref on porte en triomphe le jeune virtuose jusqu'à la diligence. Les succès populaires ont parfois du bon...

A Poznan, il est reçu à dîner chez l'évêque Wolicki, parent des Skarbek. Puis il va rendre visite aux Radziwill, joue avec le prince des morceaux pour piano et violoncelle — et, à quatre mains, avec Klingohr, professeur des jeunes princesses. La soirée se termine sur une brillante improvisation de Chopin, qui regagne ensuite Varsovie. Il y arrive le 6 octobre.

Composition.

Sa dernière année — 1828-1829 — d'études au Conservatoire, il la consacre surtout à des travaux personnels. Dans la pièce qu'on lui a aménagée au dernier étage de l'appartement et qui, par un escalier dérobé, aboutit à la « chambre aux armoires », il a installé un vieux piano, un vieux bureau : « C'est mon refuge. » Tandis qu'à l'étage inférieur, ses deux sœurs agencent un roman, Frédéric compose. Il achève un *Trio en sol mineur*, écrit la *Grande Fantaisie sur des airs polonais*, *op.* 13, la *Polonaise en si bémol*, *op.* 71 n° 2, le *Rondo à la Krakowiak*, avec orchestre, *op.* 14, esquisse le *Concerto en fa mineur* et, cherchant à traduire dans son langage à lui ce qu'il a appris en travaillant son piano, il projette de donner une suite moderne aux préludes et fugues de Bach. Ne serait-ce pas beau de choisir comme prétexte une difficulté comme s'en proposent les virtuoses, pour affermir leur mécanisme — grands déplacement, mouvements chromatiques, arpèges, volubilité, octaves, etc. — et de composer, à partir de là, des pièces combinant la prouesse technique et l'intérêt musical ? Ayant en vue le seul intérêt didactique, Frédéric écrit, négligemment, à Titus : « J'ai écrit quelques *exercisses (sic)* ; près de toi, je les jouerais bien. » Ces « *exercisses* », si modestement dénommés, sont, tout simplement, les *Etudes* n°s 1, 2, 5 *op.* 10. Trois esquisses où le génie fulgure en traits de feu, s'agence en arpèges, se déroule en ruban chromatique, ou se contente d'effleurer les seules touches noires du clavier. La gestation d'un immense chef-d'œuvre est commencée. Ces trois premières *Etudes*, qui ne le cèdent en rien aux suivantes, sont l'œuvre d'un jeune homme de dix-neuf ans. Sans y prendre garde, il élève un monument impérissable au piano moderne. Tous ses « problèmes » personnels, transfigurés par le pittoresque ou le pathétique de l'expression, reçoivent d'éclatantes solutions dans le recueil qui s'amorce. Il renouvelle l'exploit de Bach en donnant à ce « remake » des résonances éternelles. Jamais, peut-être, son génie ne se manifestera avec plus d'ampleur que dans le cadre des *Etudes*, où il est jugulé par l'obstacle d'un postulat. Il vérifie, une fois encore, que, loin d'appauvrir l'imagination, la contrainte la stimule. Le vieux Zywny avait raison : l'art est une lutte.

Portrait.

C'est à l'époque où il écrit ces premières *Etudes* que le peintre Miroszewski prend les cinq membres de la famille Chopin pour modèles de son pinceau. Le tableau représentant Frédéric est le premier en date de tous ceux qui sont parvenus jusqu'à nous. Sur l'enfant qu'il fut, nous sommes réduits aux hypothèses. Voici donc son visage de jeune homme — ou d'homme tout jeune encore. Chopin est vêtu d'une grande cape byronienne, laissant s'épanouir largement le col de la chemise. Deux grands yeux sombres — en fait, ils sont bleus, près du gris — tendres et fiévreux — dévorent le visage pâle et jouent largement dans des paupières fendues en amande. Le nez, important, semble droit, alors qu'il est nettement courbé. Les lèvres n'ont pas encore l'épaisseur ourlée qui soulignera plus tard la bouche. Celle-ci s'entrouvre comme sur l'aveu d'un regret. Il y a dans le visage triangulaire, qui porte les stigmates avant-coureurs de la consomption [1], quelque chose de fin, de fier et de fuyant, une distinction princière. Les cheveux n'ont pas le mouvement, les plis orageux qui dramatisent l'esquisse de Delacroix. Si attentivement que l'on s'attache aux détails, on

---

1. A partir de ce tableau et de plusieurs documents graphologiques, le psychologue André Rabs a tracé à la demande de Marise Querlin, auteur de *Chopin, explication d'un mythe,* la « silhouette caractérielle de Chopin » qu'elle m'a autorisé à reproduire :

« Déductif plus qu'intuitif en dépit des apparences. Très forte fixation au passé. Sociabilité élective. Volonté très forte, pouvant aller jusqu'au despotisme. Plan instinctif très développé, mais n'allant que jusqu'au plan affectif. La spiritualité n'apparaît qu'à la fin de l'existence. Imagination précise et concise. Paradoxalement, le sens artistique n'apparaît absolument pas dans le graphisme : ce sens est chez Chopin en surcharge, comme un dédoublement de la personnalité. Cette écriture se rapproche étonnamment de celle de Pascal. Comme la sienne, elle dénote, notamment par la lettre *f* qui n'est plus qu'une barre, une sorte de stérilité, la brûlure intérieure qui signe les névropathes. Sur la fin de la vie se montre un besoin d'ouverture, d'extériorisation, alors que, dans la première partie, se montre une réserve, une contention excessive. S'il n'était mort si tôt, le scripteur aurait réalisé quelque chose de très étrange sur le plan métaphysique. Il a essayé de s'y raccrocher sans y parvenir. Sur sa fin, une agressivité terrible se manifeste et il devient extrêmement dur : il happe comme un hameçon. Cette graphologie implique également qu'il doit souffrir des yeux et qu'il fut comme une boule de feu, transfigurant l'intérieur, mais dévastant tout sur son passage ».

en revient toujours au regard, doux et dévorant, qui semble
s'être posé sur des visions d'un autre monde avant de considérer celui-ci. Bien sûr, je m'abandonne à la rêverie, parce
qu'il s'agit de Chopin. Tout de même, d'un inconnu, on se
dirait sans doute : les femmes, les jeunes filles n'ont pas dû
être indifférentes à ce visage de bachelier romantique et,
même, romanesque...

Premiers émois.

Elles ne le sont pas, en fait — bien que l'on ne possède
aucun détail sur les premiers élans sentimentaux de Chopin.
Il semble bien qu'une grande pudeur ait jugulé chez lui toute
effusion des sens et du cœur. Ses succès mondains et artistiques ne lui ont donné aucune témérité. De surcroît, il craint
comme la peste les mille et une manifestations de ridicule
qu'il excelle à déceler chez autrui : s'il allait provoquer le
sourire, ou des railleries, par un aveu intempestif ? La crainte
du qu'en-dira-t-on est déjà très vive en Chopin, qui témoi-
gnera à cet égard d'une mentalité typiquement provinciale.
Il a pris l'habitude de redouter les cancans, qui courent vite
dans une ville assez grande pour que les secrets se dispersent,
assez petite pour que tout le monde se connaisse. De par
la réserve de Chopin, nous ignorons tout de ses émois, ou
de ceux qu'il provoque. Alexandrine de Moriolles, « la
Moriolka », et Marie Wodzinska ont sans nul doute un
« sentiment » pour le séduisant *maestro* : mais il se contente
de plaisanter, de « polichiner » en leur compagnie. Seul,
le nom de Constance Gladkowska va bientôt paraître dans
ses confidences à Titus.

Pour se délasser de ses travaux et des quelques leçons
qu'il donne, Chopin va au théâtre — souvent et avec passion. Corneille, Racine, Molière, Schiller, Shakespeare et
quelques auteurs de moindre envergure, provoquent son enthousiasme. Il joue lui-même la comédie, *en français.* Ainsi
tient-il, à la fin de l'année 1828, le rôle d'un valet déluré,
fripon, joli garçon, dans une pièce d'Alexandre Duval : *les*

Projets de mariage. Il « sort » beaucoup, vole de soirée en soirée, quitte le salon de Mme Wincengerod pour celui de Mlle Kicka, n'éprouve aucune gêne à virevolter, joue souvent en privé, à moins que, tombant de sommeil, il ne se réfugie dans l'improvisation, où l'auditeur, même éclairé, perd pied, parce qu'il ignore la règle du jeu. Evidemment, il ne laisse passer aucun concert important sans y assister — mais il faut dire qu'à Varsovie, en ce premier tiers du siècle romantique, les séances publiques sont rares et d'un assez maigre profit pour le virtuose. Il entend Hummel, Marie Szymanowska, Stephen Heller, son condisciple Dobrzynski. Enfin, des dix concerts que donne Paganini au Théâtre national, il ne manque pas un seul.

Paganini.

Agé à cette époque de quarante-sept ans, le « violoniste infernal », après avoir brillé dans la péninsule, commençait son « tour d'Europe », précédé par une légende qu'au mépris du respect conjugal, Mme Paganini mère avait contribué à lancer : son rejeton était le fils du diable ! Bénéficiaire d'une aussi profitable hérédité, Niccolo Paganini n'avait rien fait pour dissiper cette rumeur flatteuse. Bien au contraire, il accentuait par des moyens d'artifice la pâleur de ses joues, l'exténuement de son visage, l'allure insolite de sa silhouette, assez ressemblante à celle d'un squelette. On disait que l'une des cordes de son violon était faite des intestins d'une maîtresse assassinée : Paganini laissait courir la légende ! Conscient de son talent et de son étrangeté physique, il répétait volontiers : « Je ne suis ni jeune, ni beau. Au contraire, je suis fort laid ! Mais, lorsque les femmes écoutent ma musique, elles se mettent à pleurer et je deviens leur idole : elles se roulent à mes pieds. » C'était souvent exact. Mais les dames au cœur sensible n'étaient pas, loin de là, seules à l'acclamer. Meyerbeer le suivait partout où il passait : « Là où s'arrêtent les pouvoirs de la pensée, disait-il, là commence Paganini. Par ses réalités, il dépasse toutes vos imaginations. » Schumann confiait à Clara : « Il marque un tournant dans l'histoire de la virtuosité... » « Quel homme, quel violon, quel artiste ! Ciel ! » s'écria Liszt lorsqu'il l'entendit, à Vienne. Berlioz le tenait pour « seul de son espèce ». Drôlement, Rossini notait : « Je n'ai pleuré que trois fois dans ma vie. La première fois, ce fut lors de la chute de mon premier opéra. La deuxième fois, ce fut au cours d'une promenade en bateau, lorsqu'une dinde truffée tomba à l'eau. La troisième fois, ce fut en entendant jouer Paganini. » Enfin, Goethe, corsant le palmarès du virtuose génois, écrivait à Zelter : « Je n'ai pas très bien compris ce qui se passait. Simplement, j'ai vu une colonne de flamme et de feu... » Témoignage flatteur !

Au concert, les gens claquaient des dents, les femmes s'évanouissaient ; un critique à longue vue prétendit avoir distingué, derrière Paganini, le diable en personne qui maniait l'archet à sa place ; le violoniste arrachait parfois trois cordes de son instrument pour se contraindre à jouer sur la dernière, ce qui conférait à son exécution le symbole d'un exploit. En fait, il provoquait par son génie instrumental la métamorphose du violon traditionnel en violon moderne, réalisant une manière de miracle, analogue à celui que Chopin faisait accomplir au piano. Seulement, il y avait chez Paganini, virtuose-né, une manière d'exhibitionnisme — alors que Chopin, qui n'aimait pas l'estrade, agissait par des moyens discrets.

Une main idéale.

Tout de même, lorsqu'il entend Paganini au Théâtre national de Varsovie, le jeune Chopin se trouve en présence, non d'un rival, mais d'un semblable, car il a, de son côté, révolutionné la technique du piano. Mieux que personne, il comprend le double miracle accompli par le funambule : miracle physique, miracle artistique. La main de Paganini est ainsi faite qu'il peut se permettre des hardiesses jusqu'à lui jugées irréalisables. Et la main de Chopin n'est-elle pas la main

typique du pianiste idéal ? Longs doigts déliés, nettement
détachés de leurs bases, aux articulations saillantes et aux
ligaments tendineux. Grande facilité de dislocation et d'extension. Celle du pouce posé à plat est particulièrement développée. Une musculature fine aux attaches robustes : ne
dit-on pas de lui qu'il a des « doigts de velours », des « doigts
de serpent » ? « Une ossature de soldat sous une apparence
frêle », écrira plus tard un de ses élèves, Georges Mathias.
Son meilleur interprète français, Alfred Cortot, conclura :
« Le plus miraculeusement pianiste d'entre les musiciens. »
Comment les tours de force de Paganini laisseraient-ils Chopin indifférent ? Sans doute la musique est-elle, pour lui,
bien autre chose qu'un prétexte à feux d'artifice. Cependant,
il sait, mieux que personne, que les plus hautes ambitions
supposent le recours à des moyens appropriés. Ceux de Paganini sont hors de pair. Ses prouesses inspirent à Chopin une
assez fade paraphrase : *Souvenir de Paganini.* Bien qu'elle
ne se réfère à aucun événement précis, l'*Etude en sol bémol
majeur* rend un plus éloquent témoignage à l'illumination
qu'il a reçue du virtuose transalpin. Grâce au ciel, il est pianiste, et non pas violoniste : pour rien au monde, il ne voudrait être à la place de Karol Lipinski, l'émule polonais de
Paganini, qui tente de lutter contre son dangereux rival,
joue devant des salles vides et, finalement, quitte la ville
ingrate qui lui a fait affront !

D'un caillou blanc, Chopin marquera le souvenir du
concert donné au Conservatoire, le 21 avril 1829, par deux
jeunes cantatrices, ses condisciples, qui se produisent pour
la première fois en public : Mlles Meir et Gladkowska. La
seconde, il la regarde autant qu'il l'écoute...

Voyages d'études !

Les examens de fin d'année et d'études, s'achèvent sur
la mention d'Elsner, que nous avons déjà relatée : rarement,
un maître est conduit à formuler sur un élève un jugement
de cette qualité. Sur quoi, Nicolas Chopin, en père avisé,

écrit, en français, au ministre Stanislas Grabowski, dans le
but de favoriser l'octroi à son fils d'une subvention qu'il juge
nécessaire à l'accomplissement d'un voyage d'études à l'étranger. Nous reproduisons cette lettre pour qu'on puisse la comparer à celle que le même Nicolas, trente-neuf années auparavant, écrivait à ses parents. Que de progrès accomplis
entre-temps dans l'usage d'une langue qu'il est, paradoxalement, venu apprendre en terre étrangère !

    « Monsieur le Ministre,

    « Etant donné que je travaille depuis vingt ans dans la
profession pédagogique au lycée de Varsovie, et convaincu
que j'ai rempli mes devoirs autant que me le permettaient
mes forces, je prends la liberté d'adresser à Votre Excellence une humble pétition pour la prier de bien vouloir
obtenir pour moi du gouvernement une grâce que je consi-
dérerai comme la plus haute récompense.

    « J'ai un fils, que son talent inné pour la musique pré-
destine à l'étude de cet art. Feu Sa Majesté l'Empereur et
Roi Alexandre a bien voulu lui faire présent d'une précieuse
bague en témoignage de son contentement, quand mon fils
a eu l'honneur de se faire entendre devant ce monarque.
Son Altesse Impériale le Grand-Duc, chef suprême, a bien
voulu permettre qu'il pût donner maintes fois devant lui des
preuves de son talent en évolution. Enfin, beaucoup de personnages illustres et de connaisseurs de musique pourraient
confirmer l'opinion que mon fils serait à même d'être utile
au pays dans la profession élue, s'il avait l'occasion d'accomplir les études nécessaires pour y devenir complètement apte.
Déjà, il a terminé tous les travaux préparatoires ; à ce sujet,
je me réfère au témoignage de M. Elsner, recteur de l'Ecole
supérieure de musique et professeur à l'Université. A présent, mon fils a uniquement besoin de visiter des pays étrangers, surtout l'Allemagne, l'Italie et la France, afin de pouvoir se former suffisamment d'après de bons exemples.

    « Comme, pour accomplir semblable voyage, pouvant
durer jusqu'à trois ans, des fonds sont nécessaires — fonds

que mon modeste traitement de professeur ne peut assurer —
j'adresse donc ma plus humble pétition à V. E., Monsieur le
Ministre, en la priant de vouloir bien obtenir du Conseil
d'Administration quelque aide en vue du voyage de mon fils,
sur les fonds dont dispose le gouverneur.

« Avec les expressions de ma profonde considération, je
suis de V. E., Monsieur le Ministre,
le plus humble serviteur.

> Nicolas Chopin
> Professeur du lycée de Varsovie.

> Varsovie, le 13 avril 1829. »

A réception de cette lettre si bien tournée, le ministre
Grabowski proposa qu'une indemnité de 5 000 florins fût
accordée à Frédéric Chopin pour l'aider à accomplir ce
voyage d'études. La Commission du gouvernement et de la
police la refusa, prétextant qu'il n'était pas possible de « dissiper les fonds publics pour encourager pareils artistes » !

Nanti de ce refus, dont il sourit, lesté d'un peu d'argent
par son père prévoyant, Chopin s'élance à la conquête de
l'Autriche. Fin juillet, il prend la diligence de Vienne.

Vienne.

A cette époque, Vienne reste, avec Paris, l'une des deux
grandes capitales de l'Europe musicale. Beethoven y est
mort deux ans plus tôt, Schubert, l'année suivante, Haydn,
Gluck et Mozart y ont vécu, le petit Liszt y a fait ses études
avec Czerny et Salieri, bien des amis ou élèves des grands
maîtres y maintiennent leur tradition vivante, l'opéra y jouit
d'un renom fameux, les virtuoses les plus célèbres aspirent
à s'y produire. L'artiste qui a conquis les suffrages des journalistes viennois et parisiens est assuré de faire carrière partout ailleurs. C'est assurément le but que vise Frédéric. Il est
conscient d'avoir produit un certain effet à Varsovie, mais

cela ne contente pas son ambition. Comme il l'écrit à son cher Titus : « Sache que je tiens pour rien ce qu'écrit le *Courrier de Varsovie* [1]... » C'est sur un autre terrain qu'il faut engager la bataille, Vienne peut servir de tremplin à un élan décisif. Il y prendra contact avec les éditeurs, se fera utilement connaître et présenter, peut-être même pourra-t-il donner un concert ?

Donc, l'y voici, après huit jours passés à Cracovie et une nuit pittoresque à Ojcow en compagnie de quatre de ses amis polonais : Hube, Brandt, Celinski et Maciejowski. Ce voyage, il y rêve depuis des mois : « Jamais il ne s'est senti aussi dispos et bien portant. » Tout le monde, à Vienne, lui fait fête : on lui donne même l'impression agréable qu'on l'y attendait. Il retrouve son vieux professeur d'orgue, Würfel, devenu chef d'orchestre au Théâtre : heureux de retrouver le brillant élève, celui-ci le présente à droite et à gauche, sans manquer de vanter son talent. L'éditeur Haslinger — qui veut publier la *Sonate en ut mineur* et les *Variations* sur « *La ci darem* » — le reçoit aimablement. Stein et Graff, deux facteurs de pianos rivaux, lui montrent leurs plus beaux instruments : finalement, c'est un Graff qu'il choisira pour ses débuts viennois. Un journaliste important, père d'une pianiste renommée, Blahetka, le fait entendre par sa fille. Il éprouve quelque émotion à être présenté au comte de Gallenberg, mari de cette Teresa Guicciardi qui fit tant souffrir Beethoven, lui inspira un chef-d'œuvre — la *Sonate au clair de lune* — et lui préféra pour finir ce jeune aristocrate vain, avare et borné. Gallenberg est l'administrateur du théâtre impérial et royal. M. Chopin lui fera-t-il l'honneur de se produire sur ses planches vénérables et redoutées ? Timidité, rouerie innocente, incertitude — Frédéric élude sa réponse. A l'Opéra, il entend se rendre, d'abord, en spectateur. Il y applaudit *la Dame blanche*, de Boieldieu, *Cendrillon* de Rossini, *les Chevaliers Teutoniques*,

---

1. Et pourtant, de Paris, que de fois il s'inquiétera de ce qu'on dit, de ce qu'on pense, de ce qu'on écrit à Varsovie ! Nostalgie du pays...

de Meyerbeer, et *Joseph en Egypte,* de Méhul. Dans les couloirs du théâtre, il rencontre son ancien condisciple, Nidecki,
qui lui signale les personnalités, tandis que Würfel le présente : voici Schuppanzigh, chef d'un quatuor réputé, que
Beethoven aimait fort ; Seyfried, un élève de Mozart : Chopin entend parler des deux grands hommes comme s'ils
vivaient encore ; Lichnowski, mécène avec qui Beethoven
eut une altercation dramatique [1] ; Czerny, l'héritier de la
grande tradition ; Gyrowetz, l'auteur du *Concerto* avec lequel
Frycek fit ses débuts publics ; Lachner, Kreutzer, Merck,
Lewi — mon Dieu, il semble que les musiciens du monde
entier se soient donné rendez-vous à Vienne ! Tous, ils entourent Chopin, qui joue le rôle flatteur de « l'inconnu-connu »,
du « perdreau de l'année », de « l'étranger vêtu de noir »
dont on dit des merveilles. Ils lui conseillent de se fixer
à Vienne, du moins d'y passer l'hiver — et, en tout cas,
de s'y faire entendre sans plus tarder.

Deux concerts.

Alors, Chopin, jusque-là hésitant, cède. On le sent ému
d'annoncer à sa famille la grande nouvelle : « Hier, mardi
11 août, je me suis produit au monde dans le théâtre de
l'Opéra impérial et royal : on appelle cela une " académie

1. En 1806, le prince Lichnowski, bienfaiteur de Beethoven,
traite dans son château des officiers français de passage. Sollicité
de se mettre au piano, Beethoven refuse. Le prince réitère son
ordre. Alors, Beethoven, furieux, court s'enfermer dans sa chambre. Le prince commande à ses domestiques d'enfoncer la porte,
derrière laquelle on trouve le maître, les yeux étincelants de rage.
Il s'empare d'une chaise, la brandit ; on la lui arrache des mains.
Alors, sur-le-champ, il quitte le château. A la première halte, sur
la route de Vienne, il envoie un mot à son mécène, qui le lira
avec un extrême dépit : « Prince, ce que vous êtes, vous l'êtes
par le hasard de la naissance. Ce que je suis, je le suis par moi.
Des princes, il y en aura toujours, mais il n'y aura qu'un Beethoven ! » Ce n'était évidemment pas là le fait d'un homme doux,
bon et indulgent.

musicale ”. » Touché dans son avarice de ce que Chopin, grand seigneur, a accepté de jouer « pour l'honneur [1] », Gallenberg lui a composé, du moins, un beau programme varié selon l'usage de l'époque. Entre l'ouverture de *Prométhée* et un ballet, Chopin joue ses *Variations sur La ci darem* et son *Rondo avec orchestre*, les deux pièces se trouvant séparées par un morceau de chant. Oui, mais la répétition a révélé une telle indigence de l'orchestre qu'au dernier moment, Chopin remplace le *Rondo à la Krakowiak* par une improvisation sur un thème de *la Dame blanche*, si bien accueillie par le public qu'il improvise derechef sur un motif de chanson polonaise : *Chmiel (le Houblon)*. Le public, électrisé, ovationne le jeune artiste : « Mes espions du parterre assurent qu'on en tressautait sur les sièges... »

Après les applaudissements, les obligatoires réserves : Vienne sait se montrer difficile — noblesse oblige ! On juge assez généralement le jeu de Chopin entaché « d'une sonorité trop faible, trop délicate pour des auditeurs accoutumés, comme ceux d'ici, à entendre les artistes défoncer leur piano. J'aime mieux cela que de me faire dire que je joue trop fort. Du moins ai-je les dames pour moi : mon jeu leur plaît... » Et la silhouette ne doit pas les décevoir, bien qu'à dire vrai, une dame se soit écriée : « Quel dommage que ce jeune homme ne soit pas moins gauche ! » Cela aussi, Frédéric, qui rapporte tout aux siens — les éloges comme les reproches — avec une simplicité vraiment exquise, le relate à ses parents. Somme toute, les Schwarzenberg, les Wrbna, ont loué l'élégance du jeu, on le trouve sympathique : il plaît. Naturellement, c'est auprès des Viennois d'adoption, d'origine tchèque ou slave, qu'il recueille la plus chaleureuse adhésion. Les Allemands d'origine sont demeurés sur la réserve — ces « Germains pétrifiés dont je ne sais si j'ai pu les satisfaire... ». Avec sa finesse coutumière, Chopin a senti qu'entre lui et la Germanie, il y avait et qu'il y aurait toujours une incompatibilité d'humeur. Même aujourd'hui,

---

1. La seconde séance fera une recette superbe, mais Gallenberg n'offrira pas un seul schilling à Chopin...

comme ils sont rares les grands interprètes de Chopin d'origine allemande ! C'est en Pologne, en Russie, en France et
en Italie, qu'il trouve et trouvera encore des artistes accordés à sa nature si particulière, à la fois lyrique et retenue,
volubile et réticente, toujours allusive — de quoi dérouter à
jamais la sentimentalité teutonne !

Va-t-il donner un second concert ? Oui, « pour qu'on ne
puisse pas dire : comment, il a donné un concert et puis il
est parti ! Aurait-il fait mauvaise impression ? » Cette fois-là,
il prend une revanche sur l'orchestre et parvient à se faire
accompagner correctement le fameux *Rondo*. Il improvise
ensuite et se voit obligé de redonner, en guise de *bis*, ses
Variations sur « *La ci darem* ». Les musiciens portent aux
nues le *Rondo* et la presse sanctionne flatteusement l'opinion générale. C'est une victoire sur le public — et sur
lui-même : « J'ai joué désespérément », avoue Chopin à
Titus. Il a dominé son trac et cette paresse étrange qui
s'empare de lui au moment précis où il faut donner l'effort
décisif. Pour Chopin, le concert public est une épreuve, une
formalité obligatoire, désagréable, dont il se passerait fort
bien s'il existait un autre moyen de se faire connaître. Hélas,
c'est le seul...

Jugulé par la timidité, Frédéric retrouve son aplomb pour
clouer le bec à l'administrateur du théâtre et à Blahekta, qui
venaient cependant de lui tourner un compliment aimable :

— Si vous nous quittez aussi vite, c'est que vous allez
nous revenir ?

— Peut-être bien : mais alors, ce sera pour étudier...

— Pour étudier ? Mais, dans ce cas, vous n'avez aucune
raison de revenir !

— Mais si, au contraire !

— On me dit que vous n'avez jamais étudié ailleurs qu'à
Varsovie : c'est à peine croyable...

— Eh bien, conclut Chopin, je vous dirai qu'avec
M. Zywny, comme avec M. Elsner, un âne bâté lui-même
apprendrait !

Abriter son succès derrière le mérite de ses maîtres est
un trait de caractère d'autant plus remarquable qu'on a

soi-même un talent hors de pair et que les deux professeurs sont seulement des gens de bon métier...

Prague, Teplitz, Dresde.

Deux jours et demi pour visiter Prague, la ville aux cent tours, ce n'est guère. « La ville est belle, écrit Chopin, elle comporte des vues ravissantes. » Arrivé à Prague le 21 août, il ne perd ni une minute, ni un coup d'œil. Laissant son bagage à l'hôtel du Cheval Noir, il se rend aussitôt chez le bibliothécaire Hanka, un ami du comte Skarbek. Avec lui, ils admirent en passant la tour Poudrière, la rue Celetna, la place de la Vieille Ville, la rue Karlova et le pont Charles, d'où ils découvrent le fameux panorama du château de Prague et la cathédrale Saint-Guy qui se découpe sur le ciel comme une dentelle de basalte. A la cathédrale, Chopin se recueille dans la chapelle de Saint-Venceslas et devant le tombeau en argent massif de saint Jean Népomucène.

Pixis, professeur de violon et chef d'orchestre, l'accueille aimablement au Conservatoire et lui suggère de se faire entendre à Prague. Würfel et Blahekta avaient, eux aussi, insisté dans le même sens. Chopin est indécis : « J'ai peu envie de gâcher à Prague le bon renom que j'ai acquis à Vienne. Puisque Paganini lui-même y a été « éreinté », je me garderai bien de m'y produire. » Finalement, il décline courtoisement l'invitation qui lui est faite. Il est « bien portant et gai » : un concert improvisé l'énerverait sans grand profit. Mais, à défaut de se produire, il va rendre visite au pianiste Klengel, pour lequel il a une lettre d'introduction de Würfel. Klengel le reçoit fort bien — trop bien, peut-être, car, pour le jeune Chopin qui n'en demande pas tant, il exécute deux heures durant, sans désemparer, des fugues, après en avoir précisé le nombre total, bien alarmant : « Il y en aura quarante-huit... elles s'enchaînent à celles de Bach et alignent le même nombre de canons. C'est bien... je m'attendais à mieux (chut ! n'en dites rien !) » Nous savons déjà que Chopin ne s'extasie pas volontiers. De Czerny, qui a joué à

quatre mains avec lui à Vienne, il a dit simplement : « Un
brave homme — rien de plus (re-chut !) » Sinon à sa rareté,
à quoi reconnaîtrait-on l'admiration sans réserve ?

La seule trace musicale de son passage à Prague tient
en deux lignes figurant sur l'album des visiteurs que lui a
présenté le bon Hanka en quête d'une « pensée » originale.
Pour l'encourager, il lui fait lire un mot flatteur de
Mickiewicz. « Maciejowski a inscrit une mazurka de quatre
strophes (« Quelles sont les fleurs que je nouerai en couronne
en ton honneur, Hanka ? ») que j'ai accompagnée de musique... »

Après ce bref séjour à Prague, Chopin et ses amis s'arrê-
.ent dans la ville bohémienne de Teplitz, où Beethoven a
séjourné, en 1811 et 1812. Liszt, Schumann, Wagner y sont
également venus. Au palais d'Albrecht Wallenstein, à
Duchcov, on lui montre un morceau du crâne du chef fameux et la hallebarde qui l'a transpercé. Concert, le soir, chez
la princesse Clary, la sœur du comte Chotek, gouverneur
de Bohême : « Famille quasi régnante possédant des biens
immenses et, à elle seule, propriétaire de presque toute la
ville de Teplitz. » On le prie de se mettre au piano, « je
daigne m'y asseoir » et, comme les jeunes princesses se
montrent fort enthousiastes, il lui faut, délaissant son répertoire habituel qu'il craint de trahir par défaut d'exercice,
improviser. Par malheur, l'auditoire y prend goût et Chopin
enchaîne quatre improvisations, sur des motifs de Rossini, ou
bien inspirées par des airs populaires polonais. Sur cet exploit
précis, rien à dire, hélas : on ne peut que le relater. De tous
ceux, fort nombreux, qui ont entendu Chopin improviser au
piano, personne n'a laissé une impression personnelle, un
témoignage précis. Nous lisons des : « Ce fut merveilleux,
indescriptible... on ne savait ce qu'il fallait le plus vivement
applaudir, de la fougue du pianiste ou de l'invention sans
cesse jaillissante du musicien » : nous voilà bien avancés !
Manière comme une autre de nous mettre l'eau à la bouche...
Ni Liszt, ni Berlioz, ni Mendelssohn — qui, tous trois, enten-
dirent improviser Chopin — n'ont laissé une indication,
même sommaire. Seule, George Sand y fait allusion, mais

le témoignage de la romancière, prodigue d'hyperboles, est sans grande valeur. Comme son admiration, tout instinctive, dut à certains jours agacer Chopin, qui aurait pu prendre modèle sur son ami Liszt ! Un jour que ce dernier avait improvisé « avec génie », Mme d'Agoult se leva, joignit les mains, leva les yeux au ciel et, dans un transport, déclara : « Monsieur, vous êtes Dante et je suis votre Béatrix ! — Madame, répliqua Franz qui avait la riposte vive, n'oubliez pas que ce sont les Dante qui font les Béatrix et que les vraies, elles, meurent à dix-huit ans ! » Mais a-t-il vraiment prononcé ce mot, trop beau pour être vrai ? Revenons à Teplitz.

Pour le quitter, d'ailleurs. Nous voici à Dresde, au matin du 26 août. Chopin y séjourne jusqu'au 27 septembre — le temps d'aller rendre visite au maître des cérémonies de la Cour de Dresde et au chef d'orchestre Francesco Morlacchi, puis de jouer en privé devant ce dernier et en présence de la pianiste Antoinette Pechwell, qui partage avec d'innombrables émules le privilège d'être « la meilleure pianiste de son temps ». Mais Chopin ne s'émeut plus à tout propos, le sens critique chez lui n'est que trop développé : il ne craint pas d'en faire usage à l'encontre du *Faust* de Goethe que l'on représente, au Théâtre de Prague, pour fêter le quatre-vingtième anniversaire du vieux maître. Malgré le talent du comédien Karl Devrient, « que j'ai déjà entendu à Berlin », Chopin exécute le chef-d'œuvre en quatre mots : « Affreuse, mais grande fantaisie... » Une excursion en Suisse saxonne met un point final au voyage qui a duré un peu plus de deux mois. Retour au pays par Breslau.

Jeunes filles en fleur.

Au pays, mais non pas immédiatement à Varsovie. Frédéric va rendre visite aux Wiesiolowski à Stryzewo et aux Radziwill à Antonin : « Il y avait là les deux jeunes princesses, deux Eve, sensibles, à l'oreille musicale, infiniment aimables et bonnes. Ma *Polonaise en fa mineur* a tant inté-

ressé la princesse Eliza que j'ai dû la lui jouer chaque jour...
J'ai écrit à Antonin une « *alla polacca* » avec violoncelle.
Ce n'est que du clinquant, bon pour le salon, pour les dames.
J'ai voulu que la princese Wanda l'apprenne. Je lui ai,
pendant ce temps, donné soi-disant des leçons. Elle est jeune,
dix-sept ans, jolie et, diantre, c'était un plaisir que de lui
placer les doigts [1]... » De telles confidences, cependant bien
réservées, sont fort rares sous la plume de Chopin — qui
n'est ni un gaillard, ni un fripon. Ses menus succès, il les
relate sans y attacher la moindre importance. Son élève et
amie d'enfance, la princesse Alexandrine de Moriolles, surnommée « Diabolek », lui fait une cour discrète et ne craint
pas de lui envoyer une couronne de lauriers dès le lendemain
d'un concert, au risque d'effaroucher Frédéric, toujours sur
le qui-vive à l'idée du qu'en-dira-t-on. Léopoldine Blahekta
lui a fait « une vive impression. Elle n'a pas encore vingt
ans, elle est déjà la première pianiste de la capitale (encore
une !), elle est spirituelle et jolie et je suis avec elle du
dernier bien, ainsi que tu pourras t'en convaincre en lisant
la dédicace dont elle a tenu à accompagner le don de ses
compositions... » Mais on en reste là : Chopin se fait une
idée bien modeste de ce que peut être le « dernier bien » !
Sur le chemin du retour d'Antonin à Varsovie, il assiste à
une soirée à Kalisz : « J'ai dansé la mazour avec Mlle
Biarnacka et avec Mlle Niezskowska, encore plus belle
que la première... » Deux tours de valse sans conséquence.

Conseil de famille.

De retour chez lui, Frédéric tient pendant plusieurs jours
une sorte de cour familiale, tant les siens sont avides   de
récits et de nouvelles. Ils sont là, tous les quatre, serrés

---

1. Tandis que Chopin donne des leçons à Wanda, Eliza fait
le portrait du jeune maître. Deux crayons fort bien venus le
représentent, l'un de buste, l'autre assis au piano, dans une posture charmante : « Elle m'a croqué et, m'a-t-on dit, avec beaucoup de ressemblance... »

autour de lui, l'écoutant sans se lasser — et lui se détend
à la chaleur du foyer, il se refait des forces neuves parmi
tant de bienfaisante tendresse. Comment, en ces jours de
bonheur, ne comprend-il pas qu'un exil lointain lui sera
fatal ? Il a un tel besoin de gaieté, d'affection débordante,
la tiédeur du nid lui est si parfaitement indispensable : où
trouvera-t-il l'équivalent de ce qui lui est prodigué ? La vie
sédentaire au sein de sa famille, au cœur de son pays natal,
avec des échappées au-dehors — voilà ce qu'il lui faut. Si
quelqu'un doit rester ancré au port de sa jeunesse, c'est
bien lui ! Au vrai, il en est de ce bonheur tout simple comme
de bien d'autres : nous ne les apprécions que par le souvenir
et la comparaison. Il faut perdre la santé pour savoir combien elle était précieuse, cesser d'aimer pour apprendre que
tout s'éteint subitement...

Pour l'instant, Chopin dépouille la presse viennoise dont
on lui a envoyé les coupures où se trouvent relatés ses
exploits. Dans l'ensemble, l'opinion des aristarques est favorable : « Pianiste tout à fait remarquable, plein de finesse
et de sentiment » — « Composition, technique, interprétation, l'artiste méritait bien son succès » — « Les traits sont
d'une finesse irréprochable » — « Le *Rondo* est riche en
idées musicales, mais il manque de variété » — « Le jeune
artiste a certains traits de génie », écrit Adolf Baüerle, critique acerbe, terreur des concertistes, qui poursuit en ces
termes : « Son toucher, bien que précis et sûr, n'a pas cet
éclat dont font preuve nos virtuoses dès les premières mesures. Celui-ci s'exprime en demi-teintes, un peu sur le ton
qu'on aurait pour parler à un groupe de gens bien élevés.
Il fait preuve, dans ses compositions, de qualités également
nobles, qui révèlent de nouvelles formes. Il a donné la preuve
de son talent en triomphant dans l'art difficile de l'improvisation. » Le gros mot de génie se retrouve sous la plume du
rédacteur de l'*Allgemeine Musikalische Zeitung* ; il porte
aux nues « cet artiste véritable qui, sans publicité préalable,
s'élève à l'horizon de la musique comme un météore nouveau
et éclatant ».

Les journaux de Varsovie ne glanent, dans cette moisson

d'éloges, que les gerbes les moins flatteuses. Encore s'arrangent-ils pour être inintelligibles : léger coup de patte à l'enfant du pays qui est allé se faire consacrer au loin. Pour une fois, qui n'est pas coutume, Chopin ne prend pas ombrage de cette indélicatesse. Un amour l'obsède, un amour timide, un amour muet — un pauvre amour : en est-il de superbes ?

IV

UN AMOUREUX TRANSI

Constance.

Quel étrange amoureux ! Tout ce qu'on peut lire et répéter des amoureux transis, des âmes en peine et des cœurs hésitants, Chopin l'illustre et le surpasse. Depuis plusieurs mois, il est épris d'une de ses condisciples, la jeune cantatrice Constance Gladkowska [1]. La rencontrant à tout propos dans les couloirs du Conservatoire, il n'a pas besoin de prétexte pour l'aborder. Il a souvent l'occasion de jouer en sa présence, il participe à des exercices d'élèves en sa compagnie. Converser avec elle en particulier serait la chose la plus naturelle du monde. De là à lui faire comprendre les sentiments qu'elle lui inspire, il n'y aurait qu'un pas, bien facile à franchir. Eh bien, pas du tout ! Non seulement il ne provoque aucun tête-à-tête, mais on dirait qu'il n'en sollicite point : la correspondance, les confidences à Titus ne mentionnent pas la moindre conversation sérieuse. Un jour, en sortant de l'église, Constance gratifie Frédéric d'un regard et, comme traversé d'un rayon, il s'en va, fou d'amour.

Mais quelle passion silencieuse ! Si l'on juxtapose tout ce qu'il en écrit à Titus, on obtient une navrante confession sans paroles et, surtout, sans réalité :

« ... Peut-être pour mon malheur, j'ai rencontré mon

1. Fille d'un régisseur du palais royal.

idéal, que je sers fidèlement depuis six mois [1], sans lui parler
de mes sentiments. J'en rêve : sous son inspiration sont nés
l'*adagio* de mon *Concerto en fa mineur* et, ce matin, la petite
Valse [2] que je t'envoie. Personne ne le saura, sauf toi. Remarque le passage marqué d'une croix. Comme il me serait
doux de te le jouer, mon Titus bien-aimé... Il est insupportable, quand quelque chose vous pèse, de ne pouvoir se
décharger de son fardeau : tu sais à quoi je fais allusion.
Je raconte au piano ce qu'il m'arrive de te confier.

« ... Le plus tôt que je pourrai, je t'enverrai mon portrait.

« Tu le veux, tu l'auras, et nul autre que toi, une personne exceptée — et pas avant toi, car tu m'es *le plus cher*.
Comme toujours, je porte tes lettres sur moi... Après avoir
mis cette lettre à la poste, j'irai rendre visite à Mlle de
Moriolles : ce sont là, tu le sais, mes amours avouées. Bien
souvent, j'ai laissé les gens s'imaginer qu'elle était la cause
de ma mélancolie. Il faut respecter le manteau des sentiments cachés. Je ne me serais jamais cru capable d'être
dissimulé à ce point... Je n'ai pas l'intention de rester à
Varsovie [3] et si tu t'imagines, comme tant d'autres, que c'est
une intrigue amoureuse qui me retient, rejette cette pensée,
sois convaincu que je saurai rester maître de moi-même
chaque fois qu'il s'agira de *moi*. Et si j'étais amoureux,
j'arriverais à dissimuler pendant quelques années encore une
ardeur *malheureusement impossible à déclarer à présent*...
Peut-être un jour te dirai-je à quoi je rêve sans cesse, ce qui
est toujours devant mes yeux, ce que j'entends constamment,
et me donne le plus de joie dans ce monde, tout en m'affligeant le plus aussi. Cependant, ne crois pas que je sois
amoureux, car je le remets encore à plus tard... *Il ferait si
bon près de toi...* Quand je réfléchis sur moi-même, je suis
peiné de constater combien souvent je perds la notion de la
réalité ! Si mon regard est frappé par des choses qui m'inté-

1. Lettre du 3 octobre 1829.
2. Valse en *si* mineur, *op.* 69, n° 2.
3. La lettre est du 18 septembre 1830 et Chopin quittera
Varsovie le 2 novembre.

ressent vivement, des chevaux me passeraient sur le corps
que je ne saurais rien. C'est tout juste si cela ne m'est pas
arrivé dimanche. Frappé par un regard inespéré, à l'église,
juste au moment où j'étais la proie d'un adorable engourdissement, je fus troublé au point que je ne saurais dire ce qui
a eu lieu pendant le quart d'heure qui suivit. Dans la rue,
je fus rencontré par le docteur Parys et, ne sachant comment
lui expliquer ma distraction, il me fallut inventer un chien
qui, s'étant jeté dans mes jambes, m'aurait fait faire un faux
pas !... Mademoiselle Gladkowska a paru à mon second
concert [1]. Habillée tout de blanc, la tête couronnée de roses
— ce qui lui allait admirablement bien — elle a chanté
une cavatine, etc. »

Etranges confidences

Un point, c'est tout. Et c'est peu, vraiment ! Quelles
étranges confidences d'un amoureux qui n'est pas amoureux
— qui souffre de ne pouvoir se déclarer — qui s'y refuse,
parce que c'est impossible, en tout cas prématuré — qui
doit retenir son secret pendant quelques années encore...
Pourquoi ? Et quel est ce secret, dont Chopin donne à penser qu'il ne concerne pas son inclination pour Constance
Gladkowska ? Quelle chose l'oblige à dissimuler à ce point
un sentiment aussi avouable ? Quelle perversité le pousse
à faire jouer à la pauvre petite Alexandrine de Moriolles
le rôle peu flatteur du chandelier ? Quel besoin le porte à
dire tout cela à un ami, fût-ce au plus intime ? Christian
de Neuvillette fait écrire par Cyrano les épîtres enflammées
qu'il dédie à Roxane : de même, c'est à Titus que Chopin
écrit les lettres d'amour qu'il n'ose pas adresser à Constance :
passions par personne interposée... Au fond, de quelle manière Chopin aime-t-il Constance ? Non comme une femme,
mais comme une ombre ou, plutôt, comme une idée, comme
un prétexte à musique et à nostalgie. Constance est-elle à

1. 11 octobre 1830.

ce point inaccessible ? Et lui, qu'en attend-il ? Rien du tout.
C'est là où l'on s'inquiète. Car les poètes qui respectent les
femmes telles des idoles, au fond d'eux-mêmes ne les désirent
pas très fortement. A les imaginer réfugiées dans un nirvâna
de pureté, ils oublient que ces réalistes honnissent l'indécision et que — Colette le dira un jour — « le dégoût n'est
même pas une vertu féminine »... Curieux, ce transfert,
ce report sur Titus des ardeurs qu'il dit éprouver pour Constance : « Je t'aime à la folie ! J'aimerais te dorloter et
l'être par toi ! Encore une fois, laisse-moi t'embrasser. Reçois
mes plus sincères étreintes, car je n'ai que toi... » C'est à
Titus — on s'en frotte les yeux — que s'adressent ces
phrases éperdues, ces mots fous d'amoureux. Il y a là de
quoi inspirer à nouveau les doutes les plus sérieux sur l'or-
thodoxie des instincts de Chopin et, vraiment, tout en se
retenant de formuler des conclusions trop nettes, on est
dans l'incertitude : ce sylphe en quête de son double viril
laisse échapper des aveux inquiétants ! Ah ! si Titus n'était
pas ce robuste gentleman-farmer que nous connaissons, féru
de chevaux, hanté d'agriculture, rassasié d'exercices violents,
ivre de grand air et détestant les complications — si, un soir,
par mégarde ou par jeu, il avait ouvert les bras à son ami
Frédéric, s'il avait donné ses lèvres, comme on l'en supplie à
la fin de chaque lettre — alors, sans doute, l'histoire de
Chopin aurait pris un autre cours. Mais je m'égare.

Au fond, si l'on donne au mot « aimer » sa pleine signification et tous ses prolongements, Chopin n'aime et n'aimera jamais personne. C'est un amoureux de l'amour, il
cultive l'état d'âme comme pour le tenir à bonne distance,
il le met en musique : est-il plus belle manière de s'en débarrasser ? D'autres histoires s'achèvent, dit-on, par des chansons. Les siennes se résolvent en concertos, en ballades et
en valses rêveuses. C'est fort bien pour nous et fort triste
pour lui, bien qu'il prenne un visible plaisir à envenimer
les blessures dont il souffre : « Comme je chasserais les
pensées qui empoisonnent mon existence, si je n'éprouvais
un délice à les cultiver ! » Les artistes font preuve d'étranges
duplicités, leurs souffrances mêmes les charment, ils peu-

vent mener de front les plus noires mélancolies et les travaux les plus précis.

Partir ?

Car tous les tourments que l'on rapporte ici, toutes ces mortelles indécisions n'empêchent aucunement celui qui s'en dit la victime d'agir, de travailler et de préparer son départ. La chose est décidée : il ne reculera pas. Mais comme il a peu envie de partir ! « Rien ne m'attire au-dehors de notre pays. Si je pars, c'est pour suivre ma vocation et obéir au bon sens [1]. » Le bon sens veut peut-être, en effet, que l'ex-enfant prodige ne poursuive pas une carrière sédentaire qui pourrait lui réserver des déboires : on n'aime pas voir grandir sur place les phénomènes. Peut-être, demeuré en Pologne, son génie si particulier aurait-il trouvé moins de prétextes à grandir. L'éloignement, les mirages de la distance, l'angoisse toujours vive des dangers qui menacent les siens seront, de Paris, un thème fécond et, pour tout dire, inépuisable.

Quant à la vocation, elle exige sans doute que Frédéric cherche des théâtres où son talent sera mieux apprécié et donnera les meilleurs fruits. Enfin, l'expérience lui a montré l'impossibilité de gagner sa vie à Varsovie. Toutefois, au moment de prendre la décision, il s'alarme : « Je ne me sens

---

1. Certains biographes polonais ont émis une tout autre hypothèse. Selon eux, Chopin aurait participé en grand mystère aux préparatifs de l'insurrection polonaise et ses complices l'auraient chargé d'une mission secrète l'obligeant à passer par Breslau, Dresde et Prague, où l'on manifestait beaucoup de sympathie aux révoltés de Varsovie. Ils font observer à l'appui de leur thèse que, pour se rendre de Varsovie à Vienne, Chopin fera un grand détour pour traverser les trois villes précitées et s'y arrêter. Cette participation de Chopin à l'insurrection expliquerait qu'après l'échec du soulèvement national, il lui ait été impossible de rentrer en Pologne. L'hypothèse est séduisante : elle ne s'appuie malheureusement sur aucun indice sérieux. Comment Chopin, après coup, n'y aurait-il jamais fait allusion ?

pas la force de fixer le jour de mon départ. Si je m'en vais, je ne reverrai plus la maison, me semble-t-il, je pense que je mourrai au loin. Et comme il doit être triste de mourir ailleurs qu'où l'on a vécu... » Curieuse prémonition : il est vrai qu'en écrivant cette phrase, Chopin a une chance sur deux de ne pas se tromper...

A l'aventure.

Il va partir — soit : mais où ? Sur ce point, ses idées sont très vagues et celles des siens ne le sont pas moins. Chose étrange : son père, qui lui a très peu parlé de la France (pas une seule allusion aux origines paternelles dans la correspondance) ne lui conseille pas autrement de se rendre à Paris : plutôt Berlin que la France — Radziwill lui donne le même conseil et, pour le décider, l'invite à déjeuner chez lui. Mais Chopin a une autre idée en tête : retourner à Vienne, où des rumeurs flatteuses courent encore sur son compte. Il aimerait connaître l'Italie, le pays du beau chant. Après... tout est flou : « Je m'en vais — mais où ? — puisque rien ne m'attire nulle part... » En vérité, il part à l'aventure, lesté de quelques lettres de recommandations, qu'on lui a remises, à tout hasard. Pas de plan, aucun projet, la grand-route toute droite, qui mène on ne sait où...

Avant de boucler ses valises, il a bien des choses à faire. d'abord, il lui faut parachever le *Concerto* inspiré par Constance, dont il a eu l'idée musicale à Antonin. Pour se mettre en train, il entend force musique : l'*Otello* de Spohr, qu'il juge superbe ; *le Comte Ory*, de Rossini, dont il goûte fort le finale du premier acte ; il écoute en concert le violoncelliste Bianchi Cymmermann, bien plus remarquable imitateur que flûtiste : « Son timbre tient du chat et du veau. Il a fait un duo étourdissant avec Nowakowski qui, en serrant la bouche d'une certaine manière, donne l'illusion d'une petite trompette d'enfant très fausse » ; un autre jeune pianiste, Würlitzer, qui a seize printemps : « C'est un juif — par conséquent, il a l'esprit ouvert... » ; Mlle Belleville,

pianiste française, qui apprend et joue ses *Variations* sur
« *La ci darem* » ; la Sontag, enfin, en l'honneur de qui le
jeune Chopin, si pudique, si peu enclin à admirer bruyam-
ment, déploie ses séductions et use d'épithètes flatteuses :
« Elle n'est pas belle, mais charmante ; sa voix, point très
étendue, est extrêmement travaillée. Il semble, du parterre,
que son souffle soit parfumé par les fleurs les plus fraîches
et c'est comme une caresse délicieuse, mais qui, rarement
émeut jusqu'aux larmes. Cependant, elle ensorcelle tout le
monde. Ses « chromatiques » ascendantes sont remarquables,
merveilleuses *Variations* de Rode, avec des roulades. *Cava-*
tines du *Barbier* et de *la Pie*. L'air du *Freischütz*, mieux
qu'admirablement. Aucune comparaison avec tout ce qu'on
a entendu jusqu'à présent. Quel plaisir j'ai eu à la connaître
de plus près, dans sa chambre, sur un canapé — car nous
ne nous permettons rien de plus... »

Avec cela, Chopin sort beaucoup, il prête son concours à
quelques soirées [1]. Surtout, il travaille à son *Concerto*, dont
Elsner — et, d'une manière générale, tous les intimes à qui
il en donne connaissance — louent fort l'*adagio*. Le *rondo*
final lui prend du temps et de la peine. L'*allegro* est « venu
tout seul ». Il termine son *Trio*, *op*. 8, la *Fantaisie* sur des
airs polonais, *op*. 13 ; la *Valse en si mineur*, *op*. 69, n° 2 ;
des *Mazurkas en ut majeur et fa mineur ;* la *Marche funè-*
bre en ut mineur, *op*. 72 B ; plusieurs *Etudes* et pièces de
chant sur des poèmes de Mickiewicz et de Witwicki — *le*
Messager, Hors de tes yeux. Enfin, il prépare ses adieux
en musique à Varsovie.

---

1. Il joue régulièrement avec un pianiste allemand, Joseph
Kessler (*Octuor* de Spohr, *Quatuor* de Ries, *Trio* de Hummel et
le *Trio à l'Archiduc*, qui lui arrache un cri d'admiration). Il participe à un concert donné, le 19 décembre 1829, à la chambre
de commerce. Il joue sa *Polonaise avec cello*, chez les Lewicki,
etc.

Concerts.

Il commence par une sorte de répétition générale : deux soirées intimes, au cours desquelles il essaie devant quelques amis le *Concerto en fa mineur* et la *Grande Fantaisie sur des airs polonais.* Le *Courrier de Varsovie,* dont le critique musical a été invité, porte Chopin aux nues : « Il surpasse tous les pianistes qu'on a jusqu'alors entendus, il est le Paganini du piano, ses œuvres sont sublimes, riches d'idées neuves. » Nanti de cette assurance flatteuse, Chopin se décide à donner un grand concert public avec l'orchestre que dirigera Kurpinski. Il loue le Théâtre national, annonce la cérémonie pour le 17 mars 1830, apprend avec plaisir que, trois jours avant la séance, toutes les places ont été retenues. Et il marche, sans trop de crainte, à la bataille. Voici le programme de ce concert historique :

Ouverture du *Roi Leszek le Blanc*	Elsner
Allegro du *Concerto en fa mineur*	Chopin
Divertissement pour cor d'harmonie ..	Görner
Adagio et *rondo* du *Concerto en fa mineur*	Chopin

Ouverture du *Cecylia Piaseczynska*	Kurpinski
Variations (chant : Mme Meier)	Paër
Grande Fantaisie sur des airs polonais ..	Chopin

Accueil chaleureux, presse favorable. « Supérieur à Hummel dans ses compositions (!)... Il semblait crier aux auditeurs : ce n'est pas moi, c'est la musique !... L'âme du terroir revit en cet artiste... » Elsner reproche à son élève d'avoir joué trop discrètement, surtout dans les basses. Kurpinski loue l'originalité de la facture. Frédéric, toujours très calme et lucide en ces circonstances, écrit à Titus : « Le premier *allegro,* accessible au petit nombre, fut applaudi. Il parut de bon ton au public de paraître s'y intéresser. *L'adagio* et le *rondo* firent plus grand effet ; des exclamations sincères se firent entendre. La *Fantaisie* n'arriva pas du tout, selon moi, à ses fins. On applaudit, pour ne pas partir en donnant l'impression de s'être ennuyé... » Jamais Chopin ne surestime son succès. Sur son talent, il est toujours et obstinément muet. Que pense-t-il de lui-même ? Personne, sans doute, ne l'a jamais su.

Cinq jours plus tard, répondant au vœu général, Chopin donne un second concert devant une salle comble, derechef. Le programme est, en partie, différent du premier.

Symphonie	Nowakowski
Allegro du *Concerto en fa mineur* ...	Chopin
Variations (violon : Biélawski)	Bériot
Adagio et *rondo* du *Concerto en fa mineur*	Chopin
Rondo à la Krakowiak	Chopin
Un air de *Helena et Malvina* (chant : Mme Meier)	Soliva
Improvisation sur l'air : *Il y a d'étranges coutumes dans la ville*	Chopin

Comme la première fois, *l'adagio* produit un grand effet : « On m'en parle partout. A parler sincèrement, je n'improvisai pas de la manière dont j'avais envie de le faire, car cette manière n'aurait point plu à ce monde-là... Orloski a composé des mazurkas et des valses sur des thèmes tirés de mon *Concerto.* On me demande de faire graver mon portrait et de le répandre dans le public. Je m'y oppose, car ce serait trop à la fois : et puis je n'ai pas envie de servir à envelopper du beurre ! On veut me faire encore donner un concert la semaine prochaine, mais j'ai dit non. Pour moi,

les trois jours précédant un concert sont un martyre. Je veux
d'ailleurs terminer avant les fêtes le premier *allegro* de mon
second *Concerto* et j'attendrai que les fêtes soient passées
pour donner un troisième concert auquel j'espère intéresser une grande partie de la haute société, qui n'est pas encore
venue m'entendre. »
   Les deux concerts ont rapporté cinq mille zlotys. La presse
loue Chopin, mais se divise pour ou contre Elsner et Kurpinski.

Poturzyn.

   Au début de l'été, après avoir prêté son concours à un
concert donné par Mme Meier (les *Variations* sur *La ci
darem* valent à Chopin trois rappels), il va passer une quinzaine de jours à Poturzyn avec le cher Titus. Que de choses
à se dire et de musique à faire ensemble ! Car Titus, agri-
culteur émérite, est aussi très bon pianiste, et l'on sait avec
quelle passion il suit la carrière de son ami. Frédéric s'émerveille de cette « polyvalence » et des projets fort nombreux
de Titus : à peine a-t-il fini de construire un moulin qu'il
édifie une distillerie. Puis les agneaux et la tonte des brebis
l'occupent. Après cela, les moissons... *O fortunatos nimium...*
Les deux amis montent à cheval — Chopin beaucoup moins
bien que Woyciechowski : mais quelle merveilleuse occasion
de voir la nature de près ! Rentré à Varsovie, Chopin écrira :
« J'ai la nostalgie de tes champs, ce bouleau sous la fenêtre
ne peut sortir de ma mémoire [1]... » Titus le fait tirer à l'ar-
balète. Avec lui, il écoute des chants paysans et assiste à une
fête estivale. Sent-il qu'il lui faut s'emplir les yeux et les
oreilles des airs, des danses, des coutumes du pays ? Sur ce
capital, il va vivre désormais. Sitôt quitté Poturzyn, il en
évoque le souvenir et fait à Titus un aveu de plus, mystérieux comme tous les autres. A quoi fait-il exactement allu-

---

1. Pourtant, il est de tradition de soutenir que Chopin est
complètement indifférent aux spectacles de la nature. Oui et non.

sion ? « Sois persuadé que je ferai tous les sacrifices qu'il faudra afin que l'opinion, si tyrannique chez nous, n'arrive jamais à découvrir chez moi *ce qui fait mon malheur.* Oh ! ce n'est pas de mon malheur intérieur, de celui de mon âme qu'il s'agit ici, mais de ce qui, de l'extérieur, semble en être un. Les gens n'appellent-ils pas souvent malheur une redingote trouée, un vieux chapeau ? Lorsque je n'aurai plus de quoi manger, tu seras bien obligé de me prendre pour scribe à Poturzyn ; j'habiterai près de l'écurie, il fera si bon près de toi, comme cette année au château. Pourvu que je me porte bien, je pense travailler toute ma vie. Je me suis demandé parfois si j'étais paresseux, ou si je devais agir plus que ne me le permettent mes forces physiques. Sans rire, je suis convaincu que je ne suis pas le dernier des fainéants et je me sens capable, lorsque la nécessité me prend, de travailler deux fois plus que je le fais aujourd'hui. Comment pourrais-je mieux m'accuser devant toi qu'en m'innocentant ? C'est en vain, je le sais, que je t'aime — je voudrais que tu m'aimes toujours davantage et c'est pourquoi je barbouille tant de papier... *Avec toi, je ne puis rien gagner, ni rien perdre.* La sympathie que j'éprouve pour toi force ton cœur par des moyens surnaturels à ressentir pour moi semblable affection. Tu n'es pas maître de tes pensées, c'est moi qui le suis et je ne me laisserai pas abandonner, comme les arbres se laissent dépouiller de la verdure qui leur donne leur caractère, et la joie, et la vie. Même l'hiver, tout sera vert en moi ! Vert dans la tête et, par Dieu, c'est dans mon cœur qu'il y aura le plus de chaleur ! Donne ta bouche, pour terminer. A toi, à jamais ? » Curieux — plus qu'étrange !

Préparatifs.

Il rentre à Varsovie pour assister aux débuts de Constance à l'Opéra dans l'*Agnès* de Paër. La jeune fille est ravissante, émue comme il se doit, elle paie au trac le tribut de quelques menues défaillances, puis sa voix s'affermit et elle remporte un succès. Bien qu'amoureux, Chopin reste très objectif : « Gladkowska approche de la perfection. Elle fait plus forte impression sur la scène que dans une salle de concert. Rien à dire de son talent dramatique[1]. Quant à la voix, à part quelques *fa dièse* et *sol* du registre aigu, on ne saurait souhaiter mieux. Son phrasé te ravirait et ses modulations sont parfaites. » Au lendemain de la représentation, afin d'aider Constance à préparer les rôles qu'elle doit tenir probablement dans *la Pie voleuse* et dans *la Vestale,* il s'enhardit à lui parler, mais il n'est question — bien sûr ! — que de musique.

Un bref séjour d'été à Zelazowa-Wola, où il vient pour la dernière fois jouer paisiblement du piano sous les grands ormes, entouré de ses amis, des domestiques de la maison et des voisins d'alentour. Quelques visites dans les environs. Fin août, il est de retour à Varsovie, travaille à une *Polonaise avec orchestre* et met la dernière main au *rondo* de son *Concerto en mi mineur.* De *l'adagio,* il est assez content : « Je n'y ai pas recherché la force. C'est plutôt une romance calme et mélancolique. Il doit faire l'impression d'un doux regard tourné vers un lieu évoquant mille charmants souvenirs. C'est comme une rêverie par un beau temps printanier, mais au clair de lune. Aussi l'accompagnement est-il *en sourdine,* c'est-à-dire avec des violons, dont une sorte de peigne, posé sur les cordes, diminue la sonorité, tout en la rendant nasillarde et argentine... »

Pour « essayer » le nouveau *Concerto,* Chopin assemble le chef d'orchestre Kurpinski, le violoniste Bielawski, Soliva, Elsner, Zywny, ses parents, quelques amis intimes, parmi lesquels Matuszynski et Ernemann. L'audition donne des résultats encourageants : « Le *rondo* vous fait beaucoup d'honneur », déclare Soliva. Kurpinski en vante l'originalité et Elsner le rythme. Le concert s'annonce favorablement.

---

1. Quand ce ne serait que pour contredire Mochnacki d'après qui « Mlle Gladkowska a de l'oreille, beaucoup de facilité — *mais elle ne sait pas chanter...* ». Horreur !

Comme pour les deux premiers, toutes les places sont louées
à l'avance. Neuf cents personnes emplissent la salle de théâtre. Quant au programme, le voici :

Symphonie	Görner
Allegro du *Concerto en mi mineur*	Chopin
Air avec chœur (chant : Mme Volkow) ..	Soliva
Adagio et *rondo* du *Concerto*	Chopin

Ouverture de *Guillaume Tell*	Rossini
Cavatine de *La Donna del Lago* (chant : Mlle Gladkowska)	Rossini
Fantaisie sur des airs polonais	Chopin

Tout marche bien. Chopin, pour une fois, n'a pas le trac.
Des « bravos assourdissants » ponctuent l'exécution de l'*allegro*. Constance chante sa *Cavatine* « comme jamais. Tu
connais : " O quante lagrime per te versai " : elle a dit le
"tutto detesto " jusqu'au grave, de telle manière que Zielinski
affirmait qu'il valait à lui seul mille ducats. » La *Fantaisie*
semble avoir été mieux accompagnée que le *Concerto,* dont
Chopin précise que le chef d'orchestre, Soliva, « avait cependant pris ma partition chez lui *pour la parcourir* », ce qui
laisse rêveur sur la manière dont on préparait à cette époque
l'exécution orchestrale d'un ouvrage nouveau ! Ce devait
être approximatif et, parfois, affreux.

Le concert a eu lieu le 11 octobre 1830. Il vaut à Chopin
des articles flatteurs, mais tellement niais qu'ils l'acculent, un
bref moment, au désespoir. Non qu'il s'en « croie » : « Je
ne suis rien... » — mais ce rien existe, et nul, à Varsovie, ne l'aura jamais caractérisé de manière vraiment personnelle. Décidément, il faut partir. Sans doute, ailleurs,
sera-t-il mieux compris. Ici, il se sent aimé, adulé même —
mais, enfin, personne ne pressent l'importance, l'exacte portée de son message, aucun musicien n'a deviné tout ce qu'il

y avait de passionnément personnel dans son art. A Vienne, à Milan et à Paris, l'ambiance sera autre, il y aura des connaisseurs en foule, des dilettantes avertis, des critiques dignes de ce nom. Partons donc — partons vite ! D'autant plus que, politiquement et socialement, les choses se gâtent un peu partout. Une première fois, son voyage a été remis en raison de troubles survenus en Saxe, des mutineries viennoises, de la révolte tyrolienne. En France, les « trois Glorieuses » du mois de juillet ont jeté à bas de son trône Charles X. Louis-Philippe est rallié ouvertement à La Fayette, champion de la libération des deux continents. L'agitation européenne gagne Varsovie où les arrestations se multiplient. Lelewel et Mochnacki, Zaleski, Goszczynski, Jelowicki, Gaszynski dispersent les libelles et poèmes séditieux. Plusieurs ont été les amis ou les condisciples de Chopin qui les rencontrait fréquemment au café — notamment au *Trou,* un de leurs points de ralliement. Le tsar refuse de reconnaître Louis-Philippe, il concentre même en Pologne des troupes destinées à marcher contre la France. C'est bien mal les connaître : jamais les Polonais ne consentiront à prendre les armes contre le seul pays duquel ils attendent leur libération de l'esclavage russe. Au Belvédère, le grand-duc Constantin, en proie à d'étranges accès de folie furieuse, oblige sa troupe à veiller nuit et jour, va passer ses nuits hors du palais, change tous les soirs de résidence, considère avec terreur les inscriptions qui se multiplient sur les murs de la ville : « Soldats, soyez prêts à défendre votre patrie », fait arracher la pancarte ironique clouée par un facétieux à la porte du palais grand-ducal : « Appartement à louer », signe des ordres de déportation, exige du ministre de la police des arrestations « rassurantes », bref, tourne en rond comme un homme pris au piège. Dans les rues de Varsovie, la température monte.

Partir ? Ne pas partir ? Cruelle anxiété, dont on croit se délivrer en s'accordant des sursis. En tout cas, partir seul. Oui, sans Titus — surtout sans Titus : « Si nous nous en allions ensemble, nous nous priverions de l'instant, plus cher que des milliers de jours passés dans la monotonie, où nous

nous embrasserions pour la première fois sur la terre étrangère... » Se priver de lui, l'oublier même, pour décupler la joie des « retrouvailles » ! Mais quand partir ? D'abord fixé au 16 octobre, le voyage est remis au 20 octobre, puis on arrête la date, celle-là, définitive du 2 novembre — le jour des morts : ce sera sinistre en diable, tout à fait de circonstance. Oui, ce jour-là, sans rémission possible, « je monterai en diligence, mes notes dans mon baluchon, mon ruban [1] dans l'âme, mon âme en bandoulière... ». Ah ! non, certes, ce départ ne s'accomplit pas dans la fièvre joyeuse qui prélude à certaines évasions. On dirait bien plutôt qu'un enterrement se prépare : « Je n'ai pas encore fait de démarches pour mon passeport. Selon l'opinion générale, je l'obtiendrai seulement pour l'Autriche et pour la Suisse. Rien à faire, ni pour l'Italie, ni pour la Prusse. » La famille, médusée, consentante, se tait. Elle a l'impression de participer à l'accomplissement d'une cérémonie inexorable, fixée par un vague destin. Tout est prêt, seuls les cœurs sont bien lourds : notre Frycek bien-aimé, comment vivra-t-il loin de nous, lui qui a tant besoin de la chaleur du nid, d'où il ne s'est envolé que pour y revenir bien vite ? Cette fois, c'est un départ sans esprit de retour. Du moins, les projets sont si vagues qu'on ne sait quand et où on se reverra. Deux ans, trois ans, peut-être davantage. Lui-même est si nerveux, si fragile, de santé incertaine — n'ajoutons pas nos alarmes à ses inquiétudes, aidons-le plutôt à boucler ses valises : « J'ai déjà acheté une malle, mon trousseau est prêt, les partitions sont corrigées, les mouchoirs ourlés, les pantalons achevés. Il ne me reste plus qu'à faire mes adieux : c'est le plus pénible. »

Adieux.

Adieu donc à Elsner et à Zywny, qu'on n'oubliera jamais ! Adieux aux amis bruyants, comme aux discrets compagnons ! Adieux aux cafés où l'on se rencontrait, à la rue

---

1. Un ruban qu'il avait trouvé chez Titus...

qu'on remontait pour aller suivre les cours du Conservatoire !
Adieux à Constance : dans son album, Chopin emporte des
vers qu'elle a tracés pour lui, le 23 octobre 1830 :

Tu subis les vicissitudes de la fortune
Il nous faut subir l'inévitable.
Mais toi qui n'es pas oublié, souviens-toi
Que l'on t'aime en Pologne !

Pour que la couronne de lauriers ne se fane jamais,
Tu quittes tes amis chéris, ta famille aimée.
Les étrangers peuvent mieux t'apprécier, te récompenser
Mais plus que nous, ils ne pourront certes pas t'aimer !

                                                    K. G.

Sous le dernier vers, Chopin ajoute au crayon, comme un
défi lancé à la tête de la patrie ingrate : « Si, ils le pourront ! »
La veille de son départ, ses camarades d'études et ses
amis lui offrent une dernière soirée. On soupe, on boit, on
chante, on joue du piano. Frédéric reçoit une coupe d'argent
contenant une poignée de terre polonaise : ce sera son viatique. « Va, lui dit quelqu'un, rends célèbre le nom de la
Pologne. Ici, nous arrangerons les choses... »
Le lendemain matin, silencieusement, Frédéric prend
congé des siens. Comprenons bien que sa famille n'est pas
étrangère à son départ. L'appartenance de Nicolas Chopin et
d'Elsner à la franc-maçonnerie n'est un mystère pour aucun
historien sérieusement documenté. On sait également que
l'insurrection polonaise contre l'occupant russe est partie des
cellules maçonnes. Averti par ses «frères », Nicolas Chopin
a sans doute exhorté son fils à quitter la Pologne : motivée
par le désir légitime de faire connaître son talent à l'étranger, l'absence du jeune musicien ne saurait faire naître aucun
soupçon dans les milieux occupants. Il est donc hautement
vraisemblable que Frédéric n'a éprouvé aucune résistance
de la part de sa famille à quitter Varsovie — au contraire.

Mais on s'explique alors qu'à la suite d'une enquête poli-
cière dont on a la trace, l'appartenance maçonne de Nicolas
Chopin dévoilée à l'état-major russe ait, par la suite, empêché Frédéric de revenir en Pologne, comme il dut en éprouver l'envie à plus d'une reprise : sans doute ne lui aurait-on
pas accordé le sauf-conduit exigé à la frontière [1].
Quoi qu'il en soit, l'heure du départ a sonné. Louise
remet à Frédéric un anneau fait avec ses cheveux. Dans
l'après-midi, tous quatre, ils l'accompagnent sur la place
du Château. La diligence attelée de quatre chevaux
s'ébranle sur les pavés inégaux. Il y a douze voyageurs à
bord. Un dernier coup d'œil dans la direction de la maison,
où l'on a été heureux. La voiture a tourné le coin de la rue,
c'est fini ! Voici les faubourgs déjà, la barrière à péage de
Wola. Sur la grand-route de Kalisz, la diligence s'arrête tout
à coup. Des étudiants barrent la route. Ils chantent en chœur,
soutenus par une guitare crécelante. Elsner a composé une
petite cantate pour dire adieu au cher disciple et ce sont les
élèves, ses camarades, qui la chantent : « Que ton talent, qui
est d'ici, rayonne ailleurs et partout ! » Un coup de fouet,
la diligence repart, Chopin se penche à la portière. Ce qu'il
ignore, il le pressent ; les poètes savent tant de choses : « Tout
est si beau quand on se retourne et quand on sait qu'on ne
reviendra jamais [2]... »

1. Frédéric Chopin a-t-il été lui-même franc-maçon ? Rien ne
le démontre. On notera seulement qu'à Paris il bénéficiera de
bien des avantages dus à des amis affiliés à la maçonnerie, tels
Valentin Radziwill, James de Rothschild, le banquier Léo et
Grzymala. Chopin sera lancé par l'aile marchante de la monda-
nité franc-maçonne. Et, sans doute, son amitié pour des maçons
notoires explique-t-elle, jusqu'à un certain point, l'attiédissement
progressif de sa piété catholique qui le conduit, au terme de sa
vie, à l'indifférence religieuse pure et simple. Sa confession finale
à l'abbé Jelowicki — il la concède sans l'avoir demandée —
ressortit au conformisme, bien plus qu'à la foi (cf. pp. 311,
432, 445, 446, 447).
2. Barbey d'Aurevilly.

V

DE VARSOVIE À PARIS

Loin des yeux...

Comme beaucoup de grands nerveux, Chopin bénéficie d'une étonnante faculté de distraire son chagrin. Sa sensibilité très vive lui fait ressentir tous les chocs affectifs avec une grande violence, mais, si l'on peut dire, il les « encaisse », au double sens du terme : d'abord, il n'en accuse pas immédiatement le contrecoup ; ensuite, il les met en jachère, comme en réserve. Ils resserviront, souvenirs apaisés par le temps, ou bien, au contraire, exaltés par l'éloignement. Avec Chopin, rien n'est jamais perdu. Mais ses réactions sont lentes. Toujours, il prend le temps de « digérer » — qu'il s'agisse d'une peine, d'un événement grave, ou d'une simple nouvelle.

Ainsi, tandis que nous nous attendrissons sur son départ — car nous connaissons la fin de l'aventure, et celle-là est mélancolique — lui-même semble vite consolé. D'abord, il retrouve son cher Titus, qui n'a pu résister à rejoindre Frédéric plus tôt qu'il n'avait été convenu. Les deux amis se sont retrouvés à Kalisz. Et puis, l'amusement du voyage, les menues péripéties de la route, le fait de revoir une ville où l'on a des souvenirs... A Breslau, Chopin va à l'opéra, rend visite au chef d'orchestre Schnabel, joue pour lui deux morceaux de son *2ᵉ Concerto* — « Que son jeu a de légèreté ! » juge l'excellent homme — et participe à un concert improvisé devant un auditoire d'amateurs à qui il offre son

Rondo en mi mineur et une improvisation sur des thèmes de
la Muette de Portici, qu'il apprécie fort !

A Dresde, pris entre deux feux ou, plutôt entre le désir
d'aller entendre à l'Opéra ladite *Muette* et l'obligation d'applaudir au concert du pianiste Pachwell, à la fin il décide
de céder à l'un et à l'autre. Il loue une chaise à porteurs qui
le dépose à la salle et, à la sortie du concert, il se précipite au
théâtre. Le lendemain, il rencontre le bon Klengel, l'homme
aux quarante-huit fugues, à qui il joue ses concertos. Klengel
l'en complimente et lui conseille de donner un concert. Chopin refuse. Il faudrait jouer « pour l'honneur », comme à sa
première visite, alors que notre ami, lesté d'une bourse de
voyage modeste, voudrait bien gagner sa vie : le piano ne
constitue en aucune manière à ses yeux un art d'agrément,
destiné à charmer gracieusement les bourgeois, persuadés
que les artistes vivent d'amour et d'eau claire. Il va à l'Opéra-
Italien, écoute *Tancrède,* assez mal chanté, mais ennobli
par un admirable solo de violon de Rolla — passe toute une
matinée à la galerie de tableaux — déjeune chez les
Komar [1] — est présenté à l'aristocratie locale, reçoit des
lettres de recommandation : partout, on l'accueille, on le
traite en favori. Mais il décide de ne pas se produire en
public et il s'y tient avec raison.

Le voici à Vienne. Dans une lettre à Matuszynski, il s'inquiète de Constance et demande à son ami de la surveiller
discrètement : il la sait courtisée par des officiers de garnison, qu'il s'agit d'éloigner d'elle autant que possible. Titus et
lui ont loué trois chambres élégantes dans une maison agréable. Il y attend un piano de Graff. Puis, ils déménagent,
rendus inquiets par la cherté de leur loyer. Ses ressources, il
les réserve à l'Opéra [2]. Würfel lui conseille naturellement de
se produire en public, mais à Vienne, comme à Dresde,
Chopin tient le langage d'un homme qui sait ce qu'il vaut et
ce qu'il veut. L'éditeur Haslinger ruse avec lui, cherche à

1. Delphine Potocka est née comtesse Komar.
2. Au cours du mois de novembre 1830, il voit *Fra Diavolo,*
la Clémence de Titus, de Mozart, et *Guillaume Tell.*

l'amadouer pour éditer ses œuvres sans débourser un centime : « Horrible juif ! » Malfatti, le dernier médecin de Beethoven, le présente à des gens utiles, à droite et à gauche. Bref, c'est la vie facile, sinon la vie dorée ! Là-dessus, au soir du 29 novembre 1830, l'insurrection éclate à Varsovie. Très vite, Chopin apprend la nouvelle. Sur l'instant, fidèle à sa manière d'être, il ne réagit pas.

L'insurrection.

Depuis deux ans déjà, l'occupant russe n'a cessé de harceler les Polonais : persécutions dirigées contre l'université de Wilno, déportation de Mickiewicz en Russie, condamnation du commandant Lukasinski — autant de causes de malaise et de révolte. Sur quoi l'on apprend que l'armée polonaise est destinée à marcher avec les Russes contre la France : la goutte d'eau fait déborder le vase.

Dirigés par le sous-lieutenant Wysocki, les élèves de l'Ecole des enseignes donnent, les premiers, le signal de l'insurrection en attaquant la résidence grand-ducale. Constantin, réveillé en sursaut, a le temps de s'enfuir par un passage secret chez sa femme. Les assaillants abattent à coups de baïonnettes un général russe qu'ils ont pris, dans l'obscurité, pour le grand-duc, ainsi que Lubowidzki, gouverneur de Varsovie, qui protégeait l'entrée des appartements de la duchesse. Une semaine plus tard, Constantin quitte la ville et retire ses troupes. Entre-temps, l'armée s'est ralliée aux étudiants : vers le 5 décembre, le soulèvement est général à travers la ville, qui peut se considérer comme libérée. La réaction autrichienne est, comme on devait s'y attendre, défavorable aux Polonais révoltés.

Ce qu'éprouve Chopin à l'annonce de ces nouvelles, à la fois terribles et libératrices, on l'ignore absolument. Dans les rues, il perçoit des propos désobligeants : « Le bon Dieu a commis une faute en créant les Polonais », dit l'un. « Il n'y a rien qui vaille en Pologne », renchérit l'autre. Telle est l'ambiance : les insurgés apparaissent aux bourgeois viennois comme des empêcheurs de danser en rond : pourquoi troubler ainsi la paix du monde, déjà fort compromise ? Certainement, Chopin n'ose pas écrire ce qu'il pense à ses parents, craignant qu'on n'ouvre ses lettres et qu'on n'exerce des représailles sur les siens. Est-ce pour donner le change — ou simplement parce qu'il est ainsi fait ? Toujours est-il qu'il leur écrit, fort tranquillement, le 22 décembre : « On m'a fait danser et on m'a entraîné au cotillon. » Il a rencontré Hummel et le fils du musicien fait son portrait en robe de chambre. Il a vu le danseur Duport, directeur du théâtre Kärthnerthor. Il est allé avec Czerny chez Diabelli et Malfatti, pour le gronder d'être arrivé en retard, l'a menacé de lui faire subir une opération « si vilaine qu'il aime mieux n'en pas parler » ! Le violoniste Slavik le dispute à Paganini quant à la virtuosité : il fait « quatre-vingt-seize notes, *staccato*, d'un seul coup d'archet ». Ils forment tous deux le projet d'une association artistique. Si Merck y consent, leur duo se muera en trio. Il songe à écrire un *concerto* pour deux pianos, qu'il jouera avec Nidecki. Doit-il partir ou non, pour l'Italie ? Cette avalanche de menues nouvelles, de potins et de questions fait rêver. Le décalage est si grand entre la situation tragique de la Pologne et les occupations frivoles de Chopin qu'on est tenté d'invoquer l'inconscience. A moins qu'une ou deux lettres, égarées, ne manquent aujourd'hui au dossier ? Certainement, il craint d'alarmer ses parents : « En vérité, écrit-il à Jean Matuszynski, je me sens mal, mais je ne l'écris pas aux miens... »

Chopin a eu le chagrin de voir s'éloigner Titus. Dès l'annonce du soulèvement, le jeune homme, comprenant que sa place est en Pologne, a fait ses adieux à Frédéric. Ont-ils pris congé l'un de l'autre à Vienne ? Ou bien faut-il ajouter foi à la légende flatteuse qui montre Chopin, désemparé par le départ de Titus, lançant une chaise de poste à la poursuite de la diligence, ne parvenant pas à rejoindre son ami et rentrant tristement, seul, à Vienne ? Rien ne confirme la vérité de cet épisode.

En apparence, la vie reprend son cours paisible et Chopin son élégante impassibilité. Strauss et Lanner jouent, dans une auberge fameuse où, parfois, il déjeune, les valses viennoises qui l'enchantent et des pots-pourris classiques dont il s'offusque. Son œil de caricaturiste est toujours à l'affût : « Hier, on a dansé des mazurkas chez les Bazer. Vous auriez pu voir Slavik s'agenouiller sur le sol avec la docilité d'un mouton, tandis qu'une vieille *contessa* allemande, une dame au nez trop grand et à la peau grêlée, tricotait de ses longues jambes maigres un pas bizarre, qui devait être de la valse ! Et, tout en dansant ainsi, elle tournait avec tant de raideur vers son cavalier un visage si figé que tous les os de son cou saillaient comme des arêtes. Cette personne digne, sérieuse et instruite, possède à fond *l'usage du monde...* »

Entre-temps, il compose une valse et des mazurkas : on continue à rêver...

Sous les voûtes de la cathédrale.

Mais, un soir, à minuit, le plus romantiquement du monde, il entre dans la cathédrale Saint-Etienne, déserte. « Je restai debout, au pied d'un pilier gothique, dans le coin le plus sombre. Impossible de décrire la magnificence et la grandeur de ces voûtes immenses. Le silence régnait. Seuls, les pas d'un sacristain allumant des cierges au fond de l'église rompaient ma léthargie. Derrière moi, un tombeau ; sous mes pieds, un tombeau. Il n'en manquait qu'un au-dessus de ma tête. Une harmonie lugubre s'élevait en moi, plus que jamais je ressentis ma solitude... » Une fois encore, Chopin a réagi avec retard sur la marche des événements. C'est sa manière à lui de penser à la « bien-aimée ville » lointaine. De même, c'est à distance qu'il ose nommer Constance et qu'il épanche son amour en mots distincts et en images ardentes : « Vrai, comme je l'aime, je voudrais que les sons qui me furent inspirés par un sentiment aveugle, furieux, déchaîné, eussent le pouvoir de retrouver, du moins en partie, les chants que modulèrent les armées de Jean [1] et dont

---

1. Jean III Sobieski, en 1683, battit les Turcs et délivra Vienne.

les échos dispersés errent encore sur les rives du Danube...
N'a-t-elle pas été malade ? Comment a-t-elle supporté la
secousse du 22 [1] ? Dis-lui que, jusqu'à ma mort, que même
après ma mort, mes cendres se déposeront sous ses pieds.
Je lui aurais déjà écrit depuis longtemps et je ne me serais
pas tourmenté de la sorte, mais les gens ! Si, par hasard, ma
lettre tombait en des mains étrangères, cela pourrait nuire à
sa réputation. Alors, il vaut mieux que tu sois mon interprète, parle pour moi et *j'en conviendrai...* » Nous retrou-
vons là Cyrano et Christian de Neuvillette à l'acte du
balcon !

Et voici, enfin, la phrase tout à fait révélatrice, dans cette
même lettre à Jean Matuszynski : « Dans les salons, je
semble calme, mais, rentré chez moi, je fulmine sur le
piano... » Tout Chopin est là, dans cette antithèse : d'un
côté le dandy, frisé, pomponné, élégant et serein — de l'autre
un homme secret qui ne livre son âme qu'au clavier de son
piano. De cette époque date précisément la première
esquisse du *Scherzo en si mineur* qui propose les images
alternées de Chopin aux deux visages : la rafale et la berceuse, le déchaînement de la haine et le comble de la tendresse, un thème sauvage et une harmonie paisible, comme
immobile. Si l'on n'admet pas ces brusques oppositions, on
ne comprend rien au caractère, ni à l'œuvre de Chopin.
Jamais le mot galvaudé de Schumann : « Chopin ? Des
canons sous des fleurs... » n'a mieux trouvé qu'ici son exacte
appropriation.

Comme il est peu fait pour vivre seul, pour assumer lui-
même les responsabilités de la vie ! « Irai-je à Paris ? Certes,
je suis libre d'aller où je veux — *mais je n'aime pas cela...* »
Tendre Chopin ! N'ayant rien fait de ce qu'il fallait pour se
faire aimer de Constance, il se tord les mains, à présent, et
s'arrache les cheveux « à la pensée qu'elle pourrait l'oublier... ». Encore faudrait-il qu'elle eût seulement pensé à
lui ! L'homme se nourrit de chimères — la femme vit dans

1. 22 novembre 1830 : premier jour de l'insurrection polonaise.

le réel, c'est son lot et son fardeau. Tandis que Chopin s'inquiète au loin, Constance, fidèle à ce que suggère son prénom, est dans une paix très profonde. Comment songerait-elle à ce gentil camarade qui ne s'est jamais déclaré ? L'année suivante, elle épousera tranquillement un hobereau bien nanti [1] et, à la fin de sa vie, résumera sa curieuse aventure avec un bon sens parfait : « Si Chopin m'avait épousée, qui dit qu'il m'aurait rendue plus heureuse que mon honnête Joseph ? » A l'appui de ce propos, une photographie datée de 1889 — quarante années après la mort de Chopin ! — nous offre une Constance aux beaux traits un peu durs, nobles et reposés. Le calme profond de leur âme aide nos bien-aimées à nous survivre longtemps !

Et le ronron des potins de reprendre en sourdine : « Bien que Thalberg joue fameusement, ce n'est pas mon homme ! Il est plus jeune que moi, plaît beaucoup aux dames et fait des pots-pourris de *la Muette*. C'est avec la pédale et non avec la main qu'il joue *piano :* il prend dix notes comme moi une octave et porte des boutons de chemises en brillants. Moschelès ne l'étonne pas et il va de soi que, seuls, les *tutti* de mon *Concerto* lui plaisent. Lui aussi écrit des *Concertos...* » Entre confrères, on ne s'abuse pas et Chopin, entre cent virtuosités, détient celle du coup de griffe !

Mais, peu à peu, le mal du pays le gagne — on s'étonne seulement qu'il ne l'ait pas éprouvé plus tôt ! Enfin, il imagine ce que peut être l'existence à Varsovie en proie à l'insurrection : « Tu es à l'armée, écrit-il à Matuszynski. Avez-vous creusé des remparts ? Mes pauvres parents ? Que font mes amis ? Je vis avec vous, je mourrais volontiers pour toi, pour vous. Pourquoi suis-je aujourd'hui si abandonné ? Dis à mes parents que je suis gai. Peut-être partirai-je pour Paris dans un mois, s'il y fait calme. C'est le Nouvel An aujourd'hui, comme je le commence tristement ! Peut-être n'en verrai-je pas la fin... »

Dans son carnet, il note : « Combien je me sens étrange

1. Joseph Grabowski.

et triste ! Je ne sais que faire : pourquoi suis-je seul ? Même
la musique ne me console pas aujourd'hui... »

Donner un concert dans ces conditions ? Il n'en a guère
envie et les circonstances ne sont pas favorables. Les événements de Varsovie, loin de rendre sympathique à Vienne un
artiste polonais, jettent sur lui comme une ombre de suspi-
cion. Les temps ont changé, le public boude les concerts
sérieux, on ne rêve que bals, valses, divertissements. Haslinger n'imprime plus que du Strauss. Tout de même, il se
décide à jouer, le 11 juin 1831, au Kärthnerthor-Theater,
le programme que voici, dans le cadre d'une « académie
musicale » :

Ouverture d'*Euryanthe* .... Weber

Allegro du *Concerto en* mi .... Chopin
(Quatuor vocal)

Romance et *rondo* du *Concerto* .... Chopin
Ballet (avec la participation de Fanny
Elsler)

Concert sans histoire et, surtout, sans lendemain. Deux
mois auparavant, il avait prêté son concours à une matinée
donnée par la cantatrice Mme Garcia. Encore un concert
« gracieux » !

Echec.

Décidément, ce second séjour à Vienne se solde par un
échec ! On lui fait mille difficultés pour lui délivrer son passeport. Il décide de le faire établir pour l'Angleterre, en
mentionnant un simple passage par Paris. A Vienne, il n'a
pas gagné un centime, en revanche il a dépensé pas mal d'argent. Il a dû recourir à son père, qui lui a envoyé « un petit
renfort » assorti de recommandations d'épargne. Sur ce chapitre, Frédéric est à la fois délicat et chatouilleux : « Je règle

mes dépenses aussi strictement que je le peux et j'entoure chaque kreutzer des mêmes soins que cette bague à Varsovie [1]. Cette bague, vous pouvez la vendre, si vous voulez : je vous coûte déjà assez, pour mon malheur... »

Au moment de partir, il reçoit de son ami, le poète Etienne Witwicki [2] une lettre émouvante, hautement significative. Elle ravive un scrupule chez Chopin, qui n'a pas le sentiment d'avoir bien servi sa patrie durant ces huit mois passés à Vienne. Elle sera son évangile durant les années d'exil.

Une lettre.

« Cher monsieur Frédéric,

« Permettez-moi de me rappeler à votre souvenir et de vous remercier pour vos admirables chansons. Elles ont plu infiniment, non seulement à moi, mais à tous ceux qui les ont entendues ; et vous-même, vous avoueriez qu'elles sont très belles, si vous les entendiez chanter par votre sœur. Vous devez absolument être le créateur de l'opéra polonais ; je suis profondément convaincu que vous pourriez le devenir et, comme compositeur national polonais, frayer à votre talent une voie extrêmement riche qui vous mènerait à une renommée peu commune. Pourvu que vous ayez toujours en vue la nationalité, la nationalité et encore une fois la nationalité; c'est un mot à peu près vide de sens pour un écrivain ordinaire, mais non pour un talent comme le vôtre. Il y a une mélodie natale comme il y a un climat natal. Les montagnes, les forêts, les eaux et les prairies ont leur voix natale, intérieure, quoique chaque âme ne la saisisse pas. Je suis persuadé que l'opéra slave, appelé à la vie par un véritable talent, par un compositeur plein de sentiments et d'idées, brillera un jour dans le monde musical comme un nouveau

---

1. La bague que l'empereur Alexandre lui a offerte en 1825.
2. Witwicki émigrera en France après l'échec de l'insurrection. Neuf des dix mélodies de l'*op.* 74 (posthume) de Chopin sont composées sur des poèmes de Witwiski.

soleil. Peut-être même s'élèvera-t-il au-dessus de tous les autres, et aura-t-il autant de mélodie que l'opéra italien, plus de sentiment encore et incomparablement plus de pensée.

Chaque fois que j'y songe, cher monsieur Frédéric, je me berce de la douce espérance que vous serez le premier qui saurez puiser dans les vastes trésors de la mélodie slave ; si vous ne suiviez pas cette voie, vous renonceriez volontairement aux plus beaux lauriers. Laissez l'imitation aux autres ; que les médiocres s'en occupent. Vous, soyez original, national ; au commencement, peut-être ne serez-vous pas compris par tous, mais la persévérance et la culture dans un champ élu par vous vous assureront un nom dans la postérité. Celui qui veut s'élever dans un art quelconque et devenir un véritable maître doit poursuivre toujours un grand but. Pardon de vous avoir écrit cela, mais croyez que ces conseils et ces souhaits sont dictés par une sincère amitié et par l'estime que m'inspire votre talent. Si vous allez en Italie, vous feriez bien de vous arrêter un certain temps en Dalmatie et en Illyrie pour connaître les chants de ce peuple frère, ainsi qu'en Moravie et en Bohême. Cherchez les mélodies populaires slaves, comme le minéralogiste cherche les pierres et les métaux dans les montagnes et les vallées. Même, vous jugerez peut-être convenable de noter certains chants ; ce serait pour vous-même une collection extrêmement utile. Il ne faut pas regretter le temps qu'on emploie à cela. Pardon encore une fois pour mon griffonnage importun ; j'abandonne ce sujet.

« Vos parents et vos sœurs jouissent d'une santé parfaite ; j'ai de temps à autre le plaisir de les voir. Nous vivons tous ici dans une fièvre continuelle. Ma santé, jusqu'à présent, fut si mauvaise que je n'ai pu me mettre en campagne. Tandis que les autres « jouaient à la balle », moi, je m'amusais avec des pilules ; pourtant je fais partie de l'artillerie de la garde nationale. On m'a dit que là-bas vous vous ennuyez et que vous languissez. Je me mets dans votre situation ; aucun Polonais maintenant ne peut être tranquille, quand il y va de la vie ou de la mort de sa patrie. Il faut souhaiter pourtant que vous vous souveniez toujours, cher ami, que vous êtes parti, non pour languir, mais pour vous perfectionner dans votre art, et devenir la consolation et la gloire de votre famille et de votre pays. Je me permets de vous envoyer ces conseils avec l'autorisation de votre respectable mère. En vérité pour travailler avec fruit, il faut avoir l'esprit libre, sans inquiétude et sans soucis.

« Au revoir, cher monsieur Frédéric, je vous souhaite la santé et tout le bien possible.

Votre ami,

Witwicki. »

Le 20 juillet 1831, Chopin dit adieu à Vienne. Il part avec son ami Kumelski. Ensemble, les deux jeunes gens descendent par Linz et Salzbourg. A Munich, Chopin donne, le 28 août, un concert dans la salle de la Société philharmonique. Le *Concerto en mi mineur* et la *Grande Fantaisie sur des airs polonais* reçoivent un accueil favorable. Il n'en a cure. Il est hanté d'idées sombres : « J'aspire à la mort, je voudrais revoir mes parents. J'ai devant les yeux l'image de celle dont le souvenir me hante sans cesse. Que se passe-t-il au pays ? »

Sitôt arrivé à Stuttgart, il reçoit des nouvelles : elles sont, par malheur, mauvaises.

Stuttgart.

A Varsovie, l'insurrection, mal dirigée par des généraux incapables, pourrissait. La Diète siégeait en permanence et, dans son sein comme en dehors d'elle, les partis politiques se disputaient. Le prince Adam Czartoryski, qui présidait le gouvernement national, cherchait, par des voies diplomatiques, un appui auprès d'une puissance étrangère. Ainsi offrit-on la couronne royale de Pologne à un archiduc autrichien : le duc de Reichstadt, sollicité, fit répondre qu'il s'abstenait. La France, qui venait de subir le choc d'une révolution, demeura silencieuse. Sentant la Pologne affaiblie, partagée, les Russes n'allaient pas tarder à passer à l'action.

Alors, loin de tous les siens, seul, déprimé par le résultat médiocre d'un voyage décevant, Chopin « craque ». La digue fragile que la vie de famille, les amis et les succès musicaux opposaient depuis dix ans à ce lac profond d'amertume qu'il porte en lui, se rompt brutalement et le flot des sentiments mal contenus déferle. C'est, dans sa tête et sous sa plume, une levée d'images dramatiques, bouleversantes et macabres. La mort — dont jamais il ne prononce le nom, par crainte de déchaîner ses ravages — la mort est à ses côtés, entourée de ses légions de gisants à la bouche d'ombre et aux yeux vides. Amère dérision de la vie ! N'est-ce pas une folie que de la considérer comme un bien et d'en vanter les charmes, quand on sait où elle nous mène ? Comment a-t-il pu être un enfant joyeux, insouciant, épuisé de fous rires, ardent aux jeux, toujours disposé à faire des farces ou à monter des « polichinades » ? Comment a-t-il pu croire que la musique pouvait donner un sens au chaos, organiser le désordre et vaincre la tristesse de vivre ? A peine si, par instants, elle endort les blessures, cette maîtresse d'illusions, cette reine d'un royaume imaginaire ! La vraie réalité, tangible et palpitante — affreuse, indiscutable — il la tient enfin : ses instincts secrets, toujours refoulés, ne l'avaient pas trompé. N'avait-il pas eu le pressentiment que ce voyage était une erreur, qu'il ne partait que pour aller mourir ailleurs ? Quel sot orgueil l'a poussé sur les chemins du monde, en quête d'une vaine gloire ? Faut-il être fou pour quitter Varsovie, à l'heure où le pays va se soulever ? De cela, il était averti par un pressentiment : depuis deux ans, on ne parlait que de cela, entre étudiants... Et il a choisi cet instant précis pour tourner le dos au danger, aller perdre son temps à Vienne, flâner, dire des mots, voir des gens.

Oh ! les gens ! leur agitation stérile, leur incurable vanité, leur indifférence sauvage au mal qui vous étreint ! Shakespeare, combien tu as raison : *a tale by an idiot, full of sound and fury, signifying nothing...* Arrêter cela ? Hélas ! l'homme révolté contre la mort ne peut que se donner la mort, tro-

quer un mal contre un autre mal. Misère sans issue, marche
funèbre impitoyable, abîme de douleurs !

Sur le carnet de notes de Chopin, les images fiévreuses se
bousculent...

Carnet de notes.

« Stuttgart, septembre 1831 — Chose étrange ! Ce lit
où je vais me coucher a peut-être servi à plus d'un mourant
et cette pensée ne me donne aujourd'hui aucun dégoût. Peut-
être plus d'un cadavre y a-t-il reposé et reposé longuement.

« Mais en quoi un cadavre est-il moins que moi ? Un
cadavre ne sait rien, lui non plus, de son père ni de sa mère,
ni de ses sœurs, ni de Titus !

« Un cadavre, non plus, n'a pas de bien-aimée — il ne
peut parler à ceux qui l'entourent en son langage ! Un cadavre est pâle comme moi. Il est aussi froid que je le suis à
présent en face de tout. Un cadavre a cessé de vivre et moi
aussi j'ai vécu jusqu'à satiété. A satiété ? Un cadavre est-il
vraiment rassasié de la vie ? S'il l'était, il aurait bonne mine
et il est si misérable ! La vie a-t-elle donc une influence si
grande sur les traits, sur l'expression de la face, sur la physionomie de l'homme ? Pourquoi vivons-nous une vie aussi
misérable, qui nous dévore et ne sert qu'à faire de nous des
cadavres !

« Une heure de la nuit sonne aux horloges des tours de
Stuttgart. Ah ! combien meurt-il d'humains en cet instant de
par le monde ? Des enfants perdent leur mère, des mères
perdent leurs enfants. Le méchant et le bon sont morts. La
vertu et le crime, de même. Tous sont frères dans la mort.

« Certes, la mort est ce qu'il y a de meilleur. Quel est
donc le pire ? La naissance, puisque c'est le contraire du
meilleur. Comme j'ai raison de déplorer d'être venu sur
terre ! Pourquoi ne m'a-t-il pas été permis de n'y pas venir,
puisque j'y suis inactif : mon existence, à quoi sert-elle ?
Je ne suis bon à rien parmi les hommes, car je n'ai ni mollets, ni muscles : une pauvre petite gueule... Et, même si

j'avais ces mollets, qu'aurais-je de plus ? Serais-je mieux avec des mollets ? — mais il faut les avoir ! Un cadavre a-t-il des mollets ? Un cadavre n'en a pas plus que moi. Une ressemblance de plus. Décidément, il ne me manque pas beaucoup pour fraterniser avec la mort...

« Constance a-t-elle simulé qu'elle m'aimait ? C'est une énigme à deviner ! Oui, non, oui, oui, non, oui, non... M'aime-t-elle ? M'aime-t-elle sûrement ? Qu'elle fasse ce qu'elle veut ! Aujourd'hui, j'ai un sentiment plus haut, plus haut, beaucoup plus haut que la curiosité dans l'âme. *(Deux lignes effacées.)* Père, mère, enfants, tout ce qui m'est le plus cher, où êtes-vous ? Morts peut-être ? Le Moscovite m'a-t-il fait un sinistre tour ? Oh ! attends, attends... Seraient-ce des larmes ? Il y a si longtemps qu'elles n'ont plus jailli de mes yeux. Pourquoi ? Une tristesse sèche m'avait envahi depuis si longtemps, il m'a été impossible de pleurer depuis tant de jours ! Quel est ce sentiment ? Bon et nostalgique. Il n'est pas bon de se laisser aller à la nostalgie, cependant c'est agréable ! C'est un état étrange. Mais le mort aussi, il se sent bien et mal à la fois. Il passe dans une vie plus heureuse et il s'en trouve bien, mais il regrette le passé et il en devient nostalgique. Le mort doit se sentir comme moi lorsque j'ai eu fini de pleurer. Ce fut sans doute une sorte de mort momentanée de mes sentiments — un instant je mourus pour mon cœur. Ou plutôt, pour un moment mon cœur mourut pour moi. Pourquoi pas pour toujours ? Peut-être me serait-ce plus supportable. Seul, seul... *(Trois lignes effacées.)*

« Ah ! l'on ne peut décrire ma misère ! C'est à peine si mes facultés de sentir peuvent la supporter. Mon passeport sera périmé le mois prochain, je ne pourrai plus vivre à l'étranger — du moins je ne le pourrai plus officiellement. Alors, je serai encore davantage semblable à un mort... »

Dans la nuit.

Ses pressentiments ne l'ont pas trompé. Par les journaux, il apprend que, le 15 septembre 1831, les armées russes, placées sous le commandement du feld-maréchal Paskévitch, atteignaient les fortifications de Varsovie. Dès le lendemain, elles passaient à l'assaut de la capitale. La résistance s'exerça sur une ligne qui traversait le faubourg de Wola : dix mois plus tôt, Chopin était passé par là en quittant Varsovie. On se battit pied à pied dans l'enceinte du cimetière de Powazki où était enterrée la petite Emilie. Les retranchements étaient défendus par le général Sowinski ; ce dernier oppose une défense héroïque, jusqu'à l'instant où, cerné par l'ennemi, il meurt, percé de coups de baïonnette. Ailleurs, les miliciens soutiennent une résistance désespérée dans laquelle plus d'un civil trouve la mort. Le 8 septembre, Varsovie capitule. C'est l'humiliation totale, l'abandon de toute perspective d'indépendance, l'adieu aux beaux espoirs de revanche qui avaient bercé une génération. Les déportations et confiscations de biens vont s'exercer avec la dernière vigueur, provoquant un exode massif. Une fois encore, la Pologne est au fond du gouffre.

« Stuttgart, après le 8 septembre 1831.
« J'ai écrit les pages précédentes sans savoir que l'ennemi était dans la maison. (*Une ligne effacée.*)
« Les faubourgs sont détruits, incendiés. Jeannot ! Sans doute Wilus [1] est-il mort sur les remparts. Je vois Marcel en captivité. Sowinski, ce brave, aux mains de ces coquins ! O Dieu, existes-tu ? Oui, tu existes et tu ne nous venges pas ! N'y a-t-il pas encore assez de crimes moscovites — ou bien es-tu moscovite toi-même ?
« Mon pauvre père, mon brave père, peut-être a-t-il faim ; peut-être n'a-t-il pas de quoi acheter du pain pour ma mère ? Mes sœurs ont peut-être été victimes de la rage de la soldatesque moscovite déchaînée ? Paskévitch — ce chien de Mohilew — s'empare de la résidence des premiers monarques de l'Europe ! Le Moscovite seigneur du monde ! (*Deux mots effacés.*) O mon père, tels sont les agréments de ta vieillesse ! Mère, tendre mère douloureuse, tu as survécu à ta fille

1. Guillaume Kolberg.

pour voir le Moscovite fouler aux pieds ses ossements. (*Un mot effacé.*) Ah ! Powonski ! Ont-ils respecté sa tombe ? Elle est piétinée et mille autres cadavres la recouvrent. Ils ont brûlé la ville. Ah ! pourquoi ne m'a-t-il pas été donné de tuer au moins un de ces Moscovites ! O Titus, Titus ! « Où est Constance ? Peut-être est-elle aux mains des Moscovites ! Un Moscovite la presse, l'étrangle, l'assassine, la tue ! Ah ! ma bien-aimée, je suis seul ici — viens auprès de moi — que j'essuie tes larmes, je calmerai les blessures du présent en te rappelant le passé — le temps où il n'y avait pas encore de Moscovites !

« Peut-être n'ai-je plus de mère ? Peut-être un Moscovite l'a-t-il tuée, assassinée ? Mes sœurs affolées ne se laissent pas faire — non ! Mon père plein de désespoir ne sait que devenir, il n'y a personne pour relever ma mère — et moi je suis inactif ici — et moi, les mains vides, ici, je soupire seulement de temps en temps, j'épanche mon désespoir sur le piano ! A quoi cela sert-il Dieu, mon Dieu, ébranle la terre, qu'elle dévore les hommes de ce siècle, que les tortures les plus cruelles tourmentent les Français qui ne nous ont pas secourus [1] ! »

Au piano.

C'est à Stuttgart, selon toutes les probabilités, qu'ont été esquissés les *Préludes*, n°s 2 et 24, composée l'*Etude en ut mineur*, dite « la Révolutionnaire », *op.* 10, n° 12, et parachevé le *Scherzo en si mineur, op.* 20. Deux fresques volcaniques, deux éruptions qui correspondent à miracle avec le ton du « Journal de Stuttgart ». Ce séisme crée une brèche

---

1. Le jeune Polonais devait bientôt comprendre que le peuple de France — s'il en avait eu la liberté — aurait volé au secours de sa patrie. Plus tard, il se rendit compte de ce que Louis-Philippe lui-même ne pouvait être considéré comme responsable de l'attitude réservée observée à contrecœur par la France en ces circonstances tragiques.

dans l'âme de Chopin. Comblée en apparence, elle ne se refermera jamais tout à fait. En un instant, le rideau trompeur, derrière lequel s'étendait sa jeunesse, s'est déchiré. Entre le Chopin de Pologne et le Chopin de Paris, il y aura, certes, le gouffre du déracinement. Il y aura surtout la révélation, le drame de Stuttgart. Il n'en guérira pas.

DEUXIÈME PARTIE

FRANCE

« ... les Français, que j'ai fini par
aimer comme les miens. »

CHOPIN.

VI

PARIS EN 1831

Paris à vol d'oiseau.

... « Je suis arrivé à Paris sans trop de peine — mais à
grands frais. Quelle curieuse ville ! Tous les Français sautil-
lent et jacassent, même quand ils n'ont plus un sou... Je suis
content de ce que j'ai trouvé dans cette ville : les premiers
musiciens et le premier Opéra du monde. Sans doute y res-
terai-je plus que je ne le pensais, non que j'y sois tellement
bien, mais parce qu'il est possible que, peu à peu, je parvienne
à l'être... On trouve à la fois ici le plus grand luxe et la plus
grande saleté, la plus grande vertu et le plus grand vice. A
tous les pas, des affiches relatives aux maladies vénériennes
— du bruit, du vacarme, du fracas et de la boue, plus qu'il
n'est possible de l'imaginer. On disparaît dans ce paradis et
c'est bien commode : personne ne s'y informe du genre de
vie qu'on mène ; on peut sortir en plein hiver vêtu de guenilles et fréquenter la plus haute société. Un jour, pour trente-
deux sous, tu fais le repas le plus copieux dans un restaurant éclairé au gaz et couvert de glaces, de dorures ; le lendemain, il peut t'arriver de déjeuner dans un autre où l'on
te servira la portion d'un oiseau tout en te faisant payer trois
fois plus cher : je l'ai, au début, appris à mes dépens... J'habite 27, boulevard Poissonnière, au cinquième étage. Tu ne
pourras croire combien mon logement est joli ! J'ai une
petite chambre au délicieux mobilier d'acajou, avec un balcon
donnant sur les boulevards, d'où je découvre Paris, de Mont-

martre au Panthéon. Bien des gens m'envient cette vue, mais personne, mon escalier. Porté par le vent, je suis arrivé ici. On y respire doucement, mais peut-être est-ce pourquoi on y soupire davantage. Paris, c'est tout ce que l'on veut. A Paris, on peut s'amuser, s'ennuyer, rire, pleurer, faire tout ce qui vous plaît ; nul ne vous jette un regard, car il y a des milliers de personnes qui y font la même chose, et chacune à sa manière... »

Voici, crayonnée en quelques traits, la physionomie de la ville où Frédéric Chopin va passer les dix-huit dernières années de sa brève existence. Ce n'est pas mal jugé — un peu sommairement, toutefois.

Les allusions de Chopin à la situation politique de la France sont extrêmement rares et cette insouciance est d'autant plus surprenante que le pays connaît, à l'époque de son arrivée à Paris — septembre 1831 — une agitation prodigieuse.

De Charles X à Louis-Philippe.

Au fond, bien qu'une année se soit écoulée depuis les « Trois Glorieuses » de juillet 1830, la France ne s'est pas complètement remise de la secousse qu'elle s'est à elle-même infligée. Au moment de la publication des fameuses ordonnances de Charles X, qui vont mettre le feu aux poudres [1], Paris s'est hérissé de barricades et de violents combats se sont livrés dans les rues de la capitale. Les troupes royales, commandées par Marmont, ont été facilement mises en déroute. Les républicains se croyaient déjà maîtres de la

---

1. Signées à Saint-Cloud le dimanche 25 juillet, elles supprimaient la liberté de la presse, dissolvaient la Chambre nouvelle, organisaient un nouveau système électoral et aggravaient les conditions du cens, défavorisant surtout en cela la bourgeoisie industrielle et commerçante. La violation de la Charte était manifeste.

situation quand, très habilement, La Fayette et Thiers ont fait glisser la victoire entre les mains de Louis-Philippe, nommé le 31 juillet 1830 lieutenant général du royaume. Deux jours plus tard, Charles X abdiquait et Louis-Philippe montait sur le trône, où, succédant aux deux frères de Louis XVI, jamais il ne connaîtra la sécurité du pouvoir. Le souverain a cessé d'être le roi de France, il n'est plus que le roi des Français. Entre les sujets et leur chef, la Charte sacro-sainte de jadis est remplacée par une manière de contrat. Le droit divin et les privilèges qui s'y attachaient sont abolis.

Le nouveau roi.

Il faut avouer que le nouveau roi ne fait pas grande figure. Agé de cinquante-sept ans, de stature assez brève, le visage en poire surmonté d'un toupet et flanqué d'épais favoris, les yeux à fleur de tête, la taille épaisse, le fils de Philippe Egalité ressemble plus à un boutiquier du Marais qu'au descendant du Roi-Soleil. Pour aggraver ses allures bourgeoises, il porte généralement un habit bleu à boutons d'or, un gilet blanc, un pantalon de nankin à sous-pieds, se contentant, en guise de sceptre, d'un parapluie qui fait la joie des pamphlétaires et des caricaturistes.

Aimant l'argent plus que la gloire, préférant ouvertement Casimir Delavigne à Victor Hugo et Delaroche à Delacroix, le roi félicite un peintre de troisième ordre, Alaux, de « bien dessiner, de n'être pas cher et d'être un excellent coloriste ». Non qu'il manque d'esprit — mais le romantisme, sous ses différents aspects, l'ennuie ou l'inquiète. Il s'exprime agréablement, avec des longueurs, se montre bon conteur à l'occasion, apprécie l'anecdote et cultive une certaine forme d'esprit facile. De jugement clair et de volonté faible, le roi louvoie, temporise, ergote au lieu d'agir. Naturellement bon, il répugne à traiter en ennemis ses adversaires et montre à l'égard des frondeurs une patience surprenante. N'ira-t-il pas jusqu'à concéder un poste important à

Albert Berthier de Sauvigny qui, lançant son équipage dans la direction du souverain en promenade, n'a épargné ni les coups d'œil insolents, ni même les sarcasmes ? Et le roi est le premier à s'égayer des caricatures dont il est l'objet, comme des railleries des journalistes de l'opposition qui le désignent sous le sobriquet peu flatteur de « Un tel » ! Il est vrai que le duc d'Orléans — nommé populairement « Grand Poulot » : c'est ainsi que les bonnes femmes normandes appellent leur premier-né — n'est pas mieux traité. Thiers, c'est « Foutriquet ». Quant aux courtisans, on les appelle, selon les jours, « oiseaux de proie, de rapine ou de basse-cour ». Narquoise par vocation, la France n'a pas plus le respect de soi que de ceux qui l'entourent. Encore, pour s'épargner un surcroît de railleries, la famille royale, composée des deux souverains et de leurs huit enfants — le duc d'Orléans, le duc de Nemours, le prince de Joinville, le duc d'Aumale et le duc de Montpensier, Louise, Marie-Christine et Marie-Clémentine d'Orléans — ont quitté leur palais [1] et sont allés habiter les Tuileries. Le duc d'Orléans mourra prématurément d'un accident de voiture. Quant au duc d'Aumale, vaillant soldat et infatigable amoureux, avant de se couvrir de gloire dans la campagne d'Algérie, il défraiera la chronique galante de Paris, ayant hérité du sang généreux d'Henri IV. Une chanteuse d'opéra, Mlle Florentin, dit de lui : « Sous le précieux prétexte que le duc d'Aumale était prince du sang, fort riche et joli homme, toutes les demoiselles non entretenues se vantent de l'être par lui. »

L'opposition.

Trois partis alimentent généreusement l'opposition : les légitimistes, qui enragent de voir un Orléans sur le trône de France ; les républicains, constitués en sociétés secrètes aux

---

1. Louis-Philippe n'est-il pas le fils du prince qui a contribué à rendre célèbre le Palais-Royal ?

noms étranges [1] ; les bonapartistes, que l'année suivante, en 1832, la mort du duc de Reichstadt privera de leur prétendant — car nul, à cette époque, ne considère sérieusement la candidature de Louis-Napoléon. D'ailleurs, le roi pratique à l'égard des bonapartistes une politique extrêmement libérale. C'est ainsi que le 21 juillet 1833, la statue de Napoléon est rétablie au sommet de la colonne Vendôme ; que le 29 juillet 1836, Louis-Philippe inaugure l'Arc de Triomphe ; qu'enfin, le 14 mars 1840, les cendres de l'Empereur arrivent en France, de Sainte-Hélène. En dépit de cette attitude plus que conciliante, les adversaires de la royauté ne désarment pas. Rarement, la France sera inondée d'autant de pamphlets dirigés contre le roi et les membres de sa famille. On va jusqu'à accuser la duchesse d'Angoulême d'avoir été la maîtresse de l'archevêque de Paris, Mgr de Quélen. La duchesse de Berry n'est pas davantage épargnée : des doutes sont publiquement émis sur la légitimité de son fils, le duc de Bordeaux. Quant aux membres des sociétés secrètes républicaines, ils prodiguent des outrages aux silhouettes de Louis-Philippe, allant jusqu'à charbonner sur les murs le visage du roi, qu'ils prennent ensuite comme cible de tir au pistolet. Le régicide apparaît aux factieux comme on ne peut plus légitime. Une dizaine d'attentats seront enregistrés en dix-huit années de règne. Dans un journal dirigé par un certain Charles Philipon — *la Caricature* — paraît un dessin représentant le piédestal de la place de la Concorde surmonté d'une poire. En guise de légende, on lit : *Monument expia-poire*. Le dessin mène son auteur en cour d'assises. Pour sa défense, le polémiste, faisant allusion à la forme en poire du visage royal, déclare calmement : « Le parquet a vu là une provocation au meurtre : ce serait tout au plus une provocation à la marmelade ! » Une autre feuille satirique, *le Chari-*

---

1. *Société des condamnés politiques, Société des réclamants de juillet, Société gauloise, Société des Francs régénérés, Société des Droits de l'homme, Société Aide-toi le Ciel t'aidera, Société du Progrès, Société des Amis du peuple, Société des familles, Société de l'Enfer* : le président de cette dernière s'appelle Pluton et les séances se tiennent à la **Grande Chaudière** !

vari, se surpasse lors de l'arrestation en 1832 d'un individu prénommé Louis-Philippe, accusé d'avoir volé un parapluie, rue de Rivoli : « Depuis quelque temps déjà, annonce *le Charivari,* on surveillait la conduite d'un voleur émérite, du nom de Louis-Philippe qui, depuis nombre d'années, n'a reculé devant aucun méfait. Cet homme qui, déjà sous la Restauration, rôdait habituellement autour des Tuileries, vient enfin d'être surpris en flagrant délit de vol, non loin du Palais-Royal, et tout le monde se réjouira en pensant que la société va recevoir satisfaction. Cette fois, c'est un parapluie que cet adroit filou a dérobé... » Dirigée par Emile de Girardin, *la Mode,* organe légitimiste, n'épargne aucun des soutiens de la monarchie de Juillet : ministres, généraux, magistrats, hauts fonctionnaires — tous y passent. Le ton des attaques est nettement injurieux. Ainsi, le 7 juillet 1838, peut-on lire, à la rubrique bien nommée des *Epingles* : « M. de Rothschild vient d'acheter l'hôtel de M. de Talleyrand. C'est parfait : le Juif sera à merveille chez l'apostat ! » Le ton de l'époque est vif.

D'ailleurs, les oppositions légitimistes et républicaines seront finalement domptées, de même que l'insurrection, en 1831, des canuts lyonnais soulevés par la misère. Malgré cela, le peuple français prend conscience de la force politique qu'il représente : il va falloir, désormais, qu'on le veuille ou non, compter avec lui. D'autant plus qu'à partir de cette période, on va assister à la diffusion rapide d'idéologies sociales, et notamment à celles que propageront les saint-simoniens : à partir de 1831, *le Globe,* qui a défendu les idées libérales jusqu'à la fin de la Restauration, prendra le titre de *Journal de la doctrine de Saint-Simon* et sera un organe très actif de propagande. Une vague — disons une résurgence — de nationalisme révolutionnaire soulève les esprits. Curieusement, à ce sursaut de nationalisme correspond un regain de catholicisme libéral, tandis que le romantisme, achevant une évolution amorcée avant 1830, ajoute à la révolution littéraire la révolte politique et morale. Jamais, avant 1830, Hugo n'aurait un instant songé à écrire *les Misérables.* De même, Sand n'aurait imaginé de traduire

— dans sa vie privée comme dans ses romans — son féminisme révolté. Tout se tient, tout s'enchaîne.

Une époque troublée.

La monarchie de Louis-Philippe va-t-elle tenir compte des aspirations de cette « jeune France » qui a fait et qui veut continuer à faire la révolution ? Oui et non — et c'est en opposant à ce mouvement spontané une résistance parfois aveugle, que le roi prépare sa perte.

Les lois de 1835 restreindront la liberté de la presse. Après la crise économique de 1839-1840, le roi écartera Thiers, défavorable au pouvoir personnel, et fera appel à Guizot, dont la politique de paix et de prospérité sera favorable aux possédants et hostile à toute réforme. Malgré le brillant épisode algérien, les Français seront sensibles à une certaine politique d'effacement, qui se traduira douloureusement à l'époque de la crise égyptienne de 1840. La crise économique de 1847 détachera du régime la haute bourgeoisie, jusqu'alors fidèle, et ranimera l'agitation populaire, jusqu'à provoquer la chute de la royauté. Au reste, durant les dix-huit années du séjour de Chopin à Paris, mille incidents attisent le feu latent qui ne demande qu'à crépiter. C'est la reprise du soulèvement vendéen ; c'est la terrible épidémie de choléra qui fait, à Paris, plus de vingt mille victimes ; c'est l'arrestation de Chateaubriand ; ce sont les émeutes aux obsèques du général Lamarque, le sac de Saint-Germain-l'Auxerrois, les insurrections de 1834 et 1838, les soulèvements suscités par Louis-Napoléon Bonaparte, à Strasbourg en 1836, à Boulogne en 1840 : tous événements qui maintiennent Paris en haleine, en état de crainte perpétuelle et d'opposition systématique.

C'est le recul du passé qui nous fait juger, à tort, une époque révolue charmante et paisible. Point de règne plus agité que celui de Louis-Philippe. Des attentats dirigés contre la personne du roi. Des émeutes incessantes. Le prolétariat ouvrier sur le pied de guerre. La jeunesse libérale en

constante effervescence. L'image classique du gouvernement
assis sur un volcan est tout à fait juste. L'éruption finale sera
sanglante.

Au mois de septembre 1831, quand Chopin arrive à Paris,
la population nationale atteint 32 600 000 habitants. En
quinze ans, elle va s'accroître de trois millions d'habitants
supplémentaires. Vers 1846, l'occupation humaine atteindra son plafond dans les campagnes françaises, allant jusqu'à provoquer un véritable surpeuplement rural : la France
de Louis-Philippe sera essentiellement agricole. En vingt ans,
le produit net de l'activité agricole augmentera de 38 %.
Il est vrai que la progression industrielle atteindra 66 %.
Toujours en 1831, la population de Paris avoisine le million
d'habitants. Cependant, la ville est bien moins étendue
qu'aujourd'hui — et bien différente d'aspect.

Dans les rues.

Peu ou pas de trottoirs. « Le pavé est fait de gros blocs de
grès inégaux. Au milieu de la rue, court un ruisseau, filet
d'eau en temps ordinaire, véritable torrent dès qu'il fait
orage. Dans ce cas, nous traversons la chaussée, moyennant
péage, sur une planche que nous installe un petit Savoyard. »
Dès que la nuit tombe, les rues sont fort mal éclairées, par
des lanternes à huile, dites réverbères, suspendues à des
potences par des cordes coulissant sur des poulies. Quand
la lune est à son quartier, ni les ponts, ni les boulevards,
ni les quais, ni les places publiques ne sont éclairés : c'est
tout profit pour les malandrins, coupeurs de bourses et chou-
rineurs.
Nous prenons un coupé, pour faire le tour de Paris, c'est-à-
dire la partie habitable et habitée de la capitale. Chose assez
vite faite, car le Paris romantique n'est qu'un îlot dans
l'océan de notre Paris du XXᵉ siècle. En 1831, la ville finit,
à l'ouest, place de la Concorde, anciennement place
Louis-XV. Sous le règne de Louis-Philippe, on en poursuit

l'aménagement, on l'égaye de bouquets d'arbres qui dissimulent un peu l'ancien emplacement des guillotines. Comme la place de la Madeleine, celle de la Concorde n'est qu'un terrain vague. « Les deux palais de Gabriel, les Chevaux de Marly, les Chevaux de Coysevox encadrent une étendue fangeuse, coupée, derrière les balustrades, de fossés pleins d'une végétation sauvage, d'ordures et d'eaux croupies [1]. » On ne se hasarde guère au-delà de la Concorde, dans la direction des Champs-Elysées. Tout au bout, l'Arc de Triomphe — ou, plutôt, sa carcasse en bois, en toile et en carton, symbole du futur édifice — s'élève en plein bois, à une étoile de la forêt. L'avenue de Neuilly s'enfonce à travers champs. Le long du Cours-la-Reine, on a creusé des cabarets souterrains où va se rafraîchir une population louche, en quête de mauvais coups. Eugène Sue a fort bien décrit ce quartier, et bien d'autres aussi, dans *les Mystères de Paris.* Suivons un instant son héros, Rodolphe, à qui un bandit, le Maître d'Ecole, et une borgnesse appelée la Chouette, ont proposé d'aller dévaliser une maison isolée de l'allée des Veuves (avenue Montaigne) : « Un escalier creusé dans la terre humide et grasse conduisait au fond d'un large fossé ; à l'un de ses pans, coupé à pic, s'adossait une masure basse, sordide, lézardée ; son toit, recouvert de tuiles moussues, s'élevait à peine au niveau du sol ; deux ou trois huttes en planches vermoulues, servant de cellier, de hangar, de cabane à lapins, faisait suite à ce misérable bouge. Ce cabaret, tenu par un nommé Bras-Rouge, s'appelait le Cœur Saignant. » « Il faut, écrit Robert Burnand, être un poète besogneux, chargé de famille comme l'est le jeune Victor Hugo, pour emménager dans un tel quartier ! Et Balzac avait un rude courage pour aller s'installer sur les pentes de la colline de Chaillot ! » Voilà ce qu'était alors un des quartiers les plus élégants du Paris d'aujourd'hui [2] !

1. Robert Burnand : *la Vie quotidienne en France en 1830.* En 1834, on comblera les fossés. Quatre ans plus tard, on érigera l'Obélisque.
2. Eugène Sue se donne volontiers pour un écrivain « populiste ». En fait, il figure un parfait dandy, fréquentant assi-

Nous voici devant l'église de la Madeleine. Elle s'élève
sur un terrain vague. Par-dessus les palissades pointent des
colonnes, s'érigent des frontons inachevés. Les chantiers ont
fini par faire partie du paysage, qu'on va contempler au
clair de lune. « Nous y sommes allés un soir, sous bonne
escorte... », écrit Mme de Girardin. Prenons les boulevards :
bien qu'on y trouve déjà les théâtres, les cafés et les cirques,
ils ne sont guère attrayants. « L'angle compris entre la rue
de Richelieu et l'avenue de l'Opéra est un endroit sordide,
implanté sur les buttes des Moulins, constituées elles-mêmes
par les immondices du vieux Paris [1]. » A côté de l'actuel
Théâtre-Français, le Palais-Royal inscrit son rectangle de
verdure, bordé de cafés, de restaurants et de salles de bal.
Dans les rues adjacentes, grouille une plèbe sinistre, qui gra-
vite également dans le quartier du Châtelet et jusque dans la
Cité. Entre le Palais de Justice et Notre-Dame, à l'endroit
aujourd'hui déblayé où s'élève le Tribunal de Commerce,
« les maisons couleur de boue sont percées de quelques rares
fenêtres aux châssis vermoulus et presque sans carreaux.
De noires, d'infectes allées conduisent à des escaliers plus
noirs, plus infects encore, et si perpendiculaires qu'on peut à
peine les gravir à l'aide d'une corde à puits, fixée aux murailles humides par des crampons de fer [2] ». Balzac n'est guère
plus optimiste qu'Eugène Sue. Son Paris est un Paris « frénétique, plein de drames cachés, d'apparences menteuses, de
machinations ». Il pousse au noir le quartier de Saint-Merri,
« sordide, inextricable, misérable, foyer permanent de révolution ».

dûment la meilleure société du boulevard Saint-Germain, s'habil-
lant toujours à la dernière mode et même quelque peu excentrique.
Il mène une vie confortable, s'adonne à tous les plaisirs : chasse,
chevaux, chiens, livres, bonne chère — sans compter les dames.
Ses amis lui ont donné un curieux surnom : « Sulfate de quinine »,
c'est-à-dire « Sue-le-Fat », auquel ils ont ajouté « de Quinine »
en raison de ses prétentions nobiliaires. Le tout lui va assez
bien, puisque, dans sa jeunesse, Sue a fait quelques études de
médecine...

1. Henry Bidou, *Paris* (Gallimard).
2. Eugène Sue, *op. cit.*

Sur la rive droite, tout est effroyable de crasse et de vétusté, sauf la Chaussée d'Antin, où s'élèvent les hôtels des financiers et où logent les étrangers. Chopin y habitera 4, cité Bergère, puis 38, chaussée d'Antin. Plus tard, il s'installera 5, rue Tronchet, puis, avec George Sand, 16, rue Pigalle, enfin 4, square d'Orléans derrière la Trinité. Quatorze ponts — au lieu des vingt-sept existant aujourd'hui — jetés sur la Seine, le long de laquelle, en guise de quais, s'élèvent des berges de terre, sur lesquelles s'avancent des chevaux de halage. La navigation par chalands est très importante, la vapeur en est à ses tout débuts.

Séparée de la Seine par le Louvre, qui a perdu sa destination de palais, la famille royale réside à Neuilly et aux Tuileries. Le Palais-Royal figure encore le cœur de Paris. « Cafés, restaurants, bals et maisons de jeu, écrit M. Lucas-Dubreton, prospèrent autour de ce rectangle de verdure, enserré comme une oasis au milieu de rues étroites et noires. Voici *les Frères Provençaux, Véry* et *Lemblin,* le *Café des Bonapartistes et des Libéraux, Dauvilliers* qui, malgré la mort de son fondateur, conserve sa réputation, le *Café du Sauvage.* Voici le *Bal des Etrangers,* chez Abillard, et la *Galerie Corinthienne,* cour des Fontaines. Voici surtout les maisons de bouillots, les fallacieuses tables d'hôtes où, à peine le repas terminé, les cartes apparaissent comme par enchantement, où l'on rencontre des demi-solde qui espèrent la fortune, des veuves d'officiers de la Grande Armée — du moins, elles le disent — « des femmes à portée », qui ne demandent qu'à lier connaissance avec le premier venu, tout un monde équivoque, hétéroclite, au milieu desquels se glisse naturellement la bande des escrocs. »

Ceux-ci tiennent leur quartier général en plusieurs lieux. Dans la Cité, rue aux Fèves, au cabaret du *Lapin Blanc.* Dans le quartier Saint-Henri, ils se réunissent rue des Boucheries, au cabaret de *la Belle Olympe.* Un peu plus loin, on les rencontre fréquemment dans le maquis des ruelles situées aux alentours de Saint-Eustache et de Saint-Merri ; dans ce quartier où les seules voies importantes sont la rue Montmartre, la rue Montorgueil, la rue Saint-Denis et la rue

Saint-Martin, on trouve en quantité « les impasses dont les murs font du ventre ; des tapis-francs où la lueur d'une chandelle fait vaciller les ombres ; des venelles empestées par l'odeur des chiffons, des peaux qu'on apprête, où les rats courent en liberté. » Il faudra attendre l'époque où, dans ce quartier compact et malsain, le Second Empire ouvrira de longues percées semblables aux ramifications de l'arbre respiratoire.

Dames de petite vertu.

Puisque nous évoquons la pègre de Paris, disons un mot des filles publiques, à propos desquelles un médecin de la Pitié, le docteur Parent du Châtelet, a établi une sorte de statistique géographique. A cette époque, Paris ne compte que douze arrondissements. Le plus abondamment pourvu en dames obligeantes est le second : chaussée d'Antin, Palais-Royal, Feydeau et boulevard Montmartre (une fille par 63 habitants au Palais-Royal). Le quatrième arrondissement (Saint-Honoré, Louvre, les marchés, la Banque) en recèle 497. Dans le quartier de Saint-Eustache, on en dénombre 4 seulement. Elles pullulent, en revanche, entre le Châtelet et l'Hôtel-de-Ville et dans le quartier de la Cité. Les quartiers ouvriers de l'Est sont à peu près indemnes. Le Marais, le faubourg Saint-Antoine, Popincourt et les Quinze-Vingts en produisent 59 pour 72 800 habitants. Logique est l'absence de vénalité dans les quartiers de l'Ouest (Champs-Elysées et Tuileries) mais le quartier Latin est, curieusement, moins bien fourni que le faubourg Saint-Germain. Enfin, l'île Saint-Louis donne à croire qu'on y pratique la chasteté intégrale, car on n'y dénombre aucune prostituée.

L'occasion s'offre à nous de mettre en évidence une curieuse réflexion de Chopin, consignée, dès son arrivée à Paris, dans une lettre à son ami Norbert-Alphonse Kumelski : « Que de demoiselles miséricordieuses dans les rues de Paris ! Elles pourchassent les passants. Malgré cela, il ne manque pas de solides asdrubals. Je regrette que le souvenir de Thérèse — malgré les efforts de Bénédict qui considère ma peine comme insignifiante — m'empêche de goûter au fruit défendu. Je connais déjà quelques cantatrices et, plus encore que les chanteuses tyroliennes, celles-ci sont désireuses du duo... » Datée du 18 novembre 1831, cette confidence de Chopin est unique de son espèce. Jamais auparavant, il n'a fait la moindre allusion à une quelconque aventure, rien ne nous permet de supposer qu'à Varsovie — où le poursuit la crainte du qu'en-dira-t-on — non plus qu'à Vienne, il ait eu une liaison. Il faut donc admettre que Chopin se vante : où serait la gloire d'avoir contracté une maladie vénérienne, même bénigne, lors d'une rencontre furtive assortie d'un contact douteux ? Jamais plus, au cours des dix-huit années qui lui restent à vivre, Chopin ne fera la plus fugitive allusion à la vie des sens [1]. C'est, dans l'existence de Chopin, le seul indice révélateur d'un caprice passager. Si, vraiment, il a, lors d'une première expérience fâcheuse, subi un contrecoup physiologique, sa misogynie — disons son extrême réserve à l'endroit des femmes — a pu s'en trouver fortifiée. Il y a des gens qui sont ainsi « guéris de l'amour » dès la vingtième année.

Alentours.

A cette époque, les Tuileries, le Luxembourg et le jardin des Plantes — qui marque au sud l'extrême limite de Paris — sont les trois seuls jardins publics de la capitale. Le bois de Boulogne est une forêt où l'on ne se risque pas. Quant au parc de Mousseaux — le futur parc Monceau — il est une propriété privée de la famille d'Orléans, qui l'a ornée de ruines imitées de l'antique. Mais il faut dire que le besoin de verdure se fait moins sentir qu'aujourd'hui. D'une part, la ville est bien moins étendue. Et à ses portes, une fois fran-

---

1. On lira plus loin, p. 220 et suivantes, ce que nous pensons de sa « liaison » avec Delphine Potocka et des fameuses lettres qu'il lui aurait, dit-on, adressées.

chies les fameuses « barrières », c'est la campagne. Tout
autour de Paris, des villages dansent la ronde : Neuilly, Clichy, Passy, Auteuil et, plus loin, Montreuil où l'on cultive
les abricots, Bagnolet des framboises et Montmorency des
cerises. Les citadins s'y rendent en redingotes et chapeaux
hauts de forme. Vaugirard et Grenelle demeurent attachés
aux cultures maraîchères. « A Montmartre, à Belleville, à
Montrouge, les moulins disparaissent un à un du paysage ;
mais si leurs ailes ne tournent plus au vent, les enseignes des
guinguettes et des cabarets à danser en conservent le souvenir. Le vignoble parisien est encore important. A Vincennes,
il occupe vingt-quatre hectares. Les vignes riveraines des
boulevards extérieurs donnent plus de dix-huit mille
muids [1] ! »

Le quartier Latin est un quartier de couvents : la Visi-
tation, les Ursulines, les Sourds-Muets, les Carmélites, les
Feuillantines (où Victor Hugo a vécu ses jeunes années,
avant d'aller habiter rue de Vaugirard, à deux pas de Sainte-
Beuve qui demeure rue de l'Abbé-Grégoire), le Val-de-
Grâce. Sur le Luxembourg, bordé par les rues de l'Est (boulevard Saint-Michel) et de l'Ouest (rue d'Assas), s'ouvre
l'hôtel où la belle Marco recevra Musset. L'Odéon, « dé-
coiffé de son bonnet d'âne », est relié par des arcs aux maisons voisines : à cela près, le quartier a peu changé depuis
cette époque : un lacis de petites rues s'étend jusqu'à la
Seine, enveloppant Cluny. C'est là, dans une mansarde de
la rue de la Sorbonne qu'avant d'aller résider place de la
Madeleine, vient se réfugier, en cette année, la belle,
l'étrange princesse Belgiojoso, qui a dû quitter précipitam-
ment l'Italie et dont les biens sont alors sous séquestre.
« Un jour, raconte Dupont de l'Eure, je montai par surprise
les six étages qui conduisaient chez la princesse. Elle pei-
gnait un éventail, tandis que, sur une étagère, séchaient
des verres qu'elle avait décorés la veille. Dans un coin, le
général La Fayette, qui venait la visiter tous les jours, éplu-

---

1. Valmy-Baysse, *la Curieuse Aventure des boulevards extérieurs.*

chait une salade sur le coin de la table de nuit. Dans le
réduit qui servait de cuisine, et dont la porte était ouverte,
j'aperçus M. Thiers, la taille ceinte d'un torchon blanc, en
train de faire sauter une omelette. J'offris mes services, mais
ils furent refusés : tout juste fus-je admis à dresser le couvert. Comme je refermais la porte, une carte de visite clouée
sur le battant attira mon attention. Elle était ainsi libellée :
" La princesse malheureuse ". »

Le Faubourg.

Le faubourg Saint-Germain, voilà le vrai Paris des romantiques. Les pires adversaires de Louis-Philippe sont rassem-
blés dans ce quartier, n'aspirant qu'à faire revivre la France
d'avant la Révolution. En 1831, malgré les coups portés
par les « Trois Glorieuses » de juillet 1830, le faubourg
Saint-Germain est encore « un être organisé, une manière
d'individu, qui peut devenir votre allié ou votre ennemi : il
faut en tenir compte dans les prévisions stratégiques [1] ».
Les habitants de ce noble faubourg sont gens nerveux et
susceptibles, d'autant plus attachés à leurs traditions que
celles-ci sont menacées. En un demi-siècle, ils ont assisté à
tant de bouleversements ! Songeons qu'en 1831, un homme
de cinquante ans a vu se succéder l'Ancien Régime, la Révolution, le Directoire, le Consulat, l'Empire, la première Restauration, les Cent Jours, la Seconde Restauration et la Révolution de 1830 ! Sa vie s'est écoulée dans un drame perpétuel dont la France est l'enjeu et Paris l'estrade. Un Paris
déchiré par des luttes fratricides, ensanglanté par la Terreur,
traqué par la police, sans cesse soulevé par des émeutes et
des complots. Un Paris sur le qui-vive, gouverné par des
régimes opposés, rendu hagard par des consignes contradictoires. La société parisienne décimée par l'échafaud, par

1. J. Bertaut, *le Faubourg Saint-Germain sous la Restauration*
(Tallandier).

l'émigration, une population agitée par la fièvre politique, les
hôtels fermés à la suite du procès des ministres de Charles X,
les fêtes interrompues : c'est la lutte ouverte entre les partisans de Charles X et la police de Louis-Philippe. Le faubourg Saint-Germain est dans l'attente et sur la défensive.

Ce quartier aristocratique a des frontières précises : la
Seine et l'Abbaye-aux-Bois (l'actuelle rue de Sèvres), l'Institut et l'esplanade des Invalides. Ce vaste quadrilatère sur
lequel l'intersection du boulevard Saint-Germain et du boulevard Raspail n'a pas encore inscrit son Y, est sectionné
par quatre grandes rues parallèles au fleuve — les rues de
Varenne, de Grenelle, Saint-Dominique et de l'Université —
que traverse, à angle droit, la rue du Bac, jalonnée de magasins. Le seul café du faubourg Saint-Germain, le Café Des-
mares, s'y est refugié. Les rues sont bordées de vieilles
demeures aux noms illustres. Dans les flancs des hôtels de
Castries, de Boisgelin, de Broglie, Matignon, Lamoignon,
d'Harcourt, de Luynes, de Maine, de Gramont, Le Vayer,
de Mailly, Galliffet, nombre de beaux jardins respirent à
l'étroit.

« Quelle qu'en soit la variété, note Henry Bidou, ces
demeures se conforment à un certain plan général. Sur la
rue, un portail donnant sur une cour d'honneur que bordent
latéralement les communs. Les voitures tournent autour d'un
grand massif de fleurs. On entre dans un beau vestibule
dallé, d'où s'élève l'escalier de pierre. La salle à manger est
d'un côté, chauffée par un poêle de faïence blanche, qu'on
allume deux fois par jour. Tapisseries aux murs. Du plafond
descend un lustre de quarante bougies. De l'autre côté du
vestibule, les salons, souvent meublés à l'ancienne, étouffés
de lourds rideaux mais égayés de bibelots mis à la mode
par la duchesse de Berry. Au premier étage, où sont les
pièces d'habitation, on découvre les verdures du parc.

« Le matin, le faubourg est endormi. Seule la livrée
s'agite. On balaie les cours, on bat les tapis, on entend
dans les écuries le bruit de l'eau et le raclement des sabots.
Les marmitons portent d'immenses paniers. Un portail
s'ouvre et il en sort un cabriolet, vivement mené par un

jeune homme qui crie : « Gare ! » et s'élance à la conquête
de ce que nos voisins anglais appellent le sport[1]. »

A la porte des hôtels, des suisses monumentaux, armés de
hallebardes. Dans les cours s'affaire une armée de domestiques, de valets d'écurie, de coureurs de villes, de grooms
et de gamins. Les cavaliers font sonner le pavé, des
voitures de tout gabarit se croisent. Cabriolets, coupés, demi-
fortunes, dormeuses, lourdes berlines s'ébranlent, l'après-
midi, à destination de Longchamp. Le bois de Boulogne
est rudimentaire, informe, mais c'est le seul lieu de promenade autorisé par la mode. Pour savoir où va exactement une
voiture, il suffit d'écouter l'ordre laconique jeté au cocher :
« Au logis ! » si l'on va au Marais ; « A la maison »,
pour l'île Saint-Louis ; « Allez ! » pour la chaussée d'Antin ; « A l'hôtel ! » pour le Faubourg.

Transports.

Les transports en commun sont très rudimentaires. 378
voitures omnibus, aux noms étranges — Batignollaises,
Béarnaises, Citadines, Constantines, Dames Réunies, Dili-
gentes, Favorites, Gazelles, Hirondelles, Tricycles, Parisiennes ou, tout bonnement, Omnibus — réunissent les points
stratégiques de la capitale. Le prix de la course, quelle
qu'elle soit, est de trente centimes. Les lourdes voitures
particulières de jadis — berlines ou landaus — ont cédé la
place à des véhicules légers — cabriolets, victorias, calèches,
tilburys, briskas et broughams, du nom de lord Brougham,
qui a introduit la mode de coupés très bas, appelés ducs et
mylords. En 1837, on inaugurera la première ligne de chemin de fer, reliant Paris à Saint-Germain. En vingt-cinq
minutes, les personnages officiels couvriront la brève étape,
salués au Pecq par les gardes nationaux et à Saint-Germain
par une salve d'artillerie. Le duc d'Orléans et le duc d'Aumale feront le trajet à l'air libre, sur une banquette de l'im-

1. Henry Bidou, *op. cit.*

périale. Le soir venu, un cortège de charbonniers attestera les charmes précaires du nouveau mode de locomotion. Tout le monde reviendra néanmoins enchanté et Mme de Girardin notera, lyrique : « On va avec une rapidité effrayante et, cependant, on ne sent aucunement l'effroi de cette rapidité... » A la mort de Chopin, Paris aura cinq gares : rue Saint-Lazare, barrière du Maine, boulevard de l'Hôpital, boulevard de Strasbourg et barrière de l'Enfer. Les diverses banlieues — Saint-Germain, Versailles, Corbeil, la région nord en direction de la frontière belge, Sceaux — seront ainsi desservies.

La rue pittoresque.

L'accroissement de la circulation n'a aucunement diminué le nombre et l'activité des petits industriels de la rue parisienne. C'est, à chaque pas, un spectacle pittoresque, varié à l'infini. Des marchands ambulants vendent des gâteaux, des parfums, de l'encre, du coco, des galettes, des pâtés, des tripes, des oublies, des petits pains. Certain boulanger poète attire la clientèle en répétant du matin au soir une ritournelle monotone :

> *Ils sont au beurre et aux œufs,*
> *Mes petits pains.*
> *Ils sont au beurre et aux œufs,*
> *Qu'est-ce qui en veut ?*
> *Accourez, jeunes fillettes,*
> *J'ai de quoi vous contenter,*
> *Si vous ne voulez descendre,*
> *Faites-moi signe de monter !*

Au Pont-Neuf, on trouve marchands de tableaux, brocanteurs, marchands de frites et de beignets, décrotteurs et tondeurs de chiens. L'un de ceux-ci arbore une enseigne étonnante :

Joseph Lorin
tons le chien va
en ville coupe
le chat et sa
fame. Lessez
votre adrece.

Ailleurs, ce sont des saltimbanques, des chanteurs de rues, la pléiade des arracheurs de dents, des avaleurs de feu, tireurs de cartes, ventriloques, prestidigitateurs, montreurs d'animaux savants. Certains poètes, parmi lesquels Charles Pradier, ne dédaignent pas de déclamer leurs vers dans les rues. Miette, Moreau, Duchesne, Camus figurent des célébrités, des types de la rue. Et pareillement Carnevale, Liard et Mimi Lepreux, dit Main d'Or, sans rival dans l'art de soulager les passants de la monnaie qui leur encombre les poches ! Les attractions abondent : frères siamois, troupe de bayadères, Tom Pouce, qui occupe les badauds de Paris après avoir diverti les *cockneys* de Londres, hypnotiseurs et magiciens. Boulevard du Crime, un ouvrier marbrier a défini son activité sur une pancarte placé le long du mur, à l'entrée de son échoppe : *Interprète de la douleur, rédige épitaphes et inscriptions funéraires en prose et en vers, traduit les regrets des familles à des prix modérés, se charge des mausolées, pierres tumulaires, entourages, et de l'entretien des sépultures.* La rue, qui n'est plus aujourd'hui qu'un lieu de passage, offre alors les agréments d'un spectacle changeant d'une heure à l'autre. La promenade à travers rues est riche de plaisirs et d'enseignements.

Quittons avec Chopin la maison qu'il habite, 27 boulevard Poissonnière : elle existe encore. Tout à côté, au n° 17, une demeure s'enfonce, comme en retrait. Une vieille dame, Mme de Rovigny, y vit. En 1906, année de sa mort, elle évoquera le souvenir de Chopin, qu'elle a vu débarquer du coche, trois quarts de siècle plus tôt. Un peu plus loin, au n° 23, s'élève l'hôtel de Montholon, construit par Soufflot : Mme Adam y tiendra, quarante années plus tard, un salon fameux, d'où elle gouvernera à la fois le monde de la politique et celui des lettres.

Promenons-nous...

Sur le trottoir opposé du boulevard Poissonnière s'alignent le *Café Frontin* — où se sont installés depuis les bureaux du *Matin* — et le *Café Brébant,* précédemment *Café Vachette,* rendu célèbre par le *Dîner Magny* qui y tient ses assises tous les samedis. Organisé par Gavarni et Sainte-Beuve, il réunit des artistes « heureux de causer à cœur ouvert et à gilet déboutonné ». Friand de chair fraîche autant que l'ogre de Perrault, volontiers salace, Sainte-Beuve est un habitué du *Café Brébant.* C'est là qu'il emmène ses conquêtes d'âge tendre. Un soir, il a en face de lui une délicieuse enfant dont la naïveté l'a ravi. Sitôt installé, il questionne l'ingénue :

— Voyons, mon enfant, je veux combler tous vos souhaits. Demandez-moi ce que vous avez rêvé de plus fin, de plus cher, de plus exquis. Et dites-vous bien que je ne regarde pas à la dépense...

L'enfant se pourlèche les babines, sourit d'aise, réfléchit longuement et articule dans un souffle :

— Je voudrais manger du gras-double, monsieur !

Théâtres.

Imaginons à présent qu'il a pris fantaisie à Chopin de descendre les boulevards dans leur intégralité. C'est une longue promenade qui s'offre à lui. Nos boulevards actuels ne dépassent guère l'espace compris entre la Madeleine et la porte Saint-Martin. En 1831, la vie « parisienne » s'étend bien au-delà, jusqu'au boulevard du Temple, dit boulevard du Crime, par allusion aux théâtres de drame qui s'y élèvent. C'est peut-être la section la plus vivante, à coup sûr la plus haute en couleur, des boulevards. Bobèche et Galimafré y rivalisent de grimaces. Deux petites scènes présen-

tent, l'une des marionnettes, l'autre des arlequins. Mlle Rose
et Mlle Malaga éblouissent les passants par leurs tours d'équilibre ou leurs jongleries. C'est une foire permanente, avec
des nains, des géants, des hommes-squelettes, des femmes-
canons, des avaleurs de serpents, des enfants buvant de
l'huile bouillante, des chiens calculateurs, des phénomènes
de toute espèce. Un peu plus bas, le *Café du Jardin Turc* où l'on peut
entendre, pour un sou, des concerts populaires. Le *Salon
des Figures* est l'ancêtre du *Musée Grévin*. Autour du même
« grand couvert » se sont succédé bien des souverains : on
y a vu Louis XV et son auguste famille ; Louis XVI et
son auguste famille ; les trois consuls et leur auguste famille ;
Napoléon et son auguste famille ; Louis XVIII, Charles X,
aujourd'hui Louis-Philippe avec leurs augustes familles.

Quelques foulées encore et nous voici devant le fameux
restaurant du *Cadran Bleu* ; le *Spectacle-Acrobate* où
s'exhibe une danseuse de corde ; le *Théâtre du Petit-Lazzari* ;
les *Automates de Thevelenin* ; les *Ombres chinoises* de Her-
pin ; enfin, la file des théâtres : les Délassements-Comiques,
la Gaîté, l'Ambigu, les Folies-Dramatiques, le Cirque Olym-
pique, dont les spectacles font courir tout Paris. Au Théâtre
des Funambules, Gaspard Deburau se produit depuis trois
ans déjà, à raison de trente-cinq francs par semaine. Deux
ans plus tard, un article très élogieux de Jules Janin mettra
en vue le mime génial, attirant sur lui l'attention de Balzac,
Nerval et Gautier. Mais, loin d'être un artiste « sophistiqué »,
Deburau-Pierrot reste fidèle à sa vocation de héros populaire, touchant le cœur de la foule par sa maladresse mélancolique. Un jour, par mégarde et par malheur, il assène sur
la tête d'un passant qui l'interpelle : « Ohé ! Pierrot ! » un
coup de poing si vigoureux que l'infortuné s'écroulera, raide
mort. Deburau ira méditer entre les murs de Sainte-Pélagie
le scénario d'une pantomime inédite : *Pierrot assassin*. Cet
incident fâcheux marquera le déclin de sa popularité.

La grande vedette du Théâtre Historique est Alexandre
Dumas. Vers la fin de sa vie, Chopin aurait pu y applaudir
la Reine Margot, les Girondins, le Comte Hermann, Monte-

Cristo (en deux journées). A la Porte Saint-Martin triomphent *Antony, Lucrèce Borgia, Marion Delorme, la Tour de Nesle, Richard d'Arlington.* Frédérick Lemaître, Mme Dorval, Sarah Félix, Laferrière, Tautin, Boischeresse s'y font applaudir. Le directeur du théâtre, Harel, use de méthodes curieuses. Pour jouer le *Vautrin* de Balzac, Harel engage Lemaître à raison de 36 000 francs d'appointements fixes. Un jour, après une répétition, dans un accès de franchise, il avoue à l'illustre Frédérick :

— Votre engagement porte 36 000 francs, mais je tiens à vous préciser que vous ne les toucherez pas. Voici ma dernière offre : je réduis votre cachet de moitié, mais cette moitié-là, vous la toucherez !

Au dompteur Amburg qui se vantait de « travailler » ses fauves en toute sécurité devant le public, Harel dit, un soir :

— Vous avez tort, Amburg. Si les gens n'ont pas l'espoir de vous voir mangé un jour, ils cesseront de venir, vous verrez !

Le Théâtre du Gymnase, ex-Théâtre de Madame, est dirigé par un certain Poisson, tout à fait conquis aux mœurs du régime. L'idée de faire écrire des pièces conformes à l'idéal bourgeois lui vient, un jour qu'il se trouve en face de Scribe, à qui il déclare ingénument :

— Mon cher Scribe, vous allez me faire des pièces « famille » : vertu, honneurs, religion, devoirs sociaux, respect de la Charte, émotion douce, mères de famille tendres, épouses soupirantes, dénouement heureux, digestion facile. Vous m'avez compris ? Allez !

Trois jours plus tard, Scribe apporte à Poisson le *Mariage de raison.* Vingt années d'un succès ininterrompu s'ouvrent aux deux compères. Le courriériste de *la Lorgnette* ne craint pas de noter : « On s'écrase au Gymnase dramatique et le succès ne cesse de grandir dans les familles. L'autre semaine, c'était une jeune fille qui, après avoir entendu le *Mariage de raison,* se jetait dans les bras de sa mère en lui avouant qu'elle était sur le point de se laisser enlever. Hier, c'étaient d'anciens officiers de l'Empire qui envoyaient à l'auteur une délégation, pour le féliciter de l'attitude qu'il fait prendre à ses héros, tous colonels ou vieux commandants... » La vertu paye, jusqu'au jour où le public en a assez. A l'équipe Poisson-Scribe succédera le « tandem » Montigny-Dumas fils et ce seront vingt autres années d'une gloire toute différente, au long desquelles triompheront *Diane de Lys, la Question d'argent, le Fils naturel, le Père prodige, l'Ami des femmes, la Visite de noces, Héloïse Paranquet* et *la Princesse Georges*. Dumas père partage la joie de son fils :

— Vous savez, dit-il à ses amis, j'ai fait ce qu'il y a de mieux dans la pièce !

— Et quoi donc ?

— L'auteur !

En même temps que Dumas fils, triompheront sur cette même scène les pièces d'Augier, Labiche, Sardou et Gordinet.

Descente des boulevards.

Faubourg Montmartre, avant le faubourg Poissonnière, remarquons au passage le magasin du fleuriste Caccuniet-Lefaure, très achalandé, le marchand de glaces Violet et le joli magasin de nouveautés « A Malvina », où d'Ennery a débuté comme *calicot*.

Au coin du faubourg Montmartre bat vraiment le cœur de la presse parisienne : enseignes de journaux, imprimeries, voitures transportant d'énormes rouleaux de papier, crieurs et vendeurs de journaux semblent s'être donné rendez-vous à ce carrefour des Ecrasés. *Le Constitutionnel* date de 1815. Fondé par d'anciens membres de la Convention, grandi à l'ombre de Louis XVIII et de Charles X, il passera, en 1843, entre les mains du docteur Véron, directeur de l'Opéra. Grand ami de Thiers, le docteur Véron ne se cache pas de diriger le journal officieux du régime. Ladite officialité ne lui porte pas chance : plus le journal soutient la politique de M. Thiers, plus son tirage baisse. Alors, *les Débats* venant de gagner dix mille abonnés grâce aux *Mystères de Paris*, le docteur Véron, sans hésiter, commande un roman à Eugène Sue : *le Juif errant*, d'un coup, fera remonter le tirage.

La Presse est dirigée par l'israélite marseillais Mirès, qui se fait une curieuse idée de la compétence de ses rédacteurs. Un jour, Chirac vient le trouver :

— Que désirez-vous donner ici ? interroge Mirès.

— Des vers et de la critique.

— Bien : je vous charge dès demain du bulletin financier.

— Mais, monsieur...

— C'est la seule façon d'être impartial !

Fidèle à ses étranges principes, jamais, non plus, à Arsène Houssaye, à Hippolyte Castille ou à Roger de Beauvoir, Mirès n'aurait demandé une chronique mondaine ! Avec de tels procédés, Mirès mène son journal à la faillite. Heureusement surgit à temps, pour le sauver, Emile de Girardin, qui apporte deux innovations capitales : le journal à bon marché et le reportage. Il développe en outre la publicité, n'allant pas toutefois jusqu'à imiter l'ineffable Millaud, directeur du *Nouveau Journal*. Pour aguicher la clientèle, il plante sur le boulevard un homme à voix de stentor qui, tout à coup, dépliant *le Nouveau Journal* lit ou fait semblant de lire :

« Nous avons le regret d'annoncer un nouveau crime qui dépasse en monstruosité tous ceux connus jusqu'alors. Un prêtre s'est livré à une série d'attentats à la pudeur sur des petites filles confiées à sa garde. Non content de les violer, il les a assassinées... »

Tout à coup, il s'arrêtait, puis, saisissant un badaud par le revers de son veston :

— N'est-ce pas, monsieur, que c'est infâme ?

— Oui, c'est affreux !

— Eh bien, reprenait le liseur, montez au premier, abonnez-vous et vous lirez la suite [1] ! »

Entre la rue Drouot et l'Opéra, situé à cette époque rue Le Peletier, nous passons devant le tailleur Coutard, que

---

1. Virmaître, *Paris-Canard*.

Chopin fréquentera, puis devant le *Café de Madrid,* où se réunissent volontiers artistes et gens de lettres, avant d'être, sous le Second Empire, un lieu de ralliement politique important dont, néanmoins, Monselet, Houssaye, Banville, Baudelaire, Villiers de l'Isle-Adam et Mendès resteront les habitués.

Le Théâtre des Variétés ne connaîtra le plein de sa vogue qu'avec les opéras bouffes d'Offenbach, la royauté scénique d'Hortense Schneider et ses aventures galantes avec les princes de l'époque, sous le Second Empire. N'importe, dès l'année de sa construction, 1807, ce charmant théâtre a conquis la faveur des Parisiens. Napoléon Musard met à la mode les bals masqués des Variétés, lance le *cancan* et fait galoper boulevard Montmartre la jeunesse dorée. Tout à côté du théâtre s'ouvre le passage des Panoramas. « C'est là, affirme Amédée Kernel, qu'on rencontre en plein jour la débauche de distinction, au teint enluminé, au rire bruyant, gantée, éperonnée, se promenant la tête haute et les pieds incertains. Ce passage résume et concentre tous les attraits de la ville : Véron, Masson et Prosper ont de quoi calmer les plus beaux appétits. Cherchez-vous un cabinet de lecture ? En voici deux. Un marchand de musique, un connaisseur de tabacs, un magasin de bonbons, un papetier de luxe ? Vous trouvez tout cela. Daignerez-vous essayer un chapeau de paille de Mlle Lapostole ? Cela ne se refuse pas. Voici la boutique du Mameluck, la maison de thé tenue par Marquis, la marchande d'oranges et de citrons, un gantier, le pâtissier Félix, le Café des Variétés, tout, enfin [1] ! »

Avec un peu de chance, et pour peu que nous poussions la porte du café sur les cinq heures de l'après-midi, peut-être apercevrons-nous l'illustre Frédérick Lemaître, drapé dans son grand manteau, le feutre sur la tête, visage glabre, yeux étincelants, tel qu'il fascine la foule dans *les Mystères de Paris* et *l'Auberge des Adrets.* Volontiers, le grand acteur met ses voisins au courant de ses démêlés avec les directeurs de théâtres. L'avarice sordide de

---

1. Amédée Kernel, *Paris ou le Livre des Cent et un.*

Harel, directeur de la Porte Saint-Martin, excite sa verve. Ainsi raconte-t-il un entretien de Harel avec un auteur débutant, sommé de payer une fortune s'il veut que sa pièce soit représentée. L'auteur, mordu par le désir d'entendre sonner ses répliques, signe aveuglément un contrat léonin, s'incline et se dirige vers la porte. Alors, saisissant Harel par la manche, Lemaître, d'une voix tonnante :

— Comment, clame-t-il, vous le laissez partir ? Il a encore sa montre [1] !

Sur le trottoir des Variétés se trouve le pâtissier à la mode, Frascati. Balzac a demeuré un certain temps dans le même immeuble, qu'un jour *le Figaro* occupera. Pour l'auteur de *la Comédie humaine*, c'est un observatoire de choix. L'appartement est exigu — deux petites pièces à peine meublées —, commode, en ce qu'il donne à volonté sur le boulevard ou sur la rue de Richelieu. Un jour, un éditeur, Louis Lurine, qui publie un grand livre illustré sur les *Rues de Paris*, demande à Balzac d'en décrire une : par exemple, la rue de Richelieu, qu'il a sous les yeux.

— Votre prix sera le mien...

— Cela va vous coûter les yeux de la tête !

— Comment cela ?

— Mais parce que, pour bien décrire, je veux tout voir, tout connaître, pénétrer partout, étudier l'un après l'autre chacun des magasins. Commençons par le boulevard : je déjeune et je dîne tous les jours au Café du Cardinal — j'y ai mon couvert. J'achète des partitions chez Brandus, des fusils chez l'armurier qui est à côté, j'ai une note chez le fleuriste qui lui fait face, je commande pour trois mille francs d'habits chez le tailleur mitoyen, je dévalise la boutique du bijoutier qui fait le coin de la rue...

— Taisez-vous, crie Lurine épouvanté. Vous aviez raison : c'est une entreprise au-dessus des forces humaines ! En tout cas, elle dépasse mes moyens [2]...

---

1. Georges Duval, *Frédérick Lemaître et son temps.*
2. Jules Bertaut, *le Boulevard.*

En face de Frascati, de l'autre côté du boulevard, s'élève un luxueux immeuble dont le rez-de-chaussée est occupé par la maison de pianos Pleyel. Camille Pleyel, fabricant de génie, se double d'un excellent pianiste. Chopin dira de lui : « Il n'y a plus aujourd'hui qu'un homme qui sache jouer Mozart, c'est Pleyel ! » Le même personnage a entendu improviser Beethoven. De surcroît, il a bon cœur — au point de proposer à son ami Eugène Sue, ruiné par ses prodigalités, de lui constituer un conseil judiciaire amiable, qui paiera ses créanciers, veillera à sa dépense et lui constituera une rente fixe. Sue aura l'intelligence d'accepter ce marché avantageux, qui le sauvera de la ruine. Dans le même immeuble, au sixième étage, Mlle Thiers, sœur du Premier ministre, tient prosaïquement... une table d'hôte. Son frère ne daigne pas l'honorer de sa clientèle.

Nous voici arrivés au centre même du boulevard — ce qu'on appelle le Boulevard, avec une majuscule, tant cette section éclipse toutes les autres. Sur moins de deux cents mètres, nous allons découvrir tour à tour le *Café Anglais,* le *Café Hardy, Tortoni,* le *Café de Paris* et le *Café de Foy* : de la Restauration jusqu'en 1870, on y tirera, chaque jour, un feu d'artifice éblouissant !

Cette partie du boulevard, qui s'appelle alors boulevard de Gand, offre une physionomie bien différente de son aspect actuel. « Que l'on songe, écrit Jules Bertaut, historien averti du Paris romantique, à quelque beau mail de province, planté de grands arbres aux frondaisons majestueuses, qui s'élèvent au-dessus des maisons, sans trottoirs, avec une foule de gens assis tranquillement sur des chaises, formant ici et là des groupes sympathiques, cependant que leurs enfants jouent et babillent auprès d'eux. C'est un coin des Tuileries, transporté entre le Gymnase et la rue de la Paix. Les maisons ont rarement cinq étages, les magasins sont beaucoup moins nombreux qu'aujourd'hui, les petits hôtels

et les constructions à un étage ne sont pas rares ; il y a
partout de l'air, de l'espace, du soleil et de la lumière.

« Encore que la foule soit dense et le nombre des voitures
qui circulent entre les arbres considérable, nulle rumeur
assourdissante, nul fracas implacable et continu, mais le
roulement sonore d'une berline de voyage qui passe, attelée
de quatre chevaux et conduite par deux postillons, ou bien
le claquement de fouet joyeux d'un dandy étincelant qui
apparaît, juché en haut d'un cabriolet immense, avec, auprès
de lui, un « tigre » — plus l'enfant est petit, plus il est apte
à tenir le rôle — haut comme une botte. La foule qui se
presse aux devantures, qui s'engouffre dans les passages des
Panoramas ou de l'Opéra, qui va et vient, qui s'assied au
Coblentz, l'endroit le plus ombragé du Boulevard entre la
rue Taitbout et la rue du Helder, n'a rien d'une foule fiévreuse, emportée par le torrent des affaires ou des plaisirs.
C'est un assemblage de gens élégants pour la plupart, dont
un grand nombre se connaissent entre eux, qui baguenau-
dent et s'amusent, sous l'œil ironique de quelques désœuvrés
assis sur des chaises, observateurs implacables de tous les
passants. Un grand nombre de cavaliers qui circulent sur
la chaussée ou qui s'arrêtent et attachent leur cheval aux
arbres du Boulevard, ajoutent encore à cette note campagnarde, font vraiment du boulevard de Gand le prolonge-
ment des Champs-Elysées et du Cours-la-Reine. »

Nous sommes loin, à cette époque, des alignements géo-
métriques qui caractérisent notre temps, où choses et gens
semblent tracés au tire-ligne. Les rues — le boulevard lui-
même — abondent en coins, recoins et pans coupés, ils
se heurtent sans cesse à d'obscures impasses, à de sordides
culs-de-sac. « Paris, depuis des centaines d'années a poussé
au hasard. A côté des plus beaux édifices, des masures :
c'est la caractéristique de l'urbanisme d'autrefois (à cet égard,
Chopin trouvera à Paris ce à quoi il était habitué à Varsovie,
où les palais alternent avec les échoppes). Nul ne s'est encore
avisé qu'on pouvait abattre des quartiers entiers, créer des
horizons nouveaux. Nos grands-parents prenaient Paris
comme ils l'avaient reçu, ils ne se souciaient pas de l'em-

bellir, le tenant pour la plus belle ville, la plus parfaite du monde [1]. »

Chez Tortoni !

Revenons au Boulevard, en prenant soin d'adopter le seul côté pratiqué par les gens à la mode : le côté droit, en allant de la rue Drouot à la Madeleine. Montigny, dans son *Provincial de Paris*, ne nous laisse là-dessus aucune incertitude : « Un étranger qui se tiendrait du côté opposé à celui où est situé le Café Tortoni et qui croirait néanmoins se promener sur le boulevard de Gand, commettrait une étrange erreur. Il en est de cet endroit comme des rives du Rhin à Strasbourg : sur une rive, la France — sur l'autre, l'Allemagne. Il n'y a rien de commun entre le brillant habitué du boulevard de Gand et le promeneur sans prétention qui longe paisiblement le *Pâté des Italiens.* »

Du côté de *Tortoni* et du *Café Anglais*, c'est, à partir de onze heures et, le soir, à cinq heures, une bousculade de dandys qui s'appellent eux-mêmes des « lions ». Roger de Beauvoir nous en définit parfaitement l'espèce : « Le lion a les cheveux lustrés, la canne à pommeau d'or, les manchettes retroussées, la botte vernie et les gants jaunes, ses ongles sont taillés artistement en ogives. Il porte une barbe moyen âge, des cravates de chez Boivin et, dans sa bouche, un *cigarre.* Il aime le thé, les paris, le Jockey-Club, et toutes les importations britanniques. Aux premières représentations, sa crinière ondoie, retombe, se hérisse, il est le point de mire des lorgnettes. Il mord, il rugit, il écume, il est insolent, il tranche, il déclare, il traite le plus grand poète de *crétin.* Il est gourmé, étriqué, pincé, corsé : ce n'est pas un homme — mais une vignette. Il aime les boxeurs, les exercices de chevaux et les femmes. Il fume, il boxe, il boit. N'en dites

---

1. Robert Burnand, *la Vie quotidienne en France en 1830* (Hachette).

rien au club, mais on l'a rencontré l'autre jour à pied, il sortait de chez sa tante, en plein Marais [1]... »

A onze heures, donc, tout le monde se retrouve devant le perron de Tortoni. Les cavaliers descendent de cheval, attachent leur monture à un arbre du boulevard, montent rapidement les marches célèbres et, toujours avec la même promptitude, qui donne à penser qu'ils sont gens considérables et succombant sous les responsabilités, ils choisissent leur menu au buffet, chargé de viandes froides, de coquilles de poissons, de la fameuse fricassée de poulet froid Tortoni, et ils expédient à toute allure cet en-cas. Au premier étage, feutré d'épais tapis, s'installent les personnes plus paisibles, ou qui ne sacrifient pas à une agitation de principe. On y est d'une extraordinaire courtoisie à l'égard des clients. L'un des garçons, Prévost, poudré à la mode de l'Ancien Régime, interroge cérémonieusement les nouveaux arrivés :

— Pardon, monsieur, mille fois pardon ! Monsieur a-t-il la bonté de désirer quelque chose ?

Dès une heure de l'après-midi, tout se vide, les lions regagnent leur tanière, cabriolets et chevaux de selle s'éloignent dans un nuage de poussière, le Boulevard reprend ses allures paisibles. A l'heure du dîner et, surtout, après l'Opéra, ce sera de nouveau la ruée chez Tortoni, à la différence près que, cette fois, les lionnes, qui ont déjeuné chez elles, viendront prendre une glace, des gâteaux, une aile de faisan en ce lieu élégant où il sied de se montrer.

Café de Paris.

De l'autre côté de la rue Taitbout, le *Café de Paris* fait le pendant à Tortoni — plus célèbre, à vrai dire, comme restaurant que comme café. Biftecks et côtelettes sont d'une épaisseur et d'un suc exquis. Le café s'est installé dans les anciens appartements du prince Demidoff : on reconnaît aux fines peintures et aux glaces anciennes, comme aux

1. *La Mode*, juillet 1840.

boiseries ravissantes, qu'on est dans un immeuble de qualité. Le mot d'ordre des cuisiniers est donné par leur chef, qui a longtemps servi chez la duchesse de Berry. Il tient en quatre syllabes : se surpasser. Un jour, Balzac, qui a invité pour le lendemain un Russe qu'il tient à traiter noblement, recommande au maître d'hôtel de soigner le déjeuner. Alors, majestueux et digne :

— Je n'y manquerai pas — d'autant plus, monsieur, que c'est ce que nous avons l'habitude de faire tous les jours !

Le docteur Véron, Dumas père, Nestor Roqueplan, le prince Belgiojoso, Alfred de Musset comptent parmi les hôtes habituels du Café de Paris. Directeur de l'Opéra, responsable d'une feuille publique, participant à vingt autres affaires importantes, le docteur Véron, ancien amant de Rachel — et, à ce titre, membre d'une association fort nombreuse — voit chaque soir sa table assiégée par cent quémandeurs. Comment ce gros homme, « sans cou, tête bouffie, joues de carlin, ventre protubérant, affichant avec cela des manières de roué de la Régence [1] » a-t-il trouvé le moyen de séduire notre grande tragédienne ? Friande de caresses, cette Messaline est insatiable. Un soir qu'elle a reçu de son amant des preuves réitérées de son ardeur, Rachel, point lasse du tout et voyant son chevalier sur le point de céder à un sommeil réparateur, s'est écriée, superbement : « Va chercher ton frère ! »

A une table voisine, le beau, le spirituel Roger de Beauvoir fait des épigrammes en attendant d'être servi. L'infortuné Crémieux — si malpropre qu'en baisant la main des dames, il y imprime, dit-on, des cercles sombres — inspire la verve de Roger :

> *Un bruit que je crois controuvé*
> *Se répand dans la capitale*
> *On dit que Crémieux s'est lavé :*
> *Mon Dieu ! Que l'eau doit être sale !*

De quoi cimenter à jamais une amitié !

1. H. de Viel-Castel, *Mémoires.*

Nestor Roqueplan — qui a lancé en 1830 la mode des bandes en galon de soie sur la couture du pantalon — déclare que, s'il a accepté la direction de l'Opéra-Comique, « c'est pour mieux dégoûter les Français de ce genre éminemment national ». Nos modernes Roqueplan ont malheureusement pris à la lettre la boutade de l'illustre Nestor ! Par son horreur de la campagne, il s'apparente, avec un siècle d'avance, à Reynaldo Hahn qui dira le plus sérieusement du monde : « L'air de la campagne est trop vif, malsain, sans références sérieuses. Parlez-moi de celui de Paris, il a servi, on sait ce qu'il vaut ! » Roqueplan, voyant un jour planter des marronniers dans une avenue de Paris, dit à un ami : « Voyez, ces arbres eux-mêmes s'ennuient à la campagne : ils viennent se réfugier ici. Comme je les comprends ! D'ailleurs, par la canicule, il fait bien plus frais passage Choiseul que dans toutes les forêts du monde [1]... »

Paul Foucher — qui n'est pas encore le beau-frère de Victor Hugo — est fort laid et crédule en diable. Il est le souffre-douleur habituel des deux Musset et du comte de Viel-Castel, qui lui font prendre de la colophane pour du sucre de pomme et Népomucène Lemercier pour un écrivain !

A une autre table, occupée ce soir-là par Dumas et Balzac, une discussion véhémente s'élève. Oh ! il n'est pas question de littérature — les pâtissiers, entre eux, ne parlent jamais gâteaux — mais bien des mérites, différents pour chacun des deux hommes de lettres, du *veau à la casserole*, célébrité du *Café de Paris* : « En tout cas, conclut Dumas, c'est très supérieur à *Iphigénie* ! — Je dirais plutôt, corrige Balzac, que cela vaut mieux que le *Grand Cyrus*. Je le digère plus facilement... »

1. Roger de Beauvoir, *Souvenirs*.

Un fantaisiste.

Un demi-fou, M. de Saint-Cricq, s'assied, commande une glace à la fraise, une glace à la vanille, se déchausse et verse gravement celle-ci dans sa botte gauche, celle-là dans sa botte droite. Après les glaces vient une salade de mâches et de betteraves, que l'original saupoudre de tabac. Il réclame le cold-cream, s'en enduit le visage, projette sur la pâte gluante ce qui lui reste de tabac à priser, coiffe son chapeau et sort, la tête haute, en réclamant ses chevaux sur un ton de fausset. Un beau soir, en guise d'équipage, il verra arriver une voiture de force qui le conduira dans un asile d'aliénés.

Un autre fantaisiste : Romieu, mystificateur-né. Un soir — c'est Dumas qui le rapporte — Romieu fait réveiller à deux heures du matin le propriétaire des *Deux Magots,* place Saint-Germain-des-Prés :

— Patron, je veux voir votre associé.

— Mais, monsieur, je n'ai pas d'associé...

— Allons donc : vous feriez mieux d'aller le chercher !

— Je vous répète, monsieur, que...

— Alors, patron, vous êtes un malhonnête homme !

— Monsieur !

— Et peut-être un assassin !

— ...

— Où l'avez-vous caché ?

— Encore une fois, je n'ai pas d'associé !

— Mais, alors, pourquoi appelez-vous votre café : *les Deux Magots ?*

Nommé préfet d'un département, il fera son métier avec sérieux, sans renoncer pour autant aux plaisanteries où il est passé maître. Un jour, pour mettre fin aux ravages exercés par les hannetons dans les cultures de ses administrés, il met à prix, par arrêté, la tête des fâcheux coléoptères. Le plus sûr effet de cette mesure est de faire vivre grassement un journaliste qui prétend « s'être fait pendant plusieurs années douze cents francs de rente, grâce aux échos publiés sur les hannetons de Romieu ». A un vaudevilliste qui le

supplie de collaborer avec lui, Romieu déclare superbement :
— Monsieur, j'ai lu votre manuscrit. Je vous laisse le
choix des armes !

Les gens du monde se rassemblent dans une salle particulière — le Petit Cercle — tandis que les étrangers dînent
à part. Et la « noce » — la haute noce — a son coin à elle.
Musset traite à souper quelques amis. Il y a là l'inévitable
Véron qui, pour une fois, a changé de table, Roqueplan,
Tattet, Arvers, d'Alton Shée, Alfred Arago, Mosselmann, le
major Frazer, Belgiojoso. Arvers, l'homme-au-sonnet, est
l'amant de Virginie Déjazet. Il arrive que ces beaux messieurs soient en compagnies de jolies dames faciles : Mousqueton, Louise la Blonde, Carabine, Louise Guipure, Pauline Fleury, la grande Salomé, Marie Sergent dite la Reine
Pomaré, toute jeune à l'époque et point encore célèbre
comme elle le sera dans les années 40.

Après le carrefour Drouot, le Boulevard est troué, comme
un fromage de Gruyère, d'une multitude d'orifices, de passages qui conduisent à l'Opéra, rue Le Peletier : lieu de
rencontre des gens de bonne fortune. Non loin de là, le
restaurant Brossi, le premier des restaurants italiens ouverts
à Paris. L'attraction suprême est constituée, non par un plat,
mais par la présence, chaque jour à l'heure du déjeuner,
du ténor Mario Candia, qui fait les beaux soirs de l'Opéra-
Italien. Rue Laffitte, le siège d'un journal un peu particulier
— le Mousquetaire — rédigé d'un bout à l'autre, ou peu
s'en faut, par Alexandre Dumas. Quand le temps lui manque pour écrire des articles originaux, Alexandre découpe
avec de grands ciseaux la prose d'un confrère, colle son
découpage au cœur d'une feuille blanche, se contentant
d'inscrire en tête de l'article reproduit : « J'emprunte à
mon cher ami X..., Y... le récit qu'on va lire avec un vif
intérêt... »

Et allez donc !

En face des Café de Paris et Tortoni, de l'autre côté
du Boulevard, le Café Anglais — l'endroit de Paris où l'on
dîne le mieux — est plus tranquille. Il ne deviendra que
plus tard, après la mort de Louis-Philippe, un lieu quelque

peu scandaleux. A l'angle de la rue de la Michodière s'élèvent les célèbres *Bains chinois* où l'on régénère les organismes débilités. Au n° 1 du boulevard des Capucines, un
grand café qui sera, un jour, le *Napolitain*. Au 2, rue de la
Chaussée-d'Antin, au-dessus du restaurant Paillard, Rossini
habitera un vaste appartement où, chaque samedi, il offrira
de grandes réceptions. Les débutants ambitieux s'y pressent,
naturellement. Un soir, un aimable auteur de mélodies sou-
met au maître de maison ses deux dernières-nées. Rossini
installe la première sur le pupitre du piano et chantonne en
s'accompagnant. Au bout de quelques mesures, il s'arrête
et, l'œil malicieux tourné dans la direction de l'auteur haletant d'inquiétude :

— Décidément, fait-il en grimaçant, j'aime mieux l'autre !

Depuis deux ans, après l'échec de *Guillaume Tell*, Rossini est entré, à trente-sept ans, dans un silence qu'au long
des trente-neuf années qu'il lui reste à vivre, il ne rompra
que pour écrire quelques pièces de musique religieuse.
C'est un cas fort rare de rupture de contrat avec la gloire,
en pleine jeunesse.

Les immeubles qui entourent la Madeleine, à l'extrémité
du boulevard, s'élèvent en bordure du terrain vague sur lequel on a édifié l'église. L'hôtel de Mme Récamier inspirera
à Barbey d'Aurevilly, dans *les Diaboliques*, une description
assez peu engageante : « La rue Basse-du-Rempart formait
une excavation toujours mal éclairée et noire, dans laquelle
on descendait du boulevard par deux escaliers qui se tour-
naient le dos. Cette espèce de ravin sombre était fort mal
hanté quand venait la nuit. » A l'angle de la rue Caumartin,
le *Cercle de l'Union*, fondé trois années auparavant par le
duc de Guiche, qui a épousé la sœur du comte d'Orsay,
roi de la mode, prince de toutes les élégances. Les adhérents
à l'Union sont, faut-il le dire, triés sur le volet.

L'un d'eux, M. de Marcellus, s'était fait faire, pour com-
munier dans la chapelle de son château, des hosties timbrées à ses armes. Un matin, le curé du village s'aperçoit
avec horreur que sa provision d'hosties timbrées est épuisée.
Alors, changeant de ciboire et tendant au vieil aristocrate

une hostie banale — l'hostie de tout le monde — il s'excuse en grommelant :

— A la fortune du pot, monsieur le Comte !

Chopin trouvera le mot si drôle qu'en dépit du respect un peu fétichiste qu'il porte depuis l'enfance aux choses de la religion, il l'écrira à un ami polonais. Il peut difficilement donner un meilleur exemple de l'esprit parisien, qui court les rues, à ce qu'on dit, mais qui hante surtout le Boulevard qu'il vient d'arpenter, des deux côtés, d'un bout à l'autre. « Et maintenant, peut-il s'écrier, tel Rastignac, à nous deux, Paris : je te connais ! »

Scènes lyriques.

Non, puisqu'il ignore à peu près tout de ce qui l'intéresse au premier chef : la vie intellectuelle et artistique de la capitale.

Nous savons Chopin grand amateur d'opéra. Il a le choix entre trois scènes lyriques, qui assouvissent inégalement la passion des amateurs de *bel canto* [1] : l'Opéra, l'Opéra-Comique et le Théâtre-Italien.

L'Opéra est dirigé par le « polyvalent » docteur Véron, nommé le 2 mars 1831 en remplacement de Lubbert. Il dispose d'une subvention de 810 000 francs, qui ira diminuant. En ce mois de septembre 1831, le théâtre affiche l'*Euryanthe*, de Weber, et l'on répète *Robert le Diable*, de Meyerbeer. On y a joué l'année précédente, avec un grand succès, *Zampa*, de Hérold, et *Anna Bolena*, de Donizetti. Durant le séjour de Chopin à Paris, les vedettes de l'Opéra seront Cornélie Falcon, Nourrit, Duprez, Mme Cinti-Damoreau, Mme Dorus, Dabadie, Levasseur, Derivis et Rosine Stolz. Les débuts de la Falcon dans *Robert le Diable* — qui va rendre Meyerbeer presque aussi célèbre que Rossini — seront éclatants, mais sa fin sera bien triste ! Ayant perdu sa

---

1. Ainsi nommé par habitude fautive. Le *bel canto* n'est qu'un secteur spécialisé du chant lyrique.

voix et croyant l'avoir retrouvée, elle voudra paraître dans un gala, où le quatrième acte des *Huguenots* succède au second acte de *la Juive*. La soirée sera un calvaire pour la malheureuse artiste, incapable de chanter correctement et, pour ses partisans, un supplice. Duprez, lui, vient du Théâtre-Français où il a chanté, tout enfant, dans les chœurs d'*Athalie*. Après un stage à l'Odéon et un autre à l'Opéra-Comique, il est allé travailler en Italie. Il fera, en 1837, une entrée quasi triomphale à l'Opéra dans *Guillaume Tell*, où, en dépit de sa petite taille et de son aspect ingrat, sa voix superbe de ténor lyrique le fera acclamer. Son émule et rival, Nourrit, renoncera à la lutte et quittera l'Opéra. Chopin, qui l'aime beaucoup, jouera à son enterrement à Marseille, l'année suivante.

Le chef d'orchestre principal de l'Opéra est le bon Habeneck, initiateur de la Société des Concerts du Conservatoire, fondée par le vicomte Sosthène de La Rochefoucauld, à l'instigation de Cherubini. Habeneck est l'ennemi juré de Berlioz qui, lors de la création de son *Requiem* en l'église des Invalides, inventera pour le discréditer une histoire de tabatière sortie de son imagination.

A l'Opéra-Comique, un curieux spectacle tient l'affiche. *La Marquise de Brinvilliers* est l'œuvre collective de neuf musiciens de renom : Cherubini, Auber, Batton, Berton, Blangini, Boieldieu, Carafa, Hérold et Paër. On prépare *le Pré-aux-Clercs*, d'Hérold. Peu de vedettes. Un seul chanteur important, Roger, fera ses débuts en 1838.

Aux Italiens.

Tout cela n'est rien, comparé au triomphe du Théâtre Italien, dirigé par Robert et Severini, puis par Rossini. Les étoiles y reçoivent des cachets démesurés. Tamburini touche quarante mille francs pour soixante soirées ; son rival, Rubini, quarante-quatre mille. Mario Candia fait battre les cœurs féminins. La Grisi, entre Paris et Londres, se fait cent mille francs-or par an. Le public s'écrase pour entendre ces vedettes et les journaux satiriques raillent l'engouement des auditoires parisiens. J'en ouvre un, au hasard. « La baronne de B... écrit à un ami : " Courez vite retenir une loge de face pour la saison, et vous irez, *ensuite*, savoir des nouvelles de mon père qui est à toute extrémité... ". » « Deux adversaires se sont disputés en duel la dernière stalle d'orchestre disponible. Ils sont morts tous les deux : un troisième l'a eue ! » Tout cela pour acclamer la Malibran, la Sontag, Lablache, Jenny Lind, Carlotta Ungher, Mme Viardot, Gianbatista, Giacomo, dans des ouvrages de Mozart, Bellini et Rossini : c'est-à-dire *Don Juan, Cosi fan tutte, Norma, le Barbier, l'Italienne à Alger, Guillaume Tell, I Puritani, Otello, Sémiramis, Lucia di Lammermoor, Don Pasquale, Nabuchodonosor, I due Foscari* — tels sont, à peu de choses près, les ouvrages que Chopin va pouvoir entendre, parmi des rafales d'acclamations. Ce n'est plus de la mélomanie : c'est de la mélofurie, c'est l'âge d'or du chant italien !

Théâtre, peinture, littérature.

L'époque consacre la primauté du théâtre sur la musique instrumentale. Balzac, malgré son génie, écrit un grand nombre de sottises sur un art qu'il ignore à peu près complètement. Hors du théâtre lyrique, il n'y a point de salut. Encore montre-t-il en ce domaine un goût assez curieux. A propos du *Moïse* de Rossini, il met dans la bouche de la princesse de Varèse ce couplet savoureux : « Cette magnifique plainte des victimes d'un Dieu qui venge son peuple, un Italien pouvait seul écrire ce thème fécond, inépuisable et tout dantesque. Vieux maîtres allemands, Haendel, Bach, et toi-même, Beethoven, à genoux ! Voici la reine des arts, voici l'Italie triomphante ! » Cher Balzac, nous n'ignorons pas que la princesse est italienne, nous savons aussi que, parfois, votre plume dépasse votre pensée. Mais Haendel, Bach et Beethoven aux pieds de Rossini — non, tout de même !

Sur les affiches de la Société des Concerts du Conservatoire se relayent les noms de Beethoven, Mozart, Haendel et Haydn, Boieldieu et Gluck, Onslow et Rode, ceux aussi des Italiens modernes. La Société fameuse, aux concerts de laquelle Chopin sollicitera l'honneur de se produire en soliste, en est à son huitième concert.

Au Théâtre-Français, où Taylor est commissaire royal, l'année 31 a été des plus ternes. Mais on prépare *Le roi s'amuse* — les méchantes langues diront qu'il sera, d'ailleurs, seul à s'amuser — et *Louis XI,* de Casimir Delavigne. A l'Odéon, deux ouvrages de Dumas et *la Maréchale d'Ancre,* de Vigny, font oublier le four de *la Nuit vénitienne,* de Musset. Si le théâtre tente Chopin — il en est féru, on le sait — il aura à choisir parmi les vingt scènes parisiennes, dont Scribe, Anicet-Bourgeois, Melesville, Santina, Ancelot, Duvert, Lausanne et Bayard, sans oublier l'omniprésent Dumas, sont les fournisseurs attitrés. Aux Folies-Dramatiques, il ira applaudir Frédérick Lemaître dans *Robert Macaire* ; au Théâtre Historique, Mélingue dans *la Reine Margot* ; à la Porte Saint-Martin, Bocage dans *Antony.* Dommage : il arrive trop tard pour assister à la première d'*Hernani,* comme à celle d'ailleurs de *la Symphonie fantastique.*

Assez peu curieux de peinture — au fait, il n'a de passion que pour son art — Chopin pourrait voir les dernières toiles de Gros, suivre la carrière brillante du « trio des G » : Guérin, Girodet et Gérard, fréquenter « Monsieur Ingres », connaître les deux frères Devéria, s'intéresser aux tableaux cynégétiques de Carle Vernet, applaudir enfin au mordant génie de Daumier et du jeune Gavarni. En fait, il ne sera lié vraiment qu'avec Eugène Delacroix, qui suscite, côte à côte, l'admiration et les sarcasmes.

Il nous est pénible d'avouer que Chopin, cependant très cultivé, lit très peu — et même pas du tout. Les libraires exposent pourtant des œuvres prometteuses. Au lendemain de la bataille d'*Hernani,* Hugo publie *les Feuilles d'automne* et *Notre-Dame de Paris.* On annonce *la Peau de chagrin,* *le Rouge et le Noir. Indiana, Jocelyn.* Musset prépare *le Saule, Suzon, Rolla, la Coupe et les lèvres, A quoi rêvent les jeunes filles.* Sue donne *Atar Gulf.* Gautier travaille à *Albertus.* Gautier et Musset ont, à quelques mois près, l'âge de Chopin. Eh bien, Musset avisera un jour Chopin à la Comédie-Française et les deux hommes, jumeaux d'âge et de talent, en resteront là ! Chopin vivra, somme toute, à l'écart de bien des gens, fréquentant surtout ses compatriotes en exil, quelques amis ou mécènes parisiens et, naturellement — mais non sans quelque dédain — les gens de son métier, ses pareils, les artistes, exécutants ou compositeurs.

VII

PREMIERS CONTACTS

La première impression de Chopin est favorable : « J'ai trouvé dans cette ville les premiers musiciens et le premier opéra du monde. Je connais Rossini, Cherubini, Paër. Le nombre des Polonais qui sont ici est inimaginable. Certains d'entre eux ne se fréquentent, ni ne se recherchent. Avec Valentin Radziwill, que j'ai rencontré ici, je dîne aujourd'hui chez les Komar. Hier, j'ai dîné chez Mme Potocka, la jolie femme de Miecislas. Je suis fort lié avec Kalkbrenner, le premier pianiste d'Europe : c'est le seul dont je ne me sente pas digne de dénouer le cordon de sa sandale. Les Herz sont, à côté de lui, de simples fanfarons. Je pense rester ici pendant trois ans... »

Kalkbrenner.

Ce délai vient de lui être fixé par Kalkbrenner, à qui Paër l'a présenté. Né en Allemagne, installé à Paris, Kalkbrenner est alors considéré — et par lui-même d'abord, car sa vanité est effrénée — comme le premier pianiste de l'époque. Il a quarante-trois ans quand Chopin fait sa connaissance. « Sa physionomie est distinguée, ses traits un peu forts, quoique réguliers. Les yeux doux, mais vagues, sont ombragés d'épais sourcils. La taille au-dessus de la moyenne, l'abord froid et cérémonieux, il affecte une politesse exagérée, qu'il croit devoir à son habitude du grand monde. Le piano sous ses doigts prend une sonorité merveilleuse, jamais stridente, car il ne cherche pas les effets de force. Son jeu lié, retenu, harmonieux, charme plus qu'il n'étonne. Une netteté irréprochable dans les traits les plus ardus, une main gauche d'une bravoure sans pareille, l'indépendance parfaite des doigts, l'absence des mouvements de bras, une tenue idéale font de lui un virtuose hors ligne. Sa manière de phraser manque un peu d'expression et de chaleur communicative, mais le style est toujours noble et sent la grande école [1]. »

Kalkbrenner s'enorgueillit d'une *Méthode* qu'il a imaginée *pour apprendre le piano à l'aide du guide-mains*. L'appareil est une simple baguette de bois fixée au-dessous du clavier, dans le but de maintenir l'avant-bras dans sa position horizontale et de supprimer la tension dans le poignet, cela pour libérer les doigts de tout poids et favoriser leur action indépendante. Stamaty, le meilleur élève de Kalkbrenner, éduquera suivant cette méthode Saint-Saëns, qui la juge « excellente pour former le jeune pianiste à l'exécution des œuvres écrites pour le clavecin et les premiers pianos, mais insuffisante dès qu'il s'agit des œuvres et instruments modernes ». Sa vie durant, Saint-Saëns portera la marque de cet enseignement rigide. Son jeu irréprochable, mais d'une sécheresse désolante — il lui arrivera de jouer tout un *allegro* de Mozart sans mettre la pédale — permet sans nul doute d'imaginer le talent très pur, mais comme stérilisé, de Stamaty et de Kalkbrenner, dont les *Tarentelles* mécaniques ont, à peu de chose près, la grâce et l'imprévu de tabatières à musique !

Kalkbrenner reçoit le jeune Chopin en bombant le torse et en faisant la roue. Pris au dépourvu, Chopin lui joue son *Concerto en mi mineur*. Le maître déclare solennellement que le jeune homme détient le toucher de Field et le jeu de Cramer, ce qui inonde l'âme de Frédéric d'une joie pure. Chopin quitte Kalkbrenner, charmé d'avoir appris « qu'il joue de façon délicieuse lorsqu'il est inspiré, fort mal quand il ne l'est pas. D'après lui, je n'ai pas d'école, je suis sur une

1. Marmontel, *les Pianistes célèbres*.

voie charmante, mais je puis m'égarer. Il a ajouté qu'après sa mort, il n'y aura plus de représentants de la grande école de piano et que je ne pourrais, même si je le voulais, créer une école nouvelle en ignorant l'ancienne... Après m'avoir bien étudié, il m'a conseillé de prendre des leçons avec lui *pendant trois ans,* affirmant qu'il ferait de moi quelqu'un de très, très[1]...» Ce qui nous paraît aujourd'hui très, très... comique, c'est le virtuose de talent jugeant du haut de sa grandeur l'homme de génie, qui le dépasse de toute sa taille !

Qu'un tel paon ait ébloui Chopin, peu enclin à admirer sans réserves, c'est au demeurant certain. Les deux hommes se voient tous les jours, ils vont l'un chez l'autre et, loin de s'affaiblir, l'admiration de Chopin ne cesse de croître : « Comment décrire son *calme,* son toucher ensorcelant, l'égalité sans pareille de son jeu ? Tu sais combien j'étais curieux de Herz, de Liszt, de Hiller ? Eh bien, ce sont tous des zéros en comparaison de Kalkbrenner ! C'est un géant qui nous foule tous aux pieds[2]. »

Grand émoi quand on lit, à Varsovie, ces lignes exubérantes ! Tour à tour, les parents de Chopin, ses deux sœurs et le bon Elsner prennent la plume pour calmer l'enthousiasme hyperbolique de Frédéric. Le père s'étonne « qu'il faille trois ans pour faire de son fils un virtuose consommé. Sans doute y a-t-il dans son cas plus d'instinct que d'application — mais enfin l'opinion des Polonais et

---

1. Lettre de Chopin à Titus (12 décembre 1831).
2. Assez rapidement, Chopin reviendra sur cette opinion excessive. Liszt, quand il le connaîtra mieux, l'éblouira durablement. Jamais plus il ne le comparera au bon Herz, pianiste et facteur de pianos français, ni à son ami Hiller, honnête virtuose allemand. Sans doute dédiera-t-il à Kalkbrenner son *Concerto en mi mineur* « pour faire un peu la cour à un homme qui régnait *alors* à la première place... » Mais, la même année 1833, il offrira ses *Études, op.* 10 à Liszt, après avoir entendu son ami Franz les déchiffrer en sa présence avec une maîtrise confondante « qui m'a mis hors de mon état honnête ». De Kalkbrenner, il ne sera plus question que fort rarement.

des Allemands compte et ils ont estimé que tu étais, bien avant ta vingtième année, un artiste hors de pair. Est-il sûr que Kalkbrenner va ajouter de nouvelles qualités à celui qui en détient déjà un tel faisceau ? » Mme Chopin rappelle à son fils l'opinion que Mme Szymanowska, illustre pianiste polonaise, professe sur Kalkbrenner : « C'est un filou ! » De surcroît, elle le conjure de ne pas se cantonner à l'ambition du virtuose : c'est à composer des opéras qu'il doit s'appliquer à Paris. Là est la gloire à conquérir.

Vers l'Opéra ?

C'est bien aussi l'avis d'Elsner qui, de loin, s'insurge contre les prétentions de Kalkbrenner, dont il a jadis connu le père, à Paris. Avec clairvoyance, il juge très modestement la part qu'il a prise à la formation de son élève Chopin et lui explique qu'une heure sonne, dans la vie d'un artiste, où l'on ne trouve sa vérité qu'en soi-même. Pour Chopin, elle a sonné. Et puis, enfin, il lui déplaît qu'on veuille perfectionner un disciple en qui il voit déjà un maître. A quoi Frédéric répond, sur le ton respectueux et reconnaissant qu'il emploie toujours pour s'adresser à ses maîtres et parler d'eux, qu'après mûre réflexion, il ne se sent apte à composer ni opéras, ni symphonies : la carrière de pianiste s'offre à lui, peut-être y occupera-t-il un jour l'une des premières places. Qu'on le laisse donc à ses « rêveries » — c'est ainsi qu'il qualifie ses œuvres — et jongleries sur le clavier. D'ailleurs, une occasion prochaine s'offre à lui de faire ses débuts devant le public parisien. Grâce à Kalkbrenner, Norblin et Paër — qui l'ont présenté à Cherubini et à Baillot — il va prendre part à un concert aux côtés des meilleurs artistes actuellement à Paris : « Baillot, le célèbre rival de Paganini, et Brod, le fameux hautboïste, y participent. Moi, je jouerai mon *Concerto en fa mineur* et mes *Variations* sur *La ci darem*. En dehors de cela, je jouerai avec Kalkbrenner, à deux pianos, avec accompagnement de quatre autres pianos, sa *Marche* suivie d'une *Polonaise*. C'est quelque chose de fou. L'un de nos pianos est un immense *pantaléon*, qui revient de droit à Kalkbrenner, l'autre un petit piano monocorde, mais qui porte bien, comme autant de petites sonnettes au cou d'une girafe, et qui me revient. Les quatre autres pianos seront tenus par Hiller, Osborne, Stamaty et Sowinski. Norblin, Vidal et le célèbre Urhan — artiste comme je n'en ai jamais entendu — participeront au concert. Le plus difficile sera de trouver des cantatrices. Rossini serait bien intervenu en ma faveur à l'Opéra, s'il n'avait crainte d'un refus du second directeur. »

En ces années romantiques, point de concert à succès sans le concours de chanteuses, dont le rôle essentiel paraît être de séparer par leurs accents mélodieux les diverses parties d'un *Concerto* ! C'est la mode — et Chopin est né respectueux de la mode.

Premier concert.

D'abord fixé au 25 décembre 1831 — un beau jour pour venir au monde à Paris — le concert est remis au 15 janvier, car l'indispensable cantatrice n'est pas libre le soir de Noël, puis, finalement, au 26 février, en raison, cette fois, d'une légère indisposition de Kalkbrenner. Entre-temps, « la cantatrice s'est muée en un trio vocal féminin, composé de Mlles Isambert, Poméoni et Boulanger. Mieux vaut trois grâces qu'une seule déesse. »

La salle Pleyel — trois cents places — a été remplie à coup d'invitations distribuées aux personnalités françaises. Les Polonais, eux, sont venus spontanément, applaudir leur compatriote. Dans l'auditoire, Liszt et Mendelssohn. Liszt acclame généreusement son jeune aîné, estimant que « les applaudissements les plus redoublés n'ont pu suffire à son enchantement ». Dans un article remarquable publié par la *Revue musicale*, Fétis loue tout d'abord le compositeur et note « cette toute nouvelle manière de s'exprimer sur l'instrument, en utilisant une abondance d'idées aussi originales. Il y a dans l'inspiration de M. Chopin un renouvellement de

la forme, qui est sans doute destiné à exercer une profonde
influence sur les données futures des œuvres écrites pour
l'instrument. » Jugeant ensuite le pianiste, il apprécie l'exécution aisée, pleine de charme, si nette de surcroît. « Par
exemple, conclut-il, le jeune homme ne tire qu'un son fort
discret de son piano ! » Remarque déjà familière aux oreilles de Chopin.

Financièrement, le concert accuse un déficit : trop d'invitations, peu de places payantes et un « plateau » d'artistes à
décourager l'imprésario le plus aventureux. Pour Chopin,
l'affaire se solde par un succès d'estime : il est posé dans
l'opinion des Parisiens — c'est un jalon important — mais
il n'a guère d'argent en poche. Chopin père s'en inquiète : il
craint qu'un excès de soucis matériels ne paralyse l'inspiration de son fils. Se faire des relations mondaines, la belle
histoire ! Les gens confondent trop aisément l'amabilité et
l'entraide. Kalkbrenner ne pourrait-il pas procurer des leçons
à son jeune confrère ?

A l'Opéra.

Sans aucune autre ressource, pour l'instant, que le petit
pécule alimenté par la générosité paternelle, Chopin, tout
au bonheur de sa nouvelle existence, et rassuré quant au
succès artistique de son premier concert, passe à l'Opéra
beaucoup de ses soirées. En connaisseur, il le déclare le « premier opéra du monde », mêlant dans un commun sentiment
d'admiration notre Académie nationale et l'Opéra-Italien.
Il commence par célébrer les mérites de celui-ci : « Jamais
je n'avais entendu le Barbier comme la semaine dernière,
avec Lablache, Rubini et la Malibran. Jamais je n'avais
entendu chanter Otello comme par Rubini, Pasta et Lablache, ni l'Italienne comme par Rubini, Lablache et
Mme Raimbeaux. Tu ne peux imaginer ce qu'est Lablache.
Pasta, dit-on, a perdu, mais je n'avais encore rien entendu
de plus sublime. La Malibran subjugue par sa voix miraculeuse : merveille des merveilles ! Rubini, ténor excellent,

chante à pleine voix, jamais de tête. Ses roulades durent parfois deux heures. Son *mezzo voce* est incomparable. J'ai aussi entendu la Schroeder-Devrient : elle jouait le rôle de Desdémone et Mme Malibran celui d'Otello. La Malibran, petite et l'Allemande énorme ! Il semblait que l'Allemande allait, au rebours de toute logique, étouffer Otello. L'orchestre est admirable, mais sans comparaison pourtant avec celui du véritable Opéra français — l'Académie Royale. Je doute qu'on ait jamais atteint au théâtre le degré de magnificence auquel est parvenu *Robert le Diable,* le tout dernier opéra de Meyerbeer : c'est le chef-d'œuvre de l'école nouvelle. Meyerbeer s'en immortalise. Il a, dit-on, dépensé vingt mille francs pour la troupe. Mme Damoreau-Cinti chante on ne peut mieux : je préfère son chant à celui de la Malibran [1]. Celle-ci étonne et l'autre charme. Nourrit, le ténor français, est admirable par le sentiment... »

« A l'Opéra-Comique, *la Fiancée de Zampa,* un nouvel et charmant ouvrage de Hérold. J'aime aussi la *Marquise de Brinvilliers.* Cholet, Prévost, Mlle Casimir y font l'admiration de tous. En un mot, c'est ici seulement qu'on peut savoir ce que c'est que le chant ! » Voilà, sous la plume d'un étranger de marque, une appréciation flatteuse : on n'en trouve pas de semblables à toutes les époques. L'habitude de décrier systématiquement l'opéra français — nos nationaux eux-mêmes s'offrent parfois ce luxe masochiste — n'est pas encore prise ! Le goût extrême que Chopin a et aura toujours pour l'opéra est, d'ailleurs, révélateur d'un trait de son talent : il ne rêve qu'à faire *chanter* le piano — grande innovation en un temps où les virtuoses recherchent surtout une précision d'automate, après avoir élevé la sécheresse au rang d'une vertu : « Il vous faut chanter si vous voulez jouer du piano », déclare-t-il à une de ses élèves. Pour lui, le piano est un ténor, il faut, d'un clavier, obtenir des effets *vocaux,* observer les lois du *legato* qui s'imposent au chanteur — jus-

---

1. Chopin, à qui il arrive de se contredire, écrit deux jours plus tard à Elsner : « Aujourd'hui, incontestablement, la première cantatrice d'Europe n'est point Pasta, mais la Malibran. »

qu'au fameux *rubato*, qui est simplement la reprise de respiration entre deux accents. Tout cela, Chopin l'observe à l'Opéra et le transpose sur son piano.

A la fin de la lettre à Titus Woyciechowski, que nous venons de citer, Chopin ajoute, négligemment — mais c'est chez lui fausse négligence, sans aucun doute : « Je suis presque fou de nostalgie, surtout lorsqu'il pleut. Mlle Gladkowska vient d'épouser Grabowski, mais cela n'empêche en rien les affections platoniques... » Qui sait si, en écrivant cela, Chopin ne se sent pas soulagé d'un scrupule et comme libéré d'une obligation ? Il n'a plus, maintenant, à être fidèle qu'à un souvenir, dans l'illusion duquel il puisera la certitude d'avoir été, naguère, véritablement amoureux de Constance. Pour l'instant, il continue d'appeler son cher Titus : « Ma vie bien-aimée », en toute candeur...

Dans une autre lettre au même destinataire chéri, Chopin, après avoir noté que sa santé est « bien misérable », revient sur la couleur de ses états d'âme et en définit à merveille les aspects changeants : « Extérieurement, je suis gai, surtout parmi les miens (j'appelle « miens » les Polonais), mais, intérieurement, bien des choses me font souffrir. Certains pressentiments, des rêves, ou bien l'insomnie, la nostalgie, l'indifférence, le désir de vivre et, un moment plus tard, celui de mourir, une sérénité délicieuse, une sorte d'engourdissement. Je me sens loin de tout et, parfois, des souvenirs précis me tourmentent. L'amertume, l'aigreur, un affreux mélange de sentiments me bouleversent et m'agitent. Je suis plus bête que jamais. Ma vie, pardonne-moi. C'est assez. Et maintenant, je vais m'habiller, puis je prendrai une voiture pour aller à un dîner qui réunira plusieurs centaines de convives... » Si le ciel nous refusait l'aumône de la diversion — et l'ingénuité de nous y abandonner — en bonne logique, le désespoir nous tuerait. Il mine déjà Chopin, toujours en proie au *zal* — une « spécialité » du pays natal !

Zal...

Qu'est-ce que le *zal* ? s'interroge Liszt dans la biographie lyrique — ô combien ! — de son ami Chopin. « *Zal* signifie le ferment de la rancune, la révolte des reproches, la préméditation de la revanche, la menace implacable grondant au fond du cœur, épiant la revanche ou s'alimentant d'une stérile amertume ! » Du flot de littérature dans lequel Liszt noie le souvenir de l'homme qu'il veut exalter, émergent quelques définitions lumineuses : celle-ci est du nombre. On ne peut mieux caractériser le mal secret qui ronge Chopin et dont toutes les pages de sa musique portent la trace. L'épisode de Stuttgart, enterré dans le tuf de la mémoire, n'est pas, pour autant, oublié. Jusqu'à la fin, périodiquement, reparaîtront, à la surface d'une vie apparemment tranquille, les sombres fleurs de la mélancolie.

Heureusement, Paris est à la porte de l'exilé, son souvenir toujours renouvelé le distrait de ses chagrins : « Curieux peuple ! Quand vient le soir, partout on entend crier le titre de petites feuilles volantes et, pour un sou, on peut acheter trois ou quatre pages de sottises imprimées telles que *l'Art de se faire des amants et de les conserver ensuite, les Amours des prêtres, l'Archevêque de Paris et Mme la Duchesse de Berry* et mille autres obscénités, fort spirituellement écrites parfois... Il faut te dire que la misère est grande en ce moment. Peu d'argent en circulation. On rencontre quantité de gens en guenilles, dont les physionomies sont hautement significatives. Bien souvent, on entend des menaces contre ce sot de Louis-Philippe [1], qui ne tient plus que par un cheveu à son ministère. La classe populaire est profondément irritée. A chaque instant, elle est prête à tout pour tenter de sortir de sa situa-

---

1. Cf. l'épisode de Stuttgart, p. 137. Chopin n'a point encore pardonné à Louis-Philippe de n'être pas intervenu dans le drame qui opposait la Pologne à la Russie.

tion pénible : *malheureusement*, le gouvernement la surveille très étroitement et la gendarmerie montée disperse le moindre rassemblement... »

Crise économique.

De telles remarques, ce ton de revendication sociale, l'intérêt pris à la misère du peuple, le fait — paradoxal pour cet aristocrate-né — de se mettre du côté de la plèbe contre le pouvoir, sont choses fort rares sous la plume de Chopin. Il est vrai qu'en cet hiver de 1832, une crise économique très grave atteint la population, surtout dans les villes. Le système bancaire, mis péniblement sur pied sous l'Empire et la Restauration, s'est effondré. Faute de crédits, le bâtiment, le textile, la métallurgie sont durement touchés. Les salaires s'affaissent, le chômage sévit, des émeutes ouvrières éclatent un peu partout. Les grains sont chers, le pain hors de prix, la France a faim, elle gronde tout bas, avant de se déchaîner. De cet état de fait, Chopin subit, comme chacun, le contrecoup. Les leçons de piano sont rares, car ceux et celles à qui on pourrait en donner — les jeunes gens de l'aristocratie — sont, pour la plupart, murés dans les châteaux familiaux, en province. La noblesse continue de bouder le roi et sa cour. Or, quand le faubourg Saint-Germain et le quartier Saint-Honoré désertent Paris afin de protester contre le régime et, aussi, pour fuir l'épidémie de choléra, la situation financière de la Chaussée d'Antin n'est pas brillante. Certains biographes de Chopin laissent entendre que le musicien, très lié avec les banquiers Leo et Albert Grzymala, joue à la Bourse : mais d'où tiendrait-il les fonds à y investir ? Sa mère, en lui faisant parvenir un secours de 1 200 francs, lui donne à entendre que pareille largesse ne saurait être fréquemment renouvelée. Son père — qui va perdre sa situation de professeur à Varsovie — l'exhorte « à emprunter la voie la plus sûre parmi celles qui s'ouvrent à lui ». Jusqu'à ce que s'établisse sa réputation de professeur, Chopin vivra très dif-

ficilement. Ses compositions — nous le verrons, chemin faisant — ne lui rapportent que des sommes infimes. Il donne
très peu de concerts — et, souvent, au bénéfice d'une œuvre.
Chopin vivra exclusivement de ses leçons. Encore lui faudra-
t-il passer le cap d'une année rendue particulièrement difficile.

A nous deux, Paris !

Le concert du 26 février 1832 ayant, somme toute, ouvert
à Chopin un certain crédit dans les milieux mondains et artistiques de la capitale, il réitère l'expérience. Avec une tranquille audace, il écrit aux membres du comité de la Société
des Concerts du Conservatoire, le 13 mars, une lettre fort
digne dans laquelle il pose sa candidature à l'une des séances de la Société. Il lui faudra attendre deux années pour que
son vœu soit pris en considération.

En attendant, il cesse de prendre des leçons avec Kalkbrenner : la flambée d'enthousiasme aura duré un peu plus d'un
mois ! Mendelssohn, spontanément, a déclaré à Chopin :
« Vous n'apprendrez rien : d'ailleurs, vous jouez mieux que
lui... » Chose curieuse : l'arrêt des leçons ne provoque aucun
refroidissement dans les rapports entre les deux hommes.
Même, Kalkbrenner dédie à son jeune collègue ses *Variations brillantes sur une mazurka de Chopin*. Pour n'être pas
en reste, Chopin offre au pianiste allemand la dédicace de
son *Concerto en mi mineur* : l'hommage est de qualité. Sensible à la beauté du geste, Kalkbrenner présente Chopin à
Pleyel dont, à partir de ce jour, le Polonais défendra la marque, Liszt restant le champion attitré d'Erard. Tout compte
fait, Chopin n'a rien perdu à se lier d'amitié avec Kalkbrenner.

Parmi les raisons qu'il a de ne pas se décourager, Chopin
reconnaît, sans vanité, qu'il a vite « fait son trou » à Paris.
Il « connaît tout le monde ». Paër l'a présenté à Rossini, à
Baillot, à Cherubini, « qui ne fait que radoter à propos de

la révolution et du choléra ». Sans doute n'a-t-il pas rencontré Reicha, mais « il s'en console ! ». Il fréquente les chanteurs à la mode. Tous les pianistes — Kalkbrenner, Hiller,
Osborne, Stamaty, Liszt — sont ses amis. Meyerbeer l'admire. Quant aux Polonais en exil à Paris, il les connaît tous,
mais il voit plus fréquemment les Komar, la belle Delphine
Potocka, les Wodzinski, les Brykczynski, Kernasik, Moraw-
ski, Niemojewski, Lelewel, homme politique et historien
important, Plichta, Mme Tyszkiewicz, Albert Grzymala.
« Quant aux autres, ajoute Chopin, qui n'y va jamais de
main morte, c'est une formidable quantité d'imbéciles ! »
Il se produit aux lundis du prince Adam Czartoryski et aux
jeudis du comte Plater. Pauline Plater sera la première élève
parisienne de Chopin. La comtesse Plater dit un jour à Frédéric : « Si j'étais jeune et belle, mon petit Chopin, je vous
choisirais pour époux, Hiller pour ami, et Liszt pour
amant. » Un soir, elle eut l'idée d'un tout autre concours
entre les trois jeunes gens : à qui saurait donner à une célèbre marche polonaise, *La Pologne n'a pas encore péri*, la
plus vive gaieté ou la plus extrême tristesse. Chopin fut le
gagnant du tournoi.

Que, dès cette époque, les dames aient remarqué sa tournure flatteuse et ses manières aristocratiques, c'est certain.
Il a « une petite voisine au cinquième étage de sa maison,
qui ne demande qu'à lier conversation avec lui ». La jeune
pupille du vieux Pixis lui fait des avances, inquiétant fort le
vieillard qui n'a de cesse d'avoir éconduit Frédéric. Celui-ci
pouffe de rire dans son gilet : « C'est bien la première fois
que je rencontre quelqu'un me soupçonnant *capable* de quelque chose de pareil. Qu'en dis-tu ? Moi — un séducteur ! »
Jamais Chopin, tout en plaisant aux femmes, n'imaginera
qu'il les intéresse. Il n'y a en lui pas une ombre de fatuité
masculine.

Un article de Schumann.

Autre chef d'hésitation : l'article en fanfare que Schumann publie dans la *Allgemeine Musikalische Zeitung* à propos des *Variations, op.* 2, sur *La ci darem*, de Chopin. L'article conclut par une apostrophe enflammée : « Chapeau bas, messieurs : un génie ! » Assurément, c'est bien jugé — mieux encore : prophétique — et méritoire, de la part d'un musicien allemand âgé, lui aussi, de vingt et un ans. Chopin feint le mépris — à moins que sincèrement, il ne juge l'éloge outré : « Un Allemand de Cassel s'est enthousiasmé pour mes *Variations* : après un long préambule alambiqué, il en fait l'analyse, mesure par mesure, pour démontrer que ce ne sont pas là des variations comme les autres, mais une sorte de tableau fantastique. Le dithyrambe, loin d'être intelligent, me paraît complètement stupide... » Chopin est ainsi fait que rien, ni personne, ne le contente vraiment. A la réflexion, sans doute se consolera-t-il d'avoir été traité de « génie » par un de ses rivaux ! Il faut dire, toutefois, et c'est là une bizarrerie inexplicable, que jamais, en retour, il n'accordera le plus fugitif intérêt à la musique de Schumann. Strictement contemporains, les deux artistes sont aux antipodes l'un de l'autre.

Les temps difficiles.

Mais que les temps sont durs ! Au mois d'avril 1832, ils sont même tragiques. Le choléra multiplie ses ravages, Paris s'est vidé. Pas une leçon à l'horizon ! Les vedettes de la scène cherchent des engagements ailleurs. « Les pianistes s'en vont aussi. Herz et Mendelssohn partent pour l'Angleterre, Pixis se rend en Allemagne et Liszt en Suisse, Kalkbrenner ne sait où aller, tant il a peur du choléra. Hiller est à Francfort. Restent Bertini et Schunke, qui ne valent rien. Faut-il parler de Sowinski ? Il ne possède d'autre vertu que d'avoir une bonne figure et un bon cœur. Cela tape sur le

clavier, saute sur place, croise les mains et, pendant cinq
minutes, frappe la même note d'un doigt formidable, créé de
toute évidence pour le fouet et les guides de quelque cocher
ukrainien... » Et allez donc !

Faisant allusion à l'état d'esprit de Chopin à cette époque,
Orlowski [1] écrit aux siens, à Varsovie : « Il m'arrive d'aller le
voir et de revenir, sans avoir échangé un seul mot avec lui,
tant il est mélancolique. La cause en est qu'il s'ennuie de son
pays et de sa famille. N'en parlez pas à ses parents. Je vous
en prie : ils s'en tourmenteraient trop. A Paris, la situation est
mauvaise : les artistes sont réduits à la misère, parce que le
choléra a fait fuir en province toutes les familles riches... »
Toujours le même refrain !

La seule occasion que Chopin trouve de se produire en
public durant ce printemps de 1832, c'est à un concert organisé le 20 mai par le prince de la Moskowa au profit des
pauvres. Avec un succès moins décisif qu'en février, il y joue
à nouveau le premier mouvement de son *Concerto en fa
mineur*. Toute la gloire du concert revient au hautboïste
Brod, acclamé sans fin. Et, une fois encore, la *Revue musicale* dénonce « la sonorité vraiment trop faible » du musicien
polonais. Aucun élève ne se présente, faubourg Poissonnière. De son balcon, l'exilé assiste au défilé monotone des
corbillards : le nombre des victimes de l'épidémie atteint,
pour Paris seulement, vingt mille. Le chef du gouvernement, Casimir Perier, qui a succédé à Laffitte, refuse d'écouter les doléances des ouvriers qui demandent une augmenta-
tion de salaires. Il fait disperser leurs cortèges par la police
et la Garde nationale. Doublement accablée — car, bien
entendu, le choléra décime surtout les classes laborieuses
habitant les quartiers insalubres et sous-alimentées — la population parisienne regimbe, les échauffourées se multiplient,
les incidents sanglants sont légion : « Vers la fin d'avril 1832,
note Victor Hugo, tout s'aggrave. La fermentation devient du
bouillonnement. On sent que couve quelque chose de terri-

---

1. Ce contemporain et compatriote de Chopin, élève comme
lui d'Elsner, deviendra chef d'orchestre au théâtre de Rouen.

ble. On entrevoit les linéaments encore peu distincts et mal éclairés d'une révolution possible. La France regarde Paris. Paris regarde le faubourg Saint-Antoine... »

Alors, d'un coup, Chopin prend peur : qu'est-il venu faire dans cette galère ? Quel mauvais sort l'a chassé, d'un pays où gronde l'esprit de revanche, vers un autre où on est à la veille de l'explosion ? Le monde entier est-il sous le coup d'une révolution latente. Pour lui surtout, Frédéric Chopin, si loin des siens, sans présent assuré, ni guère d'avenir en perspective, l'heure est sombre. Ne ferait-il pas mieux de retourner à Varsovie, ou d'aller chercher fortune en Amérique ? Après tout, il n'est à Paris « qu'en passant », ainsi que le précise son passeport. Niemcewicz, qui a accompagné Kosciuszko outre-Atlantique, n'ose donner à son jeune compatriote le conseil de tenter l'aventure. Rester ? Partir ? Suivre les sages conseils de son père, qui lui recommande de se tenir à l'écart de toute agitation politique ? Se jeter dans l'action révolutionnaire ? Il se voit mal, le couteau aux dents. Alors ? A certains jours, il est à la veille de désespérer.

C'est alors que le hasard lui tend une main secourable.

Rencontre.

Un jour du mois de mai 1832, Chopin, flânant sur le boulevard, y rencontre Valentin Radziwill, parent du prince Antoine, qui l'emmène à une soirée donnée par James de Rothschild. Le jeune homme se met au piano et obtient, sans s'y être préparé, un succès bien plus vif qu'à aucun des concerts qu'il a donnés jusqu'alors. L'élite de la haute société est là : elle condescend à fréquenter les Juifs à partir d'un certain niveau de richesse... Du soir au lendemain, le nom de Chopin vole de bouche à oreille. On apprécie sa distinction, son talent. On lui demande des leçons : la baronne de Rothschild s'inscrit en tête de liste. La princesse de Vaudemont, le prince Adam Czartoryski, le comte Apponyi et le maréchal Lannes prennent Chopin sous leur protection. Brusquement, la situation est renversée, l'horizon s'éclaire et Chopin renaît à l'espoir. Evidemment, le métier de professeur n'est pas du tout ce sur quoi il a misé. Il va être bien monotone d'enchaîner leçon sur leçon. Mais, enfin, *primum vivere.* C'est ici le moment d'ouvrir une parenthèse sur Chopin pédagogue.

Leçons.

Cet autodidacte — si l'on peut ainsi qualifier l'ancien élève de Zywny — ce créateur-né, cet homme fragile qui voudrait concentrer toutes ses forces à créer, cet admirable pianiste qui, malheureusement, n'aime pas l'estrade et redoute d'y paraître souvent, va se trouver, sous l'empire des circonstances, dans l'obligation de mener une existence de professeur. Durant les dix-sept années qui lui restent à vivre, six mois par an, de fin octobre à fin avril, Chopin donnera quatre à cinq leçons par jour. La durée de principe est fixée à trois quarts d'heure, mais que l'élève le mérite, Chopin s'attarde et concède jusqu'à deux et trois heures. Toutes les matinées et la première moitié de ses après-midi sont consacrées à l'enseignement.

Dans quel esprit s'y livre-t-il ?

Sans la moindre idée préconçue. Un Kalkbrenner, un Stamaty, un Osborne, un Thalberg se fient, pour enseigner, à des méthodes rigides, immuables et comme de droit divin. Chopin, eu égard, sans nul doute, à la nature particulière de ses études personnelles, n'appliquera aucun système préétabli, il ne fonde pas d' « école » et, d'ailleurs, il n'aura nullement le dessein d'établir une tradition. A chaque élève, il demande un effort particulier, en rapport avec ses aptitudes et les buts poursuivis. Evidemment, il ne traite pas de la même manière un amateur et un professionnel : encore fait-il maintes distinctions dans chacune des catégories. Son enseignement sera libéral au possible, éclectique et raisonné. Il suggérera bien plus qu'il n'imposera. Ce pour quoi l'idée d'une « tradition » bien précise, détenue et prônée par quelques élèves, qui se diront trop facilement « les préférés » — cette idée-là est à rejeter, de même que l'imposture propagée par tant de personnes qui, pour s'être assises deux ou trois fois au piano en présence du maître, se prétendront flatteusement « le dernier élève de Chopin ». Ce n'est pas grâce à de tels témoignages que l'on peut se faire une idée précise du jeu de Chopin lui-même.

Autre remarque importante : ce métier de pédagogue auquel l'astreint la nécessité de gagner sa vie, loin de le faire « par-dessous la jambe », Chopin s'y applique avec une conscience et une courtoisie que démentent seulement de fréquents accès de colère quand l'élève s'égare en des doigtés fautifs ou témoigne de mauvais goût. Une leçon de Chopin, ce n'est pas l'accomplissement d'une corvée, mais l'exécution d'un devoir dont il a la plus haute conscience.

Fatalement, la « clientèle » de Chopin est composée de bien plus d'amateurs que de professionnels. C'est dans le « monde » qu'il s'est fait connaître : ses premiers élèves appartiendront à l'aristocratie parisienne. Par la suite, il aura la joie d'enseigner quelques sujets de valeur — une quinzaine, pas davantage — au nombre desquels il faut citer le jeune Charles Flischt, qui ne dépassera pas la quinzième année et dont Liszt a dit à son ami : « Quand le petit voyagera, je fermerai boutique... » ; Gutmann, le « bon géant allemand », que Chopin affectionne tout particulièrement : c'est à lui qu'ira le dernier mot de Chopin expirant ; de Lenz, auteur des *Trois Styles de Beethoven*, Tellefsen, pianiste d'origine norvégienne, établi à Paris dès 1842. Il accompagnera Chopin en Angleterre et partagera avec un autre de ses condisciples l'honneur de copier les œuvres du maître ; Mikuli, polonais, futur animateur de la vie musicale à Lemberg ; Mathias, d'ascendance allemande, appelé à professer plus tard au Conservatoire de Paris, où il aura pour élève Alfred Cortot ; Gunsberg, mort prématurément ; Wernick et Gustave Schumann.

Du côté féminin, on peut noter Mlle O'Meara, devenue
Mme Camille Dubois, qui s'appliquera durant toute sa carrière à perpétuer l'enseignement du maître ; Vera de Kolo-
grivof, épouse du peintre Rubio, assistante de Chopin auprès
de plusieurs élèves ; Frédérique Müller, femme du facteur de
pianos Streicher, comptée par Chopin au nombre de ses disciples d'élection.

Parmi les amateurs — qui sont légion — citons la princesse Marceline Czartoryska, compatriote et fidèle amie de
Chopin, dont elle recueillera le dernier soupir ; son jeu imite,
paraît-il, « à s'y méprendre » (?) celui du maître — disons
qu'il doit en reproduire les inflexions caractéristiques. Vient
ensuite une kyrielle de femmes du monde dont l'empressement provoque l'ironie de Sand évoquant avec un sourire les « magnifiques comtesses », les « délicieuses marqui-
ses », les « élèves idolâtres », parmi lesquelles se rangeront
la princesse de Chimay, la comtesse Potocka, Mlle de Noailles, Mme Petruzzi, les comtesses de Kalergis, d'Est, Brani-
cka, Esterhazy et la baronne de Rothschild, ainsi que la générale de Courty, Jane Stirling, Emilie von Timm et, à titre
accessoire, la cantatrice Pauline Viardot à laquelle, durant
ses séjours estivaux à Nohant, Chopin prodigue volontiers
des conseils.

Somme toute, aucun, parmi tous ces élèves, ne se verra
appelé à fournir une très grande carrière. Pour magistral
qu'il soit assurément, l'enseignement de Chopin restera,
comme le note Alfred Cortot [1] « sans rayonnement évident ».
Amère constatation !

Que fait-il travailler à ses élèves ? A titre d'exercices, les
Etudes de Cramer, le *Gradus ad Parnassum* de Clementi,
les *Etudes de style* de Moscheles. Puis les *Préludes et fugues
du Clavecin bien tempéré,* les *Sonates* de Mozart, les *Concertos* et plusieurs *Sonates* de Beethoven (jusqu'à l'*op.* 57), le
Concerto en sol mineur de Mendelssohn, les *Valses* et pièces
à quatre mains de Schubert, les *Sonates* de Weber, des *Concertos* et pièces diverses de Field et de Hummel, des trans-

1. Alfred Cortot, *Aspects de Chopin.*

criptions de Liszt, quelques pièces de Haendel, Scarlatti,
Dussek, Ries, Hiller et Thalberg ; jamais rien de Schumann,
qu'il ignore systématiquement, jusqu'à ne pas déchiffrer les
Kreisleriana, qui lui sont dédiées. Et, naturellement, mais
sans jamais les imposer, ses œuvres personnelles. L'éventail
est assez restreint. Mais nous sommes en 1832 et Chopin est
l'homme le moins éclectique qui soit.

La base de cet enseignement, nous l'avons dit, c'est le
chant. Qui ne sait faire chanter son piano à la manière d'un
ténor, avec la courbe, le *legato,* les arrêts imperceptibles
nécessités par les reprises du souffle, le *rubato* ménagé qui
donne de la vie sans rompre le fil mélodique, l'éloquence en
un mot si particulière au chanteur — n'a qu'à fermer son
clavier. S'ajoute à cela le goût naturel, l'horreur spontanée de
l'emphase, de la sentimentalité appuyée ou de l'affectation.
Pour résumer, disons que Chopin enseigne une esthétique
vocale, alors que Liszt se fait l'apôtre d'un art *orchestral.* Et
notons en passant un fait significatif : l'élève joue toujours,
chez Chopin, sur un excellent piano de concert : « On ne
fera jamais chanter une casserole ! » répète-t-il volontiers.
Autre chose : interdiction absolue de dépasser trois heures de
travail quotidien : « Au-delà, c'est de l'abrutissement ! »
Encore faut-il couper le temps réservé à l'étude par une lecture, une promenade, une rêverie.

Parmi les conseils infatigablement prônés, relevons les
principaux : avoir le corps souple « jusqu'au bout des
pieds » ; ne jamais se raidir ; avoir la main naturellement
suspendue en l'air ; garder les coudes au corps, n'utiliser que
rarement le poids du bras ; pratiquer un *legato* rigoureux,
recourir aux substitutions, comme on fait à l'orgue ; conserver à chacun des doigts son individualité sonore, en même
temps que son indépendance ; travailler ses gammes en com-
mençant par les gammes fortement altérées : celle de *do
majeur* est la plus difficile à exécuter purement ; savoir
doigter ; ne pas jouer par trop petites phrases ; maintenir
inflexiblement son *tempo,* cela en dépit des exigences du
rubato (« Regardez ces arbres, dira Liszt : le vent joue dans
leurs feuilles qui ondoient ; mais l'arbre lui-même ne bouge

pas. Voilà le *rubato* de Chopin »), utiliser les pédales avec
beaucoup de modération ; apprendre à en combiner l'usage ;
commencer les trilles par la note supérieure ; cultiver l'absolue liberté du rythme ; énoncer une phrase musicale du ton
que l'on pose une question ; développer en soi le goût de
l'interprétation imaginative. Sans doute Chopin donne-t-il
de vive voix, à ses élèves, bien d'autres conseils. Certains
ont noté les observations du maître [1]. Tous ont regretté que
Chopin n'ait pas laissé de « Méthode ». A vrai dire, il existe
un ensemble de notes, des plus sommaires, qui constituent
l'amorce d'une méthode : Chopin n'aura pas le courage
de pousser son projet, qui demeure à l'état d'ébauche,
dépourvu de valeur [2]. N'oublions pas qu'écrire une lettre
est pour lui un supplice : à aucun prix, il ne se résoudrait
à entreprendre un long ouvrage autre que musical.

Si l'on essaie d'énumérer les innovations apportées par
Chopin dans le domaine de la technique pianistique, que
trouve-t-on ? Ceci :

— L'extension en souplesse de la main droite ;
— L'extension de l'écriture de la main gauche ;
— L'extension des accords brisés à tout le clavier ;
— L'extension des accords répétés ou arpégés rapidement ;
— L'écriture en doubles octaves ;
— L'émancipation du pouce admis à faire sonner les tou-
  ches noires ;
— Le chevauchement des troisième, quatrième et cinquième
  doigts dans les formules chromatiques ;
— Le chevauchement de ces mêmes doigts dans des succes-
  sions de tierces ;
— Le passage du cinquième doigt par-dessus le pouce ;
— La répétition d'une note à l'aide du même doigt ;

1. Consulter à ce sujet *Chopin vu par ses élèves*, par J.-J. Eigel-
dinger (Ed. de La Baconnière, Lausanne).
2. Cf. Alfred Cortot, « Chopin pédagogue », dans *Aspects
de Chopin* (Albin Michel). J'ai souvent feuilleté chez Cortot le
manuscrit de la *Méthode* dont il s'était rendu acquéreur.

— L'invention de doigtés choisis pour leurs vertus expressives.

— La succession d'un même doigt dans certains passages chantés, pour obtenir un effet d'homogénéité sonore.

Soit un ensemble de conquêtes décisives. A la même époque, mais dans une tout autre voie, Chopin crée, avec Liszt, la technique du piano contemporain. On n'en a, depuis lors, inventé aucune autre.

On ne vit pas, on n'a jamais vécu d'amour et d'eau claire, non plus que d'enthousiasme et de génie. Cela pour nous faire pardonner une parenthèse que d'aucuns jugeront incongrue, mais que nous croyons nécessaire : il s'agit de la situation matérielle de Chopin.

La question d'argent.

Du fait de ses leçons dont le taux est fixé à 20 francs l'heure [1], de ses concerts (trois seulement seront vraiment rémunérateurs), de ses œuvres (qu'il vendra au total pour 17 000 francs aux éditeurs : une misère !) Chopin gagne en moyenne 14 000 francs par an. Ses dépenses ont trait à son appartement (1 275 francs par an, rue de la Chaussée-d'Antin, 625 francs seulement, square d'Orléans), aux gages de son domestique (840 francs par an), à sa garde-robe (500 francs par an), à sa nourriture (6 000 francs par an), à la location de son cabriolet (5 600 francs par an), à ses libéralités. S'il n'avait pas vécu (à partir de 1837) cinq mois de l'année à Nohant, chez George Sand, jamais il n'aurait pu soutenir ce train de vie — d'autant plus que, très généreux de nature, il prodigue ses libéralités, dons, cadeaux, pourboires, prêts à des compatriotes dans la gêne. Habitué à

1. Celles de Kalkbrenner valent 25 francs. D'ailleurs, à l'un de ses amis, Chopin avoue, le plus simplement du monde : « Je dois donner aujourd'hui cinq leçons ; tu crois sans doute que je fais fortune ? Détrompe-toi ; le cabriolet et les gants blancs coûtent plus cher que ce que je gagne, mais, sans eux, je ne serais pas de bon ton ! »

un genre de vie confortable, s'obligeant à recevoir ses élèves
dans un cadre attrayant, peu enclin à l'économie sous toutes
ses formes, sans aucune fortune personnelle, il a toutes les
peines du monde à « joindre les deux bouts », et doit parfois
recourir à des emprunts. Sa contribution aux dépenses de
Nohant durant les longs séjours qu'il y effectue est problématique. Ce n'est pas le temps des « paying guests »
et sans doute Sand ne doit-elle rien accepter de ses hôtes,
même des plus assidus. Mais Chopin lui fait présent de
plusieurs beaux meubles.

Fermons la parenthèse.

L'homme du jour !

« Me voilà lancé ! écrit Chopin à la mi-janvier 1833 à
son ami d'enfance Dominique Dziewanowski, en compagnie
duquel il passait, jadis, de joyeuses vacances à Szafarnia :
je me trouve introduit dans le grand monde, au milieu
d'ambassadeurs, de princes, de ministres, je ne sais par quel
miracle, car je n'ai rien fait pour me pousser. Mais c'est,
dit-on, pour moi chose indispensable que d'y paraître, car
c'est de là, affirme-t-on, que vient le bon goût. Tu es en possession tout aussitôt d'un grand talent si tu as été entendu à
l'ambassade d'Angleterre ou à celle d'Autriche. Tu joues
mieux si la princesse de Vaudemont, la dernière des Montmorency, t'a protégé. Je ne puis, en vérité, dire « te protège », car cette vieille dame est morte depuis huit jours... »
Les mondanités ne font pas perdre à Chopin son humour
naturel !

« Je ne sais par quel miracle... » : avez-vous observé que
Chopin, paré de tant de grâces, est l'homme le moins fat
qui soit ? Il semble toujours ignorer — non : il ignore tout
de bon — que son élégance, sa race, inspirent autant de
confiance que son talent. Ne s'est-il jamais regardé dans la
glace pour donner raison à Liszt, qui déclare que « ses allures distinguées et ses manières marquées de tant d'aristocratie font qu'involontairement, on le traite en prince... » ?

Dans ce milieu si exigeant, raffiné jusqu'aux moelles, de la haute société parisienne, en aucune circonstance il n'éprouvera la plus petite gêne, la plus fugitive incertitude.

N'est-il pas, depuis l'enfance, accoutumé aux lambris, aux toilettes, aux ambiances calculées, faites d'abandon apparent et de maintien secret, qui planent sur les soirées élégantes ? C'est sa vie, son climat, son univers. Il n'a aucun effort à consentir pour s'y adapter. Sans nul snobisme personnel, il comprend celui d'autrui et feint, par esprit de conciliation, d'épouser sa manie. Pour tout dire, il sent son gentilhomme d'une lieue et fait aussi peu « pianiste » que possible.

Il est donc très vite l'objet d'un vif engouement et la cible de beaucoup de regards. On le voit régulièrement chez la princesse Belgiojoso et chez le prince de Noailles. Delphine Potocka en fait l'un des grands hommes de son salon. Le marquis de Custine, homosexuel notoire, qui l'appelle familièrement *le Polonaisseur* lui écrit des billets pleins de sous-entendus, qui se heurtent à l'inflexible réserve de Chopin. La princesse Czartoryska le reçoit régulièrement à l'hôtel Lambert. James de Rothschild continue à le protéger. Les Polonais en exil « se l'arrachent ». L'écrivain Legouvé, membre de l'Académie française, écrit sur lui des lignes séduisantes : « Nous sommes montés jusqu'au second étage d'une petite maison : là, je me suis trouvé en face d'un jeune homme élégant, pâle et triste ; il avait des yeux bruns, à l'expression douce et d'une pureté incomparable, des cheveux châtains presque aussi longs que ceux de Berlioz et lui tombant sur le front de la même façon. Le mieux qu'on puisse dire en parlant de Chopin, c'est qu'il est, selon le mot de Heine, une « trinité charmante ». Sa personnalité, son jeu et ses œuvres sont si bien en harmonie qu'on ne peut pas plus les considérer isolément que les traits d'un visage. »

La petite maison à deux étages est sise 4, cité Bergère. Chopin y a emménagé après un an passé boulevard Poissonnière. En 1833, il habitera tout d'abord 5, Chaussée d'Antin, puis, trois ans plus tard, il se fixe au 38 de la même rue, et cela jusqu'en 1839, à son retour de Majorque. L'appartement dernier en date est d'une élégante recherche.

Un cadre séduisant.

Bien que se déclarant « ouvertement carliste, et donc, anti-philippard », Chopin a choisi un mobilier d'époque, de style Louis-Philippe. « Toutefois, le rouge me faisant mal aux yeux et le vert sombre n'égayant pas mes pensées, j'ai fait recouvrir fauteuils, chaises et canapés de soie blanche. C'est fragile, mais ravissant. » Sur la cheminée, une très belle pendule Louis XV et ses candélabres. Plus loin, une vitrine enfermant de fines porcelaines. Devant l'âtre — seul moyen de chauffage — un écran brodé aux teintes délicates. Pleyel a fourni un grand piano de concert qui trône au salon et, pour la chambre à coucher, un *pianino* noir [1] ; en laissant ouverte la porte de communication il arrive que Chopin réduise au second piano la partie d'orchestre d'un *concerto* et accompagne ainsi un élève. Dans l'antichambre, une « jolie fontaine Louis XV », aux dires de Liszt. Aux fenê-tres, « de grands rideaux de soie claire et de mousseline nei-geuse ».

L'alcôve de la chambre à coucher est fermée par un voile de tulle blanc. Auprès du lit, un petit fauteuil dont la tapis-serie a été exécutée par Mme Chopin. Un secrétaire mar-queté entre les deux fenêtres. Un brûle-parfum d'argent.

Dans la salle à manger, le long du mur, un sofa de velours rouge.

Les murs sont tendus de « papier perle ou tourterelle : c'est celui que je préfère ». Liszt, qui vient souvent rendre visite à son ami Frédéric, note « la présence sur les murs de gravures et de tableaux d'une harmonieuse beauté ». Une antichambre, une cuisine et une pièce secondaire complètent cette habitation rêvée de célibataire.

---

1. Ces pianos ne sont pas loués mais gracieusement mis par Pleyel à la disposition de Chopin, dont le talent sert la fortune de la maison. Au bas d'un article de la *France musicale*, on lit ce discret écho publicitaire : « On sait quels ravissants effets Chopin sait tirer des délicieux pianos de Pleyel... » Chopin, vedette de la firme, paie son écot de cette manière.

Quant au cabinet de toilette : dans un coin de la chambre, sur une table étroite, une cuvette si petite qu'on doit à peine y tremper le bout de son nez, une étagère supportant quelques objets, peignes, brosses, flacons ; l'hygiène est restreinte au strict nécessaire. « Prenez des bains si les médecins l'ordonnent formellement, mais jamais plus d'une fois par mois » : ainsi s'exprime un *Manuel de civilité*, où l'on précise les précautions à prendre « en cas de bain » : la règle est de jeûner tout l'après-midi avant de mettre un pied dans le bain de cuivre ou de fer-blanc, que des Auvergnats montent chez vous, en apportant également les seaux d'eau chaude nécessaires. D'ailleurs, les bains pour hommes sont rares ; ils semblent concerner seulement les dames, à qui les dentifrices paraissent également réservés. Notons enfin, pour achever notre visite domiciliaire qu'une armoire est tout entière vouée à la pharmacie ; à Paris seulement, Chopin consultera quatorze médecins.

Dans le monde.

A présent, retournons « dans le monde ».

Encore une fois, Chopin y fait bonne figure, à en croire son ami Orlowski, lequel déclare dans une lettre adressée aux parents de Chopin : « Chopin est bien portant et vigoureux. Il tourne la tête à toutes les femmes et rend jaloux tous les maris. Il est à la mode. Nous porterons bientôt des gants à la Chopin. Il n'y a que le mal du pays qui le consume. »

Outre ses relations mondaines, Chopin cultive ses amis français — tel le violoncelliste Franchomme — et polonais, parmi lesquels, Fontana, Ostrowski, Orda, Grzymala, Szembek et Casimir Lubomirski. Le pianiste Fontana, ancien condisciple de Chopin à Varsovie est devenu son *factotum* à Paris. Point d'ami plus dévoué, toujours prêt à s'entremettre, à multiplier courses, démarches auprès des éditeurs, le type parfait du secrétaire bénévole. Grzymala est l'ancien aide de camp du prince Poniatowski Après la cam-

pagne de Russie en 1812, il a passé trois années en captivité
à Poltawa. Député, maître des requêtes au Conseil d'Etat,
directeur de la Banque du Gouvernement polonais, il a dû
se fixer à Paris au moment où il venait d'y solliciter l'emprunt
dit des « subsides polonais ». Très grand ami de Chopin, il
l'est également de Sand qui l'appelle, selon son goût personnel : « Cher époux. »

Liszt.

Liszt est d'une année seulement le cadet de Chopin. Il l'a
précédé à Paris huit ans plus tôt : entrée en scène d'enfant
prodige, s'il en fut. Il arrivait de sa Hongrie natale où, très
tôt, il avait montré au piano des dons surprenants. Le père,
simple régisseur du prince Esterhazy, mais amateur expert
de musique, a conduit l'enfant à Vienne où Czerny et Salieri
lui ont donné une formation sérieuse. Les premiers concerts
ont révélé une nature exceptionnelle d'improvisateur et de
virtuose. Peut-être est-ce légende que de montrer Beethoven
assistant à la seconde séance et baisant au front l'enfant du
miracle ? A l'orée d'une carrière, c'est le sceau de la gloire.
Toujours est-il que l'auteur de la *IXe Symphonie* écrivait
à un ami : « Czerny m'a demandé de ne pas manquer le
concert du jeune Liszt, qu'il porte aux nues, l'égalant à
Mozart dans sa jeunesse... » Tour à tour, Munich, Stuttgart
et Strasbourg confirment l'enthousiasme déchaîné à Vienne,
à Pest et à Presbourg. Cependant, à Paris, le « petit Liszt »
débute par un échec : Cherubini, italien à part entière, lui
ferme, *en sa qualité d'étranger,* les portes du Conservatoire,
où il exerce les fonctions directoriales. « Je crus tout perdu ;
la plaie, profonde, saigna longtemps... » Cherubini n'aime
pas les enfants prodiges. Mais Paris en raffole. Paër — qui
donne au jeune garçon des leçons de composition — conseille au père de louer l'Opéra et de produire son fils accompagné par l'orchestre. Succès « pyramidal » ; l'enfant est
convié à l'honneur suprême de faire, après l'exécution de son
concerto, le tour des loges pour y recevoir les félicitations des

invités de marque. Un engouement comparable à celui qui accueillera la venue de Paganini se produit autour du phénomène. Même succès à Londres et en province française. Mieux encore, l'Opéra de Paris fait représenter une pièce romantique en un acte : *Don Sanche ou le Château d'Amour*, chanté par Nourrit, sur une musique de Ferenc Liszt, « enfant de quatorze ans, né en Hongrie ».

L'année suivante — 1826 — il fait un séjour prolongé à Marseille, où il compose ses *Etudes en douze exercices*, bréviaire du pianiste virtuose qui s'apprête à éblouir l'Europe. Sur quoi, le père, Adam Liszt, meurt à Boulogne-sur-Mer, après avoir fait au tout jeune homme une étrange prédiction : « Les femmes troubleront ton existence. » Les femmes ? Franz n'y songe guère... Et, cependant, au seuil de sa dix-septième année, parmi les élèves de l'adolescent, dont la beauté égale le talent, il y a une certaine Caroline de Saint-Cricq, fille du ministre de l'Intérieur, qui s'émeut à découvrir la musique aux côtés d'un aussi séduisant *maestro*. Mme de Saint-Cricq voit l'idylle d'un bon œil, mais son époux la juge ridicule, inacceptable et, en termes courtois, mais irrévocables, il signifie à Liszt l'arrêt des leçons. « Je crus mourir... »

Le canon des « Trois Glorieuses » rappelle Franz à la vie. Durant sa convalescence il se jette à corps perdu dans la littérature française, lisant pêle-mêle Montaigne, Lamennais, Voltaire, Sainte-Beuve, Rousseau et Lamartine, et, surtout, Chateaubriand. Pour étancher sa soif des témoignages du génie humain, il se lie d'amitié avec Paganini, Berlioz et Lamennais. Paganini lui révèle les secrets de la virtuosité transcendante au violon ; les deux hommes comparent leurs découvertes ; Berlioz, avec sa *Symphonie fantastique*, donne à Liszt l'avant-goût de la musique à programme. Pour Lamennais, immédiatement sympathique à Liszt, comme il le sera à Chopin — n'a-t-il pas rompu avec Rome au moment où Grégoire XVI approuvait l'assassinat par les Russes schismatiques de la Pologne catholique ? — il développe complaisamment ses théories. A ses yeux, l'art est saint, car il est un reflet de Dieu. L'amour aussi : encore faut-il trouver celle qu'il nomme, non sans pittoresque, dans les *Paroles d'un croyant* : « la femme rédemptrice ». Cette créature de rêve sera-t-elle pour Liszt la comtesse de Laprunarède, brune à fossettes, qui passe en sa compagnie tout un hiver dans son château des Alpes ? Ce n'est pas certain.

Au piano, Liszt établit, par l'exemple, les lois du jeu orchestral ; ce sera son esthétique personnelle. Pour y parvenir, il se crée une technique absolument neuve. Besogne de forçat : « Voici quinze jours que mon esprit et mes doigts travaillent comme des damnés : Homère, la Bible, Platon, Locke, Byron, Hugo, Lamartine, Chateaubriand, Beethoven, Bach, Hummel, Mozart, Weber sont à l'entour de moi. Je les étudie, les médite, les dévore avec fureur. De plus, je travaille quatre à cinq heures d'exercices — tierces, sixtes, octaves, trémolos, solos répétés, cadences, etc. Ah ! pourvu que je ne devienne pas fou, on trouvera un artiste en moi ! Oui, un artiste tel qu'il en faut aujourd'hui... »

Un concert de Liszt ! Sur l'estrade, un grand Erard à double échappement offre la gamme de ses ressources mécaniques et sonores. Dans la salle, « tout Paris », c'est-à-dire l'élite de l'aristocratie et de la finance. Voici le jeune maître : comme il est beau, comme il est pâle ! Après un bref salut, il s'assied au piano et attaque immédiatement une *sonate* de Beethoven, généralement suivie d'une *symphonie,* réduite par lui pour le clavier. Début austère pour un auditoire frivole, qui se pâme plus volontiers aux vocalises des chanteurs italiens qu'aux sublimes effusions du maître de Bonn. N'importe : Liszt s'impose, sans discussion. Il joue aussi Weber, Schumann et Chopin. Voici enfin ses ouvrages personnels. D'abord, les paraphrases sur des airs célèbres d'opéras à la mode : *Lucie de Lammermoor, Robert le Diable, Don Juan, les Ruines d'Athènes, le Songe d'une nuit d'été.* Puis, des morceaux de virtuosité, comme ses *Etudes transcendantes,* où Liszt conjugue si efficacement l'inspiration et ses soucis de technicien. C'est ensuite, par le truchement de morceaux brillants, l'évocation du pays natal : clochettes, sonnailles, le vertige rythmique des Bohémiens. Au feu de l'action, il arrive que Liszt s'évanouisse : encore un attrait de plus !

Parfois aussi, une spectatrice sensible défaille : ce jeune homme est si beau, cette musique est si prenante — et puis n'est-elle pas corsetée à l'étroit ? Le concert dure trois ou quatre heures. Cependant, lorsque le pianiste épuisé se lève et salue, les applaudissements sont si nourris, le feu des regards est à ce point insoutenable que force lui est de s'asseoir à nouveau et d'improviser sur un thème qu'on lui lance au vol ou qu'il choisit dans ses souvenirs. Qu'il exécute ou qu'il improvise, c'est toujours la même virtuosité, la même fougue, la même inspiration et le même visage pathétique, qui semble être celui de la musique elle-même !

Paganini.

Certains soirs, bien qu'il soit lui-même un prodigieux virtuose, Liszt prend sérieusement Paganini pour ce qu'il prétend être : le fils du diable. Sa vogue parisienne est si grande qu'on donne son nom à des objets usuels ; il y a des cannes, des gants, des redingotes à la Paganini, jusqu'à des parapluies dont un archet figure le manche, avec des cordes en guise de baleines. Un jour, sur le boulevard, Paganini entre dans la boutique d'une gantière et lui demande, comme il se doit, une paire de gants. « Des gants de Paganini ? » s'enquiert la vendeuse naïve, qui n'a pas identifié le client. Alors, le violoniste, au comble de la distraction et feignant de croire qu'il s'agit là d'une sorte de cuir : « Vous n'en n'auriez pas d'une autre bête ? »

Berlioz.

Enfin, une silhouette française : celle de Berlioz, autre ami de Chopin et de Liszt. Venu de son Isère natale, ce jeune autodidacte s'est fait remarquer par un coup d'éclat : la *Fantastique*, créée à Paris au lendemain de la Révolution de Juillet, le 5 décembre 1830. D'un coup, le voilà lancé.

Que manque-t-il à Berlioz pour être la gloire musicale du

siècle romantique ? De mieux connaître son métier ? Peut-être. On dit de lui qu'il est un homme de génie qui n'a pas de talent ! Déjà, il recrute ses partisans dans les rangs des non-musiciens, alléchés par la sauce littéraire dans laquelle baignent ses ouvrages. D'être étranger, comme Chopin, Liszt ou Paganini ? Assurément, une consonance étrangère flatte l'oreille. D'être lancé par les salons à la mode ? Cela compte. Mais surtout, Berlioz est un original profondément insociable et regardé comme un fou par ses contemporains. « Le public est une huître, écrit-il, je l'ouvre avec mon épée. » Sans doute, mais ce n'est pas ainsi qu'on l'amadoue. Et puis, sa musique et ses *Mémoires* exagèrent toujours. C'est Berlioz qui, à force d'imagination et de roublardise, accrédite la légende de l'artiste romantique, lequel n'a jamais existé que dans son esprit et dans celui des cinéastes. D'après lui, la création artistique est assez semblable à une attaque foudroyante d'épilepsie : « Tout y est, les tremblements nerveux, les spasmes, les dents entrechoquées, les frissons, les sueurs glacées, les gestes convulsifs et la perte de la connaissance. La crise finie, le compositeur se retrouve à sa table, brisé de fatigue, épuisé, pantelant, ne gardant aucun souvenir de ce qui s'est passé. Mais il constate avec plaisir que son papier à musique est sabré de notes fiévreuses et qu'il vient d'enrichir sa partition de quelques pages décisives [1]. » Tel est Berlioz !

Son vocabulaire est du même tonneau que son imagination. Il écrit : « Feux et tonnerre ! », comme nous dirions aujourd'hui : « Zut ! » Ses épithètes favorites sont : babylonien, pharaonique, pyramidal : que de débauches verbales ! A Rome, il a scandalisé Mendelssohn on lui conseillant de « cueillir des crânes dans les cimetières et de manger des tranches de jambon dont la gelée serait la cervelle de jeunes filles mortes » ! Dans *Lélio ou le Retour à la vie,* les brigands clament : « Nous allons boire à nos maîtresses dans le crâne de leurs amants ! » Avec cela, mythomane. Ainsi veut-il nous faire accroire que la *Symphonie fantastique* a été com-

---

1. E. Vuillermoz, *Musiques d'aujourd'hui* (Crès, éditeur).

posée « en une nuit ; dans la campagne, après la traversée, aux étoiles, de la Seine gelée, en compagnie de Chopin et de Liszt ». Or, à ce moment, Chopin n'a pas encore quitté Varsovie... Ajoutons à cela que Berlioz a la repartie mordante et qu'il possède sur le bout des doigts l'art de se faire des ennemis. Et certes, on lui pardonne, car, chez lui, l'imagination n'étouffe ni la lucidité ni l'ironie. Il a même de l'esprit à revendre. Un jour qu'il dirige un de ses ouvrages, il fait une observation au flûtiste :

— *Fa dièse !* Monsieur, je vous en prie.

— Mais, monsieur Berlioz...

— *Fa dièse,* j'ai cru entendre un *fa bécarre !*

— Oh ! monsieur Berlioz, si vous vous mettez à soupçonner tout le monde !

— Mon ami, je ne soupçonne rien, ni personne. Le soupçon est basé sur le doute, et je suis tout à fait sûr que vous avez fait un *fa bécarre !*

C'est Paër qui présente Chopin à Liszt et à Berlioz. Aussitôt une amitié solide unit le trio des musiciens. Solide ? Disons plutôt vive car, entre gens du même métier, les heurts, les piqûres, les froissements de la sensibilité sont inévitables ; de surcroît, leur popularité n'est pas comparable. Par sa réputation mondaine, en un an, Chopin éclipse ses deux compagnons. En outre, on observe entre eux une profonde diversité des caractères.

Liszt est essentiellement un virtuose, né pour briller et, même, pour subjuguer. L'estrade est son domaine, il s'y meut à l'aise. Chopin, poète-né, est loin d'avoir la complexion athlétique de son rival. Fait pour régner dans les salons, doté nous l'avons déjà noté à plusieurs reprises, d'un jeu plus délicat que brillant, il n'aime guère l'ambiance du « récital ». Sans préambule, il déclare à Liszt : « Je ne suis point propre à donner des concerts, moi que le public intimide. Je me sens asphyxié par ces haleines précipitées, paralysé par ces regards curieux, muet devant ces visages étrangers. Toi, tu y es destiné car, lorsque tu ne gagnes pas le public, tu as de quoi l'assommer ! » Impossible de mieux définir d'une phrase, assez ironiquement ambiguë, les privilèges et les limites de la technique transcendante.

En dépit de sa légende, de son talent et de la séduction qui émane de lui, il est évident — plusieurs biographes de Chopin le notent, Iwaszkiewicz [1] le souligne — que les salons parisiens, ceux mêmes qui s'ouvrent unanimement à Chopin, ont ménagé un accueil beaucoup plus réticent à Liszt. Cela tient peut-être à ce que Franz a fait à Paris des débuts d'enfant prodige et que le « monde » se lasse très vite de ce qu'il a déclaré un beau jour « insurpassable » — tandis que Chopin arrive dans la plénitude de son double talent de compositeur et d'interprète. Il est mûr d'emblée ; l'admiration qu'on lui voue ne subira pas ces hauts et bas, ces soudaines fluctuations que la « cote » de Liszt ne cessera d'enregistrer jusqu'à la fin de sa vie. Entre Chopin artiste accompli, indiscutable et Liszt — virtuose étincelant, qu'on adore ou qu'on exècre —, la comparaison n'est pas possible. On n'a d'ailleurs jamais tenté de l'établir. Non que l'un « surclasse » l'autre : ce sont deux hommes que la chronologie et les hasards de l'expatriement ont associés, mais que tout, au reste, distingue.

Une amitié à éclipses.

Entre eux, l'amitié sera quelque peu superficielle, sujette à des écarts. La nature expansive, généreuse, essentiellement affective du Hongrois se heurte souvent au caractère impénétrable, susceptible, inquiet, au fond assez malveillant, du Polonais. « Attention, mon ami, lui écrit son père, tu me diras tout ce que tu voudras, mais je n'approuve pas ton dégoût trop facile pour certaines personnes ! » Cela n'échappe pas à Liszt qui, dans l'étude enflammée qu'il consacre à son ami, au lendemain de sa mort, note le « secret mécontentement » qui anima toujours Chopin, plus courtois que naturellement aimable, gai à l'occasion. Chopin

1. Jaroslav Iwaszkiewicz, *Chopin* (Gallimard).

est le contraire du « bon camarade » et du « garçon sans histoires ». Inquiet, soupçonneux, toujours sur la défensive, il est fort capable, ayant parlé un soir à des amis de rencontre, au restaurant de la Boule d'Or, rue Royale, de battre froid le lendemain à ses convives de la veille.

Son humeur de malade, des plus changeantes, ferait croire à des caprices, et non à des réactions imprévues. Heureusement, la magnifique nature de Liszt, son optimisme, son imperturbable santé compensent, la plupart du temps, les oscillations de son trop sensible ami.

Au demeurant, aucun sentiment de rivalité professionnelle ne les oppose ; ils s'entradmirent sans feinte. Un jour, entendant jouer par Liszt les *Etudes* du premier livre — qui, d'ailleurs, lui sont dédiées — Chopin note : « Me voilà hors de mes pensées honnêtes ; que ne donnerais-je pour exécuter de la sorte mes propres pièces ? » Flatteur, l'hommage est surtout sincère. Une autre fois, il blâme en revanche un trait conseillé par Liszt à leur élève commun, de Lenz, dans le but de « perfectionner » une *Mazurka, op.* 74. « La variante n'est pas de vous, interroge Chopin, c'est lui qui vous l'a faite ? Il faut qu'il mette sa griffe partout ! Il joue devant des milliers d'auditeurs, mais rarement pour plus de deux... » Liszt entend très fréquemment Chopin ; parfois il rend compte de ses concerts et ce sont toujours, simplement appropriés à la valeur de l'exploit, de très chaleureux éloges : que pourrait-il craindre d'un homme qui ne fait pas carrière ? Quant au créateur, Liszt est trop grand lui-même pour ressentir la moindre brûlure de jalousie. Et puis, il est dans sa nature d'admirer et d'aimer. Ainsi loue-t-il très généralement les ouvrages de son ami avec, toutefois, dans le livre fervent qu'il lui consacre, des réserves surprenantes, à côté d'appréciations hyperboliques. En revanche, Chopin n'aime vraiment à peu près aucune des compositions de Franz. Les classiques du XVIIIe siècle mis à part, ainsi que le Théâtre-Italien, Chopin ne goûte à peu près rien. Peu d'hommes font, autant que lui, figure de difficiles et de dégoûtés.

Salons.

Les salons musicaux jouent un rôle important à Paris, sous Louis-Philippe. Malgré la fureur des romances de Loïsa Puget, de Pauline Duchambge et de Labarre, on n'y fait pas de la mauvaise musique. A cette époque, où l'art est le fait d'une élite mondaine, on accueille dans ces salons les ouvrages du passé et les dernières productions, ainsi que les virtuoses à la mode, tout cela pêle-mêle, sans distinction de caractère. Ainsi, au cours de la même soirée, on entend un recueil de romances et le *Requiem* de Mozart, dont l'audition dans un salon scandalise Mme de Girardin : « Cette messe des morts, écrit-elle, écoutée par des femmes agréablement parées, les épaules et les bras nus, le front étincelant de pierreries, les regards brillant de coquetterie, n'est-ce pas une sorte de profanation ? Nous sommes curieux de savoir à quel moment du concert on passera les glaces. Sera-ce avant ou après le *De profundis* ? »

Chaque soir, ou presque, Chopin — nous l'avons dit — est invité chez quelque mécène, dans l'un de ces salons où l'on fait de la musique, chez les Rothschild, la princesse de Beauvau, la comtesse de Perthuis, Mlle de Noailles, le prince Radziwill, la comtesse Potocka — plus souvent encore chez des Polonais émigrés comme lui, les Czartoryski, les Niemojewski, les Moraswski.

Chopin se sent une mission envers ses compatriotes opprimés. Au plus fort de sa vie parisienne et mondaine, le souvenir de Varsovie lui fait monter des larmes aux yeux. L'image de la « bien-aimée ville », les rythmes nationaux, les danses, le mélange d'ardeur et de nostalgie, les coups de fièvre brusques succédant aux accès de langueur — autant de visions dont sa musique fixe le reflet impérissable. Parfois, une explosion sauvage, de haine et de revanche, se fait jour au travers d'une *Etude*, d'un *Scherzo* ou d'une *Polonaise*. Sa musique ne cesse de fixer les traits contradictoires de cet artiste multiple, ensemble polonais et parisien

Voyez-vous Chopin jouant, comme il le fit souvent, dans un de ces salons, pour quelques raffinés ? Il ne dépare nullement, par sa présence, la société d'aristocrates qui l'acclame. Dès l'enfance, le hasard de la vie l'a mêlé à une élite internationale. Et lui-même, parmi les ducs et les princesses, Liszt nous rappelle gracieusement « que toute son apparence fait penser à celle de ces convolvulus balançant sur des tiges d'une incroyable finesse leurs coupes divinement colorées, mais d'un si fin tissu que le moindre contact les déchire ».

Les heures s'envolent, les jours passent. Chopin conservera de cette époque de sa vie un souvenir agréable : quelque chose comme la promesse d'un essor. Les ailes s'ouvrent.

Au pays.

Là-bas, à Varsovie, sa famille est convaincue qu'un jour ou l'autre, bientôt peut-être, on apprendra les fiançailles de Frédéric. Cependant, vers 1833, Constance est mariée. Maria Wodzinska ne l'est pas encore. Il n'y a, comme on dit, personne dans la vie de Chopin. Nulle aventure de rencontre, même pas d'amourette. Et nous dirons plus loin ce qu'à notre tour il faut penser de ses « amours » avec la belle Delphine Potocka. Amours bien discrètes, qui n'ont réussi à émouvoir que d'inventifs biographes en quête de réclame tapageuse.

Mais, au pays, Louise Chopin s'est mariée. Au mois de septembre 1832, elle a épousé Joseph Calassante Jedrzejewicz, professeur à l'Institut agronomique de Marymont, près de Varsovie. La cérémonie a eu lieu dans la petite église de Brochow, où Frédéric a été baptisé. Celui-ci envoie aux jeunes mariés « une *Polonaise* et un *Mazur,* pour les faire sauter et les égayer vraiment, car leurs âmes peuvent se réjouir... ». Une appréhension nuance toutefois le bonheur de la famille, dont le chef risque d'être privé d'une partie de ses ressources : « Tu sais, lui écrit son père à l'époque du mariage de Louise, que j'ai eu de l'occupation, dont le produit a suffi à nous

soutenir honnêtement : aujourd'hui, après plus de vingt ans
de service public, je suis à la veille de perdre l'un de mes
gagne-pain [1]... Ta sœur se marie, nous voilà dispersés. Isabelle, seule, reste auprès de nous, mais vous serez tous ensemble dans nos cœurs... » C'est une manière aimable de
prévenir Frédéric qu'il n'ait plus à compter sur les subsides
exceptionnels que, jusqu'alors, on lui a fait parvenir. Mais,
nous l'avons dit, le professorat lui est une ressource appréciable, et, d'ailleurs, nécessaire, sinon suffisante.

Concerts.

En outre, à cette époque de sa vie, il se produit assez fréquemment en public, sans trop d'inquiétude ni de répugnance. Une première fois, avec Liszt, au concert donné par
Hiller le 15 décembre 1832 : les trois artistes enlèvent « avec
une rare intelligence de caractère et une parfaite délicatesse
de nuances », aux dires d'un critique, l'*allegro* du *Concerto
pour trois claviers* de Bach. Le 2 avril 1833, il récidive en
agrémentant de pièces diverses, toujours associé à Liszt, les
entractes d'un concert de bienfaisance donné par Harriett
Smithson, qui deviendra, cette même année, Mme Hector
Berlioz. Le lendemain, nouveau concert à deux et quatre
pianos, tenus par Chopin, Liszt et les frères Herz. Avec Amédée de Méreaux il exécute un duo en forme de paraphrase
sur les motifs du *Pré-aux-Clercs*. A lui seul, il assure le
succès d'une grande réception donnée par la maréchale
Lannes. En outre, le compositeur Chopin commence à avoir
des interprètes : Kalkbrenner, Liszt, Osborne, Hiller, Stamaty,
Edouard Wolff, Clara Wieck jouent ses œuvres en public.
Le catalogue s'en est beaucoup accru, depuis Stuttgart,
où il a composé, dans l'état fiévreux que nous avons évoqué,

---

1. Nicolas Chopin ne précise pas s'il s'agit de ses fonctions
au lycée de Varsovie : sans doute est-ce à cela qu'il fait allusion.

le *1er Scherzo*, une *Etude,* deux *Préludes* et une *Valse.*
L'année 1832 voit seulement la publication des *Mazurkas*
nos 1 à 6. En revanche, 1833 est une année féconde. Les
12 Etudes, op. 10 sont achevées, le *Trio, op.* 8 publié, ainsi
que le *Concerto en mi mineur* et les *Variations brillantes,*
op. 12 sur le rondeau favori de Ludovic. Paraissent également *Trois Nocturnes, op.* 9, la *Grande Fantaisie sur des airs*
polonais, op. 13, la *Krakoviak, op.* 14, le *Rondo, op.* 16,
quatre *Mazurkas, op.* 17, *l'Introduction et Polonaise, op. 3*
pour piano et violoncelle. Plusieurs de ces pièces sont dans
les cartons de Chopin depuis des années. D'autres sont le
fruit de son travail de l'année. Un grand mouvement d'intérêt leur est accordé, tant dans la presse que dans les salles de
concert. Chopin est, à tous les égards, l'homme à la mode.
Mlle Mars lui écrit mille compliments. La comtesse d'Agoult
lui jure qu'il lui suffira d'entendre un de ses *Nocturnes* pour
être guérie d'une affreuse migraine, elle juge « prodigieuses »
ses *Etudes* sous les doigts de Liszt. Berlioz l'invite avec
Vigny. Il l'appelle « Chopinetto mio ». Heine et Mickiewicz,
de même que Niemcewicz, Zaleski et Witwicki recherchent
sa compagnie. Delphine Potocka chante pour lui. La Société
littéraire polonaise de Paris l'invite à entrer dans ses rangs.
Il dîne chez Lord Rothsay Stuart, ambassadeur de Grande-
Bretagne à Paris, chez le baron Nathaniel de Rothschild, chez
le banquier Léo. Il organise des réceptions fréquentes chez
lui, rue de la Chaussée-d'Antin. Toujours vêtu avec la plus
grande élégance, il donne à ses commensaux l'illusion d'être,
non seulement un dandy, mais un homme à son aise.

Là-dessus, son père, sagement, prêche l'économie [1], conseille au fils prodigue de « mettre un peu d'argent de côté
pour parer aux imprévus, de ménager sa santé. Il multiplie
les avis judicieux sur la conduite à tenir avec les éditeurs, et

---

1. Après avoir remercié Frédéric des menus cadeaux qu'il a
envoyés à sa famille et lui avoir appris le prochain mariage de
sa sœur Isabelle avec Barcinski.

s'étonne, finalement, que les concerts de son fils, dont il entend dire tant de bien par les uns et les autres, ne soient pas plus rémunérateurs ».

De fait, si les recettes sont insignifiantes, le sentiment général concernant Chopin est, on ne peut plus favorable. La *Revue musicale* exprime son opinion en ces termes : « Chopin s'écarte délibérément des sentiers battus. Son jeu et sa composition ont, depuis le début, été pris en telle considération, acquis une si haute réputation qu'aux yeux de beaucoup, il est un phénomène inexplicable. » Seul, un butor, du nom de Heinrich Friedrich Rellstab, officier prussien en retraite et critique d'occasion, célèbre par ses outrances, attaque Chopin, jusqu'au jour où, tout à coup, il capitule et demande à Liszt une lettre d'introduction auprès de celui dont il a, naguère, fort imprudemment conseillé de « déchirer sa musique en mille miettes ! ». Rellstab est, dans le concert de louanges, l'exception confirmant la règle.

Une seule fois, durant cette période, avant le voyage en. Allemagne, Chopin quitte Paris. En compagnie de son ami Franchomme il va respirer le bon air de Touraine au Coteau, près d'Azay-sur-Cher, après avoir décliné une aimable invitation de Marie d'Agoult à venir « écouter les rossignols à Croissy, tout en buvant du lait ».

Parmi tant de fêtes, de soupers, de soirées, qui en auraient grisé bien d'autres, Chopin garde la tête froide. Rien en lui ne s'efface du Sarmate d'origine. De plus en plus, deux âmes divergentes habitent ce corps fragile ; la flamme de l'esprit brille dans la nuit du caractère, le génie illumine par éclairs une existence assez sombre, en dépit d'allures brillantes. Au fond de son cœur, il reste l'enfant mûri parmi des femmes, couvé par elles jusqu'à avoir abdiqué entre leurs mains l'instinct viril qui fait de l'homme « un homme », et d'un garçon rêveur, un adulte à part entière. La blessure de Stuttgart ne s'est pas refermée, jamais elle ne guérira. Il emporte à son flanc comme une plaie avivée par l'éloignement, l'image d'une ville sous la botte de l'oppresseur, le souvenir d'une race qui a dû courber l'échine. Tout cela vit en lui et inspire directement sa musique. Rien ne peint mieux cet élégant exilé que le cri qui lui échappe avec un bref sanglot, un soir qu'un disciple joue devant lui la *3ᵉ étude en mi mineur*, de laquelle s'élève le plus nostalgique des chants d'amour et de regret : O mon pays !

VIII

UN MYSTÉRIEUX AMOUR

Delphine.

Est-ce en souvenir de son pays lointain que Chopin *aurait* aimé Delphine Potocka ? Plusieurs biographes du musicien font allusion sans insister et, surtout, sans apporter le moindre commencement de preuve [1] à ces fameuses amours, auxquelles plusieurs historiens contemporains ajoutent foi, sur la production de documents bien incertains. Une controverse ardente s'est élevée entre ceux qui croient à la réalité de l'aventure et ceux qui n'y croient pas. Nous allons essayer, loyalement, d'y voir plus clair.

Le nom de « Madame Potocka » vient pour la première fois, le 27 mars 1830, sous la plume de Chopin écrivant à Titus Woyciechowski pour lui décrire son premier concert, donné dix jours plus tôt. Nous savons d'ailleurs qu'à Dresde, en 1829, il a été présenté à la comtesse. L'année suivante, de Paris, il informe un autre de ses amis, Kumelski, d'un dîner auquel il a participé chez « Madame Potocka, la jolie femme de Miecislas ». Qui est cette personne, favorisée d'un séduisant physique ?

1. Guy de Pourtalès *suppose* qu'il a existé une liaison et conclut, sans avoir rien démontré : « L'aventure dura peu, la comtesse avait un mari jaloux. Il emmena sa femme en Pologne, d'où elle revint seulement plus tard. Mais elle garda toujours à Chopin une affection sincère. Les seules lignes d'elle à l'artiste qui aient été retrouvées en fournissent un témoignage discret. » (Cf. p. 222.)

Polonaise, Delphine Potocka est née comtesse Komar. Winterhalter fait son portrait, qui nous la montre fort belle, en vérité. Un de ses admirateurs la décrit en termes flatteurs : « Un port de reine, des cheveux blonds tombant en bouclettes sur une poitrine de déesse grecque. Le visage, vu de trois quarts, a des traits d'une pureté délicate, avec une pointe de sévérité ; la bouche est pleine de grâce, de douceur et de sensibilité, mais le front a la froide majesté d'une statue classique, les yeux ont un regard perçant ; mais, en compensation, la bouche semble promettre pardon et récompense à l'audacieux adorateur... »

Agée de dix-huit ans, Delphine épouse le comte Miecislas Potocki, appartenant à une noble famille polonaise qui n'a pas craint d'entretenir de bons rapports avec l'oppresseur russe. Beau, gai et libertin, Miecislas tyrannise sa femme qui, de guerre lasse, retourne chez ses parents ; ils la reçoivent mal. Déçue, Delphine voyage dans toute l'Europe et, comme beaucoup de ses compatriotes, elle vient, en 1831, se fixer à Paris. La pension que lui sert son ancien mari lui permet de mener une vie mondaine à Paris et à Londres, où elle fait de fréquents séjours. Ici et là, elle a de nombreux amants, parmi lesquels le comte de Flahaut, le duc d'Orléans, dauphin de France, Zygmunt Krasinski et le duc de Montfort, neveu de Napoléon Iᵉʳ.

Bonne musicienne, pianiste adroite et chanteuse agréable, elle devient, en 1832, l'élève de Chopin, qui lui dédie deux de ses ouvrages : le *Concerto en fa mineur, op.* 21 et la *Valse en ré bémol majeur, op.* 64. « Un soir, elle interrompt Chopin qui, selon son habitude, imitait la voix et la démarche de quelques personnes de sa connaissance et elle lui dit : « Maintenant, c'est mon tour, montrez-moi telle que vous me voyez. » Alors, Chopin se met au piano et improvise un air mélancolique, démontrant qu'il la connaissait et la comprenait jusqu'au plus profond d'elle-même, sous les voiles qui la séparaient du monde [1]. »

Cela dit, dans aucune des lettres adressées à divers corres-

1. Miecislas Karlowicz, *Souvenirs inédits sur F. Chopin.*

pondants, Chopin ne fait état d'une affection un peu vive. Il cite le nom de la comtesse, sans insister. Jusqu'en 1945, aucune autre correspondance retrouvée de l'un à l'autre. Rien qu'une lettre de Delphine à Frédéric écrite trois mois avant la mort de Chopin. Voici cette lettre :

Aix-la-Chapelle, 16 juillet 1849

« Cher Monsieur Chopin,

« Je ne veux pas vous ennuyer avec une longue lettre, mais je ne puis rester aussi longtemps sans nouvelles de votre santé et de vos projets. Ne m'écrivez pas vous-même, mais priez Mme Etienne ou cette excellente grand-maman qui rêve de côtelettes (?) de m'apprendre où en sont vos forces, votre poitrine, vos étouffements, etc. Il faut penser sérieusement à Nice pour l'hiver [1]. Mme Auguste Potocka a répondu : elle ne négligera aucun effort pour obtenir une permission pour Mme Jendrejewicz [2], mais, me dit-elle, les difficultés sont grandes dans ce malheureux pays. Je souffre de vous sentir tellement abandonné dans la maladie et le chagrin [3]. Je vous prie de m'envoyer quelques mots à Aix-la-Chapelle, *poste restante.* Je voudrais savoir si ce juif s'est présenté chez vous et s'il vous a rendu service.

« Ici, il fait triste et ennuyeux, mais, pour moi, la vie s'écoule partout de la même manière : pourvu qu'elle passe sans plus d'amères douleurs et d'épreuves, car c'en est assez de ce qu'on a enduré déjà. A moi non plus, le bonheur n'a pas souri sur cette terre. Tous ceux à qui j'ai voulu du bien m'ont toujours récompensée par l'ingratitude ou par différentes autres tribulations. *Au total,* cette existence n'est qu'une énorme dissonance.

« Que Dieu vous garde, cher Monsieur Chopin ! Au revoir, au plus tard vers le commencement d'octobre.

D. Potocka. »

1. La comtesse Potocka avait invité Chopin à passer l'hiver dans la maison qu'elle possédait à Nice.
2. Louise a demandé un laissez-passer pour venir à Paris auprès de son frère mourant.
3. Allusion à la rupture avec George Sand.

Eh bien ! ce n'est pas là le ton d'une femme amoureuse — ou qui l'a été ! Cette lettre exprime de la confiance amicale, de la mélancolie, plus de considération que d'intimité. On voit mal Delphine, naguère éprise, écrivant : « Cher Monsieur Chopin » à son ancien amant. On la voit encore moins lui avouer qu'elle n'a, somme toute, jamais connu le bonheur.

Où sont les lettres ?

Mais enfin, au long d'une amitié de dix-sept ans, Delphine Potocka et Chopin ont dû échanger des lettres ? Dans sa préface à la *Correspondance générale de Chopin*, Sydow note que les incendies, les bombardements, les révolutions et les guerres ont, hélas, anéanti un grand nombre des lettres originales écrites par Chopin ou reçues par lui. « Des lettres adressées par Chopin à George Sand, deux seulement subsistent : la romancière a brûlé les autres, les jugeant « insignifiantes, pleines de redites et craignant d'en voir exagérer le côté enfantin ». Dix-huit lettres de George Sand à Chopin ont été conservées et publiées. »

Qu'est-il advenu de la correspondance échangée entre Chopin et Delphine Potocka ? Sydow émet deux hypothèses : ou la comtesse l'a brûlée — ou elle serait entre les mains de la famille Raczynski, héritière des Potocki, qui se refuserait aujourd'hui encore à la produire, « en raison des passages très amoureux qu'on y trouve [1] ». A moins que ces lettres douteuses n'aient été consumées en septembre 1939, pendant le siège de Varsovie ?

---

1. Telle est l'opinion de Sydow. Notons que, sur cette affaire, les Raczynski n'ont jamais desserré les dents. Seul un biographe de Chopin, Ferdinand Hoesick, déclara qu'il avait lu les lettres détenues par les Raczynski. Il fut « surpris du ton libertin » de ces lettres — mais lui non plus ne put apporter la moindre preuve sérieuse.

Un faux en écriture ?

Au mois de juin 1945, une certaine Pauline Czernicka, musicologue alliée à la famille Komar, fait à Radio-Poznan des déclarations intéressantes : elle a, par chance, retrouvé toute une liasse de lettres de Chopin à la belle Polonaise. Elle donne lecture de certaines d'entre elles. Des journaux en publient des extraits substantiels.

Les historiographes de Chopin s'émeuvent. Bronislaw Sydow rencontre Mme Czernicka, qui ne peut lui montrer que des *copies* des fameuses lettres. Elle s'engage à fournir les photocopies des manuscrits, à défaut des originaux qu'elle prétend avoir envoyés, dès 1939, à Edouard Ganche, à Paris. Questionné, Ganche, excellent biographe de Chopin, affirma n'avoir rien reçu.

Ni Sydow, ni Arthur Hedley, musicologue londonien, ne purent voir autre chose que des copies. Les « originaux » qui n'avaient pas été envoyés à Ganche s'étaient trouvés déchirés en morceaux, dont il était impossible de rétablir l'ordre.

En cherchant mieux, Mme Czernicka retrouva quelques lettres de la main de Chopin « dont l'édition américaine d'un ouvrage de Casimir Wierzynski offrait la reproduction ».

Voici quelques extraits des lettres litigieuses :

« Ne vous tracassez pas pour moi, mon amour. En toute sincérité, je puis vous dire que les *Etudes* n'ont pas attaqué ma santé. Ce ne sont que les femmes qui meurent parfois dans l'enfantement. Mais moi, je survivrai certainement à la naissance de mes travaux. »

« J'ai maigri, j'ai le nez en lame de couteau et les yeux complètement enfoncés dans leurs orbites. Mais, dans les salons, on m'admire, on me fait compliment de ma bonne mine et de mon regard profond. Les femmes tournent autour de moi comme des mouches autour du miel. Vous savez bien que je n'exagère pas et que je voudrais que vous fussiez aussi fidèle que je vous le suis, bien que je sois exposé à de cruelles tentations... »

« ... Quand je succombe à un grand amour, quand je ne puis résister à la passion, quand les tentations me déchirent comme feraient les crocs d'un chien, j'oublie le monde, comme ce fut le cas pour vous ; je suis prêt alors à tout donner à une femme, à sacrifier ma vie et mon œuvre. Il n'en fut pas ainsi avec les autres femmes ; avec elles, je n'ai jamais perdu la tête... »

Chopin parlant de lui-même sur ce ton de flagrante immodestie, se vantant de ses succès féminins et tenant éveillée la jalousie de sa maîtresse, est un personnage nouveau ! A croire qu'il y a eu deux Chopin : celui de la tradition — élégant et mystérieux — celui de la réalité — fier de son charme et conscient de sa séduction. Curieuse découverte !

« Quand je songe à Liszt comme artiste créateur, je me le représente maquillé, monté sur des échasses, et soufflant, *fortissimo* et *pianissimo*, dans les trompettes de Jéricho... ou encore je le vois faire sur l'art de grands discours, discuter de la puissance créatrice et de la meilleure méthode pour créer. Cependant, c'est *un âne* en matière de création ! Il sait tout mieux que quiconque. Il veut atteindre au sommet du Parnasse sur le Pégase d'un autre. Ceci est *entre nous...* C'est un excellent relieur qui met sous couverture les œuvres des autres.

« C'est un homme étrange ; il est incapable de sortir de son cerveau quoi que ce soit qui ait quelque valeur devant Dieu ou devant les hommes ; mais l'œuvre lui fait venir l'eau à la bouche, comme un chat convoitant un bol de crème. Voyez-vous, Liszt prend un tube à lavement en guise de télescope pour regarder les étoiles. Puis il fait descendre du ciel l'étoile qu'il a choisie, l'habille d'un costume mal coupé, orné de rubans et de jabots, la coiffe d'une énorme perruque, et lance cet épouvantail dans le monde. Il y a des gens qui l'admirent, mais je maintiens que c'est un habile ouvrier qui n'a pas trace de talent ; il déguise la pauvreté de son inspiration sous des tours habiles, vous ensorcelle et vous éblouit si bien par ses acrobaties que vous jureriez avoir affaire à un artiste de génie, alors qu'il n'est qu'un escroc bien malin. Liszt *chie* une œuvre avec un gros effort et une horrible puanteur [1]... »

De la part d'un ami intime de Liszt, qui n'a reçu de lui que des marques d'affection et des articles flatteurs, c'est un peu décevant...

Mais voici des conseils techniques, nuancés, il est vrai, d'allusions amoureuses :

« Méfiez-vous, Findelka, de la pédale ; c'est une gredine, sensible et terriblement bruyante. Il faut la traiter avec politesse et délicatesse... comme une amie très secourable, mais dont il est difficile de gagner l'amitié et l'affection. Telle une grande âme qui tient à sa réputation, elle ne se laisse pas faire par le premier venu. Mais quand elle cède, elle peut accomplir de vrais miracles, comme une amoureuse consommée. »

De fil en aiguille, Chopin va très au-delà des propos à double sens :

« Findelka, ma bien-aimée, mon unique ! Une fois de plus, je vais vous ennuyer en vous parlant de mon inspiration et de mes œuvres, mais vous verrez que tout ceci vous touche, vous aussi.

« J'ai longuement réfléchi à l'inspiration et à l'œuvre créatrice ; lentement, très lentement, j'en suis venu au point crucial de la question. L'inspiration, les idées neuves ne me viennent que si je suis resté longtemps éloigné des femmes. Quand je me suis dépensé auprès d'une femme, l'inspiration m'échappe, et aucune idée nouvelle ne se forme en mon esprit.

« N'est-ce pas étrange et merveilleux ? Ainsi ces mêmes énergies servent à féconder la femme, c'est-à-dire à créer *l'homme*, et à créer une œuvre d'art. C'est ce principe fécondant, si précieux, qu'un mâle gaspille pour un instant de plaisir !...

« Songez donc... La force irrésistible qui nous attire vers

---

1. Le 14 mai 1836, Liszt écrit à la comtesse d'Agoult : « Chopin, que j'ai vu ce matin, m'aime tendrement et exclusivement... » Les preuves d'affection de Chopin pour Liszt sont nombreuses.

la femme peut se transformer en inspiration... mais ceci
n'est valable que pour ceux qui sont doués et ont beaucoup
de talent... car si quelque bon à rien se privait de femmes
toute sa vie, il en souffrirait... et ne produirait rien qui
fît honneur à Dieu ou à l'humanité.

« Dieu seul sait combien de mes inspirations et de mes
créations musicales, et des meilleures, se sont ainsi perdues.
Operam et oleum perdidi [1]... Des ballades, des polonaises, et,
autant que je le sache, tout un concerto peut-être, furent
engloutis... Ainsi vous êtes tout emplie de musique, et
enceinte de mes œuvres. Mon idée est peut-être extrava-
gante, mais reconnaissez du moins qu'elle est originale. »

Elle est, surtout, immonde !

Delphine Potocka, qui entendait à merveille le latin, dut
être comblée par un hommage aussi précis, qui la rendait
dépositaire de chefs-d'œuvre à l'état de germes ! Mais elle
était trop fine musicienne pour ne pas regretter d'avoir,
par excès d'avidité amoureuse, frustré les siècles à venir de
tant d'ouvrages sacrifiés en holocauste à sa beauté !

Que faut-il conclure de tout cela ? Ce qu'en déduisirent
des esprits attentifs à la vérité des faits, donc peu crédules
et mis en garde par une découverte trop « sensationnelle »
pour être exacte : *les lettres de Chopin à Delphine Potocka*
étaient rigoureusement inauthentiques. Elles constituaient
des faux caractérisés. En voici quelques preuves flagrantes :

1. Mme Czernicka afirmait avoir remis, en 1939, les
lettres originales à Edouard Ganche, à Paris. Celui-ci n'ayant
rien reçu, elle prétendit alors les avoir confiées à une banque
londonienne, qui confirma, par malheur, n'être en possession d'aucun dépôt. En 1949, Mme Czernicka se donnait la
mort par le poison.

2. Les quelques fragments de lettres, dits « originaux »
furent expertisés et déclarés inauthentiques [2].

1. « J'ai perdu mon temps et ma peine. »
2. Naturellement, une contre-expertise en démontra l'authenticité — suivie d'une post-contre-expertise, qui annihila les
conclusions de la précédente.

3. La différence de ton entre les lettres publiées de Chopin à divers correspondants et les prétendues lettres à Delphine Potocka, est manifeste. Jamais Chopin n'aborde les problèmes de la création artistique considérés sous l'angle philosophique. Jamais il n'a pu faire allusion à des « complexes d'infériorité » : le mot, alors, n'existait pas. Encore moins a-t-il pu évoquer, en 1832, son *17e Prélude*, point encore composé. Et pas davantage annoncer, dès 1833, la folie de Schumann, qui ne se déclarera qu'en 1854 : « Schumann deviendra fou : je le prédis, je le signerais... »

4. Autre anomalie : le nom du poète polonais, Cyprien Camille Norwid, apparaît souvent dans la prétendue correspondance de Chopin. On le cite, au moment de la publication des *Etudes*, comme « un écrivain arrivé et comme un membre de l'émigration ». Or, le deuxième recueil des *Etudes* est publié en 1836 et, à cette époque, Norwid, né en 1821, a quinze ans et vit en Pologne...

5. Comment, enfin, Wierzynski a-t-il pu admettre que, fût-il sous le coup d'une « flambée d'érotisme », Chopin ait écrit des lettres d'une telle grossièreté ? Encore certaines lettres, inédites, mais que j'ai pu consulter à Londres chez Arthur Hedley qui en avait obtenu la « copie », dépassent-elles de loin, quant à la scatologie, les lettres publiées. On voit mal Chopin, le plus discret, le plus raffiné des hommes, écrivant à sa maîtresse : « Chez moi, la création, c'est comme l'enfantement chez les femmes : l'une se fatigue à en mourir, l'autre crache l'enfant comme on crache le noyau d'un fruit... » Plus difficilement encore, on imagine l'amoureux transi et silencieux de Constance Gladkowska déclarant qu'un de ses *Préludes* est bâti sur la répétition de onze notes, image d'une nuit « où il fit onze fois l'amour » ! Sand qui, trois ans plus tard, se plaignit en connaissance de cause des ardeurs réticentes de Chopin, se fût émerveillée d'une pareille énergie...

6. Au demeurant, Wierzynski doute fort de l'authenticité des lettres, auxquelles il n'a pas le courage de renoncer, parce qu'elles donnent du piment à son livre : « Il va sans dire, écrit-il, que ces lettres doivent être étudiées très soigneu-

sement par des spécialistes : il faudra sans doute beaucoup de temps et de travail pour trouver la solution de tous les problèmes qu'elles posent. L'auteur de ce livre présente *pour ce qu'ils valent* les fragments qu'il lui a été donné de consulter... » On ne saurait être plus matois.

7. Au demeurant, Wierzynski commet un faux caractérisé. La seule lettre assurément authentique de Delphine à Chopin (lettre du 16 juillet 1849, envoyée d'Aix-la-Chapelle) il se garde bien de la reproduire intégralement : le « Cher Monsieur Chopin » du début ne saurait cadrer avec le ton des confidences graveleuses qu'échangent, selon lui, les deux amants. En outre, il la fait émaner, non pas d'Aix-la-Chapelle (où, en effet, Delphine ne se trouve pas en 1840), mais du domaine de Tulczyn, où elle réside — et la date, non de 1849, mais de 1840, ce qui lui permet de reconstituer à sa guise la chronologie des prétendues amours :

— de 1832 à 1835 : idylle

— 1835 : séparation. La comtesse va dans ses terres

— 1840 : dans une lettre apocryphe, Chopin la supplie de reprendre leurs relations amoureuses, prétendant n'être plus, depuis deux ans déjà, l'amant de Sand. En vain : la comtesse est inflexible.

C'est ainsi qu'on écrit l'histoire — en la falsifiant !

8. Qui donc est l'auteur des lettres apocryphes ? Paulina Czernicka, femme étrange, maladivement menteuse ? Peut-être Estriecher, journaliste passé maître dans la confection des « à la manière de... » et qui, par un procédé semblable, avait déjà induit le pauvre Hoesick en erreur, tout comme, en 1907, une Américaine, miss Janette Lee, avait pris le malheureux Ganche au piège d'un *Journal de Chopin*, qu'elle confessa ensuite avoir fabriqué de toutes pièces à partir de documents glanés dans divers ouvrages. Les mythomanes et les névrosés sont légion. Et ils font des dupes.

Car, malgré ce faisceau de preuves, certains « historiens » soutiennent, *mordicus*, que les lettres sont bel et bien authentiques. Un certain Hertenstein, dit Mateo Glinski, directeur d'une *International Chopin Foundation* aux U.S.A.

est le plus convaincu des partisans. Malheureusement, sa thèse est uniquement fondée sur un sentiment tout personnel. Deux érudits, le professeur Smoter et M. Louis Bronarski, auteurs d'études sérieuses sur Frédéric Chopin, sont persuadés que les *Lettres de Chopin* sont des faux. Selon eux, l'existence plus ou moins probable de lettres authentiques, mais tenues secrètes, a pu suggérer à Mme Czernicka l'idée de mettre en circulation des textes de son invention, pimentés de détails graveleux inventés de toutes pièces.

Faut-il, pour autant, nier l'existence d'une correspondance authentique entre Chopin et Delphine Potocka ? Assurément, non. Peut-être sera-t-elle un jour livrée à la curiosité du public. Mais je doute fort, si elle existe, que les lettres la composant nous révèlent un Chopin si différent de celui que nous connaissons. Non que nous tenions à l'image de « l'ange beau de visage, semblable à une grande femme triste », léguée par George Sand. Il nous suffit que Chopin soit pareil à lui-même, peu enclin aux entraînements de la chair, passionné en esprit seulement, en proie à une timidité congénitale — un peu suspecte, nous l'avons noté, à l'égard des femmes — ayant distingué dès sa dix-neuvième année l'abîme qui séparait le monde réel, si décevant par ce qu'il offre, du monde imaginaire où il s'épanouit, libre d'entraves [1].

---

1. Sous le tire *Lettres à Delphine,* M. « Mateo Glinski », avec qui j'ai entretenu une importante correspondance, a publié à New York, en polonais, un volume au long duquel il s'emploie à accréditer l'authenticité des fameuses lettres que Chopin aurait écrites à Delphine Potocka. Sa méthode est la suivante : étant dans l'impossibilité d'apporter des preuves formelles d'authenticité, il passe en revue tous les arguments de ses adversaires, tente de prouver qu'aucun de ces arguments n'est décisif et en conclut que les siens le sont : « Puisqu'on ne peut répondre à la question : qui est l'auteur du faux, c'est que les lettres sont vraies. » Mais non : en aucune manière.

Ainsi il admet que, dans l'unique lettre adressée par Delphine à Chopin, le 16 juillet 1849, l'appellation : « Cher Monsieur Chopin » établit d'une manière irréfutable qu'elle s'adresse à son « ancien et inaltérable amour ». Cette preuve d'une liaison amou-

reuse est comique ! S'il leur fallait entretenir des rapports amoureux avec tous ceux qu'elles nomment « Cher Monsieur X... »,
les dames du monde entier n'y suffiraient pas.

M. Glinski reconnaît que « rien n'explique la manière dont
Mme Czernicka serait entrée en possession des lettres de Chopin
à Delphine ». Que Mme Czernicka ait tour à tour prétendu avoir
envoyé à Edouard Ganche, puis déposé dans une banque les
lettres originales et que ceci et cela ait été reconnu faux ne lui
paraît pas suffisant pour voir en cette dame polonaise une menteuse ou une mythomane. Il reconnaît qu'Hoesick ne fournit
aucune preuve sans appel de l'existence des fameuses lettres.

Le romancier polonais Iwaszkiewicz, que nous citons souvent
dans ce volume, écrit : « De cette idylle, nous ne savons rien.
Tout ce qu'on en a dit appartient à la légende (*Chopin*, Gallimard, p. 187). Quand on posait à Mme Czernicka des questions
précises sur l'endroit où étaient conservés les originaux, elle
fournissait des réponses diverses et contradictoires. Tout cela
avait bien l'air d'une mystification. [...] Ces fragments de lettres ne résistent pas à une analyse un peu poussée. Cette correspondance se compose exclusivement de fragments connus de
lettres authentiques de Chopin : comment se serait-il recopié
lui-même en écrivant à Delphine ? Ainsi, il est très vraisemblable
que nous ayons affaire à une habile falsification, qui ne serait
d'ailleurs pas la première en ce qui concerne les écrits de
Chopin [...] Si les lettres ont vraiment existé, il est probable
qu'elles ont été brûlées dans l'incendie du palais Raczynski, en
1939, à Varsovie. » Glinski écrit : « Iwaszkiewicz a dévoilé que
les lettres se trouvaient dans les archives privées de la famille
Raczynski. » Etrange contradiction.

Glinski avance d'autre part que si Opienski, qui a le premier
publié la correspondance de Chopin, n'a pas fait allusion aux
lettres de Delphine, « il était néanmoins persuadé de leur existence », mais il ne donne aucune preuve de cette croyance. Il
avoue que les lettres sont sans signature, mais ne s'en étonne
pas, alors que Chopin signe toutes ses lettres : « Chopin »,
ou « F. ».

Quant aux néologismes inventés par Chopin, car ils n'appar-
tiennent pas au langage de son temps, quant à la prophétie que
Schumann mourra fou, Glinski conclut bravement que Chopin
a assez de génie pour inventer des mots et posséder le don de
clairvoyance : c'est burlesque !

Enfin, Glinski conclut : « Il semble fort probable (?) que
les originaux manuscrits se trouvent actuellement entre les mains
de collectionneurs inconnus (?) qui attendent patiemment que
les efforts entrepris pour défendre cette correspondance condui-

sent à sa reconnaissance officielle, et que se crée une conjoncture favorable (?) pour pouvoir monnayer (!) les précieux souvenirs de Chopin. »

J'attends, moi aussi, la venue au jour des lettres manuscrites. En attendant, l'hypothèse de la falsification me paraît, pour toutes les raisons que j'ai exposées, infiniment plus vraisemblable que celles qui sont fournies en faveur de l'authenticité.

IX

MOJA BIEDA

Pour l'heure, Chopin va voyager. Non sans se faire tirer l'oreille. De nature casanière, il aime d'autant moins prendre la route [1] qu'il lui faut quitter son appartement parisien — 38, Chaussée-d'Antin — qu'il a meublé avec des soins féminins [2]. Un certain temps, il a vécu aux côtés d'un ami d'enfance, médecin, Alexandre Hofman. Le jour où celui-ci quitte Chopin arrive un autre camarade d'enfance, lui aussi médecin : Jean Matuszynski, futur professeur à l'Ecole de médecine et qui, par malheur, succombera, jeune encore, à la tuberculose. La terrible maladie mine les deux amis. Mais quand Matuszynski arrive à Paris, fuyant à son tour

1. Pas une fois, au long des dix-huit années vécues à Paris, Chopin n'ira dans les Vosges, à Marainville, berceau de sa famille paternelle. Pas davantage il n'écrira à ses deux tantes qui y vivent. Etrange indifférence !
2. Voici, récapitulés, les domiciles parisiens successifs de Chopin :
— 1831 : 27, boulevard Poissonnière.
— 1832 : 4, cité Bergère.
— de 1833 à 1836 : 5, Chaussée-d'Antin.
— de 1836 à 1839 : 38, Chaussée-d'Antin.
— 1839 : 5, rue Tronchet.
— de 1840 à 1841 : 16, rue Pigalle.
— de 1842 à 1849 : 4, square d'Orléans (34, rue Saint-Lazare).
— 1849 : 74, Grande-Rue (Chaillot) entre les 10 et 16, rue Quentin-Bauchart.
— 1849 : 12, place Vendôme.

Varsovie, la joie de Chopin est grande de recevoir des nouvelles fraîches du pays et de ses parents. De son côté, le docteur Matuszynski envoie aux siens une chronique optimiste :

« Mon premier soin a été de passer chez Chopin. Je ne puis dire à quel point nous avons été heureux de nous revoir après une séparation de cinq années. Il est devenu grand et fort : je ne le reconnaissais pas. Chopin est maintenant le premier pianiste d'ici : il donne beaucoup de leçons dont le prix n'est pas inférieur à vingt francs. Il a beaucoup composé et ses œuvres sont très recherchées. J'habite avec lui, 5, Chaussée-d'Antin. Cette rue est un peu loin de l'Ecole de médecine et des hôpitaux, mais j'ai de sérieuses raisons de rester avec lui : il est tout pour moi ! Nous passons les soirées au théâtre ou en visite, à moins que nous ne restions tranquillement à nous distraire à la maison. »

Voyage en Allemagne.

Matuszynski fait part à Chopin d'un projet de ses parents : venir à Carlsbad pour y prendre les eaux et, peut-être, y revoir leur fils, si celui-ci veut aller jusqu'à eux. Cette perspective incline Chopin à écouter les conseils de Ferdinand Hiller qui se rend à Aix-la-Chapelle où se déroule le festival de musique du Bas-Rhin : pourquoi pas l'y accompagner ? Chopin l'irrésolu se décide pour une fois. Les deux amis assistent à quelques concerts (*Symphonie « Jupiter »*, de Mozart, *IXe Symphonie*, de Beethoven, un oratorio de Haendel) et rencontrent Mendelssohn, qui écrit à sa mère :

« Chopin et Hiller ont considérablement perfectionné leurs moyens techniques ; Chopin est aujourd'hui le premier des pianistes. Son jeu nous ménage autant de surprises que nous en trouvons sous l'archet de Paganini. Malheureusement, tous deux ont cette manie parisienne de poser pour des désespérés. Ils exagèrent le sentiment. Mais comme, de mon côté, je tombe dans l'excès contraire, il en résulte que nous nous complétons les uns les autres. Moi, j'ai tout l'air d'un magister. Eux ressemblent aux mirliflores et aux incroyables... »

Ensemble, tous trois se rendent à Düsseldorf, où Mendelssohn est directeur de la musique. Il présente les deux voyageurs à Schadow, directeur de l'Académie des Arts, qui vit entouré de ses élèves comme un prophète de disciples. Chopin semble fort intimidé.

« Enfin, le piano s'ouvre, écrit Hiller à sa mère. Je commence, Mendelssohn continue. C'est au tour de Chopin. Au bout de quelques mesures, Schadow agrandit des yeux ronds : jamais il n'avait rien entendu de pareil... »

Le lendemain, Chopin et Hiller prennent le bateau pour Coblentz et Mendelssohn les accompagne jusqu'à Cologne, où ils se séparent. Retour à Paris, les yeux emplis des merveilleux paysages rhénans.

Chopin trouve, en arrivant, plusieurs lettres des siens, toujours inquiets pour sa santé, toujours avides de nouvelles, infatigables dans l'art de trousser une chronique de la vie familiale. Ces évocations du pays lointain émeuvent Frédéric à l'extrême : « J'en ai les larmes aux yeux, c'est plus fort que moi, j'ai laissé mon âme là-bas... »

Avec patience et respect, il reçoit les sages conseils de son père, toujours inquiet de l'insouciance de son fils lointain. Sachant qu'il a engendré un artiste, Nicolas Chopin donne à ses recommandations un tour poétique :

Dans l'âge des plaisirs, si le sort te sourit,
Apprécie ses faveurs et crains son inconstance,
Loin d'en être aveuglé, que toujours ton esprit,
En modérant tes goûts, écarte l'indigence !

Récemment échaudé par un prêt à Michel Skarbek — plus de 20 000 florins, non suivi de restitution, *post mortem* [1], Chopin père a de bonnes raisons de prêcher à Frédéric

---

1. Michel Skarbek s'est suicidé. Dans son testament, il n'a pris aucune disposition pour s'acquitter de sa dette à l'égard de Nicolas Chopin.

une saine économie. Isabelle a épousé Barcinski, les deux parents vivent, seuls, à Varsovie, assez près de leurs deux filles, il est vrai, mais loin de leur fils, qu'ils aspirent à rejoindre : sera-ce possible ?

Pour l'instant, une pensée tracasse Frédéric. A Varsovie, il a eu pour amis les trois frères Wodzinski, pensionnaires de Nicolas Chopin : Félix, Antoine et Casimir. Leur sœur, Marie, a imprimé dans la mémoire de Chopin son image douce et tenace. Toute la famille a fui Varsovie et s'est installée à Genève, où l'on invite Frédéric. Une correspondance assez régulière s'est établie entre les jeunes gens. Chopin saisit le prétexte d'un long silence de sa part pour le rompre adroitement :

« Tu penses certainement, écrit-il à Félix Wodzinski : Fryc est perdu dans les idées noires. Sinon, pourquoi n'aurait-il répondu ni aux lettres de Marie, ni aux miennes ? Si je ne venais pas de rentrer seulement de mon voyage aux bords du Rhin et si je n'avais pas en ce moment un travail impossible à remettre, je partirais pour Genève, afin de remercier ta digne Maman et d'accepter son invitation. Mais le destin est si dur qu'il n'en sera rien. Ta sœur a eu l'extrême amabilité de m'envoyer une de ses compositions. Cela m'a causé un plaisir inexprimable et, le soir même, j'ai improvisé dans un des salons d'ici, sur le joli thème de cette petite Marie, avec qui nous jouions à cache-cache à travers les chambres de la maison de Pszenny. Et aujourd'hui, je prends la liberté d'envoyer à mon estimable collègue, Mlle Marie, une petite valse que je viens de publier. Puisse-t-elle lui faire la centième partie du plaisir que j'ai éprouvé à recevoir ses variations. Salue-la avec beaucoup d'élégance et de respect. Etonne-toi et murmure à voix basse : " Mon Dieu, comme elle a grandi ! " »

Quelques concerts font diversion. Le 7 décembre 1834, à une séance donnée par Berlioz, Chopin joue le *larghetto* de son *Concerto en fa mineur*. Trois semaines plus tard, il exécute avec Liszt, salle Pleyel, deux duos à quatre mains. Au début de l'année suivante, il paraît à deux reprises en public, la première fois avec Hiller, la seconde fois seul. Le

5 avril 1835, il prête son concours à un concert donné au
bénéfice des réfugiés polonais, associant son talent à ceux
de Cornélie Falcon, Nourrit, Ernst, Dorus, Pantaleoni, Liszt
et Habeneck. Chopin reçoit, ce soir-là, un accueil assez
froid, mais il prend sa revanche vers la fin du même mois,
en jouant sa *Polonaise précédée d'un andante spianato* à
un gala de la Société des Concerts du conservatoire donné
au bénéfice de Habeneck. Néanmoins, il a du regret de s'être
ainsi « exhibé » et il prend la résolution de céder le moins
souvent possible aux sollicitations dont il est l'objet.

Entre-temps, Mme Wodzinska réitère son invitation :
pourquoi Frédéric ne vient-il pas à Genève ? Qu'il conserve
vivante l'amitié des Wodzinski : il possède la leur depuis
longtemps ! En d'autres temps, Chopin ne manquerait pas
d'accourir. Mais une lettre de ses parents, reçue au moins
de juillet 1835, à Enghien où, en compagnie de Vincenzo
Bellini [1] il prend des bains, selon la recommandation de
Matuszynski, lui annonce l'arrivée de ceux-ci à Carlsbad.
Les croyant encore à Varsovie, il vient de leur envoyer
deux de ses œuvres qui sortent des presses de l'imprimeur :
le *Scherzo en si mineur, op.* 20, commencé à Vienne et
Quatre Mazurkas, op. 24. Cela fait, il s'apprête à aller les
rejoindre.

Retrouvailles.

Voilà cinq ans déjà qu'il a pris le large ! Le 30 juillet
1836, Nicolas Chopin et sa femme ont quitté Varsovie, se
sont arrêtés quelques jours à Strzyzewo chez leurs amis

---

1. Chopin s'était pris d'une grande affection pour l'auteur des
Puritains et de la *Norma*. Leur amitié fut brève, car Bellini mourut peu de temps après, à trente-quatre ans. Sur l'italianisme de
Chopin, on a beaucoup écrit. De fait, Chopin a un goût très vif
pour l'opéra italien. De là à conclure qu'il imite les vocalises
et le *tempo rubato* du *bel canto*, il y a un pas. « Ce n'est là,
note Schumann, qu'une légère sympathie pour le genre méri-
dional. Dès que le chant prend fin, c'est de nouveau le Sarmate
tout entier, dans sa fière originalité qui fait étinceler l'harmonie. »

Wiesiolowski, ont poursuivi leur voyage en diligence, gagné
Breslau, d'où ils sont arrivés à Prague, le 12 août. Le
15 août, les voici à Carlsbad, d'abord logés à l'hôtel de la
Rose d'Or, que venait de quitter le dernier fils de Mozart,
Franz-Xaver. Pendant ce temps, Frédéric roule depuis le
4 août, sans désemparer, en direction de Carlsbad, qu'il
atteint le jour même où ses parents y arrivent. Il est impatiem-
ment attendu par le comte Frédéric de Thun, par le compositeur Dessauer et par les Zawadzki, alliés à la pianiste polonaise, Maria Szymanowska. Le 16 août, à quatre heures du
matin, Zawadzki va réveiller les parents de Frédéric. Ensemble, ils vont tirer du lit le fils prodigue, qui refait ses bagages
et va loger à la Rose d'Or avec ses parents. Dans la joie des
retrouvailles, Nicolas Chopin trouve le temps de griffonner
aux deux filles restées à Varsovie un mot de nouvelles.
Frédéric ajoute un *post-scriptum* à l'intention de ses sœurs :
« Notre joie est inexprimable. Nous nous embrassons et
nous embrassons encore. Nos parents sont toujours les
mêmes, quoique un peu vieillis. Nous nous promenons, nous
prenons notre mère par le bras, parlons de vous, nous buvons,
nous mangeons ensemble, nous nous cajolons, nous poussons
des cris : je suis au comble du bonheur. De joie, je vous serre
sur mon cœur à vous étouffer ! » D'un coup, l'exubérance
naturelle de Frédéric est revenue, faisant fondre la glace de
son maintien parisien. Le voici tel que les siens l'ont connu :
excessif, affectueux, débordant de gaieté, heureux de retrouver non seulement ses parents, mais encore nombre de ses
compatriotes venus à Carlsbad pour y être hors d'atteinte
de la police russe. Car les espions du tsar traquent à l'étranger les conspirateurs du mouvement révolutionnaire polonais.
    Durant les trois semaines de son séjour à Carlsbad, Fré-
déric joue du piano pour ses parents et amis, il compose une
Mazurka en do majeur, op. 67, n° 3 et une *Valse en la bémol
op.* 34, n° 1 ainsi qu'une *Polonaise en ut dièse mineur,
op.* 26, dédiée à Dessauer. Le 6 septembre 1835, les deux
parents et leur fils vont à Teplitz, où ils passent quelques
jours, et, de là, au château de Décin, chez le comte et la
comtesse François-Antoine de Thun-Hohenstein. Le 14 sep-

tembre, Nicolas et sa femme prennent la route de Varsovie.
Frédéric demeure chez les Thun une petite semaine. Le
19 septembre, il regagne Paris, après s'être arrêté à Dresde
pour y rencontrer les Wodzinski. Ceux-ci avaient décidé
de cette halte sur le chemin du retour vers la Pologne.

Maria Wodzinska.

Tous les Wodzinski, à l'exception du fils aîné, Antoine,
demeuré à Genève, accueillent chaleureusement Frédéric.
Il semble bien que les trois frères de la jeune Marie —
à défaut des parents — imaginent très favorablement le
mariage de leur sœur avec leur ancien camarade de pension.
Les préjugés nobiliaires ne les étouffent point. Ils savent
que leur blason est dédoré et n'ignorent pas que leurs parents,
en prétendant appartenir à une « illustre famille », exagèrent
beaucoup. Frédéric a du talent, de la distinction ; à Paris,
il a ses entrées chez les Rothschild comme chez les Czartoryski ; il fera un beau-frère très acceptable. La semaine
qu'il passe à Dresde chez les Wodzinski ne comporte aucun
accroc. On fête l'ami retrouvé. Le 26 septembre 1835, ce
sont les adieux. Sur le chemin de Paris, Chopin fait un cro-
chet vers Leipzig pour y rencontrer Mendelssohn, récemment nommé directeur du Gewandhaus, et Schumann. Il
rend d'abord visite à Henriette Voigt, amie des Wieck, puis
il se présente chez Frédéric Wieck. Le père de Clara Schumann, d'humeur fâcheuse, est furieux que la première visite
de Chopin n'ait pas été pour lui. Clara elle-même rachète
par son amabilité la maussaderie de son père. Elle joue au
voyageur deux de ses *Etudes* et la *Sonate en fa dièse mineur*
de Schumann, dont elle n'est pas encore la femme. Chopin
joue son *Nocturne en mi bémol majeur* en présence de
Schumann qui note dans la *Neue Zeitschrift für Musik* : « Le
style de son jeu est, comme celui de ses œuvres, unique ;
son jeu m'a profondément captivé... Je ne crains pas de
l'appeler un virtuose consommé... J'ai éprouvé un plaisir
extrême à rencontrer enfin un vrai musicien. Il nous a fait

connaître quelques-unes de ses nouvelles *Etudes*. Chopin
m'a solennellement juré de venir à Leipzig dans le courant
de l'hiver, pour assister à l'audition de ma *Symphonie*, que
je voudrais exécuter en son honneur... »

Après Leipzig, Chopin s'arrête à Heidelberg pour y voir
le père de son élève, Adolphe Gutmann. A la mi-octobre,
il est de retour à Paris. Il y trouve une lettre de Maria
Wodzinska, affectueuse, presque tendre :

« Comme nous vous regrettons ! Ma mère, en pleurs,
nous rappelle à chaque instant quelque trait de « son quatrième fils, Frédéric ». Mes frères sont abattus. Nous nous
répétons votre valse [1] : je prends plaisir à la jouer, car elle

---

1. Il s'agit de la *Valse en la bémol majeur, op.* 69, n° 1,
dite *Valse de l'adieu.* Sur cette fameuse valse, on a épilogué à
loisir et le plus faussement du monde. On a présent à l'esprit
le récit imagé, mais hélas fantaisiste, dû au comte Wodzinski,
neveu de Maria Wodzinska : « C'était par une tiède soirée de
septembre, encore brillante comme une nuit d'été. En bas, à la
porte, la voiture de poste attendait. Il y avait un bouquet de
roses sur la table, Marie en prit une et la tendit à Frédéric.
Il restait très pâle, l'œil inspiré, comme s'il eût entendu un de
ces chants intérieurs qui le hantaient. Alors, s'approchant du
piano, il y improvisa une valse. Marie l'appela plus tard la
Valse de l'adieu. On y croit entendre, après le murmure de deux
voix amoureuses, les coups répétés de l'horloge et le roulement
des roues brûlant le pavé, dont le bruit couvre celui des sanglots
comprimés. Quelques semaines plus tard, Marie recevait de Paris
la valse recopiée. J'ai vu ce manuscrit précieux. Rien qu'en
haut, cette simple dédicace : " A Mademoiselle Marie ", et,
au bas : " Dresde, septembre 1835 ". » (Extraits des *Trois Romans de Frédéric Chopin.*)
   Tout cela est, en effet, du roman. Peut-être Chopin a-t-il
composé la *Valse en la bémol* à Dresde. Mais, d'abord, elle n'est
pas dédiée à Maria Wodzinska, mais à Mlle Charlotte de
Rothschild. Chopin, comme il le faisait souvent, a inscrit de sa
main le nom de Maria, à titre de souvenir amical. De certaines
de ses œuvres circulent plusieurs copies : en marge de la dédicace proprement dite, on peut lire des noms différents. *Dédiée* à
une personne déterminée, la même œuvre est ainsi *dédicacée* à
plusieurs personnes de sa connaissance. Ajoutons pour conclure
que Chopin n'a pas laissé publier de son vivant la *Valse* dite
de *l'adieu.* car il la jugeait médiocre !

nous rappelle le frère qui vient de nous quitter. Je l'ai portée à relier. Maman ne cause avec moi que de vous et d'Antoine : si vous saviez quel ami dévoué vous avez en lui !... Nous ne cessons de regretter que vous ne vous appeliez pas Chopinski, car, de cette manière, les Français ne pourraient nous disputer la gloire d'être vos compatriotes... Adieu : un ami d'enfance ne demande pas de phrases. Maman, mon père et mes frères vous embrassent tendrement... Vous avez oublié ici le crayon de votre portefeuille : nous le gardons respectueusement, comme une relique. Adieu ! »

Cette lettre est naturellement sensible au cœur de Chopin. De même, l'arrivée à Paris d'Antoine Wodzinski lui cause un grand plaisir. Celui-ci écrit à sa mère, demeurée à Dresde :

« Tu as raison, Maman, Frédéric n'a pas changé : il est seulement encore plus joli ! Nous nous voyons tous les jours. Nous sommes allés à l'Opéra et aux Italiens, pour y entendre *les Puritains* avec Rubini, Lablache, Tamburini et la Grisi. Un autre jour, Frédérick (Lemaître, pas Chopin) en *Robert Macaire* avec la sublime Déjazet. Oh ! si Maman pouvait venir ici, au printemps prochain, avec Félix et Marie !... Frédéric se lève du piano et dit : " N'oublie pas de leur écrire que je les aime tous terriblement — oui, vraiment, terriblement... ". »

Thalberg.

Une diversion soudaine : l'arrivée à Paris du pianiste Thalberg. Sa renommée est si grande que, de Suisse où il séjourne avec Mme d'Agoult, Liszt prend peur et vient aussitôt à Paris pour y défier son rival genevois. Trop tard ! Thalberg vient de plier bagage. Tout de même, Liszt donne deux concerts, salle Erard et salle Pleyel, pour effacer le souvenir de Thalberg dans l'esprit de ses partisans. Il triomphe. Mais il doit absolument affronter « l'homme aux tierces », comme l'appelle Léon Escudier. Pour cela, il lui faut attendre l'année suivante. En 1836, le duel comporte quatre assauts. Le premier, Liszt exécute une transcription de la *Symphonie fantastique* qui déchaîne l'enthousiasme. Trois mois plus tard, Thalberg obtient un vif succès au Théâtre-Italien. Liszt riposte en louant la salle de l'Opéra : en deux heures, il reconquiert un public qui ne sait plus à qui porter ses suffrages. La belle a lieu dans les salons de la princesse Belgiojoso, qui donne un concert pour une œuvre de charité. Cette fois, les deux rivaux s'affrontent. Thalberg joue sa *Fantaisie* sur *Moïse*, Liszt la sienne sur *Niobé*. La princesse, diplomate consommée, résume adroitement l'opinion générale : « Thalberg est le premier pianiste du monde. Liszt est le seul ! » Quant à Chopin, questionné sur les talents de Thalberg, il se contente de répondre, ironiquement : « Ce qu'il a de mieux, ce sont ses boutons de chemise en diamant ! » Volontiers, il parodie son jeu au piano, imitant ses procédés, lançant ses deux mains aux extrémités du clavier, tandis que, dans le *médium*, les deux pouces alternés énoncent le chant : « Ne dirait-on pas, lance-t-il aux auditeurs amusés, qu'il part à la chasse aux pigeons ? » Chopin a l'œil vif et la dent dure !

Et une santé fragile. Faut-il incriminer son attente, devenue fiévreuse, des nouvelles de la jeune Maria — ou une imprudence de régime ? Toujours est-il qu'il tombe malade. Il a la fièvre, il crache le sang. Matuszynski le soigne de son mieux et s'efforce de limiter les ragots. Il n'en court pas moins à travers Paris le bruit de sa maladie. Varsovie s'émeut : et s'il était mort ? Le 8 janvier 1836, le *Courrier de Varsovie* publie un bulletin rassurant : « Nous tenons à informer les nombreux amis et admirateurs du talent sublime de Frédéric Chopin que les bruits qui ont circulé pendant plusieurs jours au sujet de sa mort sont dénués de tout fondement. » De loin, les parents s'affolent. Un article du *Journal des Débats*, qui rend compte d'une improvisation de Frédéric Chopin, les rassure. Ils conjurent leur fils de se soigner scrupuleusement, écrivent à Matuszynski dans le même sens. Pour ce qui est des projets d'un nouveau voyage à Dresde, sans faire autrement allusion à leur aspect matrimonial, Nicolas Chopin écrit à son fils :

« Quoi qu'il en soit, c'est un beau projet en Espagne. Mais, qu'importe, bâtissons-le toujours. S'il est possible de mener l'affaire à bien, tu ne saurais trouver de meilleur appui qu'en ta mère — de qui je puis bien me séparer quelques semaines [1]. Mais il faut être en bonne santé et muni d'argent : donne donc des concerts sur ton chemin, pour couvrir tes frais de voyage. C'est la seule façon pour toi de revoir Dresde et *ce qui peut t'y intéresser*, si ton impression première ne change pas... »

Un mois plus tard, la comtesse Wodzinska écrit à Frédéric : elle l'exhorte à prodiguer des conseils d'économie et de sagesse à ce « fou d'Antoine ». Elle ajoute : « Marie parle souvent de toi en polonais : « J'ai bien du chagrin de ne plus voir mon frère et de ne plus voir Chopena », et elle pleure, en vérité ! Quand pourrons-nous te revoir ? Si, au moins, tu nous écrivais deux mots pour nous faire savoir si tu viendras cet été... »

Ah ! que Chopin est donc embarrassé ! D'autant plus que Schumann et Mendelssohn le pressent de venir assister au festival musical du Bas-Rhin, à Leipzig ! Et Liszt qui lui demande de participer à un concert, salle Erard, avant de quitter Paris ! Chopin accepte. Le concert du 9 avril 1836 est une réussite. Liszt joue brillamment plusieurs *Etudes, op.* 25 de Chopin et les deux amis font acclamer, à deux pianos, la *Grande Valse* de Liszt. Au lendemain du concert, Chopin corrige les épreuves de plusieurs œuvres nouvelles : le *Concerto en fa mineur, op.* 21, point encore édité, deux *Nocturnes, op.* 27, la *Ballade en sol mineur, op.* 23, deux *Polonaises, op.* 26 et l'*Andante spianato et Polonaise, op.* 22. En juillet 1836, toutes ces pièces sont en vente. Chopin peut partir. Non pour Dresde, mais pour Marienbad.

De Marienbad à Dresde.

Par Antoine Wodzinski, Chopin sait que la comtesse Wodzinska et ses deux filles ont décidé de passer l'été à

1. Finalement, Mme Chopin renoncera au projet.

Marienbad. Elles s'installent, le 9 juillet, à l'hôtel du Cygne Blanc. Parti de Paris le 19 juillet, Chopin y arrive le 28 du même mois, après un fatigant voyage par Strasbourg, Nuremberg, Bayreuth, Cheb et Dolni. Il descend au même hôtel que les Wodzinski et s'inscrit fièrement sous la rubrique de « propriétaire foncier à Paris » ! Du 28 juillet au 24 août, il vit quatre brèves semaines de bonheur, sur lesquelles on a, d'ailleurs, assez peu de détails. On sait seulement que Chopin — toujours rieur, gai, inépuisable en espiègleries, plein d'humour — est mal portant. Une grippe affaiblit le futur tuberculeux. Le climat de Marienbad — journées sèches et chaudes, nuits froides — ne lui est pas favorable. Le docteur Heidler le surveille. N'apparaît-il pas très pâle et souffreteux dans une aquarelle que Maria Wodzinska « lave » à Marienbad, en attendant d'en faire, à Dresde, une lithographie ? Un autre portrait de Chopin exécuté par Cornélie Parnas à Marienbad confirme la vérité de celui que Marie avait dessiné d'après le « carissimo maestro » : ainsi nomme-t-elle Frédéric.

Les deux jeunes gens ne se quittent guère. « Il n'écrit plus à personne, passe toutes ses soirées avec elle, soit au salon où il fait de la musique, soit au jardin, où on peut le voir se promener avec la jeune fille dans le calme de la nuit [1]... » Durant ces semaines de bonheur, Chopin compose deux des *Etudes, op.* 25, n°s 1 et 2 (cette dernière porte, sur une copie au crayon, de la main de Chopin : « Portrait de l'âme de Marie »), deux chansons (la seconde, *l'Alliance*, sur les paroles de Witwicki, comporte une phrase étrange : « C'est un autre que tu as épousé, mais, moi, pourtant, je t'aimais... »). Il esquisse plusieurs autres pièces. Ils désignent d'un mot convenu entre eux — l'heure grise — celle de leurs effusions.

Le 24 août, Chopin et les Wodzinski rentrent à Dresde, où ils séjournent ensemble jusqu'au 16 septembre. L'avant-veille de son départ, Chopin demande à Maria si elle veut être sa femme et il sollicite le consentement de la comtesse

---

1. Ferdinand Hoesick, *Chopin.*

Wodzinska. Il reçoit deux réponses favorables, mais la comtesse, sans doute inquiète de l'état de santé de Frédéric, lui fait promettre le secret jusqu'à ce qu'elle ait obtenu l'approbation de son mari.

Et Chopin regagne Paris, le cœur empli d'espoir. Il s'arrête à Leipzig pour y voir Schumann à qui il joue sa *Ballade en sol mineur.* « De toutes ses œuvres, écrit Schumann au chef d'orchestre Dorne, je crois que c'est la plus géniale. Après un long instant de réflexion, Chopin m'a dit : " Cela me fait plaisir, car c'est elle que je préfère. " Il m'a joué en outre toute une série de pièces nouvelles — *Etudes, Nocturnes* et *Mazurkas* — le tout incomparablement. Mais Clara est une virtuose plus grande encore que Chopin... »

Adieux.

Le jour même des adieux à Dresde — 16 septembre — la comtesse Wodzinska écrit à Chopin une lettre ambiguë : « Si l'air de Bohême est plein d'opium, celui de Pologne est sans doute saturé de ciguë. Quelle perspective pour Marie ! Qui sait comment elle sera dans un an !... Sois persuadé de ma sympathie. Pour que nos projets se réalisent et pour mettre à l'épreuve vos sentiments, des précautions sont nécessaires. Adieu, couche-toi à onze heures et, jusqu'au 7 janvier, bois de l'eau de gomme. Tu nous reviendras à Marienbad semblable à Skozzewski. Porte-toi bien, cher Frycek, je te bénis de toute mon âme, comme une mère aimante. »

A une lettre dans laquelle Casimir Wodzinski, de retour à Varsovie, donne à Chopin de bonnes nouvelles de ses parents, Maria note, en *post-scriptum* : « Nous ne pouvons nous consoler de votre départ ; les trois jours qui viennent de passer nous ont paru des siècles : faites-vous de même ? Regrettez-vous un peu vos amis ? Oui, je réponds pour vous et je pense que je ne me trompe pas : du moins ai-je besoin de le croire. Je me dis que ce *oui* vient de vous... Adieu, au revoir. Ah ! si cela pouvait être au plus tôt ! »

En même temps que sa lettre, Maria envoie à Chopin des pantoufles, qu'elle a brodées pour lui et qui lui tiendront chaud, l'hiver. Faute de mieux, il les accepte, quand c'est bien autre chose qu'il attend. Tout va se dénouer sans qu'un seul mot clair ait été prononcé. Les Wodzinski, revenus à Varsovie, y passent un certain temps, avant d'aller s'enterrer dans leur domaine de Sluzewo. Ils voient les parents de Frédéric à plusieurs reprises : personne n'ose parler de ce qui préoccupe l'amoureux lointain. Fidèle à sa nature, celui-ci ne se résout pas à insister auprès de sa « fiancée », non plus qu'auprès de la comtesse Wodzinska. Les lettres échangées entre Paris et Sluzewo se font de plus en plus banales. Le 3 février 1837, Maria écrit à Frédéric : « Rien de nouveau à vous apprendre, sinon qu'il dégèle... » Chopin envoie « ses respects à Mlle Marie... » Jusqu'au jour où Maria, un peu plus tard, écrit pour la dernière fois à Chopin un billet indifférent :

« Je ne puis vous écrire que ces quelques mots pour vous remercier du joli cahier que vous m'avez envoyé. Je n'essaierai pas de vous dire combien j'ai éprouvé de joie en le recevant, ce serait en vain. Recevez, je vous prie, l'assurance de tous les sentiments de reconnaissance que je vous dois. Croyez à l'attachement que vous a voué pour la vie toute notre famille et, particulièrement, votre plus mauvaise élève et amie d'enfance. Adieu, Maman vous embrasse bien tendrement.

« Adieu, gardez notre souvenir.

« Maria. »

Moja bieda.

C'est fini. Le pauvre amour se fane sans avoir fleuri. Au billet que voilà, Chopin ne répond rien. Dans plusieurs lettres postérieures à la comtesse Wodzinska, il assure

« Mademoiselle Marie » de son respectueux souvenir. Il capitule en silence, incapable de prendre l'initiative, de conquérir une femme. Comme il a laissé Constance lui échapper, il abandonne Maria à son destin. Cette sotte épousera Joseph Skarbek, « parce qu'il est comte, beau garçon et son voisin de campagne ». Mais Skarbek est un dégénéré. Maria fera prononcer le divorce pour « non-consommation du mariage » et elle épousera son régisseur, Ladislas Orpisawski, avec qui elle s'en ira vivre à Florence. Jusqu'à la fin de sa vie, elle jouera sur le piano que Frédéric lui a choisi chez Pleyel. Mais de Chopin — qu'elle n'aimait pas vraiment — il ne sera plus jamais question.

Chopin, lui, réunit les quelques billets de Maria, les lettres des autres Wodzinski, y joint une rose séchée, témoin de ses amours défuntes, glisse le tout dans une enveloppe sur laquelle il trace deux mots : « Moja bieda » (Mon chagrin). Plus jamais, il ne fera allusion à l'infidèle bien-aimée.

Au fond, que s'est-il passé ? Une jeune fille médiocre s'est vaguement éprise d'un ami d'enfance de ses frères. Bonne musicienne, elle admire son talent et, peut-être, n'attend-elle, pour se décider tout à fait, que la manifestation d'un sentiment précis de la part de Frédéric. C'est le mal connaître que le croire capable d'une décision en ce domaine. Chopin ne prend pas : il est à prendre, croyant toujours, et bien à tort, qu'une allusion suffit, que l'esquisse d'un projet vaut une déclaration. Ainsi méconnaît-il complètement l'âme incertaine et réaliste des femmes. En somme, il se comporte avec Maria comme, naguère, avec Constance : il attend, il espère confusément, sans trop d'ardeur, et, bien sûr, rien ne se produit. Nul n'est moins mâle que notre Frédéric Chopin. Son ardeur virile, il la réserve tout entière à sa musique. Sorti de là, il n'a pas la volonté convaincante. Sans doute parce que l'intérêt de sa vie est ailleurs. Chacun de nous devine confusément ce qui, dans son existence, est important ou accessoire. Un tel comportement déçoit à coup sûr les jeunes filles hésitantes, puisqu'elles attendent de leur partenaire l'esprit de résolution qui leur fait à elles-mêmes défaut.

Ajoutons à cela une réaction possible, et vraisemblable, du « comte [1] » Wodzinski, mis par sa femme au courant des projets élaborés durant l' « heure grise » : « Que diable allez-vous me parler de ce petit pianiste pour Maria ? Elle peut prétendre à une union bien plus flatteuse ! Si, du moins, il avait une meilleure santé et un peu plus d'ambition ! Mais non : il a les concerts en horreur et, pour un courant d'air qui lui passe dans le dos, il prend la grippe. Non, cent fois non ! » Maria n'ayant sans doute opposé qu'une faible résistance aux injonctions paternelles, le rêve bleu et rose s'évanouit. Chopin continue à écrire à Mme Wodzinska comme si rien ne s'était passé. Son amour-propre est sauf. Son « amour » est mort.

---

1. En fait, l'origine nobiliaire de la famille est plus que douteuse, et il n'a pas droit à ce titre qui contente sa vanité.

X

SAND

Même lorsqu'on n'aime point vraiment les femmes, on n'échappe pas pour autant à leur emprise. A peine Maria Wodzinska s'estompe-t-elle dans le brouillard de ce qui n'a pas vécu, que George Sand se profile à l'horizon. Non, dans la brume — la maîtresse femme ! — mais en pleine lumière !

A l'égard de Sand, presque tous les historiens adoptent un ton excessif. Ou ils l'admirent en bloc, allant jusqu'à excuser ses fautes les moins pardonnables (André Maurois), ou ils la déchirent (Baudelaire). Nous allons essayer — mais c'est difficile — d'être équitable. Elle mérite qu'on le soit.

On ne peut s'expliquer Sand qu'en la situant, ainsi que fait Maurois : « Née en 1804, sur la frontière de deux classes sociales et sur une frange séparant le XVIIIe siècle rationaliste du romantique XIXe siècle ». La voici, *ipso facto*, définie dans sa manière de penser, d'écrire, de concevoir le monde.

Autoportrait.

Quant au physique, on sait qu'elle est très petite (1,50 m) ; le visage est important, encadré d'épais cheveux noirs, le menton empâté, la bouche charnue et les grands yeux méditatifs, le regard fixe. Jolie ? Non — et elle le dit : « Je n'eus qu'un instant de fraîcheur et jamais de beauté. Mes traits étaient cependant assez bien formés, mais je ne songeai jamais à leur donner la moindre expression. L'habitude contractée presque dès le berceau d'une rêverie dont il me serait impossible de me rendre compte à moi-même, me donna de bonne heure *l'air bête*. On me l'a dit partout : il faut bien que ce soit vrai [1]. » L'air bête ? Peut-être. Mais il est intelligent de le reconnaître.

Pas de vraie beauté, mais du charme, assurément. Tous les hommes qui ont passé, nombreux, dans la vie de Sand, y ont été sensibles, ils l'ont dit et écrit — à l'exception de celui dont nous écrivons l'histoire, frappé de cécité sitôt qu'il s'agit de décrire une jeune fille ou une femme. Veut-on deux portraits physiques de Sand ? Vigny la décrit, à l'époque de sa liaison avec Jules Sandeau, en 1832, « comme une femme qui paraît avoir vingt-cinq ans. Son aspect est celui de la *Judith* célèbre du musée. Les cheveux, noirs et bouclés, tombent sur son col, à la façon des anges de Raphaël. Ses yeux sont grands et noirs, formés comme les yeux des mystiques et des plus magnifiques têtes italiennes. Sa figure sévère est immobile. Le bas du visage peu agréable, la bouche mal faite. Sans grâce dans le maintien, rude dans le parler. Homme dans la tournure, le langage, le son de la voix, et la hardiesse des propos [2]... »

On sait que, ce jour-là, Sand était venue dîner chez Dorval en culottes collantes et bottes à gland. Peut-être, d'autres part, s'était-elle risquée, comme elle le faisait souvent, à imiter l'accent et les tours de phrases berrichons [3]. Cinq ans plus tard, à l'époque où va commencer la liaison avec Chopin, Balzac trace de la féconde romancière, qu'il appelle la « vache à écrire », un portrait en pied amical, féroce et,

1. George Sand, *Journal de ma vie.*
2. Alfred de Vigny, *Journal d'un poète.*
3. « Tu t'es oublié de sarcher une bâtisse à la d'Agoult, écrit-elle en 1837 à son ami Dutheil (faut pas y dire que je disons comme ça). Tâche de procurer à la princesse Mirabelle, de laquelle je sons très tous les humblissimes esclaves, une chaise curule sur laquelle son ravissant révéré postérieur puisse arpenter les allées du jardin élyséen appelé la Vallée Noâre... »

sans doute, clairvoyant : « J'ai trouvé le camarade George Sand dans sa robe de chambre, fumant un cigare après le dîner, au coin de son feu, dans une immense chambre solitaire. Elle avait de jolies pantoufles jaunes ornées d'effilés, des bas coquets et un pantalon rouge. Voilà pour le moral. Au physique, elle avait doublé son menton, comme un chanoine. Elle n'a pas un seul cheveu blanc, malgré ses effroyables malheurs. Son teint bistré n'a pas varié. Ses beaux yeux sont tout aussi éclatants. Elle a l'air tout aussi bête quand elle pense : toute sa physionomie est dans l'œil, je le lui ai dit. Elle est à Nohant depuis plus d'un an, fort triste et travaillant énormément. La voilà dans une profonde retraite, condamnant à la fois le mariage et l'amour, parce que, dans l'un et l'autre état, elle n'a eu que déceptions. *Son mâle était rare*, voilà tout... Difficilement aimable, elle est garçon, elle est artiste, elle est grande, généreuse, dévouée, chaste ; elle a les grands traits de l'homme ; *ergo*, elle n'est pas femme... Elle a de hautes vertus, de ces vertus que la société prend au rebours... Elle est excellente mère, adorée de ses enfants ; mais elle met sa fille Solange en petit garçon, et ce n'est pas bien. Elle est comme un homme de vingt ans ; moralement, car elle est intimement chaste, prude, et n'est artiste qu'à l'extérieur... Elle est de ces esprits qui sont puissants dans le cabinet, dans l'intelligence, et fort attrapables sur le terrain des réalités... Enfin, c'est un homme, et d'autant plus un homme qu'elle veut l'être, qu'elle est sortie du rôle de femme, et qu'elle n'est pas femme. La femme attire et elle repousse, et, comme je suis très homme, si elle me fait cet effet-là, elle doit le produire sur les hommes qui me sont similaires : elle sera toujours malheureuse. Il faut qu'une femme aime toujours un homme qui lui soit supérieur, ou qu'elle y soit si bien trompée que ce soit comme si c'était [1]. »

Si Chopin l'avait vue avec ces yeux-là, il aurait peut-être hésité plus longtemps. Mais Chopin n'est pas Balzac, il s'en faut. Et, sauf un mot désobligeant à Hiller, on n'a pas de lui une ligne, une confidence, un croquis moral ou phy-

---

1. Balzac, *Lettres à l'étrangère*.

sique de la femme dont il va partager la vie, huit années durant.

Sand dessinée au moral et au physique, que reste-t-il à préciser ? Bien des choses. Son comportement viril ; ses allures garçonnières qui défient la chronique ; sa manière de fumer le cigare dans la rue, appuyée au bras d'un garçon, le chapeau en arrière ; ses pantalons d'homme, à une époque où une pareille tenue, pour une femme, est jugée scandaleuse ; son parler paysan : tout cela est le fait d'une sève et d'une enfance campagnardes. Ainsi des longues chevauchées à califourchon dans la campagne autour de Nohant, en compagnie de son demi-frère, Hippolyte Chatiron. Cette femme de lettres est, d'abord et avant tout, une fille des champs.

Descendant en ligne directe d'Auguste II, électeur de Saxe et roi de Pologne, par le maréchal de Saxe, vainqueur de Fontenoy, elle attribue à cette ascendance le penchant humanitaire et social de sa nature. Cet aspect, que nous déclarons assez volontiers accessoire et dont, parfois, nous sourions, fera sa gloire en Russie. Elle aura sur Gogol, Dostoïevski, Tolstoï et Tourgueniev, une profonde influence, parce que, de ces Russes-là, elle a les allures, la manière de penser, le don de ne s'embarrasser de rien, le parfait insouci des coutumes occidentales. L'aspect petit-russien de Sand est typique [1].

Catholique ? « Je ne le pense pas [2]. » Chrétienne ? Oui, dans la mesure où le christianisme débouche sur le socia-

---

1. « On savait, en Russie, écrit Dostoïevski, que, vers le milieu des années 40, George Sand était un des champions les plus éclatants, les plus inflexibles, les plus parfaits de cette catégorie d'écrivains occidentaux qui, après avoir commencé par nier toutes les conquêtes réelles de la sanglante révolution française, en étaient venus à penser qu'il fallait continuer, dans une direction différente et par d'autres moyens, ce qui avait commencé dans le sang — que la régénération de l'humanité devait être radicale, complète. C'est George Sand qui est à la tête de cette évolution. »
2. George Sand, *Histoire de ma vie.*

lisme. Finalement, elle trouve sa religion dans l'action politique et sociale : aider, aimer, peiner sont ses vertus théologales. L'ardeur, la générosité la sanctifient. De la crise mystique qu'elle a subi dans ses années de jeunesse au couvent des dames augustines à Paris — « Un torrent de larmes inonda mon visage : je sentis que j'aimais Dieu... » — elle a retiré le don et le goût de l'émotion religieuse.

Peu attirée par l'idée du mariage, parce que cette fille de plein air, cette fée rustique, cette bacchante ne peut imaginer qu'un homme puisse devenir son maître, elle épouse Casimir Dudevant, sans le connaître, comme le veut la coutume de ce temps-là. Elle l'aime d'abord, tout en le redoutant. Assurément, les premières rencontres physiques ont dû être bien décevantes, si l'on en juge par ces recommandations de George Sand à son demi-frère, Hippolyte, qui marie, en 1843, sa fille Léontine :

« Empêche que ton gendre ne brutalise ta fille la première nuit de ses noces, car bien des maux n'ont pas d'autre cause, chez des femmes délicates. Les hommes ne savent pas assez que cet amusement est un martyre pour nous. Dis-lui donc de ménager un peu ses plaisirs et d'attendre que sa femme soit, peu à peu, amenée par lui à les comprendre et à y répondre. Rien n'est affreux comme l'épouvante, la souffrance et le dégoût d'une pauvre enfant qui ne sait rien et qui se voit violée par une brute. Nous les élevons comme des saintes, puis nous les livrons comme des pouliches... »

Un mariage manqué.

Une telle lettre en dit long sur la nuit de noces de Sand : une épreuve sans récompense. Rien de ce qu'attend, sans nul doute, cette fille robuste, amoureuse de la nature bien plus que des hommes, ne lui est accordé. Elle n'en aime pas moins son mari, assurée qu'amour et patience font bon ménage, mais elle ne croit plus aux extases partagées. Blessée dans son corps et dans son âme, elle contracte, cette nuit-là, une frigidité qui la suivra toute sa vie : « Ma mère, confia Solange Sand à Adolphe Brisson, était d'imagination brûlante et de tempérament froid. » De là à courir après l'amour impossible, qui toujours s'offre et sans cesse se refuse — ainsi que la ligne d'horizon qui recule à mesure qu'on s'en approche — il n'y a qu'un pas. Elle le franchit, à plusieurs reprises, ayant décidé que « le mariage n'est agréable qu'avant le mariage ». Entre elle et Casimir, ce sera, avant la séparation, le régime de l'incommunicabilité. A courir après l'homme de ses rêves, elle va s'épuiser vainement. Lequel sera le bon, le vrai, l'unique, qui d'entre eux saura la comprendre, la chérir, la faire vibrer ? Aucun. C'est là tout le sujet de *Lélia*, où se trouve pour la première fois traité le thème de la frigidité féminine : « Le désir chez moi, écrit Sand, était une ardeur de l'âme qui paralysait la puissance des sens avant de l'avoir éveillée. C'était une fureur sauvage qui s'emparait de mon cerveau et qui s'y concentrait exclusivement. Mon sang se glaçait, impuissant et pauvre, durant l'essor immense de ma volonté. Alors, il eût fallu mourir. » Entre une femme frigide et Chopin, chaste par tiédeur sexuelle, de jolis duos d'amour en perspective !

Ni le gentil Aurélien de Sèze [1], ni Stéphane Ajasson de Grandsagne (qui est peut-être le père de Solange Sand), ni le fade Jules Sandeau — « Mon petit Jules » — qui, faute d'un amour total, donne à George la moitié de son nom — ni Mérimée, cynique et volage, ne procurent à Sand le bonheur qu'elle escompte follement. Mais voici Musset.

Les amants de Venise.

Ils font connaissance lors d'un dîner de la *Revue des Deux-Mondes*. Sand est prévenue contre ce dandy dissolu. Lui-même est loin d'être conquis dès la première entrevue. C'est lui, cependant, qui prend les devants et qui avoue « tout simplement, tout bêtement, à George qu'il est épris d'elle ».

---

1. Elle s'en tient avec lui à des pressions de mains et à un baiser qu'il lui pose dans le cou au détour d'un sentier.

Sand prend feu aussitôt. Comme Alfred est pâlot, elle l'emmène en Italie. Au bout de quelques jours, Sand contracte une mauvaise fièvre — il n'en est point de bonnes ! — attrape des boutons, enlaidit et se réfugie dans un travail de scribe : il faut vivre, même sous le ciel vénitien ! Musset la regarde, la trouve vilaine, court les cabarets, les filles, en revient exténué, des paroles blessantes lui montent aux lèvres : « George, je m'étais trompé, je te demande pardon, je ne t'aime pas... » Sand est atterrée. Où elle l'entend d'une autre oreille, c'est quand, en proie à un accès de fièvre, Musset en vient aux injures les plus grossières : « Si j'avais su, eh bien, comme aux autres, je t'aurais jeté vingt francs sur la commode ! » Horreur, est-ce là vraiment le langage du poète qui a brodé pour elle ces vers sublimes :

Je ne veux rien savoir, ni si les champs fleurissent,
Ni ce qu'il adviendra du simulacre humain,
Ni si ces vastes cieux éclaireront demain,
Ce qu'ils ensevelissent.

Je me dis seulement : « A cette heure, en ce lieu,
Un jour, je fus aimé, j'aimais, elle était belle. »
J'enfouis ce trésor dans mon âme immortelle,
Et je l'emporte à Dieu.

A l'apostrophe vulgaire citée plus haut, par quoi Sand va-t-elle riposter ? Oh ! elle se garde de rien brusquer. Seulement, un soir, tandis qu'elle veille Musset, alité, en compagnie d'un jeune médecin italien, elle considère attentivement ce compagnon de hasard. Elle fixe Pietro Pagello : tiens ! il est assez joli garçon ! La contenance un peu niaise, peut-être : il faut l'encourager. De brûlantes œillades restent sans effet appréciable. Alors, Sand n'hésite pas : elle va à son secrétaire et, comme la plume est son plus sûr moyen de séduction, elle écrit à Pagello pour mettre, comme on dit, les points sur les i :

« Seras-tu pour moi un appui ou un maître ? Me consoleras-tu des maux que j'ai soufferts avant de te rencontrer ?

Sauras-tu pourquoi je suis triste ? Connais-tu la compassion, la patience, l'amitié ? Serai-je ta compagne ou ton esclave ? Me désires-tu ou m'aimes-tu ? Quand ta passion sera satisfaite, sauras-tu me remercier ? Quand je te rendrai heureux, sauras-tu me le dire ? Les plaisirs de l'amour te laissent-ils haletant et abruti, ou te jettent-ils dans une extase divine ? Ton âme survit-elle à ton corps quand tu quittes le sein de celle que tu aimes ? »

Elle tend la lettre à Pagello, qui la lit sans comprendre — il y a de quoi ! — car, somme toute, il n'a rien demandé et il se trouve, pour la première fois de sa vie, en présence d'une dame qui lui pose des questions aussi péremptoires. Il la regarde, « haletant et abruti », en effet, mais sans avoir donné à Sand les gages d'épuisement qu'elle considère comme les symboles de la passion. Alors, au comble de l'impatience, Sand ajoute, en guise de suscription : « Au stupide Pagello ! », tend à nouveau l'engageante missive au jeune médecin qui, mis au pied du mur, s'exécute enfin.

Une bacchante.

L'épisode de Venise ouvre une fenêtre sur l'âme ténébreuse de celle qu'on nomme, par antiphrase, « la bonne dame de Nohant ». Cette future aimable aïeule est une rouée qui a très exactement les défauts de ses grandes qualités : énergie, volonté virile, poursuite ardente de ses fins par des moyens étranges. D'abord, elle ment comme elle respire. La littérature lui offre le moyen, non seulement de gagner sa vie — et elle envisage cette activité en femme réaliste sans un atome de poésie [1] — mais surtout celui de prononcer, tout au long de sa vie, une interminable, une fatigante plaidoirie *pro domo*. A tout instant, elle justifie sa conduite dans ce qu'elle a de moins justifiable. Elle connaît mieux que personne l'art de charger autrui de ses propres

---

1. On lira avec profit le réquisitoire impitoyable de Henri Guillemin : *la Liaison Sand-Musset* (Plon).

défaillances et de modifier adroitement la couleur des événements. Si elle devient la maîtresse de X..., c'est pour sauver un pauvre enfant qui, sans elle, n'en a pas pour trois mois à vivre ! Si elle rompt une liaison, c'est que son âme si pure pâtissait dans un tel bourbier ! Elle donne le plaisir, qu'elle ne ressent point : qu'importe ! Jamais elle ne cache la vérité, sauf s'il s'agit de ne pas envenimer une plaie ! Jamais elle ne cède à ses intérêts, ni même à ses désirs : Dieu la guide dans le chemin rocailleux qu'il est dans son destin de gravir, les yeux fixés sur la croix qui brille au sommet ! Il est peu de pages de l'*Histoire de ma vie* — ce roman-feuilleton éhonté ! — où elle n'invoque le Seigneur, en qui elle ne croit pas. Elle cède en cela à l'instinct du ronron, au goût du couplet insincère. Quand, par hasard, elle se trouve dans une situation embarrassante — avec son mari, avec Musset, avec Chopin — elle invente de toutes pièces des lettres, des souvenirs, des chapitres entiers. Elle ne craint aucunement le faux en écritures. Et quand, ayant soulagé sa bile ou assuré ses arrières, elle est prise sur le fait — par exemple après la publication de *Lucrezia Floriani*, où elle met en scène Chopin, ou de *Elle et Lui*, qui raconte à sa manière son aventure avec Musset — elle nie effrontément, mais sans, pour autant, convaincre. La « bonne dame de Nohant » est une garce ou, si l'on veut, un garçon manqué, sans scrupule aucun. Mais revenons à Pagello.

Cette femme qui, dans l'*Histoire de ma vie*, déclare paisiblement : « Je suis la plus pure des femmes... » se conduit dans la circonstance, non comme une catin, mais comme... un homme, incapable de refréner son désir subit. Voilà où Sand dévoile sa nature cachée — mais si peu ! Voilà où l'on comprend dans toute sa cruelle vérité l'apostrophe de Musset dans un instant de lucidité amère : « Tu n'étais pas une maîtresse : tu n'étais que ma mère... »

... Que ma mère ! A-t-elle jamais été, pourra-t-elle être autre chose ? Michel de Bourges, fils d'un pauvre bûcheron n'ayant pu ni su lui donner tout ce dont son cœur infativarois, républicain farouche, éloquent, beau dans sa laideur intelligente, « la retient toute ». Mais elle le quitte,

gable déborde. Gustave Planche, publiciste, et Charles Didier, botaniste-poète, ne marquent guère dans sa vie. En 1836, elle se sépare judiciairement de son mari, en raison de « ses brutalités, de sa vie dissolue, de son libertinage insupportable », mais, surtout, parce qu'elle a lu par hasard le testament de Casimir où celui-ci la traite de noms malgracieux. Au moment où Chopin paraît dans son orbe, elle a une laisison avec un créole, précepteur de ses enfants, Félicien Mallefille : il ne pèsera pas lourd dans la balance.

Les Piffoëls.

Au mois d'octobre 1836, Sand revient de Suisse, où elle a passé l'été, auprès de Liszt et de la comtesse d'Agoult, en compagnie d'un spirituel genevois, le major Pictet. Ils se sont trouvé des surnoms pittoresques. Liszt et Marie d'Agoult s'y nomment les *Fellows ;* Liszt s'appelle *Crétin* ; Marie est, tantôt *Mirabelle*, ou *Arabelle*, ou encore *la Princesse* ; Sand et ses enfants sont les *Piffoëls*, à cause de leurs longs nez. Sur le registre de l'hôtel, Sand, intrépide, inscrit :

Noms des voyageurs : Famille Piffoëls.
Domicile : la Nature.
D'où ils viennent : de Dieu.
Où ils vont : au Ciel.
Lieu de naissance : Europe.
Qualités : flâneurs.
Dates de leurs titres : toujours.
Délivrés par : l'opinion publique.

Après trois mois d'entretiens philosophiques, dont Liszt [1] raffole, Sand regagne Paris. Liszt et sa comtesse s'attardent jusqu'en novembre. Sitôt rentré et installé à l'hôtel de France,

---

1. A ceux qui prétendent faussement qu'elle est amoureuse de Liszt, Sand répond sans ambages : « Je ne l'aime pas plus que les épinards... »

rue Laffitte, Liszt rencontre fréquemment Chopin. Les deux hommes jouent à quatre mains, ou à deux pianos, bavardent, échangent des idées. Marie d'Agoult n'aime franchement ni Sand, ni Chopin. Tout la sépare de l'intarissable romancière : la naissance, le goût du monde, son propre féminisme ; elle est mal convaincue de la sincérité de Sand, qui dit volontiers : « Je fais entendre la voix de la femme à un moment où la femme se tait. » Sand, une femme ? Allons donc ! Un homme, un grand homme, si l'on veut, mais un homme ! En revanche, elle jalouse sourdement le talent de George, essayant elle-même d'écrire et préparant en cachette un roman. A l'égard de Chopin, elle éprouve plus de compassion que d'amitié sincère et elle n'épargne pas les épigrammes : « Chopin ? Une huître saupoudrée de sucre ! » — ou encore : « Chez lui, il n'y a que la toux qui soit permanente. » Liszt sourit et laisse dire. Ah ! les femmes !

Rencontre.

A quelle date précise a lieu la première rencontre de Sand et de Chopin ? On l'ignore. Vers la toute fin de l'automne 1836, à l'hôtel de France, voilà ce dont on est certain. Franz et Marie ont invité quelques amis. Sand est venue avec Mme Marliani [1]. Chopin est accompagné de Ferdinand Hiller. George est flanquée de ses deux enfants, tous trois en pantalon, ce dont s'offusque Chopin, gardien des convenances :

— Qu'elle est antipathique, cette Sand, dit-il à Hiller en quittant l'Hôtel de France. Est-ce bien une femme ? J'arrive à en douter...

Et Sand lui rend la « pareille » en murmurant à l'oreille de Mme Marliani, qui assiste à l'entrevue :

— Ce M. Chopin — c'est une jeune fille ?

---

1. La comtesse Marliani est mariée à un réfugié italien, le comte Emmanuel Marliani. Vive, spirituelle, obligeante, bavarde, dangereuse, Carlotta Marliani est pour George Sand et Marie d'Agoult une amie dévouée.

Mieux qu'une longue dissertation, ces deux répliques commentent exactement l'impression première des deux futurs amants. Elles expliquent en outre le climat de leurs amours. Tributaires d'une interversion, d'une manière d'échange de leurs natures, ils joueront, malgré eux, Sand le rôle du protecteur, Chopin celui du protégé. Ainsi se trouvera recomposé par le hasard un ménage à l'envers ! Sand dit volontiers : « Il me faut choisir : chérir ou mourir » et elle a choisi de vivre ! Quant à Chopin, qui ne souffle mot, tout son passé proclame qu'il a besoin d'être à la fois choisi et chéri. La compagnie d'un être fort et décidé réalise le vœu secret de sa nature qui s'exprimait jadis en lettres inconsciemment passionnées à Titus Woyciechowski, et qui le conduit aujourd'hui entre les bras puissants d'une femme virile. Ainsi s'accomplit leur destin, plus fort que leurs volontés.

Le 13 décembre 1836, Chopin réunit chez lui, 38, Chaussée-d'Antin, quelques amis. Il y a là Mickiewicz, Heine, Hiller, le marquis de Custine, Eugène Sue, Meyerbeer, Delacroix, Pixis, Berryer, quelques Polonais — Wlodzimierz, Potocki et son frère Bernard, Grzymala, Niemcewicz et le musicien Josef Brzowski, récemment arrivé de Varsovie —, George Sand et Carlotta Marliani. Avec Liszt, Chopin joue à quatre mains la *Sonate en mi bémol* de Moscheles. Marie d'Agoult, qui vient pour la première fois chez Chopin, loue l'ameublement, choisi avec beaucoup de goût. Vers la fin de la soirée, Nourrit chante *Erlkönig*. Sand qui, ce soir-là, s'est intentionnellement vêtue aux couleurs polonaises — robe blanche à ceinture écarlate, veste à brandebourgs — écoute, songeuse, le duo de Liszt et de Chopin. « Curieusement attentive et gracieusement subjuguée, elle donne à cette audition la réverbération de son génie ardent... elle le compare aux chuchotements par lesquels la nature initie ses privilégiés à ses rites mystiques. Elle écoute et elle compare [1]... » Et elle part comme à regret, après avoir invité Chopin à se joindre à Liszt et à Marie d'Agoult, qui lui ont promis de venir à Nohant au printemps suivant. D'ores et déjà, son

1. Franz Liszt, *Chopin*.

cœur à elle est pris. Mais celui de Chopin n'est aucunement
engagé. Il décline l'invitation, ayant en tête d'autres projets,
poursuivi en outre par le souvenir de Maria, à laquelle,
peut-être, il n'a pas encore définitivement renoncé.

Londres.

Va-t-il accepter l'offre du marquis de Custine, que la santé
du musicien inquiète ? « Vous n'avez qu'un parti à prendre :
vous laisser traiter comme un enfant et comme un malade :
venez donc vous reposer trois mois à Ems, chez moi, aux
bords du Rhin ! » Chopin, que les assiduités du marquis commencent à fatiguer, refuse. Il passe l'hiver de 1837 à Paris.
L'été venu, il cède aux sollicitations de Camille Pleyel, qui
l'entraîne à Londres, où les deux amis retrouvent un Polonais qui vient de se fixer en Angleterre, Stanislas Kozmian,
ami d'enfance de Chopin. Tout en s'inquiétant d'apprendre
que les Wodzinski ne quitteront pas Sluzewo et, donc, qu'une
nouvelle rencontre dans une ville d'eaux allemande est ajour-
née, Chopin écrit à Julien Fontana, qui a vécu à Londres, une
lettre tendre et facétieuse : « Que tous les diables t'emportent
pour m'avoir affirmé qu'ici la boue était sèche ! Elle est grise,
la belle boue d'ici ! Plus tard, je te dirai l'impression de ce
fuligineux ciel *italien* sur mon nez, qui supporte très difficilement pareilles colonnes d'air gris. Tu peux dire à Jeannot
(Matuszynski) qu'il est facile de s'amuser ici raisonnablement,
à condition de ne pas y rester trop longtemps. Que de choses
énormes ! Des urinoirs grandioses, où il n'y a pourtant pas la
place de faire pipi... Tout, ici, est extraordinaire et pourtant
uniforme, tout est bien élevé, tout est lavé et relavé, et pourtant noir comme un c... de gentilhomme. Je t'embrasse sur
les deux joues. » Avec ses amis d'enfance, mais avec eux seulement, Chopin adopte le ton débraillé du collégien.
    Le facteur de pianos londonien, Broadwood, qui a jadis
fourni à Beethoven plusieurs instruments, en présente quelques-uns à Chopin ; celui-ci donne une audition superbe.
Un instant, il songe, de Londres, à gagner la Hollande et l'Al-

lemagne, où Titus Woyciechowski lui annonce son intention de le rencontrer, puis il renonce à ce projet et, le 22 juillet 1837, il rentre à Paris, navré par « la lettre si triste [1] » qu'il vient de recevoir de Mme Wodzinska. Il passe l'été dans un Paris désert, absorbé dans son chagrin. Incidemment, il refuse le titre de pianiste de la cour impériale russe, que lui propose le comte Pozzo di Borgo, ambassadeur du tsar à Paris : « Si je n'ai pas pris part à la Révolution de 1830, j'étais de cœur avec ceux qui la firent. Je me considère donc comme un exilé et, à ce titre, ne me permets d'en accepter aucun autre... »

En octobre 1837 avait paru le second livre, *op.* 25, des *Etudes*. En 1838, Chopin publie *Quatre Mazurkas, op.* 33 et *Trois Valses, op.* 34. Le 25 février de la même année, il est invité à jouer à la Cour, en présence de Louis-Philippe, qu'il n'aime pas. Ses œuvres et une improvisation lui valent un vif succès et un cadeau personnel du roi. Auber qui, par privilège, assiste à l'audition, déclare à Chopin : « Monsieur Chopin, vous me reposez du piano ! » Est-il éloge plus flatteur ? Trois semaines plus tard, Chopin se fait entendre à deux reprises du public parisien et rouennais. La première fois, il joue un arrangement pour huit mains de la *VIIe Symphonie* de Beethoven, avec Alkan, Zimmermann et Gutmann. A une autre occasion, répondant à l'appel de son ami Antoine Orlowski, il participe, à Rouen, à un concert de bienfaisance. Son *Concerto en mi mineur* lui vaut, dans la *Gazette musicale,* un article flatteur de Legouvé :

« Pour secourir ses compatriotes polonais, Chopin a surmonté l'aversion qu'il éprouve à se produire en public. Il est inutile de dire qu'il remporta un succès extraordinaire, inimaginable ! Les mélodies enchanteresses, l'indescriptible finesse du style, l'inspiration mélancolique et passionnée, la poésie du jeu et des œuvres, qui parlent autant au cœur qu'à l'imagination, ont ébloui et profondément ému cinq cents personnes, comme elles ont toujours séduit les huit ou neuf privilégiés qui, d'habitude, l'écoutent en extase, des

---

1. Mais, par malheur, égarée.

heures durant... Eveille-toi, Chopin ! Que ce triomphe marque pour toi un pas décisif ! Ne te replie pas sur toi-même, mais que les lumières de ton génie brillent pour tous ! Montre enfin ce que tu es en vérité et tranche cette querelle qui divise les artistes. Et si, désormais, on se demande encore quel est le plus grand pianiste du monde, de Thalberg et de Liszt, le monde entier répondra à ceux qui t'ont entendu : « Chopin ! »

Mais Chopin, voué par nature au cadre de l'intimité, au lieu d'accomplir le vœu de Legouvé, préfère recevoir Paganini chez lui. Il joue, plusieurs heures durant, pour le célèbre Italien, qui l'écoute dans le ravissement.

Pendant ce temps, Sand s'impatiente, s'agite, évoque avec des mots transparents son intérêt pour l'ingrat qui persiste à l'ignorer. Le 2 janvier 1838, elle écrit à la comtesse d'Agoult et déguise son sentiment sous des mots patoisants qu'elle invente : « Piffoël ira peut-être à Paris, fin janvier. Piffoël serrera de grand cœur la main à *Sopin* à cause de *Crétin* et aussi à cause de Sopin : because Sopin is very gentil. » Un peu plus tard en saison, au mois de mai, elle écrit plus sérieusement à Delacroix pour l'inviter, chez elle, à entendre Chopin jouer du piano en petit comité : « C'est alors qu'il est vraiment sublime... » Vers la même époque, elle écrit à Mme Marliani une lettre révélatrice de son état d'âme : « Vous savez que le temps est *variable dans la saison des amours*. On dit beaucoup de *oui* et de *non*, de *si*, de *mais*, dans une semaine. Souvent, on dit le matin : *décidément, ceci est intolérable,*pour dire le soir : *en vérité, c'est le bonheur suprême*. J'attends donc, pour vous écrire tout de bon que mon baromètre marque quelque chose, sinon de stable, du moins de certain pour un temps quelconque. Je n'ai pas le plus petit reproche à faire, mais ce n'est pas une raison pour être contente... »

Il est évident que Chopin hésite, élude, remet sa décision, parce que, au fond, il n'a aucune envie de la prendre. Il préfère rêver à son chagrin plutôt que de construire une vie heureuse. Un billet elliptique à Albert Grzymala, « pour lui demander d'extrême urgence un conseil qui sera sans embarras pour son ami », pourrait bien avoir trait à son incertitude.

C'est alors que, brusquant les choses, Sand écrit à ce même Grzymala, avec qui elle est très intime et qu'elle appelle d'ailleurs « Cher époux [1] », une lettre capitale, qui achève de peindre toutes les nuances de son âme complexe :

Une lettre.

Nohant, juin 1838.

« Posons nettement la question une dernière fois, parce que, de votre dernière réponse sur ce sujet, dépendra toute ma conduite à venir, et puisqu'il fallait en arriver là, je suis fâchée de ne pas avoir surmonté la répugnance que j'éprouvais à vous interroger à Paris. Il me semblait que ce que j'allais apprendre pâlirait *mon poème*. Et, en effet, le voilà qui a rembruni, ou plutôt qui pâlit beaucoup. Mais qu'importe !

« Ecoutez-moi bien et répondez clairement, catégoriquement, nettement. Cette personne [2] qu'il veut, ou doit, ou croit devoir aimer, est-elle propre à faire son bonheur, ou bien doit-elle augmenter ses souffrances et ses tristesses ? Je ne demande pas s'il aime, s'il en est aimé, si c'est plus ou moins que moi. Je sais à peu près, par ce qui se passe en moi, ce qui doit se passer en lui. Je demande à savoir *laquelle de nous deux* il faut qu'il oublie ou abandonne pour son repos, pour son bonheur, pour sa vie enfin, qui me paraît très chancelante et trop frêle pour résister à de grandes douleurs. Je ne veux pas faire le rôle de mauvais ange. Je ne suis pas le *Bertram* de Meyerbeer et je ne lutterai point contre l'amie d'enfance si c'est une belle et pure Alice ; si j'avais su qu'il y eût un lien dans la vie de notre enfant, un sentiment dans

---

1. Sand décore Grzymala du nom d' « époux », parce que « Chopin est un petit qu'ils ont eu ensemble ».
2. Il s'agit évidemment de Maria Wodzinska.

son âme, je ne me serais jamais penchée pour respirer un parfum réservé à un autre autel. De même, lui sans doute se fût éloigné de mon premier baiser s'il eût su que j'étais comme mariée [1]. Nous ne nous sommes point trompés l'un l'autre, nous nous sommes livrés au vent qui passait et qui nous a emportés tous deux dans une autre région pour quelques instants. Mais il n'en faut pas moins que nous redescendions ici-bas, après cet embrasement céleste et ce voyage à travers l'Empyrée. Pauvres oiseaux, nous avons des ailes, mais notre nid est sur la terre et quand le chant des anges nous appelle en haut, le cri de notre famille nous ramène en bas ! Moi, je ne veux point m'abandonner à la passion, bien qu'il y ait au fond de mon cœur un foyer encore bien menaçant parfois. Mes enfants me donneront la force de briser tout ce qui m'éloignerait d'eux ou de la manière d'être qui est la meilleure pour leur éducation, leur santé, leur bien-être, etc. Ainsi, je ne puis pas me fixer à Paris à cause de la maladie de Maurice, etc. Puis, il y a un être [2] excellent, *parfait* sous le rapport du cœur et de l'honneur, *que je ne quitterai jamais,* parce que c'est le seul homme qui, étant avec moi depuis près d'un an, ne m'ait pas une seule fois, *une seule minute,* fait souffrir par sa faute. C'est aussi le seul homme qui se soit donné entièrement et absolument à moi, sans regret pour le passé, sans réserve pour l'avenir. Puis, c'est une si bonne et si sage nature, que je ne puisse l'amener avec le temps à tout comprendre, à tout savoir ; c'est une cire malléable sur laquelle j'ai posé mon sceau et quand je voudrai en changer l'empreinte, avec quelque précaution et quelque patience, j'y réussirai [3]. Mais aujourd'hui cela ne se pourrait pas, et son bonheur m'est sacré. Voilà donc pour moi ; engagée comme je le suis, enchaînée *d'assez près pour des années,* je ne puis désirer que notre *petit* rompe de son côté les chaînes qui le lient. S'il venait mettre son existence entre mes mains, je serais bien effrayée, car en ayant accepté une autre,

1. D'une part, Sand est mariée, quoique séparée de son mari. D'autre part, elle vit, maritalement, à Nohant avec Mallefille.
2. Il s'agit de Mallefille.
3. L'avenir prouvera le contraire.

je ne pourrais lui tenir lieu de ce qu'il aurait quitté pour moi.
Je crois que notre amour [1] ne peut durer que dans les conditions où il est né, c'est-à-dire que de temps en temps, quand
un bon vent nous ramènera l'un vers l'autre, nous irons
encore faire une course dans les étoiles et puis nous nous
quitterons pour marcher à terre, car nous sommes des enfants
de la terre et Dieu n'a pas permis que nous y accomplissions
notre pèlerinage côte à côte. C'est dans le ciel (!) que nous
devons nous rencontrer, et les instants rapides que nous y
passerons seront si beaux, qu'ils vaudront toute une vie passée
ici-bas.

« Mon devoir est donc tout tracé. Mais je puis, sans jamais
l'abjurer, l'accomplir de deux manières différentes : l'une
serait de me tenir le plus éloignée que possible de C[hopin],
de ne point chercher à occuper sa pensée, de ne jamais me
retrouver seule avec lui ; l'autre serait au conraire de m'en
rapprocher autant que possible sans compromettre la sécurité
de M[allefille], de me rappeler doucement à lui dans ses
heures de repos et de béatitude, de le serrer chastement dans
mes bras quelquefois, quand le vent céleste voudra bien nous
enlever et nous promener dans les airs. La première manière
sera celle que j'adopterai, si la *personne* est faite pour lui
donner un bonheur pur et vrai, pour l'entourer de soins, pour
arranger, régulariser et calmer sa vie, si enfin il s'agit pour
lui d'être heureux par elle et que j'y sois un empêchement ;
si son âme *excessivement,* peut-être *follement,* peut-être *sagement* scrupuleuse, se refuse à aimer deux êtres différents de
deux manières différentes, si les huit jours que je passerai
avec lui dans une saison doivent l'empêcher d'être heureux
dans son intérieur, le reste de l'année — alors, oui, alors
je vous jure que je travaillerai à me faire oublier de lui.

« La seconde manière, je la prendrai si vous me dites de
deux choses l'une : ou que son bonheur domestique peut
et doit s'arranger avec quelques heures de passion chaste

---

1. « Notre amour... » Cela prouverait, s'il en était besoin, que
George Sand ne dit pas la vérité quand, dans l'*Histoire de ma
vie,* elle affirme n'avoir jamais eu que de l'amitié pour Chopin.

et de douce poésie, ou que le bonheur domestique lui est impossible, et que le mariage ou quelque union qui y ressemblât serait le tombeau de cette âme d'artiste ; qu'il faut donc l'en éloigner à tout prix et l'aider même à vaincre ses scrupules religieux. C'est un peu là — je dirai où — que mes conjectures aboutissent. Vous me direz si je me trompe ; je crois la personne charmante, digne de tout amour, et de tout respect, parce qu'un être comme lui ne peut aimer que le pur et le beau. Mais je crois que vous redoutez pour lui le mariage, le lien de tous les jours, la vie réelle, les affaires, les soins domestiques, tout ce qui, en un mot semble éloigné de sa nature et contraire aux inspirations de sa muse. Je le craindrais aussi pour lui ; mais, à cet égard, je ne puis rien affirmer et rien prononcer, parce qu'il y a bien des rapports sous lesquels il m'est absolument inconnu. Je n'ai vu que la face de son être qui est éclairée par le soleil. Vous fixerez donc mes idées sur ce point. Il est de la plus haute importance que je sache bien sa position, afin d'établir la mienne. Pour mon goût j'avais arrangé notre poème dans ce sens, que je ne saurais rien, absolument rien de sa vie *positive,* ni lui rien de la mienne, qu'il suivrait toutes ses idées religieuses, mondaines, poétiques, artistiques, sans que j'eusse jamais à lui en demander compte, et réciproquement, mais que partout, en quelque lieu et à quelque moment de notre vie que nous vinssions à nous rencontrer, notre âme serait à son apogée de bonheur et d'excellence. Car, je n'en doute pas, on est meilleur quand on aime d'un amour sublime, et loin de commettre un crime, on s'approche de Dieu, source et foyer de cet amour. C'est peut-être là, en dernier ressort, ce que vous devriez tâcher de lui faire comprendre, mon ami, et ne contrariant pas ses idées de devoir, de dévouement et de sacrifice religieux, vous mettriez peut-être son cœur plus à l'aise.

« Ce que je craindrais le plus au monde, ce qui me ferait le plus de peine, ce qui me déciderait même à me faire *morte pour lui,* ce serait de me voir devenir une épouvante et un remords dans son *âme* ; non, je ne puis (à moins qu'elle ne soit funeste pour lui en dehors de moi) me mettre à combat-

tre l'image et le souvenir d'une autre. Je respecte trop la
propriété pour cela, ou, plutôt, c'est la seule propriété que je
respecte. Je ne veux voler personne à personne, excepté les
captifs aux geôliers et les victimes aux bourreaux, et la Pologne à la Russie ; par conséquent, dites-moi si c'est une *Russie* dont l'image poursuit notre enfant ; alors je demanderai
au ciel de me prêter toutes les séductions d'Armide pour
l'empêcher de s'y jeter ; mais si c'est une *Pologne*, laissez-le
faire. Il n'y a rien de tel qu'une patrie, et quand on en a une,
il ne faut pas s'en faire une autre. Dans ce cas, je serai pour
lui comme une *Italie*, qu'on va voir, où l'on se plaît aux
jours de printemps, mais où l'on ne reste pas, parce qu'il y
a plus de soleil que de lits et de tables et que le *confortable
de la vie* est ailleurs.

« Il y a une dernière supposition qu'il est bon que je vous
dise. Il serait possible qu'il n'aimât point du tout l'*amie
d'enfance* et qu'il eût une répugnance réelle pour un lien à
contracter, mais que le sentiment du devoir, l'honneur d'une
famille, que sais-je ? lui commandassent un rigoureux sacrifice de lui-même. Dans ce cas-là, mon ami, soyez son bon
ange ; moi, je ne puis guère m'en mêler ; mais vous le devez ;
sauvez-le des arrêts trop sévères de sa conscience, sauvez-le
de sa propre vertu, empêchez-le à tout prix de s'immoler, car
dans ces sortes de choses, le sacrifice de celui qui donne
son avenir n'est pas en raison de ce qu'il a reçu dans le passé.

« Si son cœur peut, comme le mien, contenir deux amours
différents, l'un qui est pour ainsi dire le *corps* de la vie, l'autre qui en sera *l'âme*, ce sera le mieux, parce que notre
situation sera à l'avenant de nos sentiments et de nos pensées.
De même qu'on n'est pas tous les jours sublime, on n'est pas
tous les jours heureux. Nous ne nous verrons pas tous les
jours, nous ne posséderons pas tous les jours le feu sacré,
mais il y aura de beaux jours et de saintes flammes.

« Quant à la question de possession ou de non-possession,
cela me paraît une question secondaire à celle qui nous
occupe maintenant. C'est pourtant une question importante
par elle-même, c'est toute la vie d'une femme, c'est son secret
le plus cher, sa théorie la plus étudiée, sa coquetterie la plus

mystérieuse. Moi, je vous dirai tout simplement, a vous, mon frère et mon ami, ce grand mystère sur lequel tous ceux qui prononcent mon nom font de si étranges commentaires. C'est que je n'ai là-dessus ni secret, ni théorie, ni doctrine, ni opinion arrêtée, ni parti pris, ni prétention de puissance, ni singerie de spiritualisme, rien enfin d'arrangé d'avance et pas d'habitude prise et, je crois, pas de faux principes, soit de licence, soit de retenue. Je me suis beaucoup fiée à mes instincts qui ont toujours été nobles [1] ; je me suis quelquefois trompée sur les personnes, mais jamais sur moi-même.

« J'ai changé vingt fois d'idée [2]. J'ai cru par-dessus tout à la fidélité, je l'ai prêchée, je l'ai pratiquée, je l'ai exigée. On y a manqué, et moi aussi. Et pourtant je n'ai pas senti le remords, parce que j'avais toujours subi dans mes infidélités une sorte de fatalité, un instinct de l'idéal, qui me poussait à quitter l'imparfait pour ce qui me semblait se rapprocher du parfait. J'ai connu plusieurs sortes d'amour : amour d'artiste, amour de femme, amour de sœur, amour de mère, amour de religieuse, amour de poète, que sais-je ? Tout cela a été parfaitement sincère. Mon être entrait dans ces phases diverses comme le soleil, disait Sainte-Beuve, entre dans les signes du Zodiaque.

« Jusqu'ici, j'ai été fidèle à ce que j'ai aimé, parfaitement fidèle en ce sens que je n'ai jamais trompé personne et que je n'ai jamais cessé d'être fidèle sans de très fortes raisons qui avaient tué l'amour en moi par la faute d'autrui (!). Je ne suis pas d'une nature inconstante. Je suis au contraire si habituée à aimer exclusivement qui m'aime bien, si peu facile à m'enflammer, si habituée à vivre avec des hommes sans songer que je suis femme que, vraiment, j'ai été un peu confuse et un peu consternée de l'effet que m'a produit ce petit être.

« Voilà où je voulais en venir, c'est à vous parler de cette question de possession, qui constitue dans certains esprits toute la question de la fidélité. *En principe,* je crois qu'une

1. La romancière a une forte propension à s'idéaliser.
2. Et d'amant !

consécration complète du nouveau lien n'aggrave pas beaucoup la faute ; mais, en fait, il est possible que l'attachement devienne plus humain, plus violent, plus dominant, après la possession. C'est même probable, c'est même certain. Voilà pourquoi, quand on veut vivre ensemble, il ne faut pas faire outrage à la nature et à la vérité, en reculant devant une union complète ; mais quand on est forcé de vivre séparés, sans doute il est de la prudence, par conséquent il est du devoir et de la vraie vertu (qui est le sacrifice) de s'abstenir. Puisse ce sacrifice être une sorte d'expiation de l'espèce de parjure que j'ai commis !

« Je dis sacrifice, parce qu'il me sera pénible de voir souffrir cet ange. Il a eu jusqu'ici beaucoup de force, mais je ne suis pas un enfant. Je voyais bien que la passion humaine faisait en lui des progrès rapides et qu'il était temps de nous séparer. Voilà pourquoi, la nuit qui a précédé mon départ, je n'ai pas voulu rester avec lui et que je vous ai presque renvoyés.

« Et puisque je vous dis tout, je veux vous dire qu'une seule chose en lui m'a déplu, c'est qu'il avait eu lui-même de mauvaises raisons pour s'abstenir. Jusque-là, je trouvais beau qu'il s'abstînt par respect pour moi, par timidité, même par fidélité à une autre. Tout cela était du sacrifice et par conséquent de la force et de la chasteté bien entendues. C'était là ce qui me charmait et me séduisait le plus en lui. Mais, chez vous, au moment de nous quitter, et comme il voulait surmonter une dernière tentation, il m'a dit deux ou trois paroles qui n'ont pas répondu à mes idées. Il semble faire *fi*, à la manière des dévots, des *grossièretés* humaines et rougir des tentations qu'il avait eues, et craindre de souiller notre amour par un transport de plus. Cette manière d'envisager le dernier embrassement de l'amour m'a toujours répugné. Si ce dernier embrassement n'est pas une chose aussi sainte, aussi pure, aussi dévouée que le reste, il n'y a pas de vertu à s'en abstenir. Ce mot d'amour physique dont on se sert pour exprimer ce qui n'a de nom que dans le ciel [1], me *déplaît* et me *choque*,

---

1. C'est justement dans le ciel qu'il n'a plus de nom !

comme une impiété et comme une idée fausse, en même
temps. Est-ce qu'il peut y avoir, pour les natures élevées, un
amour purement physique, et, pour les natures sincères, un
amour purement intellectuel ? Est-ce qu'il y a jamais d'amour
sans un seul baiser et un baiser d'amour sans volupté ? *Mépriser la chair* ne peut être sage et utile qu'avec les êtres qui ne
sont que *chair* ; mais avec ce qu'on aime, ce n'est pas du mot
mépriser, mais du mot *respecter*, qu'il faut se servir quand on
s'abstient. Au reste, ce ne sont pas là les mots dont il s'est
servi. Je ne me les rappelle pas bien. Il a dit, je crois, que
certains faits pouvaient gâter le souvenir. N'est-ce pas, c'est
une bêtise qu'il a dite, et il ne le pense pas ? Quelle est donc
la malheureuse femme qui lui a laissé de l'amour physique
de pareilles impressions ? Il a donc eu une maîtresse indigne
de lui ? Pauvre ange ! Il faudrait pendre toutes les femmes
qui avilissent aux yeux des hommes la chose la plus respectable et la plus sainte de la création, le mystère divin, l'acte
de la vie le plus sérieux et le plus sublime dans la vie universelle. L'aimant embrasse le fer, les animaux s'attachent les
uns aux autres par la différence des sexes, les végétaux obéis-
sent à l'amour, et l'homme qui, seul, sur ce monde terrestre,
a reçu de Dieu le don de sentir divinement ce que les animaux, les plantes et les métaux sentent matériellement,
l'homme chez qui l'attraction électrique se transforme en une
attraction sentie, comprise, intelligente, l'homme seul regarde
ce miracle qui s'accomplit simultanément dans son âme et
dans son corps, comme une misérable nécessité, et il en parle
avec mépris, avec ironie ou avec honte ! Cela est bien
étrange. Il est résulté de cette manière de séparer l'esprit
de la chair qu'il a fallu des couvents et des mauvais lieux.
« C'est mon *ultimatum*. S'il est heureux ou doit être heureux par *elle*, laissez-le faire. S'il doit être malheureux, *empêchez-le*. S'il peut être heureux par moi sans cesser de l'être
par *elle, moi je puis faire de même de mon côté*. S'il ne peut
être heureux par moi sans être malheureux avec elle, *il faut
que nous nous évitions et qu'il m'oublie*. Il n'y a pas à sortir
de ces quatre points. Je serai forte pour cela, je vous le pro-
mets ; car il s'agit de *lui*, et si je n'ai pas grande vertu pour

moi-même, j'ai grand dévouement pour ce que j'aime. Vous me direz nettement la vérité : j'y compte et je l'attends.

« Quant au *petit,* il viendra à Nohant, s'il veut ; mais, dans ce cas-là, je voudrais être avertie d'avance, parce que j'enverrai M[allefille] soit à Paris, soit à Genève. Les prétextes ne manqueront pas [1] et les soupçons ne lui viendront jamais. Si le *petit* ne veut pas venir, laissez-le à ses idées ; il craint le monde, il craint je ne sais quoi. Je respecte chez les êtres que je chéris tout ce que je ne comprends pas. Moi, j'irai à Paris en septembre avant le grand départ. Je me conduirai avec lui selon ce que vous allez me répondre. Si vous n'avez pas la solution des problèmes que je vous pose, tâchez de la tirer de lui, *fouillez dans son âme, il faut que je sache ce qui s'y passe* [2].

« George Sand. »

Scrupules.

Voilà une lettre étonnante. Laissons à Maurois la responsabilité de juger que « toutes les femmes, en pareilles circonstances, agissent de même ». Non, cent fois non : pas les femmes — mais les hommes, parfois ! Et c'est là que Sand se montre, une fois encore, si clairement virile.

Il ressort de la lettre qu'on vient de lire une évidence : Sand et Chopin ne sont pas encore des amants. La romancière a dû, bien certainement, poser la « question de confiance ». Sans doute a-t-elle procédé avec précaution. S'il avait reçu une lettre à la Pagello [3], Chopin aurait fui au bout du monde. Il n'a dit, selon son habitude, ni *oui,* ni *non.* Un baiser un peu vif l'a alerté. Et comme, très certainement, Sand lui a suggéré d'aller immédiatement plus loin, il a aussitôt regimbé. D'abord,

---

1. Bel exemple de duplicité !
2. Evidemment, Grzymala fit savoir que les fiançailles de Chopin étaient rompues, et la romancière partit pour Paris.
3. Cf. p. 256.

Sand lui plaît-elle ? Mystère non éclairci : il ne le sera
jamais. Et puis — question bien plus grave — une
femme, quelle qu'elle soit, est-elle capable d'émouvoir sa
chair ? A part une aventure misérable — et fort hypothétique — à Vienne [1] et si l'on tient pour inexistantes, du moins
pour incertaines, ses « amours » avec Delphine, Chopin n'a
pas connu de femme digne d'être aimée. Peut-être est-il
vierge ? L'hypothèse paraît hautement probable, à bien examiner les tours et les détours de son caractère compliqué.
Alors, devant Sand, mis au pied du mur [2], il hésite, il tergi-
verse, il invoque « ses principes », sa terreur du qu'en-dira-
t-on, que sais-je encore ? La perspective d'une liaison impossible à cacher à ses parents, à sa famille lointaine, a dû le
terrifier. En outre, l'entrée dans sa vie d'une femme, quelle
qu'elle soit, d'un être familier, inquisiteur et vigilant, de
quelqu'un qui voudra mettre de l'ordre dans ses travaux et
dans son appartement, modifier, vérifier, améliorer — quel
fléau ! Le jeu en vaut-il la chandelle ? Ah ! que Chopin est
donc partagé ! Cette amazone ne va-t-elle pas rompre tout
net le fil fragile de l'inspiration — disons plus simplement
le goût d'imaginer ? En tout cas, Chopin demande un délai
de réflexion. Sand l'accorde, mais, ce délai-là, elle l'emploie
à dresser des embuscades dans lesquelles il faudra, bon gré,
mal gré, que succombe l'ingénu Polonais, « cet ange beau de
visage comme une grande femme triste... ». Sand devine
tout, jusqu'à l'essence féminine de l'homme qu'elle convoite.

Tout est prévu pour que Chopin, pareil à un insecte,
tombe à point nommé dans les pièges divers qu'elle lui a
tendus, avec une ingéniosité braconnière. Chemin faisant,
cette femme « enveloppée de mots [3] » nous révèle, en écrivant
cette lettre, qu'elle pratique la duplicité comme une hygiène
et qu'à bien chercher, elle trouve toujours le moyen de s'ab-
soudre, voire de se glorifier. Elle n'est point assez folle pour

---

1. Cf. p. 153.
2. Si tant est qu'on puisse comparer ce qu'il y a de plus froid à
ce qu'il y a de plus chaud !
3. Guy de Pourtalès, *Chopin ou le poète.*

faire fi des biens de ce monde et des plaisirs de la chair,
mais elle les transporte habilement « dans le ciel », où ils
n'ont que faire. Chopin-le-frigide, bien plus avisé qu'elle,
sait que ces joies, essentiellement terrestres, n'ont rien à voir
avec les « étranges espaces » dans lesquels son âme voyageuse
aime à évoluer. Là, tout est pur, tout est beau, tout est à l'abri
des souillures humaines. Cette femme, qui écrit sans relâche,
« cette robuste ouvrière des lettres qui, dans la même nuit,
achève un roman et en commence un autre, sans préjudice
d'une *Histoire de ma vie* en vingt volumes, et j'en tombe
d'étonnement [1]... » sait-elle, somme toute, ce qu'est un
artiste ? Fière de voir sa littérature lui permettre de nourrir
ses enfants et de tenir table ouverte à Nohant, elle crée par
métier, par habitude et par nécessité alimentaire, plus que
par un besoin du cœur. Que de *mais* dans l'âme inquiète de
Chopin ! Si sa vie, au lieu de virer dans la direction du bonheur, basculait dans l'inconnu ? Mes sœurs, mes sœurs, où
êtes-vous ? Et vous, chers parents, sagement avisés, que ne
puis-je vous consulter à mots couverts ! La famille d'où l'on
est issu agace parfois, mais elle vous connaît, d'une connaissance organique, supérieure à toutes les psychologies, elle
vous flaire, comme la chatte son chaton, son odorat fin ne
se trompe point.

Un être qui, par certains aspects, vous séduit, qui, par
d'autres, vous domine, pourquoi faut-il, absolument, s'allon-
ger à ses côtés comme le taureau s'impose à la vache, comme
le chien s'accouple à la chienne ? Pourquoi ? Un carreau à
la fenêtre ne vaut-il pas mieux qu'un courant d'air ? Quel sot
orgueil, hérité de l'âge des cavernes, pousse l'homme à
séduire la femme en s'unissant, bestialement, à elle, lors
même que la procréation n'est pas en cause ? L'important
n'est-il pas d'aimer, et de s'en tenir là ? Titus, Titus, que
j'aimais d'un amour innocent, avec toi rien ne venait rompre l'enchantement d'une affection qui ne demandait ni preuves, ni engagement ! « Que va-t-il advenir ? Dieu seul le
sait... » Ce court billet de Chopin à Grzymala, non daté, tra-

1. Colette, *l'Etoile Vesper*.

hit encore une incertitude. Le suivant est bien proche d'une réalité conforme aux vœux de l'insatiable George : « L'aurore [1] était noyée dans la brume, hier. J'espère qu'il y aura du soleil aujourd'hui... »
Nous ne saurons jamais exactement le jour et l'heure où le « soleil » s'est levé. Durant les mois de l'été 1838, sans doute. Et non sans beaucoup de scrupules de la part de Chopin. Quant à Sand, elle envisage lucidement l'aventure et elle sait qu'elle aura, dans les années qui s'ouvrent à eux, plus à déterminer qu'à attendre, plus à offrir qu'à recevoir. Son destin exige qu'elle soit, dans la vie, semblable à ces personnages de vitraux dont on célèbre la générosité en figurant leur effigie ou leur emblème. Ce sont les donateurs.

L'été de 1838, Sand le passe donc à Paris, auprès de Chopin. Elle n'ose l'emmener à Nohant, où la poursuit la jalousie de Mallefille, tardivement mais complètement éclairé sur l'infidélité de l'amazone qui prétendait avec outrecuidance [2] recevoir les hommages de deux chevaliers, chacun d'eux ignorant l'existence du rival. Le château de cartes s'écroule un beau jour, comme il était prévisible : s'il s'était effondré plus tôt, jamais Mallefille n'aurait écrit à Chopin une lettre lyrique sur une de ses *Ballades*.

1. A « George », Chopin préféra toujours le prénom véritable de Sand : Aurore — jusqu'à le traduire en polonais Jutrzenka, ce qui signifie « lever du jour ».
2. Une lettre assez perfide adressée le 1er janvier, de Florence, par la comtesse d'Agoult au major Pictet, nous décrit le « pauvre Mallefille au lit, malade de vanité rentrée, à tout jamais désabusé, désillusionné, désenchanté et tous les " dé " du monde », une première fois supplanté dans le cœur de George par l'acteur Bocage, se passionnant pour le génie de Chopin, lui écrivant une lettre admirative (cf. p. 346) puis, concevant des soupçons, allant faire le guet à la porte de Chopin, où Sand se rend toutes les nuits, découvrant le pot aux roses, hurlant de rage, homicide en pensée, calmé par Grzymala — tandis que « George décampe avec Chopin pour filer le parfait amour à l'ombre des myrtes de Palma... ». Les plans ingénieux tirés par George Sand, d'après lesquels elle saurait ménager toutes ses amours, ont échoué.

IX

MAJORQUE

L'automne est venu — saison des grandes décisions. Depuis un certain temps, la santé du jeune Maurice Sand, qui souffre de violentes crises de rhumatisme, inquiète sa mère. Celle-ci cherche pour l'enfant un climat plus doux que celui de Paris. Trois amis de Sand — le ministre Mendizabal, le consul Marliani et le chanteur Francisco Frontera — lui vantent le ciel et la température clémente d'une des îles Baléares : Majorque. Ce voyage tente la romancière : « Pourquoi j'allais dans cette galère ? Parce que j'avais envie de voyager. A quel sujet ? Eh, mon Dieu, pour voyager [1] ! » Mais, voilà : faut-il emmener Chopin, à qui l'on ne sait encore si le climat de Majorque conviendra ? « Comme je faisais mes projets et mes préparatifs, Chopin, que je voyais tous les jours et dont j'aimais tendrement le génie et le caractère [2], me dit à plusieurs reprises que, s'il était à la place de Maurice, il serait bientôt guéri lui-même. Je le crus et je me trompai. Je ne le mis pas, dans le voyage, à la place de Maurice, mais à côté de Maurice. » Aux temps romantiques, quand une dame enlève un monsieur, on emmène les enfants, l'équipée amoureuse se fait familiale : la morale s'en trouve-t-elle raffermie ?

En bonne mère responsable, non pas de deux, mais de trois enfants, Sand fait examiner Chopin par le docteur Gau-

---

1. G. Sand, *Un hiver à Majorque*.
2. Ah ! qu'en termes voilés ces choses-là sont dites !

bert. Le médecin jure qu'il n'est pas phtisique : « Vous le sauverez, dit-il, si vous lui donnez de l'air, de la promenade et du repos. Excepté Grzymala, qui ne s'y trompait pas trop, nous avions tous confiance. Je priai cependant Chopin de bien consulter ses forces morales, car il n'avait jamais envisagé sans effroi, depuis plusieurs années, l'idée de quitter Paris, son médecin, ses relations, son appartement et, même, son piano. C'était l'homme des habitudes impérieuses et tout changement, si petit qu'il fût, était un événement terrible dans sa vie [1]. »

Personnellement, avec le recul de l'histoire, je vois la scène sous un jour différent. Sand s'est mis en tête d'aller aux Baléares : elle ira. Elle a dû convaincre Chopin plus facilement qu'elle le dit : résiste-t-on aux flots de paroles ? L'imprévu du voyage, les descriptions enchanteresses des trois amis susnommés triomphent des objections de Chopin : pourvu qu'on l'emmène et qu'il n'ait rien à décider...

Départ.

Vers le 20 octobre 1838, Sand se met en route avec ses deux enfants. Chopin voyage de son côté, sans doute pour ménager les convenances, avec Mendizabal, qui rejoint Madrid. Il arrive à Perpignan, « frais comme une rose et rose comme un navet [2] », après quatre nuits de chaise de poste. A bord du *Phénicien* — la guerre civile ayant suspendu les communications par la route — ils font la traversée de Port-Vendres à Barcelone, où ils passent huit jours, logés dans « une méchante auberge de la ville, nommée emphatiquement l'hôtel des Quatre Nations [3] ». Les voyageurs séjournent une semaine dans la cité catalane, dont ils visitent les monuments. A bord d'un petit vapeur, *El Mallorquín,* surnommé « El Pagéo » (*le Paysan*) en raison de la figure de proue

1. G. Sand, *Histoire de ma vie.*
2. G. Sand, *Lettre à Carlotta Marliani.*
3. G. Sand, *Un hiver à Majorque.*

représentant un naturel du pays, ils arrivent à Palma,
le lendemain matin, à une heure et demie. Là, une première
déception : point d'hôtel, à cette époque. « A Palma, constate Sand, il faut être recommandé et annoncé à vingt personnes des plus marquantes et attendu depuis plusieurs mois,
pour espérer ne pas coucher en plein champ » : que Mendizabal ou Marliani ne l'ont-ils point prévenue ! En cherchant beaucoup, ils trouvent, dans la « calle de la Marina »,
deux petites chambres garnies, ou plutôt dégarnies, dans une
maison qui, par malheur, abrite un tonnelier, « homme
bruyant par excellence. Nous fûmes bien heureux, toutefois,
de trouver chacun un lit de sangle, avec un matelas douillet
et rebondi comme une ardoise, une chaise de paille et, en
fait d'aliments, du poivre et de l'ail à discrétion... Un appartement à Palma se compose de murs absolument nus, sans
portes ni fenêtres. On ne se sert pas de vitres et, quand on
veut se procurer cette douceur, bien nécessaire en hiver,
il faut faire faire les châssis. Chaque locataire, en se dépla-
çant, emporte les fenêtres, les châssis et jusqu'aux gonds
des portes. Son successeur est obligé de les remplacer, à
moins qu'il n'ait le goût de vivre en plein vent, et c'est un
goût fort répandu à Palma [1] ». Bien qu'au mois de
novembre, il règne à Majorque une chaleur comparable à
celle qu'il fait à Paris au mois de juin, Sand commence à
déchanter.

Palma.

Curieusement, Chopin est, d'abord, séduit. Le 15 novembre 1838, il écrit à Julien Fontana : « Je suis à Palma,
au milieu des palmiers, des cèdres, des cactus, des oliviers,
des orangers, des citronniers, des aloès, des figuiers, des gre-
nadiers, enfin de tous les arbres que possèdent les serres du
Jardin des Plantes. Le ciel est de turquoise ; la mer, de lapis-
lazuli ; les montagnes, d'émeraude ; l'air est comme au ciel.

1. G. Sand, *Un hiver à Majorque.*

Du soleil, toute la journée. Tout le monde est vêtu comme en
été, car il fait chaud. La nuit, on entend des chants et le son
des guitares pendant des heures entières. Il y a d'énormes
balcons, d'où des pampres retombent. Les remparts datent
des Arabes. La ville et tout ici, en général, reflète l'Afrique.
Bref, une vie admirable ! Aime-moi ! Fais une petite visite à
Pleyel, car le piano n'est pas encore arrivé. Tu recevras bientôt les *Préludes* [1]. Je vais probablement habiter un cloître
merveilleux, dans le plus beau site du monde : j'aurai la mer,
la montagne, des palmiers, un vieux cimetière teutonique, les
ruines d'une mosquée [2], des oliviers millénaires. Ah ! la vie,
je vis davantage, je suis près de ce qu'il y a de plus beau au
monde ! »

Ainsi, contrairement à ce que craignait Sand, Chopin ne
semble nullement dépaysé ! Point « empoté » non plus : il
prend largement sa part des soucis de l'installation. C'est
lui qui, notamment, se rend au Palais pour y présenter au
gouvernement les lettres de créance des quatre voyageurs.
Pour l'instant, c'est l'âge d'or, la visite de la Louja de Mar,
de la cathédrale, du Palacio Real et des ruines du couvent de
Santo Domingo, des rues à arcades de la vieille cité médié-
vale, pittoresque avec son enchevêtrement de rues silencieu-
ses entourant les artères principales et ses façades ornées de
fenêtres à meneaux. Bientôt, la déconvenue sera cuisante.

Ne pouvant s'habituer au bruit d'enfer que déchaînent,
au-dessous de leur appartement, le tonnelier et ses aides,
pareils à Vulcain et ses cyclopes, les voyageurs acceptent
l'offre qui leur est faite d'emménager à « So'n Vent », propriété située à Establiments, petit village paisible aux environs de la capitale. La maison est celle d'un riche bourgeois,
meublée comme toutes les demeures de plaisance de la
région : lits de sangle ou de bois peint, chaises de paille,
tables de bois brut, murs blanchis à la chaux, fenêtres vitrées

---

1. Ceci dément la légende d'après laquelle les *Préludes* ont été
composés à Majorque. Chopin s'est contenté de les *réviser* et,
peut-être, d'en achever certains, laissés à l'état d'esquisses.
2. Chopin invente: il n'y a pas trace de mosquée à Valldemosa.

(du luxe !), estampes affreuses encadrées comme des tableaux de maîtres — tel est le logement offert à Sand et à Chopin par le Señor Gomez. De là, ils découvrent la campagne majorquine, extrêmement fertile et donnant des produits « d'une qualité exquise ». Une culture active et logique décuplerait cette production. Mais le paysan majorquin est indolent, arriéré, « triste et pauvre : ne sachant que prier, chanter, travailler. Il ne pense jamais ». L'engrais est inconnu, les chemins intérieurs manquent, faute de quoi les cultures exigeant les transports — figues, amandes, oranges — périclitent. Point d'élevage, guère de chevaux, absence de mûriers, donc de soie. De leurs fenêtres, les voyageurs découvrent des cultures en terrasses, des pâturages maigres, des collines couvertes de sapins, un torrent, des chaumières, la montagne au nord, la mer au sud. La ressource principale de l'île est l'engraissement et l'exportation des porcs, animaux faciles à élever et à nourrir au moyen des glands, des racines et des caroubes qu'ils trouvent en abondance dans les landes où ils paissent en liberté. « Grâce au cochon, écrit Sand, que tous les détails campagnards intéressent, la civilisation a commencé à pénétrer dans cette île, naguère sauvage. » Gloire au porc civilisateur !

Agréable à la belle saison, la maison du señor Gomez n'est pas conçue pour l'hiver. Après trois semaines passées dans ce paradis rustique, la saison des pluies s'annonce. Deux mois de déluge commencent. Les murs de la demeure estivale sont si minces que l'humidité gonfle comme une éponge la chaux dont ils sont crépis. Point de cheminées, de simples braseros dégageant une fumée asphyxiante. Chopin tousse et Sand s'inquiète. « J'ai été malade comme un chien ces deux dernières semaines. J'avais pris froid en dépit des 18° de chaleur. Trois médecins sont venus me voir. L'un a flairé mes crachats, écrit drôlement Chopin à Fontana, l'autre a frappé pour savoir d'où je crachais, le troisième m'a palpé en écoutant comment je crachais. Le premier a dit que j'allais crever, le deuxième que j'étais en train de crever, le dernier que j'étais crevé déjà. C'est à grand-peine que j'ai pu échapper aux saignées, aux vésicatoires et aux enveloppements. Grâce à la Providence, je suis redevenu moi-même. Pourtant, ma maladie a fait tort aux *Préludes...* »

Pour essayer les *Préludes* inachevés, Chopin a loué un affreux petit *pianino* majorquin. Il travaille, défait, refait, ajoute, supprime — tandis que, dans la pièce à côté, Sand entasse les feuillets de *Spiridion,* l'un des ouvrages les plus ennuyeux qu'elle ait écrits. Infatigable épistolière, elle correspond avec ses amis parisiens : quand diable trouve-t-elle le temps de songer à l'amour ? Du moins son éloignement lui cache-t-il les ragots et cancans de ses intimes. Ainsi, la comtesse d'Agoult, résolument malveillante, daube-t-elle dans une lettre à Carlotta Marliani sur le « voyage aux Baléares ! Quand George se faisait saigner, je lui disais toujours : à votre place, j'aimerais mieux Chopin — que de coups de lancette épargnés ! L'établissement aux Baléares doit-il être de longue durée ? A la façon dont je les connais, l'un et l'autre, ils doivent se prendre en grippe après un mois de cohabitation, car ce sont des natures *antipodiques* au possible... »

Non, ils ne se prennent pas en grippe : ils déménagent seulement. A quelque quinze kilomètres au-dessus de Palma, dans la montagne, ils ont trouvé à louer, au sein d'une ancienne chartreuse désaffectée, deux « cellules », deux fois trois petites pièces et un jardin, pour la somme modique de 35 francs par mois. Malgré l'inconfort extrême de « So'n Vent », ils ne quittent pas la spongieuse villa de gaieté de cœur. Dans une lettre brutale, Gomez déclare à Sand en style espagnol qu'elle « tient » une personne qui, elle-même, « tient » une maladie répugnante qui menace les jours de sa progéniture. Il faut déguerpir au plus vite de son palais. Chopin tousse et cette toux fait beaucoup de bruit. M. Fleury, consul de France à Palma, offre aux voyageurs une hospitalité passagère qui leur fait oublier les tracas passés et leur permet d'affronter des ennuis futurs. Le 15 décembre 1838, munis du nécessaire mobilier [1], ils gravissent, les uns à pied,

1. Car, à cette époque, à Majorque, aucun logis n'est loué meublé. Le locataire doit acheter, puis revendre à perte, tout ce

les autres dans une très inconfortable voiture tirée par un mulet, la pente caillouteuse qui conduit à Valldemosa [1].

Valldemosa.

La révolution de 1835 venait de disperser les religieux. Le 15 août de cette année-là, une fois la messe dite, les pères s'étaient embrassés puis, après avoir revêtu des habits séculiers, ils s'étaient dispersés. Le couvent, construit au xve siècle, fut confisqué par le gouvernement qui en loua les dépendances. Il y avait encore, à cette époque, un monastère gothique avec sa vieille église, le cimetière des moines et la vieille tour qui avait fait office de fauconnerie royale. Au milieu du cimetière, un énorme aréquier, un laurier-rose et quelques cyprès entourant un puits ogival et une croix blanche. Tout, à la Chartreuse, respirait, depuis la révolution, la peur et la désolation. Toutefois, lorsque Sand et Chopin s'installent dans une des cellules donnant sur le promenoir, près d'un patio embaumé, le couvent garde encore des effluves de vie monastique.

Les deux cellules choisies par les nouveaux arrivants, on n'a jamais pu les identifier exactement. On sait seulement qu'il s'agissait de deux cellules contiguës — formée chacune de trois pièces spacieuses, aux dires de Sand, « élégamment plafonnées, éclairées au fond par des rosaces joliment ouvragées et toutes de dessins différents ». Ces pièces aux murs épais sont séparées du cloître par un couloir obscur. « Pour toute cuisine, deux petits fourneaux situés à l'extérieur de la cellule, mais non à l'air libre, hélas ! Un auvent

qui lui est indispensable. Encore trouve-t-on peu de choses à acquérir sur place. « Si l'on veut, note Sand, se permettre le luxe exorbitant d'un pot de chambre, il faut écrire à Barcelone. »
1. Les voitures du pays, précise Sand, se résument à deux types : la voiture *à volonté*, sorte de coucou-omnibus, sans aucune espèce de ressort ; le *birlucho*, cabriolet à quatre places, garni à l'intérieur d'un demi-pied de bourre de laine. L'un et l'autre véhicule sont très primitifs.

donnant sur le jardin protège de la pluie les opérations culinaires du moine. Exposées au midi, les trois pièces ouvrent sur un parterre séparé par de hautes murailles des jardins voisins [1]. » La « cellule » est très pauvrement meublée. « Des lits de sangle irréprochables, précise Sand, toujours optimiste ; des matelas peu mollets, plus chers qu'à Paris, mais neufs et propres ; de ces grands et excellents couvre-pieds en indienne ouatée ; plusieurs tables, plusieurs chaises de paille comme celles qu'on voit dans les chaumières des paysans : un voluptueux canapé en bois blanc... » A quoi s'ajoute une grande chaise gothique, prêtée par le sacristain ; elle donne à la cellule son ancien cachet monacal, « que des prières en latin, sur des feuilles de papier collées aux murs remémorent sans cesse aux occupants ». Dans un coin de la pièce dévolue à Chopin, le pauvre piano majorquin, qui rappelle à Sand celui de Bouffé, l'auteur du *Pauvre Jacques*. Il s'en contentera, jusqu'à l'arrivée du piano, plus honorable, commandé à Pleyel et qui ne parviendra que peu de jours avant le départ.

L'hiver de 1838-1839 est particulièrement froid et rude : orages, brouillards, journées sombres. La pluie tombe sans relâche et tient les voyageurs enfermés dans leurs cellules. « Le vent hurle dans les corridors glacés et un manteau de brume enveloppe le paysage, tel un suaire humide » : charmant séjour ! Le moindre rayon de soleil fait valoir la vue admirable que l'on découvre de la Chartreuse, mais les jours de beau temps sont si rares ! La description que Chopin donne de ce lieu de délices fait froid dans le dos :

« Tu peux m'imaginer, entre les rochers et la mer, dans une cellule d'une immense chartreuse abandonnée, aux portes plus grandes qu'aucune porte cochère de Paris. Je suis là, sans frisures ni gants blancs, et pâle comme à l'ordinaire. Ma chambre en forme de grand cercueil, a une énorme voûte poussiéreuse, une petite fenêtre donnant sur les orangers, les palmiers, les cyprès du jardin. Face à la fenêtre, sous une rosace filigranée de style mauresque, un lit de sangle. A côté

---

1. Bartomeu Ferra, *Chopin et George Sand à Majorque*.

du lit, un vieil *intouchable,* sorte de pupitre carré, mal commode pour écrire et sur lequel est posé un chandelier de plomb avec une bougie. Sur ce même pupitre, Bach et mes grimoires. Silence... on peut crier... les aigles planent sur nos têtes. En un mot, je t'écris d'un endroit bien étrange [1]... » Le « service », à la Chartreuse, est rudimentaire. Une certaine Maria-Antonia, venue d'Espagne pour échapper à la misère, a loué une cellule et exploite les hôtes de la Chartreuse. Chapardeuse-née, elle prélève la dîme et au-delà sur ceux à qui elle offre ses services : « Je n'ai jamais vu de bouche dévote plus friande, ni de doigts plus agiles pour puiser, sans se brûler, au fond des casseroles bouillantes, ni de gosier plus élastique pour avaler le sucre et le café de ses hôtes, tout en fredonnant un cantique [2]. » Deux ou trois Majorquines aident vaguement au ménage. Un sacristain, dépositaire des clefs du couvent, fait la ronde dans les couloirs vides. Un pharmacien, tenant dans son officine de la guimauve et du chiendent, vend ses produits à prix d'or. Enfin, un vieux serviteur de l'ancienne communauté erre, la nuit, complètement ivre, à travers les cloîtres, récitant d'une voix lugubre des prières dans l'obscurité des chapelles désertes et réveillant nos quatre voyageurs. Avec quel soulagement ils saluent le lever du jour ! Même s'il pleut, tout vaut mieux que ces nuits sinistres !

Quelque temps qu'il fasse, Sand et ses enfants se promènent. La pluie ne les arrête pas, non plus que les chemins inondés et les grands arbres ruisselants qu'un coup de vent déleste de leurs gouttes d'eau brillantes. Maurice recouvre, à ce régime tonique, une santé parfaite. Une seule fois durant le séjour à la Chartreuse, Chopin consent à suivre Sand et ses enfants dans une excursion à l'ermitage de la Trinité, situé à flanc de montagne : il en revient dans un état de prostration à faire peur, jurant qu'on ne l'y reprendrait plus.

---

1. Lettre à Fontana du 28 décembre 1838.
2. G. Sand, *Un hiver à Majorque.*

La « goutte d'eau ».

« Le pauvre grand artiste était un malade détestable. Il se démoralisa d'une manière complète. Supportant la souffrance avec assez de courage, il ne pouvait vaincre l'inquiétude de son imagination. Le cloître était pour lui plein de terreurs et de fantômes, même quand il se portait bien. Il ne le disait pas et il me fallut deviner. Au retour de nos explorations nocturnes, dans les ruines, avec mes enfants, je le trouvais, à dix heures du soir, pâle devant son piano, les yeux hagards et les cheveux comme dressés sur la tête [1]. » Chopin est tellement « ailleurs », à ce point emporté sur les ailes de quelque rêverie lointaine, qu'il lui faut quelques instants pour reconnaître ses familiers : « Ah ! s'écrie-t-il d'une voix étrange, je le savais bien que vous étiez tous morts [2] ! » Un médecin, de nos jours, diagnostiquerait une schizoïdie bénigne, c'est-à-dire l'abstraction du contact avec le monde réel. « Je voyage en d'étranges espaces », écrit Chopin, donnant

1. G. Sand, *Histoire de ma vie.*
2. De ce récit probablement exact, est née la légende du *Prélude* n° 15 en *ré bémol majeur,* dit « de la goutte d'eau ». D'après Sand, « Chopin se voyait noyé dans un lac ; des gouttes d'eau pesantes et glacées lui tombaient en mesure sur la poitrine : quand je lui fis écouter le bruit de ces gouttes d'eau qui tombaient en effet en mesure sur le toit, il nia les avoir entendues. Il se fâcha même de ce que je traduisais par le mot d'harmonie imitative. Il protestait de toutes ses forces — et, il avait raison — contre la puérilité de ces imitations pour l'oreille. Son génie était plein des mystérieuses harmonies de la nature traduites par des équivalents sublimes dans sa pensée musicale, et non par une répétition servile des sons extérieurs. Sa composition de ce soir-là était bien pleine des gouttes de pluie qui résonnaient sur les tuiles sonores de la Chartreuse, mais elles s'étaient traduites dans son imagination et dans son chant par des larmes tombant du ciel sur son cœur. » On ne saurait mieux définir Chopin, musicien et rien que musicien, vu par une femme de lettres, pour qui l'art le plus abstrait du monde — la musique — doit fatalement comporter des équivalences et des imageries verbales.

sans le savoir la plus exacte définition du phénomène de la création artistique, c'est-à-dire de l'évasion dans un monde clos, qui n'a rien à voir avec notre univers tangible [1].

« Il faisait ensuite un effort pour rire, poursuit Sand, et il nous jouait des choses sublimes qu'il venait de composer ou, pour mieux dire, des idées terribles ou déchirantes qui venaient de s'emparer de lui, comme à son insu, dans une heure de solitude, de tristesse ou d'effroi. C'est là qu'il a composé les plus belles de ces courtes pages qu'il intitulait modestement des *Préludes* [2]. Ce sont des chefs-d'œuvre. Plusieurs présentent à la pensée des visions de moines trépassés et l'audition des chants funèbres qui l'assiégeaient. D'autres sont mélancoliques et suaves : ils lui venaient aux heures de soleil et de santé, au bruit du rire des enfants sous la fenêtre, au son lointain des guitares, au chant des oiseaux sous la feuillée humide, à la vue des petites roses pâles épanouies sur la neige. D'autres encore sont d'une tristesse morne et, en vous charmant l'oreille, vous navrent le cœur. »

Le 22 janvier 1839, Chopin a parachevé, sur le piano Pleyel, enfin arrivé et dédouané à grands frais, en scrupuleux

1. Pathologiquement parlant, Chopin est-il schizophrène, schizoïde ou simplement psychasthénique ? Le symptôme essentiel des schizophrènes est de présenter une rupture du contact avec la réalité, les malades ne vivant plus que dans un monde intérieur. Les schizoïdes ont la faculté de s'isoler de l'ambiance. La psychasthénie se caractérise par l'indécision de l'esprit, une tendance aux appréhensions instinctives et irraisonnées.
A titre d'exemple du caractère morbide de Chopin, voici le témoignage d'une élève de Chopin, Mme Streicher, née Frédérique Müller, à qui est dédié l'*Allegro de Concert*. « Je l'ai souvent entendu préluder d'une façon merveilleuse. Une fois, il était entièrement absorbé par son jeu, complètement détaché du monde, quand son domestique entra doucement et déposa une lettre sur le pupitre. Chopin cessa de jouer en poussant un cri et ses cheveux se dressèrent debout, ce que je n'aurais jamais cru possible si je ne l'avais vu de mes yeux à ce moment. Mais cela ne dura qu'un instant. »
2. Nous avons indiqué plus haut que Chopin avait révisé, et non pas composé, les *Préludes* à Majorque.

qu'il est, la révision de ses *Préludes,* et il les envoie à Camille
Pleyel, devenu son éditeur pour la France, par l'intermédiaire
de Fontana. Il en demande 1 500 francs pour la France et
l'Angleterre. Il lui offre en outre la *Ballade* n° 2 en *fa
majeur,* deux *Polonaises en la majeur* et *en do mineur,*
et un *3ᵉ Scherzo.* Pour ce deuxième « lot », il demande
4 000 francs. Outre ces pièces, il est certain que la *Mazurka
en mi mineur, op.* 41, n° 2 et les deux *Nocturnes, op.* 37
ont été composés à Majorque et que la *Sonate funèbre* y a été
esquissée : on comprend qu'un tel cadre ait inspiré Chopin
— qui, les premières semaines passées, cesse de se plaindre,
mais dont la santé ne s'améliore pas pour autant. « Chose
étrange, note Sand, une véritable douleur ne le brisait pas
autant qu'une petite. Quant à sa déplorable santé, il l'acceptait héroïquement dans ses dangers réels et il s'en tourmentait
misérablement dans ses altérations insignifiantes. Ceci est
l'histoire et le destin de tous les êtres en qui le système nerveux est développé avec excès. » Bien vu et intelligemment
noté.

Les habitants du village de Valldemosa ne témoignent
aux exilés aucune considération. Bien au contraire, non con-
tents de les rançonner lors de leurs achats, ils se scandalisent de leur indifférence religieuse — Sand et Chopin ne
vont pas à l'église le dimanche —, les traitant de païens, de
juifs et de mahométans, les mettent en quarantaine alimentaire, refusent de leur vendre œufs, poissons et légumes,
sinon à des prix exorbitants, ce qui oblige les émigrés à
s'approvisionner à Palma, par l'intermédiaire du consul de
France [1]. D'où qu'elle vienne, la nourriture, accommodée à
l'espagnole, paraît détestable aux Parisiens. Chauffés par un

---

1. Dans ce milieu paysan, récemment « traumatisé » par
l'expulsion des moines, les conceptions sociales de Sand ne
pouvaient que heurter le tempérament d'une population passionnément fidèle à ses traditions. Ses vêtements masculins, son
cigare, l'habillement de la petite Solange, costumée en garçon,
exaspèrent tout le monde... Les dames de Palma fuient « cette
femme excentrique qui ose s'établir avec son amant dans un pays
où l'amour libre n'est pas admis ».

poêle unique, des plus rudimentaires, qui fume plus qu'il
n'émet de chaleur, et dont ils chassent les émanations en brûlant du benjoin, les malheureux, à certains soirs, jouent au
naturel Robinson Crusoé !

De temps en temps, un jeune homme de Valldemosa,
Vicente Colom, vient passer la soirée avec Chopin. Il apporte
son violon et lui apprend les rythmes des danses populaires
majorquines — danses qui sont offertes, un soir de Carnaval, aux Français par les gens du village qui célèbrent la fête
à leur manière. Divertissement d'un soir...

Départ.

Les premiers jours du printemps arrivent, mais ne modi-
fient pas l'humeur des hivernants. Décidés au départ, après
deux mois à peine d'un séjour en tous points décevant et
funeste à la santé de Chopin, ils descendent de la montagne
le 11 février 1839. Sand, pour sa part, quitte la Chartreuse
avec un mélange de joie et de douleur : « J'aurais bien passé
deux ou trois ans, seule avec mes enfants, dans ce site
enchanteur... »

Un fiasco.

A Palma, la veille du départ, Chopin, qui a dû accomplir
dans une carriole à deux roues le trajet de Valldemosa à
Palma, a une crise d'hémoptysie. On embarque néanmoins
à bord du *Mallorquín*. Le malade passe une nuit détestable
sur un méchant grabat, empêché de dormir par un troupeau
de porcs que le vapeur transporte à Barcelone. De là, Sand
avoue à Carlotta Marliani « qu'elle ne remettra jamais le
pied en Espagne ». Couverte de rhumatismes, elle a vieilli
de dix ans. Et la santé de Chopin s'est dangereusement
dégradée. Tout compte fait, le voyage se solde par un fiasco.
Ces quatre-vingt-dix-sept jours vécus à Majorque laissent

aux quatre voyageurs un amer souvenir ! L'amour y a-t-il du moins trouvé son compte ? Sand le laisse entendre, dans une lettre adressée à Mme Marliani, avant de quitter Palma : « Nous sommes plus près l'un de l'autre, nous y trouvons un bonheur toujours plus grand. A-t-on lieu de se plaindre tant que le cœur vit ? »

Marseille.

A Barcelone, Sand, malgré son caractère vaillant, est bien près de désespérer : ses deux enfants fatigués, cet autre enfant, triste et malade... Au huitième jour, elle aperçoit, dans le port, un navire de guerre français, le *Miliagre*. Elle écrit au commandant, obtient de lui la faveur d'embarquer, et celle de consulter le médecin du bord. Grâce à ses soins, l'hémorragie de Chopin s'arrête. Après trente-six heures de roulis vaillamment supporté, ils arrivent tous quatre à Marseille, le 25 février. « Un mois de plus, écrit Sand, et nous mourions en Espagne, lui de mélancolie et de dégoût, moi de colère et d'indignation. » Sans épiloguer autrement sur la désastreuse escapade, Chopin écrit à Fontana, multiplie ses instructions relatives au paiement de ses dernières œuvres, lui recommande de brûler sans le lire le testament qu'avant le départ il a laissé dans le tiroir de son secrétaire. « Je tousse, conclut-il, mais on ne me tient pas encore du tout pour un tuberculeux. Je ne bois ni café, ni vin, seulement du lait ; je m'habille chaudement et je ressemble à une demoiselle. » Au bout de quelques jours, les bons soins du docteur Cauvière, le confort de l'hôtel Beauvau donnant sur le Vieux-Port, la température clémente, les vésicatoires, les pilules, les bains, « et, plus que tout, les soins infinis de mon ange, m'ont remis sur pieds, sur des jambes un peu maigres... ».

Loin de Paris, Chopin entretient avec ses mandataires, Fontana et Grzymala, une correspondance compliquée, riche de recommandations multiples touchant l'édition de ses pièces pour le piano et de la marche à suivre pour accorder l'une à Probst, l'autre à Schlesinger, la troisième à Pleyel :

« Que veux-tu, conclut-il, les juifs seront toujours les juifs, et les teutons des teutons ! Qu'y faire ? Il me faut bien traiter avec eux... » De son côté, Sand précipite Mme Marliani chez Buloz pour lui « arranger son affaire de *Lélia*. J'ai de quoi aller quelque temps avec ce qu'il m'enverra. Chopin, de son côté, a travaillé et va rouler sur l'or... ».

Survient, apportée à Marseille par un vapeur de Naples, la triste nouvelle de la mort de Nourrit. Désespéré de l'accueil que lui ont fait les Napolitains, le grand ténor s'est jeté de sa fenêtre et est venu s'écraser sur le pavé. On ramène son corps à Marseille, Chopin joue à l'orgue de Notre-Dame-du-Mont lors de l'enterrement ; il improvise sur le thème d'un *lied* de Schubert : *les Astres*. « L'auditoire s'était porté en masse à l'église, écrit Sand, en apprenant que Chopin allait jouer. On s'attendait à ce qu'il fît un vacarme à tout renverser et brisât pour le moins deux ou trois jeux d'orgue... Quel orgue ! un instrument faux, criard, n'ayant de souffle que pour détonner. Pourtant, notre *petit* en a tiré tout le parti possible. J'étais cachée sous l'orgue et j'apercevais, à travers la balustrade, le cercueil de ce pauvre Nourrit. La vue de sa femme et de ses enfants m'a fait encore plus de mal... » Et voilà qu'une fois de plus, Sand et Chopin éprouvent l'impatience d'être loin de Paris ou de Nohant. « Marseille est laide. Toute la racaille littéraire est aux trousses de George — toute la racaille musicale aux miennes... C'est une ville vieille, mais non ancienne, elle nous ennuie un peu », écrit Chopin. De son côté, Sand s'agace de « cette ville de marchands et d'épiciers, où la vie de l'intelligence est parfaitement inconnue. Nous déménageons d'une auberge dans une autre. Sauf le mistral, nous avons un assez joli temps. Il ne faut pas que Chopin respire de l'air froid. Les jours de mistral, nous nous entourons de paravents et nous travaillons, chacun à sa besogne. Aussitôt que le soleil luit, nous allons à la promenade entre deux murailles et enveloppés dans un nuage de poussière. Notre existence est d'une innocence et d'une simplicité primitives. Un rien fatigue Chopin. Malgré cela, sa famille ne doit pas avoir d'inquiétude... »

De Varsovie, la famille de Chopin s'est alarmée des nouvelles qu'elle a reçues et Mme Justyna a parlé de se mettre en route. Rassurée par son fils, elle renonce à son projet et reste auprès de son mari, souffrant, qui peut difficilement se passer d'elle. Quant à lui, Frédéric, n'est-il pas surveillé de près par sa maîtresse qu'il nomme « Mes anges », au pluriel, dans une lettre à Fontana : « Tu l'aimerais plus encore si tu la connaissais, comme je la connais à présent. » De son côté, Sand rend hommage à son amant en des termes identiques : « Ce Chopin est un ange ; sa bonté, sa tendresse et sa patience m'inquiètent parfois : je m'imagine que c'est une organisation trop fine, trop exquise et trop parfaite pour vivre longtemps de notre grosse et lourde vie terrestre. Il a fait à Majorque, étant malade à en mourir, de la musique qui sentait le paradis à plein nez, mais je suis tellement habituée à le voir dans le ciel qu'il ne me semble pas que sa vie ou sa mort prouve quelque chose pour lui. Il ne sait pas bien lui-même dans quelle planète il existe, il ne se rend aucun compte de la vie comme nous la concevons et comme nous la sentons... » Ce certificat d'amour mutuel et réciproque est à verser au crédit du voyage aux Baléares : à quelque chose malheur est bon !

XII

NOHANT

La paix des champs.

Après une escapade à Gênes, marquée par une tempête affreuse, c'est, le 22 mai 1839, le retour par la route à Nohant. Sand s'est fait envoyer sa voiture de Châlon à Arles. Le voyage de retour est agréable. « Enfin sur place ! s'écrie Chopin. Nous nous sentons tous parfaitement bien. Belle campagne : alouettes, rossignols. Il ne manque que toi, mon oiseau [1] ! »

Des fenêtres de la « chambre d'amis », Frédéric découvre les frondaisons de Nohant et, derrière elles, la campagne berrichonne, « plate, allongée, monotone et charmante ».

Nohant est, au cœur du Berri [2], non pas un château, mais une belle maison bourgeoise Louis XV, spacieuse, confortable, au sens où on l'entend au cœur du XIXe siècle, bien distribuée, située dans un parc ombragé de très beaux arbres et bénéficiant d'un calme reposant, favorable aux travaux de l'art et de la pensée. Tout à côté, un hameau et une église romane. Deux dépendances de la maison mère : une grande cour pavée, avec les écuries et les remises d'un côté, une

1. Lettre à Albert Grzymala.
2. A noter que le chemin de fer n'existera dans cette direction qu'à partir de 1846. Encore n'ira-t-il pas au-delà de Vierzon. De Vierzon à Châteauroux et de Châteauroux à La Châtre, on voyageait en diligence ou en patache.

bergerie de l'autre ; un petit enclos réservé aux défunts de la famille et qui serait funèbre si la nature, comme elle adoucit les passions, ne donnait un sens naturel à cet autre versant de la vie qu'est la mort.

La maison est fort agréable à habiter. Entourée de pelouses, de fleurs et d'arbres, elle a le charme particulier des demeures où des familles se sont succédé. « Salon Louis XV, tendu de perse à ramages, salle à manger aux boiseries grises, cuisine reluisante de cuivres, escalier peint en faux marbre, couloir sur lequel donnent la chambre bleue, la chambre jaune, la chambre de Madame, la chambre des enfants, dans les combles un grenier, un atelier affecté à Delacroix et à Maurice Sand, son élève — tout cela exhale comme un parfum d'enfance, l'odeur retrouvée des vacances. Les vases sont pleins de fleurs, les bibliothèques pleines de livres, les bahuts pleins de vaisselle, la maison pleine d'amis. Chacun a laissé un dessin, un bibelot, la brûlure d'un cigare sur une table, le trait d'un crayon dans une marge. En vous ouvrant Nohant, Sand vous offre ses souvenirs et ceux de sa famille. Les vieux chapeaux de paille pour les jours de soleil voisinent avec les capes de bergers pour les randonnées sous la pluie ; les cannes, les bottes et, même, les sabots attendent les promeneurs sur les dalles de pierre. Il y a aussi les paniers, dont un à fond plat pour les fleurs, de vieux gants et des sécateurs, que George manie avec autant de fougue que la plume. D'ailleurs, à Nohant, George n'affecte plus, comme en ville, la tenue et les airs du dandy. Pour travailler, elle met une blouse de toile bleue, noue un madras autour de ses tresses noires et, tel un laboureur, s'attelle à un chapitre [1]. »

Devant le porche de Nohant, un minuscule lavoir autour duquel on pourrait jouer *On ne badine pas avec l'amour.* Blasius et Bridaine dialogueraient à l'abri de son auvent ; tous près d'eux, Dame Pluche descendrait de son âne, coiffée de son toupet et prendrait les saints hommes à partie. Per-

---

1. Philippe Jullian, *l'Hôte de Nohant* (*Chopin* : Ed. Génies & Réalités).

dican surgirait d'un bosquet, la canne à la main, et Camille,
interdite à sa vue, s'arrêterait au seuil d'une allée couverte.
C'est un décor idéal pour la comédie que Musset avait commencée à Venise, dans l'étrange ambiance que nous avons
évoquée et pour le deuxième acte de laquelle il avait tout
bonnement recopié la fin d'une lettre de Sand : « ... C'est
moi qui ai vécu, et non pas un être factice, créé par mon
orgueil et mon ennui ! » Aux créateurs, tout est pâture et
profit, jusqu'à leurs angoisses. Faute d'avoir pu faire jouer
cette scène à l'auteur, Sand imaginera, un soir, non sans
quelque sadisme, de déguiser Chopin, excellent comédien,
mime prodigieux, en Perdican. Ainsi, dans le miroir de ses
amours présentes, revit-elle ses amours passées.

A la date où elle rentre à Nohant avec Chopin, Sand
inscrit, au revers d'une croisée, dans sa chambre à coucher : 19 juin 1839. La voici chez elle, entourée de
« ses trois enfants ». Cérémonieux, hanté de la crainte de
laisser à autrui une ouverture sur sa vie privée, Chopin,
lorsqu'il écrit aux siens ou à ses amis, désigne sa maîtresse
sous des appellations voilées : « Madame Sand... mon
hôtesse... la maîtresse de céans. » Sand, en revanche, use de
mots tendres et apitoyés : « Chip, Chop, Chipette, Chopinski. »

Un jour d'été.

Chopin n'est pas sensible à la campagne, du moins n'exté-
riorise-t-il pas le plaisir qu'il y prend : « Je ne suis pas fait
pour la campagne. Cependant, j'y jouis de l'air frais... »
Ses promenades autour de Nohant, il les accomplit, comme
une formalité agréable, sur le dos d'un âne, pour ménager
ses forces renaissantes, entouré par Sand, ses amis et ses invités. Car George tient table ouverte. Il est rare qu'à table
elle n'ait une douzaine de convives. Cet été-là, elle reçoit,
entre autres, Marie Dorval, passionnée, équivoque, brûlée
d'ardeur et généreuse, amoureuse en secret de George Sand,
l'interprète-née de Hugo et, donc, l'exact opposé de ce

qu'aime Chopin en une femme ; Emmanuel Arago, dit
Bignat ; Delacroix, Rollinat, Grzymala, haut en couleur,
brillant conteur et trousseur de jupons ; et, bien entendu, le
demi-frère, Hippolyte Chatiron [1], gentilhomme campagnard,
ivrogne et débraillé, sympathique au demeurant, très attaché à George et reconnaissant à Chopin d'avoir su fixer le
cœur de l'inassouvie. Contrairement à ce qu'insinuera Marie
de Rozières, élève de Chopin, dotée de bons doigts et d'une
langue de serpent, Frédéric entretient avec son demi-beau-
frère des rapports amicaux.

La journée à Nohant est ainsi réglée que chacun fait ce
qui lui plaît. Sand se partage entre ses obligations de maîtresse de maison, ses devoirs de bonne mère et la tyrannie de
ses contrats littéraires : Nohant coûte cher [2], les invités y
sont nombreux et elle n'a pour vivre que sa plume et la pension que lui sert son mari, non compté des revenus médiocres. Il lui faut donc écrire à tout prix, « pondre »,
comme elle dit — mais sans aucune peine, ajoutons-le.
Un fleuve d'encre coule de l'encrier de cette femme active
qui enchaîne les romans, sans compter l'importante correspondance qu'elle entretient avec une régularité exemplaire.

Chopin se lève tard, flâne, écrit des lettres, rêvasse, fait
longuement sa toilette, déjeune seul dans sa chambre, travaille, descend à cinq heures. S'il fait beau, on dîne dehors,
sur la terrasse. En cas de temps couvert ou pluvieux, la
grande salle à manger accueille Sand et ses hôtes. Sans donner dans le pantagruélisme de l'époque, la table est bien
servie : jamais moins d'un bouillon, d'une entrée, de deux
plats de viande et d'un dessert. Après le dîner, la plupart du
temps, Chopin se met au piano, il joue, ou bien il improvise,
à moins qu'il n'accompagne Pauline Viardot ou n'exécute
un morceau à quatre mains avec Solange Sand, à qui il donne

---

1. Fils naturel de Maurice Dupin, père de George, et d'une
paysanne du nom de Chatiron, Hippolyte a épousé Emilie de
Villeneuve. Il vit aux environs de Nohant, à Montgivray.
2. « A Nohant, il me faut 4 000 francs par mois. A Paris, je
vis avec la moitié. »

des leçons. Pauline Viardot sert de modèle à Sand, qui écrit
alors *Consuelo*, où elle décrit une cantatrice de génie.

Sand est-elle musicienne ? Disons qu'elle a appris à jouer
du piano, qu'elle aime à aller au concert ou à l'Opéra et
que, naturellement, elle reconnaît le génie de Chopin. Ajoutons qu'elle en parle avec une ferveur sans démenti et qu'elle
entoure d'un culte véritable le génie de son amant. Parfois,
il lui arrive, dans un élan romantique, de dépasser la mesure
et de souhaiter une transcription orchestrale, bien inutile,
des œuvres de Chopin pour le piano :

« Un jour viendra où l'on orchestrera sa musique, sans
rien changer à sa partition de piano, et où tout le monde
saura que ce génie, aussi vaste, aussi complet, aussi savant
que celui des plus grands maîtres, qu'il s'est assimilés, a
gardé une individualité encore plus exquise que celle de Jean-
Sébastien Bach, encore plus puissante que celle de Beethoven, encore plus dramatique que celle de Weber... »

Sans souscrire aux comparaisons de Sand, que rien ne
justifie — non plus, et encore moins, qu'à la nécessité d'or-
chestrer la musique de Chopin (qui est aussi faite pour le
piano et congénitalement liée à lui, que certaines partitions
symphoniques sont irréductibles au clavier) — on ne peut
dire qu'il y ait là anathème. Jamais elle ne perd l'occasion de
mettre en valeur le talent de Frédéric, ni de l'inciter au
travail. Un soir, à Nohant, elle parle devant lui de la paix
de la campagne et des merveilles de la nature :

— Comme c'est beau, ce que vous racontez, dit Chopin.

— Vous trouvez ? Eh bien, traduisez cela en musique.

Alors, Chopin improvise. George Sand, à côté de lui, une
main posée sur son épaule, murmure :

— Courage, doigts de velours !

Très naturellement, Sand conçoit, en femme de lettres,
la musique comme une transcription des états d'âme littéraires et poétiques, elle admet moins volontiers que l'art
des sons est un langage en soi, qui ne doit rien, ou si peu,
aux autres arts. Cela dit, jamais elle ne donne à Chopin de
ces conseils niais, ou simplement inopportuns, qu'une
femme moins remarquablement intelligente n'aurait pas man-

qué de dispenser. Et l'image qui nous la montre, tricotant à côté du piano de Chopin, tandis que celui-ci essaye un *Nocturne* ou une *Mazurka* est une image d'Epinal. Non seulement Sand n'a pas gêné le travail de Chopin, mais elle n'a cessé de l'encourager par son exemple. Ne sait-elle pas, mieux que personne, la tranquillité, la concentration spirituelle qu'exige un travail de l'esprit ? Tout, à Nohant, est conçu en fonction des nécessités de cette tâche supérieure. Assurément, Chopin y trouve un recueillement on ne peut plus propice à son activité. C'est là, au demeurant, qu'il écrit ou met au net ce qu'il a conçu, et seulement noté à l'état de volantes esquisses, au cours des mois d'hiver.

Comment se porte-t-il ? Le médecin habituel de Sand, le docteur Gaubert, est mort durant l'équipée majorquine. C'est, à Nohant, le docteur Papet qui ausculte Chopin : il lui trouve « la poitrine intacte et affirme qu'il recouvrera peu à peu une bonne santé ». A divers correspondants [1], Sand donne, durant l'été de 1839, des nouvelles de son hôte et amant : « La vie de Nohant lui réussit... Cependant, je crois qu'il aurait besoin d'un peu moins de calme, de solitude et de régularité que nous ne lui en offrons... Il est toujours " quanquan "... Il est toujours tantôt mieux, tantôt moins bien, jamais mal, ni bien précisément. Je crois que le pauvre enfant est destiné à une petite langueur perpétuelle : son moral, heureusement, n'en est point altéré. Il est gai dès qu'il se sent un peu de force... » Chopin lui-même donne des nouvelles brèves et radicales de leurs deux santés : « Je me porte mal, elle est souffrante... elle est au lit après avoir eu mal à l'estomac toute la nuit [2]. »

« De son hôte et amant », écrivons-nous un peu plus haut : on se pose la question de savoir si, vraiment, au temps que nous évoquons et la première ardeur passée, Chopin mérite encore ce nom. On peut en douter sérieusement,

---

1. Et ils sont nombreux ! En marge de ses travaux littéraires, Sand écrit à la plume une dizaine de lettres chaque jour.
2. Toute sa vie, Sand aura les intestins délicats. Elle finira par mourir d'une occlusion du côlon.

si l'on consulte une lettre, du 12 mai 1847, de Sand à
Grzymala : « Il y a sept ans que je vis comme une vierge,
avec lui et avec les autres. Je me suis vieillie avant l'âge,
et même sans effort ni sacrifice, tant j'étais lasse de passions,
et désillusionnée, et sans remède... Je sais que bien des gens
m'accusent, les uns de l'avoir épuisé par la violence de mes
sens, les autres de l'avoir désespéré par mes incartades. Je
crois que tu sais ce qui en est. Lui, il se plaint à moi de
ce que je l'ai tué par la privation, tandis que j'avais la
certitude de le tuer si j'agissais autrement... » Une autre
fois, Sand accusera Chopin « de chercher dans les bras de
ses femmes de chambre un remède à ses rigueurs salutaires... ». Que conclure de cela ? Peu de choses, car Sand
est la femme la moins franche qui soit. Elle excelle à se
parer de vertus, à s'acquitter de ses fautes ou à en rejeter la
responsabilité sur autrui. Son œuvre est un immense plaidoyer, confié à un avocat infatigable. Mais ce que l'on
sait de la complexion de Chopin et du fait assez rare que,
chez lui, l'affection pulmonaire ne se complique d'aucune
exacerbation sensuelle, ce que l'on devine de son médiocre
appétit sensuel en présence des femmes, ferait, sur ce point
précis, donner raison à Sand. On imagine très bien que,
dès l'été de 1839, leur amour se soit mué en amitié. Qui
sait si Chopin ne proteste pas pour la forme et par galanterie ?

Sonate funèbre.

Les travaux dans lesquels il s'absorbe en cet été de 1839
à Nohant sont de divers ordres. Pour lui-même, il revoit
l'édition parisienne des œuvres de Bach, il corrige les fautes
du graveur et celles que les interprètes successifs du Cantor
ont accréditées. Fait bien plus important, il compose et met
au propre la *Sonate funèbre,* d'après les esquisses de Valldemosa. Chose curieuse, cette sonate fulgurante, il la décrit
à Fontana en des termes tout à fait détachés, comme indifférents : « J'écris une *Sonate en si bémol mineur,* où se trouve

la *marche* que tu connais [1]. Cette *Sonate* comprend un *alle-gro*, un *scherzo* en *mi bémol mineur*, la *marche* et un bref *finale* : trois pages, peut-être, de mon écriture. Après la *marche*, la main gauche babille à l'unisson avec la droite... »

On croit rêver. Quoi, c'est là cet ouragan sonore, ce quadriptyque visionnaire, cette fresque sauvage ? C'est ici où Chopin se montre tel qu'il est, purement musicien, en aucune manière homme de lettres. La « littérature » lui fait horreur — celle même qui s'emploie à louer ses propres ouvrages [2]. Pour lui, la musique est un univers clos. Quand Delacroix, artiste universel, l'invite à comparer les arts entre eux, Chopin se tait, il se referme sur un rêve qu'il n'a jamais fini d'exprimer et dont il ne veut pas que « les autres » s'emparent, fût-ce pour en dire des merveilles. Ainsi juge-t-il sa *Sonate funèbre*. Mais, un jour de l'avant-dernier été de sa vie terrestre, le 29 août 1848, il joue à Manchester, dans un salon, cette *Sonate en si bémol mineur*. Après le *scherzo*, il s'enfuit, avant de revenir, parmi ses hôtes, quelques instants plus tard, pour y jouer la *marche* et le *finale*, *unisono*. Dans son numéro du lendemain, le critique du *Manchester Guardian*, convié à titre amical, s'étonne de cette brusque interruption : Chopin a-t-il éprouvé un malaise ? Sur l'instant, on s'interroge. La vérité sera révélée par une lettre [3] adressée par Chopin à Solange Clésinger, le 9 septembre 1848, treize mois avant de mourir : « Il m'est arrivé une étrange aventure, tandis que je jouais ma *Sonate en si bémol* devant des amis britanniques. J'avais joué à peu près correctement l'*allegro* et le *scherzo*, j'allais attaquer la *marche*, quand, soudain, j'ai vu surgir, du coffre entrouvert de mon piano, les créatures maudites qui, dans un soir lugubre, à la Chartreuse, m'étaient apparues. J'ai dû sortir un moment pour me remettre, après quoi j'ai repris sans

---

1. Chopin l'a composée deux ans plus tôt.
2. On a vu de quel vitriol il a salué la critique enthousiaste, mais littéraire, de Schumann sur ses *Variations* de jeunesse.
3. Collection personnelle. Cette lettre manuscrite, acquise par moi à Londres n'a jamais été, que je sache, publiée.

rien dire... » Chopin ne parle pas de sa musique : il la vit, après l'avoir créée.

De la même époque datent le *Nocturne en sol majeur,* qui fait la paire avec celui en *sol mineur.* Ils constituent l'*op.* 37, les quatre *Mazurkas, op.* 41 et trois autres en *si majeur, la bémol* et *do dièse mineur,* qui paraissent à Chopin « jolies comme leurs enfants les plus jeunes semblent beaux aux parents qui vieillissent ». Rien que du piano et toujours du piano à l'horizon ! De Pologne, Chopin reçoit une lettre du cher Titus Woyciechowski, lui conseillant d'écrire un oratorio [1] : pourquoi lui-même ne construit-il pas un cloître pour des religieux, plutôt qu'une fabrique de sucre ? Titus est marié, père d'un second fils qu'il a appelé Frédéric : comme le temps passe, comme les visages s'éloignent, perdant peu à peu leur pouvoir magnétique, source de tant de joies et de douleurs secrètes ! A Paris, la femme de Mickiewicz est devenue folle, il a fallu l'interner : douleurs, regrets, mirages...

Sur la manière dont Chopin travaille, Sand a laissé une relation intéressante et, très certainement exacte :

« Sa création était spontanée, miraculeuse. Il la trouvait sans la chercher, sans la prévoir. Elle venait sur son piano, subite, complète, sublime — ou elle chantait dans sa tête pendant une promenade et il avait hâte de se la faire entendre à lui-même en se jetant sur l'instrument. Mais, alors, commençait le labeur le plus navrant auquel j'aie jamais assisté. C'était une suite d'efforts, d'irrésolutions et d'impatiences pour ressaisir certains détails du thème de son audition : ce qu'il avait conçu tout d'une pièce, il l'analysait trop en voulant l'écrire, et son regret de ne pas le retrouver net, selon lui, le jetait dans une sorte de désespoir. Il s'enfermait dans sa chambre des journées entières, pleurant, marchant, brisant ses plumes, répétant ou changeant cent fois une mesure, l'écrivant et l'effaçant autant de fois, et recommençant le lendemain avec une persévérance minutieuse et désespérée. Il passait six semaines sur une page pour en revenir

---

1. Tandis que Josef Elsner s'obstine à lui réclamer un opéra !

à l'écrire telle qu'il l'avait tracée du premier jet... » Sand corrige peu, Chopin est un « ratureur », qui cherche en vain la fuyante perfection. Il sait, mieux qu'un autre, que les œuvres vivent par le style, plus que par l'imagination et que « seul, un dernier effort efface jusqu'à la trace de l'effort ». Il faut qu'en déchiffrant ce *nocturne* ou cette *mazurka,* les jolies dames aux ongles peints se disent : « Bah ! cela coule de source, j'en aurais fait autant !... »

Un soir de mai.

La grande distraction de Nohant, c'est le théâtre de marionnettes ! Et George Sand confectionne des poupées d'étoffe qui en sont les interprètes muets. C'est à Chopin que l'on doit l'idée première de ce divertissement. Cela commence par des charades, des à-propos, des saynètes, où Chopin renoue avec le souvenir de ses jeux d'enfant, au milieu de ses sœurs, à Varsovie. Très bon acteur, mime remarquable, imitant à volonté l'empereur d'Autriche, un vieux juif miséreux ou une dame de province amoureuse, il enseigne à son entourage, et d'abord à Solange et à Maurice Sand, les rudiments d'un art qui, pour lui, n'a pas de secrets. Sous sa direction, les acteurs improvisés jouent des scènes ou dansent des ballets, qu'il accompagne au piano. Il en fera autant pour les marionnettes de Sand : « Il semblait les conduire à sa guise et les faire passer, selon sa fantaisie, du plaisant au sévère, du burlesque au solennel, du gracieux au passionné [1]... » Les après-dîners sont égayés par ces fêtes innocentes.

Faut-il ajouter foi au récit de Maurice Rollinat, qui campe Chopin en présence de Liszt à Nohant ? Non, car ils ne s'y sont jamais trouvés ensemble. La dernière fois que Liszt et Marie d'Agoult sont venus à Nohant, en 1837, Chopin a décliné l'invitation de Sand, il a passé l'été à Londres et à Paris. Il se peut donc, ou bien que Rollinat ait inventé

1. George Sand, *Dernières Pages.*

l'histoire qu'on va lire, ou bien qu'il l'ait transposée dans le Berry, après en avoir été, ailleurs, le témoin :

« Un soir du mois de mai, entre onze heures et minuit, la société était réunie dans le grand salon. Liszt jouait un nocturne de Chopin et, selon son habitude, le brodait à sa manière, y mêlant des trilles, des trémolos et des points d'orgue qui ne s'y trouvaient pas. A plusieurs reprises, Chopin avait donné des signes d'impatience ; enfin, n'y tenant plus, il s'approcha du piano et dit à Liszt avec son flegme anglais :

— Je t'en prie, mon cher, si tu me fais l'honneur de jouer un morceau de moi, joue ce qui est écrit ou bien joue autre chose : il n'y a que Chopin qui ait le droit de changer Chopin.

— Eh bien ! joue toi-même ! dit Liszt, en se levant, un peu piqué.

— Volontiers, dit Chopin.

« En ce moment, la lampe fut éteinte par une phalène étourdie qui était venue s'y brûler les ailes. On voulait la rallumer.

— Non ! s'écria Chopin ; au contraire, éteignez toutes les bougies ; le clair de lune me suffit.

« Alors il joua... il joua une heure entière.

« Vous dire comment, c'est ce que nous ne voulons pas essayer. L'auditoire, dans une muette extase, osait à peine respirer, et lorsque l'enchanteur finit, tous les yeux étaient baignés de larmes, surtout ceux de Liszt. Il serra Chopin dans ses bras en s'écriant :

— Ah ! mon ami, tu avais raison ! Les œuvres d'un génie comme le tien sont sacrées ; c'est une profanation d'y toucher. Tu es un vrai poète et je ne suis qu'un saltimbanque !

— Allons donc ! reprit vivement Chopin ; nous avons chacun notre genre, voilà tout. Tu sais bien que personne au monde ne peut jouer comme toi Weber et Beethoven. Tiens, je t'en prie, joue-moi l'adagio en *ut dièse mineur* de Beethoven, mais fais cela sérieusement, comme tu sais le faire quand tu le veux.

« Liszt joua cet adagio et y mit toute son âme. Ce n'était plus une élégie. C'était un drame.

« Cependant, Chopin crut avoir éclipsé Liszt ce soir-là. Il s'en vanta en disant : « Comme il est vexé ! » Liszt apprit le mot et s'en vengea en artiste spirituel qu'il était. Voici le tour qu'il imagina quatre ou cinq jours après.

« La société était réunie à la même heure, c'est-à-dire vers minuit. Liszt supplia Chopin de jouer. Après beaucoup de façons, Chopin y consentit. Liszt alors demanda qu'on éteignît toutes les lampes, toutes les bougies et que l'on baissât les rideaux, afin que l'obscurité fût plus complète. C'était un caprice d'artiste, on fit ce qu'il voulut. Mais, au moment où Chopin allait se mettre au piano, Liszt lui dit quelques mots à l'oreille et prit sa place. Chopin, qui était très loin de deviner ce que son camarade voulait faire, se plaça sans bruit sur un fauteuil voisin. Alors Liszt joua exactement toutes les compositions que Chopin avait fait entendre dans la mémorable soirée dont nous avons parlé, mais il sut les jouer avec une si merveilleuse imitation du style et de la manière de son rival, qu'il était impossible de ne pas s'y tromper, et, en effet, tout le monde s'y trompa.

« Le même enchantement, la même émotion se renouvelèrent. Quand l'extase fut à son comble, Liszt frotta vivement une allumette et mit le feu aux bougies du piano. Il y eut dans l'assemblée un cri de stupéfaction.

— Quoi ! c'est vous ?

— Comme vous voyez !

— Mais nous avons cru que c'était Chopin !

— Tu vois, dit le virtuose en se levant, que Liszt peut être Chopin quand il veut ; mais Chopin pourrait-il être Liszt !

« C'était un défi ; mais Chopin ne voulut pas ou n'osa pas l'accepter. Liszt était vengé. »

Brouille.

D'août à novembre 1839, l'amitié de Sand pour Marie d'Agoult traverse une sérieuse éclipse [1]. La faute en incombe à la comtesse Marliani qui, au reçu d'une lettre assez aiguë et perfide de Marie d'Agoult maltraitant Sand, commet l'imprudence de lui montrer l'épître. Sur quoi, justement meurtrie, Sand cesse d'écrire à Marie. Celle-ci s'inquiète, invoque la pureté de son cœur — « J'ai beau fouiller dans les replis de ma conscience, je n'y trouve pas l'ombre de l'apparence d'une faute [2] » — et réclame une explication à trois. Sand réfléchit, demande conseil à la Marliani sur le mode de rupture à choisir. Avant la rencontre, elle choisit d'écrire à Marie d'Agoult et elle le fait avec une rare finesse : « Votre douleur et votre regret ne trahissent que le dépit ou la haine. Oui, *la haine*, ma pauvre Marie ! N'essayez pas de vous faire illusion à vous-même : vous me haïssez mortellement. Vous m'avez toujours haïe. Pourquoi ? Je ne le soupçonne pas. Il est des antipathies instinctives contre lesquelles on se débat en vain. Maintenant, vous êtes en colère contre moi : c'est dans l'ordre. Ceci est le premier et le dernier sermon que vous recevrez de moi. Veuillez me le pardonner, comme je vous pardonne d'avoir fait des homélies sur moi sans m'en faire part... »

Recevant ce poulet, Marie d'Agoult le digère mal. Ne pouvant refuser l'entrevue tripartite qu'elle-même a sollicitée, elle s'y rend, fait patte douce, juge que Sand a plus de tristesse que de colère, les deux femmes s'embrassent, mais, au lendemain de la « réconciliation », Marie d'Agoult, très sérieusement jalouse de Sand et agacée par le talent de Chopin, en qui elle voit un rival de Liszt, ne surveille ni sa langue, ni sa plume — et les propos aigres de courir à nouveau. Ce sont des potins sur « l'amitié louche qui lie Marie

---

1. *Souvenir de Nohant* (Supplément du *Figaro*, 22 octobre 1876).
2. Elle fouille mal !

Dorval à Sand : elle en est amoureuse folle ! » ; des cancans sur le « ménage Sand-Chopin, qui ne peut tarder à se rompre » ; des calomnies sur « Sand qui la hait : nous ne nous voyons plus... » ; des reproches à Chopin, qui, « la sachant malade, n'est pas venu prendre de ses nouvelles ». Liszt pare le coup et tente d'excuser « la gaucherie de Chopin [1] ». Rien n'y fait et Balzac, après avoir publié *Béatrix* où il raconte, en les camouflant, les amours de Liszt et de Marie d'Agoult, avec une allusion à l'aventure parallèle de Chopin et de Sand, s'écrie, rencontrant Potocki à l'Opéra : « Eh bien ! j'ai brouillé les deux femmes ! » En dépit de sa bonté naturelle et de son caractère chevaleresque, Liszt, harcelé de coups d'épingle par sa comtesse, sent fléchir son amitié pour Chopin. Il conserve toutefois au musicien une chaleureuse estime.

Recherches immobilières.

Vers la fin de l'été se pose à Chopin la question de l'automne à Paris : faut-il conserver l'appartement de la Chaussée-d'Antin, ou déménager pour vivre plus près de Sand, dont le foyer lui est devenu comme un substitut du foyer familial ? L'exilé n'a pas d'autre famille que celle-là. De son côté, Sand doit s'installer, elle aussi, à Paris. Elle charge Grzymala de lui trouver un appartement, au midi si posible, quitte à ce que les chambres soient petites et que le salon ne permette pas de recevoir plus de douze personnes à la fois. Quant à Chopin, il fait d'abord arrêter par Fontana un appartement, 5, rue Tronchet, quitte à ce qu'on ne lui en trouve un, mieux situé, rue Laffitte. Mais, à partir de ce moment, ce sont, chaque jour ou presque, de nouvelles

1. La patience de Liszt s'explique, si l'on en croit Franchomme, violoncelliste, ami de Liszt et de Chopin, par le fait que, profitant d'une absence de Chopin, Franz aurait conduit une femme dans l'appartement de son ami : d'où un « froid » entre les deux musiciens : Liszt cherche tous les moyens pour le dissiper.

recommandations de Chopin à son fidèle Fontana qui, oubliant son métier de pianiste, joue les factotums : « Choisis un papier de couleur tourterelle, brillant et glacé, avec une bordure vert sombre... Surtout, que cela ne fasse pas *épicier* ! J'aime la couleur perle, tu le sais... Fais remettre en état par un ébéniste mon lit et mon secrétaire... Et pense à me trouver un domestique : éventuellement, un brave et honnête Polonais... Fais battre les sièges... Paye la voiture de déménagement... Surtout, pense aux rideaux de mousseline... Le sofa rouge de la salle à manger pourrait être mis au salon, si on le recouvrait d'une housse blanche de tissu semblable à celui des chaises... N'oublie pas mes manuscrits, vois mes éditeurs, fais pour le mieux... Maintenant, il faut trouver pour Mme Sand un logis convenable, par exemple un petit hôtel dans une voie nouvelle près de la rue de Clichy, de la rue Blanche ou de Notre-Dame-de-Lorette, jusqu'à la rue des Martyrs [1], avec un loyer de 2 000 à 2 500 francs, le tout parqueté, en bon état et ne nécessitant aucune réparation. Une cour et un jardin. *Du calme* surtout, le silence, pas de forgeron dans le voisinage, une bonne exposition au soleil. De la clarté, pas d'odeur, pas de fumée. Une belle vue. Pour Dieu, active-toi, ne sois pas paresseux (!) Aie pitié de moi, presse-toi ! Passe chez Dupont, commande-lui un chapeau léger à mes mesures... Entre chez Dautremont, mon tailleur, et demande-lui de me faire tout de suite des pantalons gris sombre, sans rayures, très simples et allant bien. Et un gilet de velours noir à petits dessins discrets — ou de drap uni... Je ne veux pas payer le domestique plus de 80 francs, si possible 60, tant j'ai de dépenses à faire... Au nom du ciel, que dans mon immeuble, il n'y ait pas de cornets à pistons ou d'autres instruments du même genre ! Aime-moi et suis ton inspiration personnelle. »

Les doux romantiques ont, en matière de corvées pour leurs proches, des idées fort précises ! Imagine-t-on le pauvre

---

1. En P.S., Sand indique d'autres rues possibles, rue de Verneuil, rue de Bourgogne, rue de Beaune, rue Las Cases — et fait un croquis de l'appartement idéal.

Fontana recevant lettre sur lettre, envoyé ci, envoyé là, courant en tous sens, renseignant à mesure son lointain bourreau, multipliant les démarches, craignant toujours de n'en pas faire assez ? Finalement, il arrête deux appartements. Pour Sand et ses enfants, deux pavillons dans un jardin, 16 rue Pigalle. Pour Chopin, un logis 5 rue Tronchet. Chopin le remercie, annonce son arrivée pour le 11 octobre et précise que « son compagnon », c'est-à-dire Sand, est ravi ! Quant à lui, outre les manuscrits annoncés précédemment, il apportera celui du *2ᵉ Impromptu en fa dièse majeur, op.* 36. Très peu après, il vend à l'éditeur Schlesinger deux des trois *Etudes* écrites en complément des vingt-quatre premières et destinées à la *Méthode des méthodes des pianistes.*

Assez rapidement, Chopin se déplaira dans son appartement de la rue Tronchet, qu'il juge sombre, humide et malsain. Ce n'est qu'au début du mois de novembre qu'il vient s'installer rue Pigalle. Sand et Solange occupent un des pavillons, Chopin et Maurice s'installent dans l'autre. Ainsi, les convenances sont-elles sauves. L'habitation commune (elle le sera jusqu'à l'automne de 1842) nous est décrite par Balzac : « George Sand demeure rue Pigalle, 16, au fond d'un jardin, au-dessus des remises et des écuries d'une maison qui est sur la rue. Elle a une salle à manger, où les meubles sont en bois de chêne sculpté. Son petit salon est couleur café au lait et le salon où elle reçoit arbore des vases chinois superbes, pleins de fleurs. Il y a toujours une jardinière fleurie. Le meuble est vert, il y a un dressoir plein de curiosités, des tableaux de Delacroix, son portrait par Calametta. Le piano est magnifique et droit, carré, en palissandre. D'ailleurs, Chopin y est toujours. Elle ne fume que des cigarettes, et pas autre chose. Elle ne se lève qu'à quatre heures ; à quatre heures, Chopin a fini de donner ses leçons. On monte chez elle par un escalier dit *de meunier,* droit et raide. Sa chambre à coucher est brune ; son lit est composé de deux matelas par terre, à la turque. Elle a de jolies petites mains d'enfant [1]. »

1. Lettre à Mme Hanska.

Très peu de temps après le retour à Paris, le pianiste Moscheles, qui vient d'arriver en France, rencontre Chopin chez le banquier Léo. Chopin joue son *Prélude en la bémol majeur* et la *Sonate funèbre,* Gutmann interprète le *Scherzo en ut dièse mineur* de son maître. Et Moscheles s'émerveille : « Son jeu est de la plus charmante originalité ; les modulations les plus dures passent toutes seules ; il ménage ses *piani* de telle sorte qu'il n'a besoin d'employer aucun *forte* violent pour produire les contrastes voulus... »

Concert   à   Saint-Cloud.

Le comte de Perthuis, aide de camp de Louis-Philippe, ayant vanté au roi le talent des deux pianistes, ceux-ci sont invités à jouer pour la famille royale à Saint-Cloud. Le 31 octobre 1839, la *Gazette musicale* rend compte du concert : *Sonate* à quatre mains de Moscheles. Puis Chopin, après avoir joué *Etudes* et *Nocturnes,* improvise sur des motifs de *la Folle,* de Grisard [1], et Moscheles sur des thèmes de *la Flûte enchantée.* Les artistes sont « fraternellement heureux » de ce triomphe collectif, mais Chopin, quelques jours plus tard, ne peut retenir une boutade. Il a reçu du roi une coupe de vermeil, tandis que Moscheles se voit offrir un nécessaire de voyage — « manière comme une autre, dit Chopin, de lui dire : partez bien vite ! » Au cours de la soirée, le comte de Perthuis insiste auprès de Chopin pour que celui-ci compose un opéra. Chopin, qui a d'autres projets en tête, sourit : « Ah ! monsieur le comte, laissez-moi composer de la musique de piano : c'est tout ce que je sais faire ! »

Un soir d'automne, se souvenant des épreuves qu'il a subies, un an plus tôt, en débarquant sur le sol de Majorque, Chopin dit simplement à Julien Fontana [2] : « Qu'on est

---

1. Maître de chapelle à Saint-Omer, qu'on avait cru, un moment, être l'auteur véritable de *la Marseillaise.*

2. Rapporté par Georges Mathias, qui fut un des maîtres d'Alfred Cortot.

bien à Paris ! Et, mon Dieu, qu'on était mal à Palma ! J'ai
failli y laisser ma vie... » Chose curieuse, jamais un mot à
George Sand sur l'équipée. Majorque est un triste chapitre
de leur histoire commune, l'amour mis à part : aussi n'y
fait-on jamais allusion. La page est tournée.

Une journée de Chopin.

Il s'éveille à une heure irrégulière. Cela consterne George
Sand, femme d'habitudes, dont la pendule est inexorable-
ment réglée, et qui travaille aux heures où les honnêtes
gens sommeillent. Une santé imperturbable lui permet de
mener une existence à laquelle peu résisteraient.

Revenons à Chopin, qui s'éveille dans son pavillon. Le
chant des coqs se mêle au carillon de Notre-Dame-de-
Lorette. Soigné comme un petit-maître, il s'attarde à sa
toilette. Un coup d'œil à la glace en pied, dans un angle de
sa chambre. Une grimace : la minceur confine à la maigreur
— 1,70 m, 43 kg. Durant les dix-huit années de son séjour
parisien, il a vu ou verra vingt-cinq médecins, qui lui trou-
veront une douzaine de maladies : tuberculose pulmonaire,
laryngite chronique, anémie opiniâtre, faiblesse musculaire,
ochrodermie, fragilité intestinale, psychasthénie [1]. Comment
s'étonner, alors, que Chopin malade soit « désespérant dans
l'intimité », aux dires de Sand qui complète ainsi sa pensée :
« Nulle âme n'était plus noble, plus délicate, plus désintéressée ; nul commerce plus fidèle et loyal, nul esprit plus
brillant dans la gaieté, nulle intelligence plus sérieuse et
plus complète dans ce qui était son domaine. Mais, en
revanche, hélas, nulle humeur n'était plus inégale, nulle
imagination plus ombrageuse et plus délirante, nulle sus-
ceptibilité plus impossible à satisfaire. » L'examen clinique
rejoint et confirme l'observation psychologique d'un être
maladif.

Il flâne, il écrit des lettres, domptant « son horreur ins-

---

1. La maladie, non encore nommée, existait déjà.

tinctive du papier et de la plume, quand il ne s'agit pas de composer de la musique ». Vers la fin de la matinée, il donne une ou deux leçons, déjeune rapidement, seul ou en compagnie d'un ami intime — Grzymala, Fontana, Franchomme, Witwicki — puis il donne de nouvelles leçons, jusqu'à cinq heures, à moins qu'entre deux élèves, il n'ait le temps de pousser l'esquisse d'une œuvre en cours. A Paris, toutefois, il révise, modifie, note, corrige — mais il ne compose pas, réservant aux mois de printemps et d'été les travaux de longue haleine. Nous avons déjà dit que Chopin apporte à son activité professorale des soins et un sérieux exemplaires. « Si l'élève ne répondait pas à son attente, a rapporté un de ses derniers élèves parisiens, Mathias, il s'emportait, s'arrachait les cheveux, brisait ses crayons. Un jour, il saisit une chaise par son dossier et la jeta sur le plancher. Si, au contraire, il obtenait la sonorité voulue, souple, variée comme l'arc-en-ciel, sa voix se faisait palpitante, amoureuse : « Comme c'est bien, mon ange[1] ! » Etre appelé « Mon ange » par « Monsieur Chopin », en 1840, n'est-ce pas du bonheur pour toute une vie !

Fréquemment, Chopin se met au piano, donne l'exemple, indique la solution d'une difficulté, marque une nuance, un doigté, un accent, n'étant pas de ces maîtres qui disent à leurs disciples : « Faites ce que je dis et ne faites pas ce que je fais ! » Parfois, il s'attarde au clavier. Un jour, devant son élève Frédérique Müller (qui sera plus tard, par son mariage, Mme Streicher) il interprète, de mémoire, quatorze *Préludes et fugues* du *Clavecin bien tempéré*. Et, comme la jeune fille s'émerveille : « Cela ne s'oublie pas », dit simplement Chopin. Point de mémoire plus infaillible que la mémoire musicale. « C'est mon univers, je ne le quitte de jour ni de nuit... »

Les familiers qu'il traite à déjeuner, soit chez lui, soit aux *Frères Provençaux*, il les abreuve de commissions. Les menus soucis de l'existence, il s'en décharge allégrement sur

1. Georges Mathias, *Souvenirs inédits* (coll. A. Cortot).

eux, étant de ceux qui savent à merveille susciter, côte à côté, l'admiration et le dévouement. Qui résisterait aux désirs du séduisant malade ?

Un mot sur la piété de Chopin. On est bien mal renseigné sur ce chapitre et notre héros, discret comme toujours, n'en ouvre pas la bouche. Une chose est certaine : élevé par sa mère dans la ferveur et le culte catholique, Chopin, à Paris, ne pratique pas. Liszt affirme « qu'il prie ». Soit. Jamais, en tout cas, il ne fait montre, ni même allusion, à sa foi. Sand a beau nous le représenter comme « pétri de dogmes catholiques » — bien certainement, elle n'a jamais dû l'inciter à rejoindre « la jolie foi de son enfance » — il attendra l'heure avant-dernière de son existence pour *accepter*, sans les avoir expressément réclamés, les secours de la religion.

La plupart du temps, il soupe avec Sand, ses enfants et, parfois, quelques amis de sa maîtresse. Après souper, il va souvent passer la soirée dans un salon où on le fête : à l'hôtel Lambert, chez les Czartoryski ; chez la princesse Sapieha ; chez James et Betty de Rothschild ; chez Delphine Potocka, lorsqu'elle est à Paris, chez le baron de Stockhausen, la princesse de Beauvau, la comtesse Plater, Mme de Noailles. Les Lubecki, les Wolicki, les Lempicki, les Radziwill, le grand-duc Constantin sont de ses intimes. Dans ces salons aristocratiques, tout naturellement, on traite Chopin en prince.

Que joue-t-il dans les salons, où, dans la pénombre, les robes blanches des jeunes filles luisent comme des fleurs ? Rarement, ses grands ouvrages. De préférence, ses *Valses*, ses *Mazurkas*, ses *Nocturnes*, quelques *Etudes*, ses *Ecossaises* — un bouquet de pièces brèves, ardentes et fantasques, où se reflète la fantaisie élégante d'une soirée parisienne. Il appelle cela « conter de petites histoires en musique ». Ou bien il improvise, il tâtonne, il cherche sa « note bleue », c'est-à-dire la tonalité exacte ou la sonorité précise qui vont établir une correspondance mystérieuse entre l'ambiance et son inspiration. Dès qu'il l'a trouvée, alors, la musique jaillit, comme de la source délivrée jadis par le bâton de Moïse.

Certains autres soirs, il est mal disposé. Berlioz raconte,

dans ses *Mémoires,* et Liszt dans son *Chopin* qu'une fois, leur ami n'a guère envie de jouer. Mais la maîtresse de maison qui vient d'offrir à ses hôtes un assez médiocre dîner, ne l'entend pas, comme on dit, de cette oreille. Avec une obstination irréductible, elle insiste, d'une voix aux inflexions câlines et suppliantes : « Monsieur Chopin, oh ! Monsieur Chopin, vous allez jouer quelque chose ? » Chopin pour avoir la paix, feint de se laisser convaincre et il joue, en effet, quelque chose...

— Monsieur Chopin, c'est ravissant, mais c'est trop court. Il faut jouer davantage...

— Oh ! Madame, dit Chopin d'un ton navré : j'ai si peu dîné !

S'il est en train, il joue, sans qu'on l'en prie, jusqu'à l'épuisement. Ses yeux se cerclent, ses joues s'empourprent, son souffle s'accélère. Tout le monde sent que quelque chose de sa vie s'écoule avec cette musique ardente, mais il ne veut pas s'arrêter et on n'a pas l'idée de l'interrompre. La fièvre qui le brûle envahit son auditoire. Il n'y a qu'un moyen de l'arracher au piano : c'est de lui demander la *Marche funèbre.* La dernière mesure achevée, le concert est fini, parce qu'il ne peut plus rien dire après ce morceau, qui est comme le chant du cygne de sa patrie.

Lorsqu'il se trouve parmi ses compatriotes en exil, il plonge dans les souvenirs de son enfance et de sa jeunesse, il respire l'odeur de la patrie lointaine : qui sait s'il ne doit pas à l'éloignement, non pas l'essence, mais l'aiguillon de son génie ? « Demeuré en Pologne, il se fût peut-être contenté d'être, simplement, un grand musicien [1]... » A Paris, l'imagination suscite ce que, peut-être, à Varsovie, le contact quotidien aurait desséché. Ici, le songe, le contact d'une petite colonie d'émigrés, les visions de la Pologne évoquées en commun, transfigurent la réalité. Chopin se sent une mission à l'égard de ses compatriotes inquiets. Selon la parole magnifique de son compatriote, Paderewski, « il devient, à son

1. Alfred Cortot, *Aspects de Chopin* (Albin Michel).

insu, le génial contrebandier qui, dans les feuillets de sa musique, fait s'envoler par-dessus les frontières le polonisme prohibé, le prêtre qui apporte aux Polonais dans la dispersion le sacrement de la patrie absente ». Dans la *Marche funèbre* de sa *Sonate*, on sent bien, écrit Liszt, « que ce n'est pas la mort d'un héros qu'on y pleure, mais celle d'une génération qui a succombé, ne laissant après elle que les femmes, les enfants et les prêtres... ».

Il a fini de jouer, il se lève, un soupir s'échappe d'une poitrine, le pupitre du piano claque. Tous les regards fixent Chopin et, contrastant avec le sentiment nostalgique créé par sa musique, voici qu'au lieu du pâle jeune homme à la silhouette familière, on voit paraître un Anglais flegmatique ou une vieille dame ridicule — et c'est encore Chopin qui, après avoir tiré des larmes de tous ces yeux, plisse à présent les visages par le fou rire. Sa devise est : variété. Pas plus que son dieu, Mozart, il ne s'attarde. Comme lui, il chante, en oiseau qu'il est, venu d'une contrée inconnue : « Ne me parlez pas, dit-il, des gens qui ne rient jamais : ce ne sont pas des gens sérieux... »

Quand Chopin ne sort pas, ou il participe à une soirée donnée par George Sand, ou lui-même reçoit dans son pavillon. De l'un à l'autre, il n'y a que le jardin à traverser. Ce n'est pas le même appartement : c'est la même maison.

Qui voit-il chez sa maîtresse ? Pierre Leroux apôtre du saint-simonisme, Louis Blanc, Raspail, Michel de Bourges et Blanqui, représentant la fraction « politique » du salon de la romancière. Lamennais, avec ses *Paroles d'un croyant*, vient y mettre parfois le grain de sel du socialisme chrétien. Gagnée aux idées de ses amis, Sand écrit : « Le peuple est disposé à accorder toute sa confiance à la bourgeoisie. La bourgeoisie n'en abusera pas. Elle ne se laissera pas égarer par de perfides conseils, par des alarmes vaines, par de faux bruits, par des calomnies contre le peuple. Le peuple sera juste, calme et bon tant que la classe moyenne lui en donnera l'exemple. » Généreuse, utopique, Sand, incroyante, donne sa foi à une religion sociale en quête de prêtres à qui elle offre d'exercer un véritable sacerdoce. Balzac, autre familier du 16 rue Pigalle, travaille à *la Comédie humaine*, satire non déguisée de la bourgeoisie française attaquée sur trois fronts, où elle se montre particulièrement vulnérable : l'argent, le mensonge, l'orgueil de caste. A l'action sociale de Sand et aux convictions de ses amis, Chopin, soit par discrétion naturelle, soit, plus probablement, par indifférence foncière, reste sourd. En revanche, la compagnie d'artistes et d'écrivains tels que Heine, Delacroix, Ballanche, Arago, Pauline Viardot, Sainte-Beuve, Mickiewicz, Berlioz et Liszt, Marie Dorval, Hortense Allart, attire bien davantage notre musicien.

Heine séduit tout le monde par son humour. Jadis épris de Sand, il a conservé des manières et des formules d'ancien amant — ce qui ne l'empêche pas de surnommer la maîtresse de céans *l'émancimatrice* — ni de la railler gentiment d'être, avec Chopin, « plus polonaise que la Pologne ». En compagnie du musicien, il poursuit, soir après soir, une étrange causerie surréaliste avant la lettre, revenant toujours à certaine « nymphe rieuse », lui en demandant des nouvelles, s'informant « si elle continuait à draper son voile d'argent sur sa verte chevelure, avec la même agaçante coqueterie ». Chopin entre dans le jeu, répond du tac au tac et demande « si le Dieu marin à longue barbe blanche poursuit toujours la naïade espiègle de son risible amour ». A quoi Heine, jamais pris de court, évoque les glorieuses féeries qu'on distingue là-bas au pays de la poésie : « Les roses y brûlent-elles d'une flamme toujours aussi fière, les arbres y chant-tent-ils, au clair de lune, toujours aussi harmonieusement ? » Puis, tous deux, à l'unisson, célèbrent dans le langage chiffré, dont eux seuls connaissent la clé, la patrie lointaine dont la légende du *Hollandais volant* illustre les aspects disparus : « Où sont-elles, nos épices, nos tulipes, nos jacinthes, nos pipes en écume de mer, nos tasses de porcelaine ? Amsterdam ! Quand reverrons-nous Amsterdam ? » s'écrient-ils « pendant que la tempête mugit dans les cordages ». Ainsi deux poètes, parlant une langue différente se compren-nent-ils à demi-mot.

Hiller, Meyerbeer et Berlioz forment avec Chopin le quadrille de la musique. Le vieux Niemcewicz retrouve, dans la lecture des *Chants historiques*, faite à haute voix par Chopin, la saveur des anciennes épopées. Sombre et muet, tel un « Dante du Nord », Mickiewicz dessine une silhouette immobile, silencieuse et attentive. Quant à Delacroix, fort disert, en revanche, il poursuit avec Chopin d'interminables discussions sur l'art. Ayant affaire à un expert, le fils naturel de Talleyrand questionne sans relâche. Les réponses de Chopin frisent parfois le paradoxe : « A mon sens, Beethoven a été tourmenté par l'idée de Bach... Mozart, certes, a beaucoup travaillé, mais d'une manière moins anxieuse que Beethoven, toujours conduit par une vue d'ensemble, qui ne lui permettait pas de faire des changements du tout au tout à son idée primitive... Ce qui établit la logique en musique ? Essentiellement le contrepoint et la fugue : être savant dans la fugue, c'est connaître l'élément de toute raison et de toute conséquence. La vraie science n'est pas, comme l'imaginent les profanes, une partie de la connaissance différente de l'art, mais l'art même. Quant à l'inspiration, elle est la raison même, ornée par le génie. Là où Beethoven paraît obscur et sans unité, c'est quand il tourne le dos aux principes éternels : Mozart, jamais. Quant à Berlioz, auteur de bruyantes fanfares en cuivre, il plaque des accords et remplit comme il le peut les intervalles. Rappelez-vous ce que disait Mozart : « Les passions violentes ne doivent jamais être exprimées jusqu'à provoquer le dégoût. Même dans les situations horribles, elles ne doivent jamais blesser les oreilles et cesser d'être de la musique [1]. » Chose curieuse, Chopin et Delacroix, étiquetés artistes romantiques, à cause de l'époque où ils vivent, bien plus qu'en raison de leurs appartenances, affichent des goûts résolument classiques. « Voyez, note Delacroix, comme Chopin est de son temps, comme il se sert des progrès que les autres ont fait faire à son art, comme il adore Mozart et comme il lui ressemble peu ! »

---

1. Citations extraites du *Journal* de Delacroix.

Esthétisme.

Autre sujet de discussion : laquelle vaut mieux, de l'esquisse ou de l'œuvre achevée ? Certains amis de Chopin,
parmi lesquels Grzymala, soutiennent que ses improvisations
sont beaucoup plus hardies que ses pièces écrites. Illusion !
rétorque Delacroix : « On éprouve des impressions différentes devant un édifice qui s'élève et dont les détails ne
sont pas encore indiqués, et devant le même édifice quand
il a reçu son complément d'ornements et de fini. Il en est
de même d'une ruine, qui acquiert quelque chose de plus
frappant par les parties qui manquent. Les détails en sont
effacés ou mutilés, de même que, dans le bâtiment qui
s'élève, on ne voit encore que les rudiments et l'indication
vague des moulures et des parties ornées. L'édifice achevé
enferme l'imagination dans un cercle et lui défend d'aller
au-delà. Peut-être l'ébauche d'un ouvrage ne plaît-elle tant
que parce que chacun l'achève à son gré. Quand le Corrège
dit le fameux : « *Anch'io son' pittore !* » il voulait dire :
« Voilà un bel ouvrage, mais j'y aurais mis quelque chose
qui n'y est pas ! » L'artiste ne gâte donc pas le tableau en le
finissant. Seulement, en renonçant au vague de l'esquisse,
il se montre davantage dans sa personnalité, en dévoilant
toute la portée, mais aussi les bornes, de son talent [1]. »
Qu'est-ce que le beau idéal, quelles sont les règles de la
vérité en art, cette vérité existe-t-elle ? se demandent Chopin
et Delacroix. Sur un exemple, celui de *Don Juan*, ils tombent
d'accord : le beau est, assurément, la rencontre de toutes les
convenances — admirable fusion de l'élégance, de l'expression, du bouffon, du terrible, de la tendresse et de l'ironie.
Les arts ont leur enfance, leur virilité, leur décrépitude.
Au temps de Mozart et de Cimarosa, on compte une quarantaine de musiciens qui semblent issus de leur famille et
dont les ouvrages remplissent toutes les conditions de la

1. *Journal* de Delacroix.

perfection. A partir de là, tout le génie de Beethoven et de Rossini ne peut les sauver de *la manière* : c'est par elle qu'on plaît, c'est par elle aussi qu'on vieillit.

La musique, c'est, en définitive, la volupté de l'imagination. Ce qui, dans ce domaine comme ailleurs, crée l'homme exceptionnel est dans une certaine manière de voir les choses, mais non pas dans la facilité à les réaliser. Le beau est le fruit d'une inspiration persévérante, le résultat d'une suite de labeurs obstinés. L'artiste doit travailler jusqu'à faire oublier le travail : ainsi Rubens n'est-il pas simple, parce qu'il n'a pas assez travaillé. Le beau suprême, c'est la délectation. C'est aussi le vrai idéalisé. Les beaux ouvrages ne vieilliront pas, à condition d'être empreints d'un sentiment *vrai*. Le génie, c'est d'inventer puissamment, mais non pas au hasard, comme fait Berlioz dont les meilleures pages ne sont, en fin de compte, « qu'un héroïque gâchis ».

Quand une chose t'ennuie, conviennent les deux amis, ne la fais pas ! Ne cherche pas la nouveauté à tout prix. Le comble de l'art est de faire croire aux gens qu'ils n'ont jamais entendu le rossignol et de le laisser chanter dans son dialecte. Surtout, ne pas s'embarrasser de la langue avec laquelle on s'exprime : se servir, comme Sganarelle, de celle qu'on a dans la bouche. Ne pas croire que la création d'un idiome suscite des idées neuves. Et, à tout prendre, préférer les ouvrages de courte haleine, qui ne fatiguent pas plus l'amateur qu'ils n'ont fatigué l'auteur. Ne pas craindre d'imiter : c'est le chemin de l'originalité. Les artistes qui cherchent la perfection en tout sont généralement ceux qui ne peuvent l'atteindre en rien.

Croire vraiment que le sentiment, c'est tout. Mettre, en musique, le vêtement sonore à la place de l'idée, c'est faire preuve de décadence, c'est renier l'art. Une fois encore, Berlioz et Mendelssohn ont tort ! Ainsi parlent, à longueur de soirées, Chopin et Delacroix.

Il est des moments où la conversation tourne au monologue : chaque fois, par exemple, que, cessant de prendre appui sur la musique, Delacroix parle sculpture, peinture ou littérature. Alors, Chopin lâche pied et se réfugie dans le

mutisme, osant à peine avouer à son ami que ces arts lui
paraissent dénués d'importance profonde et, pour tout dire,
insignifiants. Ou que, les connaissant mal, il refuse d'en
parler. Est-ce le fait d'un esprit court ? Non, c'est la pudeur
d'une âme qui connaît ses limites. L'univers de Chopin est
strictement musical. Il lui suffit, dans la mesure où son génie
en a prodigieusement agrandi les perspectives.

Quand Chopin reçoit, son salon accueille la plupart des
amis de Sand, devenus les siens, mais surtout ses compatriotes polonais, au premier rang desquels Mickiewicz, professeur au Collège de France, et, lorsqu'elles sont à Paris,
Delphine Potocka et sa sœur, la princesse de Beauvau.
Delphine chante, Chopin l'accompagne. Ainsi passe l'été
parisien. Car, en cette année 1840, Sand a fait ses comptes :
à défaut des quatre mille francs qui lui sont nécessaires pour
« tenir son train » à Nohant, elle préfère ne pas quitter la
capitale. Elle y digère la déception amère que lui a causée
la chute de sa pièce, *Cosima*. Chopin se contente facilement de promenades en voiture au bois de Boulogne, escorté
par Solange, cavalière-née comme sa dragonne de mère, et
qui étonne ses condisciples de la pension Héreau par son
ardeur de centauresse, contrastant avec son frère Maurice,
bon garçon assez mou, bien doué pour le dessin et la peinture, élève de Delacroix et fréquentant, lorsque cela lui
chante, l'atelier du maître. George le morigène et lui interdit
« les sociétés *dévoyantes*, les poupées, les dandys stupides et
autres passe-temps de *fafiots* ». Qu'au lieu de traîner, il
accompagne donc Chopin à la cérémonie de translation des
cendres de Napoléon. Justement, Legouvé a envoyé à Chopin deux billets à la date du 15 décembre 1840. Très probablement, le musicien, qui a la foule en horreur, ne s'y
rend pas. En quoi il manque un coup d'œil unique, que
Victor Hugo, lui, emmagasine dans sa mémoire infaillible
et dont il nous laisse une série d'images hautes en couleur.
Froid très vif, il neige.

« Le char de l'Empereur paraît. Le soleil, voilé jusqu'à ce
moment, reparaît en même temps. L'effet est prodigieux.

« On voit au loin, dans la vapeur et dans le soleil, sur le fond gris et roux des arbres des Champs-Elysées, à travers de grandes statues blanches qui ressemblent à des fantômes, se mouvoir lentement une espèce de montagne d'or. Une immense rumeur enveloppe cette apparition. On dirait que ce char traîne après lui l'acclamation de toute la ville comme une torche traîne sa fumée.

« Le char avance lentement. On commence à en distinguer la forme.

« Voici les quatre-vingt-six officiers légionnaires portant les bannières des quatre-vingt-six départements. Rien de plus beau que ce carré, au-dessus duquel frissonne une forêt de drapeaux. On croirait voir marcher un champ de dahlias gigantesques.

« Deux immenses faisceaux de drapeaux pris sur toutes les nations d'Europe se balancent avec une emphase magnifique à l'avant et à l'arrière du char, que traînent seize chevaux, effrayantes bêtes empanachées de plumes blanches jusqu'aux reins et couvertes de la tête aux pieds d'un splendide caparaçon de drap d'or, lequel ne laisse voir que leurs yeux, ce qui leur donne je ne sais quel air de chevaux-fantômes.

« Les paroles ont été simples et grandes. Monsieur le Prince de Joinville a dit au roi :

— Sire, je vous présente le corps de l'Empereur Napoléon.

« Le roi a répondu :

— Je le reçois au nom de la France.

« Puis il a dit à Bertrand :

— Général, déposez sur le cercueil la glorieuse épée de l'Empereur.

« Et à Gourgaud :

— Général, déposez sur le cercueil le chapeau de l'Empereur.

« Le *Requiem* de Mozart a fait peu d'effet. Belle musique, déjà ridée. Hélas, la musique se ride : c'est à peine un art... »

Si, à défaut d'assister à la cérémonie, Chopin lit un pareil

compte rendu [1], il ne voit que la dernière phrase, propre à
lui inspirer une courte colère : a-t-on idée de traiter ainsi le
divin Mozart ? A-t-on idée, Chopin, de méconnaître, jusqu'à l'ignorer, tout ce qui n'est pas musique ? Décidément,
les grands hommes sont incomplets, on dirait qu'ils ont un
seul profil, l'autre est plongé dans une ombre qui les aveugle.

Portrait du sylphe.

Peut-être le moment est-il venu de tracer, de l'artiste dont
nous écrivons l'histoire, un portrait physique et moral.

Quant au physique, nous avons été amené, chemin faisant, à donner sur la santé de Chopin d'assez nombreuses
précisions. En 1840, il est, à l'évidence, déjà tuberculeux,
d'une extrême maigreur. « Son organisation est essentiellement chétive et débile », nous dit Liszt, qui ajoute : « L'ensemble de sa personne était harmonieux. Son regard bleu
était plus spirituel que rêveur, son sourire doux et fin ne
devenait pas amer. La finesse et la transparence de son teint
séduisaient l'œil, ses cheveux blonds étaient soyeux, son nez
légèrement recourbé, ses allures distinguées et ses manières
marquées de tant d'aristocratie qu'involontairement on le
traitait en prince. Ses gestes étaient gracieux et multipliés,
le timbre de sa voix toujours assourdi, souvent étouffé, sa
stature peu élevée, ses membres frêles. » Les portraits de
Chopin, même lorsqu'ils diffèrent sur des points de détails,
ressemblent à la description de Liszt.

Moralement parlant, il y a deux Chopin — le Polonais
et l'hôte de la France.

Ainsi, dans la même enveloppe, il y a deux êtres bien
différents : l'artiste de génie, qui éblouit — l'homme de tous
les jours, qui apitoie.

---

1. Mais il ne le lit pas, car les *Choses vues* de Victor Hugo
sont, pour longtemps encore, inédites.

En somme, deux cloisons étanches partagent notre héros
en deux moitiés asymétriques.

D'un côté, « l'étranger vêtu de noir » — de l'autre, un
homme rieur et spirituel, mais à ce point secret qu'on ne
devine jamais la raison de ses soupirs ou la cause de sa gaieté.
Musset ne dépeint pas autrement ses personnages, empreints
d'une dualité troublante.

Pour mieux comprendre cet étrange caractère, remontons
le cours des ans, replaçons Chopin dans le cadre de ses jeunes
années.

« Je suis un pur Mazovien », déclare-t-il fièrement. C'est
bien plus vrai qu'il ne l'imagine : peu d'hommes seront, leur
vie durant, plus profondément marqués par le climat natal,
par les habitudes d'une famille, par les manières d'agir propres aux Polonais.

Sinon qu'à l'enfant exubérant, espiègle, enjoué, railleur,
expert aux charades, divertissements et « polichinades » de
tous genres, succédera un mélancolique dont, parfois, les
ardeurs assoupies se réveilleront : l'imitateur d'occasion —
dont l'acteur Bocage dit assez drôlement qu'il a manqué
sa véritale vocation : elle eût été de jouer la comédie —
réalise la projection chez l'adulte des aptitudes d'un enfant
que ceux qui l'ont connu, vers la douzième année, décla-
raient « doué d'un génie universel ».

Voilà un jeune garçon choyé, entouré de tendresse, grandi
dans un univers féminin, où il contracte un goût indélébile
pour la toilette et la décoration. Sa mère et ses sœurs le
cajolent ; son père, ébloui, ne songe pas à viriliser l'enfant
trop bien doué, trop fin, trop sensible, qui le désarme par un
mélange de profond respect et de tendresse spontanée. Au
contact de ses sœurs, il prend l'habitude de vivre dans ce
gynécée dont certains garçons n'ont aucune idée. S'éveil-
lent en lui également le goût de séduire, de sourire et une
vénération de la femme qui se muera, un jour, en réserve
excessive. Une sœur n'est pas une femme ? Mais si, c'est
bien là le danger ! Sa mère, dont Sand affirme « qu'elle est
la seule femme qu'il ait vraiment aimée », le considère
avec émerveillement. Elle lui inculque des principes catho-

liques très fermes, dont Frédéric, en dépit de son « conservatisme » systématique, se départira avec une extraordinaire facilité. Athée ? Non pas : indifférent.

Cet enfant si bien doué fait des classes brillantes, sans consentir un effort particulier. Sur un point seulement, il s'acharne avec une énergie sauvage : l'étude de l'art absorbe toutes ses forces, une nature faible concentre, pour vaincre des difficultés précises, une ardeur exclusive, farouche et passionnée. La musique absorbe, dès l'enfance, toute la volonté disponible de l'être humain. Devant son clavier ou son papier réglé, et là seulement, Chopin fait preuve d'un caractère combatif, qui contraste avec sa complexion fragile.

Plus il baigne dans le climat de Varsovie, plus il aspire à s'en évader pour aller donner, ailleurs, les preuves du talent qu'on lui a reconnu dans sa ville natale, et dont il a lucidement conscience, sans jamais s'abandonner à la vanité. Il part donc, certain tout à la fois qu'il doit partir et que, là où il dirige ses pas, il va souffrir. Il marche résolument à la rencontre du malheur.

A Stuttgart, soudain, à la lueur de nouvelles tragiques, c'est le drame, la rupture des écluses tenues si longtemps fermées par bienséance. Dans les mots qu'il trace en deux nuits de cauchemar, Chopin nous livre enfin sa nature secrète, le sens des mots qu'il trace sur son carnet correspond au ton des pièces fiévreuses qu'il compose. Il a fallu que Varsovie, soulevée, luttât pied à pied contre le despote russe pour qu'un jeune homme réservé, toujours maître de lui, abaissât le masque et parût tel qu'il est : un douloureux, un hypersensible, un passionné qui s'exprime, non avec des phrases — sauf en cette circonstance — mais avec des notes. Sa vraie nature, il la confie à sa seule musique. Plus jamais il ne fera, d'un mot ou d'une parole, allusion à la blessure qu'il porte en lui : celle d'un homme faible, fragile, incapable physiquement de secourir sa patrie en danger. C'est à Vienne et à Stuttgart (*24ᵉ Etude, 1ᵉʳ Scherzo, Préludes en la mineur et ré mineur*) qu'il envisage clairement le sens de sa mission, l'œuvre vibrante de patriotisme d'un pauvre enfant qui n'a pas d'autre moyen que celui-ci de témoigner à sa contrée natale les sentiments d'ardeur qu'il éprouve. Cet élan revanchard, si sa musique pouvait l'inoculer à ses auditeurs, si elle parvenait à dresser les Polonais en exil qu'il va rencontrer à tout instant en France ?

Dès son arrivée à Paris, Chopin se referme, à la manière d'un coquillage. Rien ne paraît plus du terrible traumatisme subi durant son voyage. Le contact à prendre avec une ville inconnue, avec des gens dont il parle la langue, mais dont la psychologie lui est étrangère, l'animation d'un peuple qui vient de connaître les remous d'une révolution — autant de diversions à son chagrin. Il regarde, sans participer à rien, il s'imprègne, sans échange aucun, il dilue son anxiété dans le cours d'événements auxquels il reste absolument étranger [1]. Il prend, d'entrée de jeu, l'habitude de l'isolement, le goût d'une manière de refus mental. Nul ne doit pénétrer son secret. Présenté à beaucoup de gens, il fera de nombreuses connaisances sans nouer une seule amitié véritable. Les Polonais de Paris sont ses seuls intimes. A l'égard des autres, il joue les délaissés. Son ambition affirmée à maintes reprises est « de ne voir personne de toute une journée ». Selon le mot si juste de Cortot, « il se prête, mais ne se donne jamais ». De « collègues » dévoués tels que Liszt, il reçoit bien plus qu'il ne leur accorde. Egoïste ? Non pas : indifférent. Il ne tenait qu'à une parcelle de la terre d'Europe et il se l'est arrachée du cœur. Qu'on ne lui demande pas de s'enraciner ailleurs ! Partout où il sera, il jouera l'étranger de passage, l'homme disponible, qui accepte, sans organiser lui-même son existence. « A Paris, il n'est plus un être qui propose, mais un être qui subit [2]. » Il se perd avec délices dans le brouillard du spleen et dans les facilités

1. « Il ne s'est mêlé à aucune action, à aucun drame, à aucun nœud, à aucun dénouement. Il n'a exercé d'influence décisive sur aucune existence. Il n'a despotisé sur aucun cœur, il n'a posé une main conquérante sur aucune destinée. Il ne cherchait rien : il eût dédaigné de rien demander. » (F. Liszt, *Chopin*.)
2. A. Cortot, *Aspects de Chopin*.

de la neurasthénie, « cette maladie que l'on contracte sitôt qu'on a le temps d'y penser... ». Le souci de plaire l'emporte en lui sur le besoin d'être aimé. Ainsi que le note son ami, le marquis de Custine : « Non seulement on l'aime, mais encore on s'aime en lui. » Pauvre Chopin, catalyseur d'affections éparses !

On a déjà longuement noté les particularités de son comportement sentimental : pudeur, retrait, crainte d'extérioriser ses sentiments, timidité native à l'égard de la femme. Tel il s'est montré dans l'affaire Gladkowska, tel il se montre dans l'épisode Wodzinska. La seule femme avec laquelle il a une aventure autrement qu'en rêve est George Sand, vers qui il ne se sent aucunement attiré, tant leurs natures sont antagonistes, mais au désir de qui il n'a pas la force de résister. Sand, poétique en apparence, au fond très prosaïque [1], note crûment : « Je n'avais pas encore eu de tuberculeux : mon Dieu, que c'est excitant ! » Le malheureux candidat poitrinaire tombe comme en un piège dans les bras de cette femme, semblables aux pattes à crochets des mantes religieuses : du moins ne le dévorera-t-elle point. Chopin n'a rien choisi, rien décidé : il est choisi, on a décidé pour lui [2].

De sa faiblesse de caractère, il a conscience, car sa finesse de perception est grande. Mais l'analyse de ce défaut particulier accroît sa tristesse. A donner le change, son amabilité, sa séduction naturelles s'emploient efficacement. Chopin invente le *flirt* avant la lettre, comme il incarne le *spleen* avant que le mot n'ait passé dans le vocabulaire. Sand affirme que « passé trente ans, il est resté facilement inflam-

1. Cf. H. Guillemin, *la Liaison Sand-Musset*.
2. Une fois, mais pas deux ! C'est la devise secrète de Chopin en matière d'aventure sentimentale. Comme, à la fin de sa vie, son élève Jane Stirling, qui lui est fort dévouée, lui donne à comprendre qu'un mariage ne lui déplairait pas, Chopin écrit à son élève Gutmann : « Je me sens aussi prêt à l'épouser que si l'on me proposait d'épouser la mort ! »

mable et qu'il lui arrive de s'éprendre indistinctement de plusieurs femmes dans la même soirée, pour les oublier totalement, à peine la porte franchie ». Du moment qu'on ne lui demande pas de céder aux « grossières matérialités de la chair », ni de donner des preuves convaincantes de ses inclinations, Chopin est toujours prêt à créer l'illusion. « Ce qu'il cherche, ce n'est pas l'amante, mais la compagne aimante. » Tranchons le mot : c'est la sœur. Ah ! qu'il saurait se contenter d'une existence vécue entre Louise et Titus, au chaud entre celle qui dispense une si tendre affection et celui qui incarne une virilité dont il n'a lui-même, aucune conscience.

Du moins, que personne ne puisse jamais deviner ce qui se passe au tréfonds de sa conscience ! Grâce à une affabilité tout extérieure, doublée d'une indifférence profonde, il joue à merveille le jeu difficile que lui impose son étrange caractère : « Comme il était d'une politesse charmante, on pouvait prendre pour une bienveillance courtoise ce qui n'était chez lui qu'un froid dédain, voire une aversion insurmontable [1]. » A Liszt non plus, cette affectation n'échappe pas, l'œil d'aigle du Hongrois a tôt fait de débusquer la vérité de cette nature « faite de mille nuances qui, en se croisant, se déguisent les unes les autres d'une manière indéchiffrable ». Ainsi Liszt explique-t-il à merveille, avec des mots compliqués, le comportement de Chopin en face, non de la musique, mais de la carrière musicale : « Les concerts fatiguaient moins sa constitution physique que son irritabilité d'artiste. Sa volontaire abnégation des bruyants succès cachait, ce nous semble, un froissement intérieur. Il avait un sentiment très distinct de sa haute supériorité, mais peut-être n'en recevait-il pas du dehors assez d'écho et de réverbération pour gagner la tranquille certitude d'être parfaitement apprécié. L'acclamation populaire lui manquait et il se demandait sans doute jusqu'à quel point les salons de l'élite remplaçaient par l'enthousiasme de leurs applaudissements le grand public qu'il évitait. Peu le comprenaient :

1. G. Sand, *Lucrezia Floriani*.

mais, ce peu, le comprenaient-ils suffisamment ? Un mécontentement assez indéfini, peut-être pour lui-même, le minait sourdement. On le voyait presque choqué par les éloges, il trouvait fâcheuses les louanges isolées. Il se jugeait non seulement peu applaudi, mais mal applaudi. Trop ingénieux moqueur lui-même pour prêter le flanc au sarcasme, il ne se drapa point en génie méconnu. Sous une apparente satisfaction, pleine de bonne grâce, il dissimula si complètement la blessure de son légitime orgueil qu'on n'en remarqua presque pas l'existence. Mais ce n'est pas sans raison qu'on attribuerait la rareté, graduellement augmentée, de ses concerts, plus encore au désir de fuir les occasions qui ne lui apporteraient pas tous les tributs qu'on lui devait, qu'à sa faiblesse — mise à de tout aussi rudes épreuves par les leçons qu'il donnait et par les longues heures qu'il passait à jouer chez lui [1]. »

Ce retrait de l'être réel à l'abri d'un masque, Sand l'a très justement noté en faisant, sous le couvert du prince Karol, le portrait de Chopin dans *Lucrezia Floriani* : « Ce n'était pas l'air mâle et hardi d'un descendant de cette race d'antiques magnats, qui ne savaient que boire, chanter et guerroyer. Ce n'était pas non plus la gentillesse efféminée d'un chérubin couleur de rose. C'était quelque chose comme ces créatures idéales du Moyen Age : un ange beau de visage comme une grande femme triste, pur et svelte de forme comme un jeune dieu de l'Olympe et, pour couronner cet assemblage, une expression à la fois tendre et sévère, chaste et passionnée.

« Rien n'était plus pur et plus exalté en même temps que ses pensées, rien n'était plus tenace, plus exclusif et plus minutieusement dévoué que ses affections. Mais il ne comprenait que ce qui était identique à lui-même, le reste n'existait pour lui que comme une espèce de songe fâcheux auquel il essayait de se soustraire. Toujours perdu dans ses rêveries, la réalité lui déplaisait, il ne pouvait se trouver en face d'un homme différent de lui sans se heurter à cette contradiction vivante... Ce qui le préservait d'un antagonisme perpétuel,

---

1. Liszt, *Chopin*.

c'était l'habitude volontaire et bientôt invétérée de ne point avoir et de ne pas entendre ce qui lui déplaisait. Les êtres qui ne pensaient pas comme lui devenaient à ses yeux comme des espèces de fantômes. Il est fort étrange qu'avec un semblable caractère, il pût avoir des amis. Il en avait pourtant, ayant reçu de la nature le don de plaire. Les gens d'une trempe moins fine aimaient son exquise politesse, et ils y étaient d'autant plus sensibles qu'ils ne concevaient pas, dans leur franche bonhomie, que ce fût l'exercice d'un devoir et que la sympathie n'y entrât pour rien. Il était plus aimable qu'aimant.

« Dans le détail de la vie, il était d'un commerce plein de charme. Toutes les formes de la bienveillance prenaient chez lui une grâce inusitée et, quand il exprimait sa gratitude, c'était avec une émotion profonde, qui payait l'amitié avec usure.

« Il s'imaginait volontiers qu'il se sentait mourir chaque jour et, dans cette pensée, il acceptait les soins d'un ami et lui cachait le peu de temps qu'il jugeait devoir en profiter. Il avait un grand courage extérieur et s'il n'acceptait pas, avec l'insouciance héroïque de la jeunesse, l'idée d'une mort prochaine, il en caressait du moins l'attente avec une sorte d'amère volupté [1]. »

Le portrait est fin, désobligeant, sans doute exact. Essayons d'y ajouter quelques nuances. Surprendrons-nous le lecteur en notant que cet artiste si personnel, que ce novateur est tributaire, pour tout ce qui ne concerne pas son art, d'un goût du convenu pour le moins surprenant ? Jugement étroit, profonde incuriosité d'autrui, ensemble de convictions *a priori*. Aucun intérêt pour ses contemporains musiciens : à Mendelssohn, Schumann, Berlioz, à Liszt lui-même, il n'accorde pas la moindre attention. Seuls comptent à ses yeux les chefs-d'œuvre du passé et son œuvre personnelle, sur laquelle jamais une appréciation orgueilleuse ne lui

1. G. Sand, *Lucrezia Floriani*.

échappe. Ce grand romantique est un classique indéracinable[1].

L'amour des fleurs ; l'ennui de lire : aussi ne lit-il à peu près rien ; l'horreur d'écrire ; l'anxiété d'être dupe ; une grande indifférence métaphysique ; une contenance soupçonneuse ; l'amertume tenue en respect par la bonne éducation, qui ne va pas jusqu'à juguler des crises de colère — « Chopin fâché est effrayant[2] » — ; la terreur que « les choses se sachent » et, surtout, qu'on en parle à Varsovie ; l'instinct de certains animaux qui excellent à effacer leurs traces, comme à brouiller leur piste, l'attitude, somme toute, d'un provincial égaré dans une grande ville ; très généreux quand on sollicite son concours pour une œuvre de bienfaisance, léonin lorsqu'il s'agit d'un contrat visant la publication de ses ouvrages ; la conscience d'avoir hérité un caractère difficile : « Ce n'est pas ma faute si je suis semblable à un champignon malsain, qui empoisonne celui qui le goûte[3] ! » Tels sont les derniers traits d'un caractère dont les particularités trouvent leur explication dans la maladie et le déracinement. Stendhal a raison de prétendre « qu'une partie de la biographie des grands hommes devrait être fournie par leurs médecins ». Sans nul doute, un tempérament maladif prédispose Chopin à une vulnérabilité excessive.

1. « Il repoussait le côté furibond et frénétique du romantisme, il ne supportait pas l'ahurissement des effets et des excès délirants. Il n'aimait pas Shakespeare sans de fortes restrictions : il trouvait ses caractères trop étudiés sur le vif et parlant un langage trop vrai. » (G. Sand, *Lucrezia Floriani*.)
2. George Sand, *Correspondance*.
3. « ... C'est dans la courtoisie glaciale qu'il était vraiment insupportable, parce qu'il voulait raisonner et soumettre la vie réelle, à laquelle il n'avait jamais rien compris, à des principes qu'il ne pouvait définir. Alors, il trouvait de l'esprit, un esprit faux et brillant, pour torturer ceux qu'il aimait. Il était persifleur, guindé, précieux, dégoûté de tout. Il avait l'air de mordre tout doucement, pour s'amuser, et la blessure qu'il faisait pénétrait jusqu'aux entrailles. Ou bien, s'il n'avait pas le courage de contredire et de railler, il se refermait dans un silence dédaigneux, dans une bouderie navrante... » (G. Sand, *Lucrezia Floriani*.)

A peindre ce portrait aux couleurs de ce que nous croyons
être la réalité, ne risquons-nous pas d'affaiblir chez le lecteur
un sentiment d'affectueuse admiration, que cet ouvrage voudrait, bien au contraire, susciter ou, même, accroître ? Cette
crainte est vaine, dans la mesure où le lecteur admet qu'on
fausse le jeu à partir du moment où, pour plus de clarté psychologique, mais très arbitrairement, on disjoint, chez un
être aussi particulier que l'est Chopin, l'homme de l'artiste.
Si Chopin n'avait pas été le compositeur de génie que l'on
sait, il aurait sans doute été un homme charmant, de caractère ombrageux, assez fatigant, justifiant le tribut rendu par
son ami et compatriote Mickiewicz à George Sand, lors de la
rupture, en 1846 : « La pauvre femme a été la victime d'un
bourreau sans pitié. » Mais l'œuvre est là, protégeant, enno-
blissant son auteur d'une lumière à jamais radieuse.

« Je voyage en d'étranges espaces... » Comment exiger de
ce *descubridor* embarqué dans une aventure dont lui-même
ignore l'issue, mais dont il nous ramène des trésors, qu'il ait,
outre le génie, une nature égale, sans imperfections ni aspérités, un de ces « caractères en or » qui enrichissent peut-être
leur propriétaire, mais plus rarement l'humanité ? La musique même, la musique seule. Il tire de la musique de tout, et,
d'abord, de ce qui semblerait devoir en paralyser l'exercice :
la maladie. La bonne santé — « cette grossière insolence des
gens bien portants [1] » — heurte Chopin, elle le fait souffrir
comme une blessure, parce que la souffrance l'a affiné. En
le dépouillant de la gangue, toujours un peu grossière, de la
santé, elle a mis à nu des fibres secrètes et fines, elle l'a isolé,
incliné à la médiation, elle a réalisé autour de lui les conditions, somme toute, favorables à la retraite créatrice.

N'est-il pas extraordinaire qu'un homme aussi faible soit
essentiellement doué de l'élan créateur ? Se sachant fragile,
il concentre toutes ses forces, comme l'huile d'une veilleuse,
vers ce qu'il sait indispensable et menacé. Une activité primordiale suscite chez ce dolent, chez ce fatigué à perpétuité,

1. Colette.

d'extraordinaires accès d'énergie. Tout est sacrifié à l'essentiel : l'amitié, les loisirs, l'amour, le repos, la santé même.
Tous les plaisirs cèdent le pas à ce plaisir suprême et haras-
sant qui est d'enfanter de la beauté. Il y a là une sélection
étonnante entre les désirs stériles et les désirs profitables.
N'a-t-il pas tout à coup grande allure, ce guerrier qui perd
son sang et qui se demande anxieusement s'il verra la fin du
combat, cet homme inconstant pour beaucoup de choses
secondaires, mais décidé dès que l'essentiel est en jeu ?

> ... *Mon cœur, faible et doux, qui eut tant de courage*
> *Pour ce qu'il désirait* [1] *!*

Proust et Chopin.

Comment, franchissant les barrières du temps, ne pas songer, lorsqu'on évoque Chopin, à Marcel Proust ? Ce sont
là, côte à côte, deux visages fraternels. Comme Chopin,
Proust vit dans la terreur de la crise d'étouffement. Devant
l'insuccès des médicaments traditionnels, il en arrive à pratiquer une hygiène invraisemblable, seule capable de prolonger un peu la durée de sa vie. Alité en permanence, il supprime toute alimentation superflue, ayant calculé de justesse
les rapports entre les besoins de son travail et les sacrifices
nécessaires au recul de la mort. Il songe en face de son
papier, une lampe à son chevet, tous volets clos. Plutôt que
de vivre, il imagine la vie. Il rêve à son passé, il le reconstruit
en l'embellissant. L'incapacité d'agir est compensée par une
création. La maladie, en même temps qu'elle le torture, aide,
par l'emprisonnement où elle le tient, à la formation et à
l'expression de la pensée. Comme il le connaît, son mal,
comme il redoute et recherche à la fois son aiguillon effi-
cace : « Souffrez, fait-il dire à un de ses personnages, souffrez d'être appelé un nerveux. Vous appartenez à cette
famille, lamentable et magnifique, qui est le sel de la terre.

1. Anna de Noailles.

Tout ce que nous connaissons de grand nous vient des nerveux. Ce sont eux, et non pas d'autres, qui ont fondé les religions et composé les chefs-d'œuvre. Jamais le monde ne saura ce qu'il leur doit et, surtout ce qu'eux ont souffert pour le lui donner. Nous goûtons les fines musiques, les beaux tableaux, mille délicatesses, mais nous ne savons pas ce qu'ils ont coûté, à ceux qui les inventèrent, d'insomnies, de pleurs, de rires spasmodiques, d'asthmes, d'épilepsies, d'une angoisse de mourir qui est pis que tout cela... Victor Hugo a dit : « Il faut que l'herbe pousse et que les enfants meurent. » Et moi, je dis que la loi cruelle de l'art est que nous mourions à notre tour, en épuisant toutes les souffrances, afin que pousse l'herbe drue, non de l'oubli, mais des œuvres fécondes, sur laquelle les générations viendront faire, sans nul souci de ceux qui dorment en dessous, leur déjeuner sur l'herbe [1]. »

Que de similitudes entre Proust et Chopin ! Tous deux malades, atteints de cette anxiété commune aux créateurs dont la vie est menacée : laisser une trace sur la planète. La vie mondaine de l'un et de l'autre : ce goût et ce mépris du monde — l'attrait des plaisirs qu'il dispense, l'écœurement des fantoches qu'on y rencontre. Leur sérieux profond sous un glacis de futilité, l'instinct du délassement nécessaire après les travaux du jour. Un pareil sens du comique et de l'imitation. Une minutie épuisante. Une chaleur extrême et superficielle dans les relations amicales. On reproche à Proust la vanité de ses modèles, certains inconscients ont fait grief à Chopin de la mièvrerie de ses thèmes ! D'avoir entrevu la nature et deviné l'amour suffisent à Proust pour dépeindre la campagne et exprimer la passion de manière impérissable. Et si Chopin feint de ne rien voir autour de lui — « il n'accepte rien de la réalité » — n'est-ce point parce que son univers intime est assez riche pour que le monde vivant lui paraisse négligeable ? Enfin, les deux hommes se ressemblent jusque dans leur fin. Proust met la dernière main au *Temps retrouvé*, jusqu'au seuil de l'agonie. Puis il s'aban-

1. Marcel Proust, *A la recherche du temps perdu.*

donne, il a fini son œuvre, il peut mourir. Chopin, après avoir, en 1848, reclassé ses manuscrits, ajoute seulement : « Maintenant, j'ai dit ce que j'avais à dire. D'ailleurs, je ne sais même plus comment on chante au pays... » L'année d'après, il disparaît. Sa mission est accomplie. Tel un soldat dont on prend la relève, il se sent inutile et il s'efface dans la nuit.

Ne jugeons donc pas ces grandioses exceptions à la lueur de nos quinquets, ne leur infligeons pas la toise commune. Pareils aux esclaves transformés en torches vivantes dans les jardins de Néron, « ils se consument dans les ténèbres, mais notre route est éclairée [1] ». Ainsi apparaît Chopin, misérable et magnifique. Tout ce qu'on sait de lui se résume finalement à la phrase, simple et profonde, de Jane Stirling, qui vient de lui fermer les yeux sur son lit de mort : « Il n'était pas comme les autres... »

1841.

L'année 1841 inaugure le cycle, très bref, de la période la plus heureuse et la plus féconde de la vie de Chopin. Bien qu'à plusieurs reprises il crache le sang et se voie obligé de garder la chambre, pour peu qu'il fasse mauvais temps, il mène une existence régulière, donne force leçons [2], compose beaucoup, bénéficie d'une réputation solidement établie, joue le roi des salons et entretient avec quantité d'hommes de talent des relations flatteuses.

Contrairement à ce que note Sand dans l'*Histoire de ma vie*, Chopin ne vient occuper l'un des deux pavillons qu'elle a loués, 16, rue Pigalle, qu'au retour du second été passé à Nohant, le 2 novembre 1841. Sur ce rapprochement, Chopin

---

1. François Mauriac.
2. Sur le conseil de Sand, Chopin met ses leçons à 30 francs. Mme de Musset, mère de l'auteur des *Nuits*, demande à Chopin de faire travailler sa fille. Chose étrange, Musset et Chopin, si bien faits pour s'entendre, ne se rencontreront qu'une seule fois, à la Comédie-Française.

s'abstiendra de tout commentaire, il ne répondra rien à ses
parents qui lui demandent des détails sur « son amie ». A
sa sœur Louise, qui viendra séjourner à Nohant, il ne s'ouvrira d'aucun aveu. Au reste, dès cette année 1841, il n'est
plus question d'amour, mais d'amitié et d'habitudes prises.
Chopin n'a besoin que d'affection. Et Sand s'accommode de
son état de « vierge » qui lui permet de se mettre sur les
autels et de se dire « sainte et martyre », fidèle en cela à
l'étonnante auto-adulation qui est, chez elle, un instinct pri-
mordial.

Durant l'hiver de 1841, Chopin se produit une troisième
fois à la Cour, et, le 26 avril, il donne, avec le concours de la
cantatrice Damorceau-Cinti et du violoniste Ernst, l'un de
ses meilleurs concerts publics, salle Pleyel. Il y exécute quatre de ses compositions récemment éditées : la *Ballade,
op.* 38, le *Scherzo, op.* 39, les *Mazurkas, op.* 41 et la *Polonaise* n° 1, *op.* 40, ainsi qu'un bouquet de *Préludes* et
deux *Etudes* bissées, d'enthousiasme. Legouvé devait rendre
compte du concert, mais Liszt, de passage à Paris, reven-
dique cet honneur. Chopin en marque son regret à Legouvé :

— J'aurais mieux aimé que ce fût vous...

— Y pensez-vous ? Un article de Liszt, c'est une bonne
fortune, il vous taillera un beau royaume...

— Oui : dans son empire !

A noter que jamais Chopin n'écrivit, dans un journal
parisien, la moindre ligne sur Liszt ou tel de ses confrères.

Cependant, Liszt, oublieux du dissentiment provoqué par
la comtesse d'Agoult, égoïste et pointilleuse, assommante en
définitive, écrit noblement un compte rendu flatteur notant
« la qualité mondaine du public, composé d'une aristocratie
de naissance, de fortune, de talent et de beauté ; ce qui fait
de Chopin un poète élégiaque, profond, chaste et rêveur :
tout, dans ses œuvres, y semble de premier jet, d'élan, de
soudaine venue, ayant la libre et grande allure qui caractérise
les œuvres des génies ».

La *France musicale* du 2 mai 1841 assimile l'art de
Chopin à celui de Schubert (que Chopin admire, avec des
restrictions ayant trait, étrangement, à « l'excès de réalisme »

de certains *lieder*) : « L'un a fait pour le piano ce que l'autre a fait pour la voix. Chopin est, par excellence, le pianiste du sentiment : il rêve, il pleure, il chante avec douceur, tendresse et mélancolie, il exprime tous les sentiments les plus élevés. On peut dire qu'il est le créateur d'une école de piano et d'une école de composition. Chopin est un pianiste à part, qui ne doit et ne peut être comparé à personne... » Bien dit, bien jugé !

Fidèle à sa méchanceté systématique, Marie d'Agoult a répandu, avant le concert, des bruits perfides : « Une petite coterie malveillante s'efforce à ressusciter Chopin... Mme Sand, excédée des triomphes de Liszt, a poussé Chopin à donner un concert chez Pleyel, à huis clos [1], entre amis... Mme Sand me hait, nous ne nous voyons plus... »

En fait, Sand, habilement, se tait et se terre, mais elle affûte ses griffes et elle offre dans un de ses romans, *Horace*, un joli portrait de son ancienne amie, qui s'appelle dans le livre, la vicomtesse de Chailly :

« Sa maigreur était effrayante et ses dents problématiques, mais elle avait des cheveux superbes, toujours arrangés avec un soin et un goût remarquables. Sa main était longue et sèche, mais blanche comme l'albâtre et chargée de bagues de tous les pays du monde. Enfin, elle avait ce qu'on peut appeler une beauté artificielle... Elle avait lu un peu de tout : intelligence artificielle.

« Elle était d'une morgue insupportable avec les jeunes femmes et ne pardonnait pas à ses amis de faire des mariages d'argent. Du reste, elle accueillait assez bien les jeunes gens de lettres et les artistes. Elle tranchait avec eux de la patricienne tout à son aise, affectant, devant eux seulement, de ne faire cas que du mérite. Enfin, elle avait une noblesse artificielle comme tout le reste, comme ses dents, comme son sein et comme son cœur... »

A cette époque, pour s'entre-déchirer, on écrit des romans

---

1. Non pas à huis clos, mais à bureau fermé. Il y a une nuance ! Sitôt le concert annoncé, toutes les places, fixées à un prix élevé, ont été enlevées.

ou des mémoires. Déjà, Balzac a dépeint dans sa *Béatrix* les « galériens de l'amour » : Liszt et Marie d'Agoult. Plus tard, après la rupture, celle-ci mettra Liszt en pièces dans sa *Nélida*. Sand écrira *Elle et Lui*, subira *Lui et Elle*, publiera *Lucrezia Floriani* et lâchera, telle une bombe, *Horace*, qui tombera sous les yeux de Liszt, lui donnant l'occasion de décocher une flèche à Marie d'Agoult, qui commence à lui paraître insupportable : « Il n'est pas douteux que ce soit votre portrait que Mme Sand ait prétendu faire en peignant l'esprit artificiel, la beauté artificielle, la noblesse artificielle de Mme de Chailly... » Attrape ! En une autre occasion, Liszt juge « absurde les Sand-Chopin. Je leur ménage une bonne soirée, mais je ne suis point d'avis qu'il faille en venir, de leur part, à une explication quelconque. Le mieux, dans ces sortes de cas, est de sourire et de blesser plus intimement. Soyez tranquille là-dessus, je m'en charge... » Histoire de calmer les nerfs de sa belle amie. Jamais Liszt ne mettra son dessein à exécution.

Au début de l'hiver de 1841, Chopin apprend, par une lettre de sa sœur Louise, le mariage de Maria Wodzinska avec Josef Skarbek, fils du parrain de Frédéric. « Skarbek a désiré épouser une femme qui pût le diriger, et n'ayant nul besoin d'être conduite elle-même : en vérité, il gagne à ce choix inattendu, autant qu'elle y perd... » Fidèle à ses habitudes, Chopin enregistre la nouvelle, sans manifester la moindre réaction.

Le soir même où Chopin se fait applaudir, salle Pleyel, les gazettes de Varsovie annoncent la mort du vieil Adalbert Zywny, qui avait initié le jeune Frédéric aux œuvres de Bach et de Mozart. Un instant, celui-ci imagine d'aller en Pologne, dans la zone laissée libre par les Russes, mais occupée par les Prussiens — et puis, il y renonce. La Pologne n'est-elle pas toujours présente à son esprit, toujours à la première place dans son cœur ? Lui et Mickiewicz n'en sont-ils pas les chantres infatigables ? *Les Ancêtres* et *Pan Tadeusz* de l'un — les *Ballades polonaises* et *Mazurkas* de l'autre, ne vibrent-ils pas de la même ardeur patriotique, avivée par la distance ? Tout en se battant en duel avec Slowacki, Mickiewicz ne trouve-t-il pas le moyen d'improviser des vers à l'adresse de la Pologne lointaine ? Depuis le mois de décembre 1840, il occupe au Collège de France la chaire de littérature slave, alors considérée comme une littérature exotique. Parlant douze langues — parmi lesquelles le français comme un Français — il fascine son auditoire, dans les rangs duquel il aperçoit, mêlés aux étudiants, Sainte-Beuve, Lamartine, Lamennais, Montalembert, Michelet, Sand et Chopin. Ce dernier se voit reprocher par son compatriote de ne pas écrire d'opéra qui servirait le prestige de la Pologne, au lieu de perdre son temps dans les salons. Le mysticisme exacerbé de Mickiewicz indispose Chopin qui, de ce fait, n'ira jamais au-delà d'une sympathie prudente à son égard et se contentera, somme toute, de chercher dans ses ouvrages le prétexte lointain de telles *Ballades* ou *Polonaises* [1].

1841 est, pour Chopin, une année de riche floraison : la 3ᵉ *Ballade,* la *Tarentelle,* le *Boléro,* la *Fantaisie en fa mineur,* la *Polonaise en fa dièse mineur,* l'*Allegro de Concert* [2], deux *Nocturnes,* op. 48 et la *Valse en la bémol, op.* 42, voient le jour.

A la mi-juin 1841, c'est le départ pour Nohant où l'on passera, jusqu'au 1ᵉʳ novembre, quatre mois et demi. Cet été-là, Pauline Viardot vient, avec son mari, séjourner quinze jours chez George Sand. Elle est la sœur de la Malibran, toutes deux filles du ténor espagnol, Manuel del Popolo Vincente Garcia. Son mari, Louis Viardot, est l'ami intime de Leroux, familier de Sand. Chopin prend à accompagner la cantatrice, sur un nouveau Pleyel qui vient de lui être livré et qu'on a installé dans sa chambre, le plus extrême plaisir. De son côté, Pauline envisage d'adapter, vocalement, certaines *Mazurkas* et *Etudes* du Polonais.

Tout le temps qu'il ne consacre pas à la composition et

---

1. La 2ᵉ *Ballade* aurait été inspirée à Chopin par la Ballade *Switezianka* de Mickiewicz.
2. Sans doute l'amorce d'un 3ᵉ *Concerto* pour piano et orchestre, demeuré au stade du premier mouvement.

à quelques distractions en compagnie des commensaux de Sand, Chopin le réserve à une correspondance utilitaire. Car, s'il a horreur d'écrire, il excelle, nous l'avons dit, à accabler ses amis de démarches. Fontana — qui, à la fin de l'année, quittera la France pour l'Amérique — occupe, durant l'été, l'appartement de Chopin, 5, rue Tronchet. Il y reçoit un courrier effrayant : il paye le loyer, règle le concierge et la fleuriste, achète des gants, des savons au benjoin, divers parfums, du Tokay, des foies gras et jusqu'à une petite main en ivoire pour se gratter la tête, sans préjudice de deux exemplaires d'un buste de Chopin par Dantan, de quelques livres, etc. C'est encore Fontana qui recopie les pièces manuscrites de Chopin, lui envoie des objets oubliés à Paris, négocie avec Pleyel, ouvre le courrier, poste les lettres, cherche un nouvel appartement, ne le trouve pas, prépare le déménagement en direction de la rue Pigalle, se met en quête de l'orthographe exacte de la princesse Tchernitchef, à qui Chopin dédie un *25ᵉ Prélude en ut dièse mineur, op.* 48, qu'il vient de composer, s'entremet auprès des éditeurs de musique, engage un nouveau valet de chambre, aère le pavillon de Sand, y fait allumer du feu et brûler des parfums, s'assure que les draps sont secs, le ménage fait à fond, le bois porté en quantité dans la resserre où l'on en fait provision. A cet heureux homme, l'ennui est épargné, tant son emploi du temps est minutieusement réglé ! On comprend, dès lors, sa fuite en Amérique...

Un roman.

De violentes tempêtes et un orage, celui-là psychologique, marquent l'été de 1841 à Nohant. Marie de Rozières, élève de Chopin, professeur de piano de Solange Sand et amie de George, apparemment dévouée mais plus indiscrète encore, s'est éprise d'Antoine Wodzinski. Ce Wodzinski, assez mauvais sujet, frère de la « fiancée » de Chopin, s'est vu prêter par celui-ci quelques sommes d'argent, qu'il a négligé de lui rendre. Il est devenu l'amant de Marie de Rozières. La pers-

pective de voir invités à Nohant son élève et le frère de Maria
Wodzinska est, évidemment, très désagréable à Chopin.
Croyant arranger les choses, Sand, fidèle à ses habitudes,
brouille les cartes en chargeant « Chip-Chip », c'est-à-dire
Chopin, du rôle d'épouvantail. Avec une fausseté exemplaire,
elle écrit à Marie de Rozières : « Il y a ici une irritation
contre vous que je ne sais plus à quoi attribuer, qui ne rime
à rien et qui ressemble à une maladie... Il est très méchant
à votre égard... Il vous fait un crime de mon amitié pour vous
et de la manière dont j'ai défendu vos droits à l'*indépendance*... Si je n'étais témoin de ces engagements et désengagements maladifs depuis trois ans, je n'y comprendrais
rien... » Malheureusement, c'est George Sand et non Chopin,
qui use à l'égard de ses amis d'une politique d'engagements
et de désengagements.

Certes, Chopin a bien des raisons d'être méfiant et il
juge sévèrement Marie de Rozières dans une lettre confi-
dentielle à Fontana, mais, pour rien au monde, il n'adres-
serait de reproches à celle qui les a si bien mérités : « Quant
à elle, indiscrète, s'immisçant volontiers dans les affaires des
autres, elle colporte tous les propos, et ce n'est pas la première fois qu'elle fait, d'une grenouille, un bœuf ! *Entre
nous,* c'est un insupportable cochon qui, de façon étonnante,
a su se glisser dans mon enclos pour remuer la terre et chercher des truffes, jusque parmi mes roses. C'est une personne
à laquelle on ne devrait rien confier, car elle est d'une indiscrétion monstrueuse... »

Puis, ayant exprimé crûment son opinion sur l'intrigante,
Chopin reproche à Fontana — mais avec quelle discrétion ! — d'avoir, sans en être prié, offert l'un des deux bustes
de Dantan à Wodzinski. Délicat en toutes choses, Chopin
s'inquiète du chagrin que pourra éprouver Sand, si elle l'apprend, de voir son amant offrir son buste à la famille de son
ancienne fiancée. Jamais Chopin ne ment, jamais il n'intrigue
et pas davantage il ne cherche à faire parler les faits en
sa faveur. Décidément, l'union de cet aristocrate-né et de
cette plébéienne réaliste est singulièrement bancale ! Apparemment insoucieux de bien des choses, Chopin, au cours de

cet été 1841, commence à ouvrir l'œil. Sand a commis l'imprudence de lui montrer les lettres de Marie de Rozières et
ses réponses — celle, notamment, où après avoir outrepassé
la plus élémentaire discrétion, elle écrit : « Je ne comprends
pas que vous m'*accusiez* de vous *accuser,* quand je vous
approuve et vous plains de toute mon âme... Sachez que je
n'ai rien dit... » Bavards et polygraphes sont, un jour, victimes de leurs paroles et de leurs écrits.

Que l'être humain est donc complexe et combien de nobles
sentiments voisinent en lui avec de fâcheux élans ! Comment, par exemple, n'être pas touché des soins de mère poule
avec lesquels George Sand, prolongeant, l'automne venu,
son séjour à Nohant pour y faire exécuter divers travaux,
confie « son petit Chopin » à Mme de Marliani : « Qu'il
trouve sa chambre ouverte et aérée, de l'eau chaude pour sa
toilette, qu'on lui prépare son chocolat du matin, son bouillon d'après-midi, surtout qu'il ne se couche pas trop tard, que
son Polonais lui fasse pour déjeuner un petit pot-au-feu, une
bonne côtelette. Il est bien portant maintenant, il n'a besoin
que de manger et de dormir. Si, par hasard, il était malade,
je laisserais tout pour aller le soigner... » Mêmes recommandations à Marie de Rozières : « J'ai forcé Chopin à aller
reprendre ses leçons et à fuir la campagne qui lui deviendrait malfaisante, car il fait un froid du diable dans nos grandes chambres... Dénoncez-moi Chopin au cas où il se condui-
rait comme un *hurluberlu* sous le rapport de la santé... » Et
Chopin n'est pas moins attentif à l'égard de Sand souffrante : « Hier, écrit l'indiscrète Rozières à Antoine Wodzinski, Mme Sand a gardé le lit jusqu'au dîner. C'est alors qu'il
faut voir Chopin dans l'exercice de ses fonctions de garde-
malade, zélé, ingénieux, fidèle. Malgré son caractère, elle ne
retrouverait pas une autre Chipette... » Autre détail : quand
Chopin écrit, de Paris, un billet à Sand, il signe — par rail-
lerie ou sincèrement ? — : « Votre très humble : Chopin »
et il ajoute en *post-scriptum* à l'adresse de Maurice Sand :
« Bouli, je t'embrasse de cœur. » Plus tard, Sand prêtera
à son ex-amant et à son fils une aversion réciproque tout à
fait imaginaire. Pour l'instant, l'entente entre les trois Sand

et Chopin est cordiale. Sans cette famille surgie par hasard et à laquelle il s'est intégré, que deviendrait Chopin ?

En cette fin d'année 1842, Chopin échange avec tous les siens de tendres lettres de vœux, chargées de mille nouvelles du « pays » : tous les potins d'une capitale de province fourmillent dans les lettres des deux sœurs qui, de loin, continuent d'adorer le frère illustre. Nicolas Chopin donne à son fils des conseils d'économie et il lui recommande la patience à l'égard de Liszt : sans doute la brouille survenue entre Sand et Marie d'Agoult a-t-elle éclaboussé l'amitié des deux hommes ? De fait, Liszt, écrivant à Chopin, l'appelle — pour le sonder sans doute — : « Cher ancien ami... » Léger remords, vite apaisé : Nicolas Chopin garde la chambre, où le tient enfermé une mauvaise toux, sa femme écrit en grand secret à Frédéric qu'elle doit 3 000 florins et qu'elle refuse de mettre son mari au courant de cette dette : si le fils bien-aimé pouvait sortir sa mère de ce mauvais pas, ce serait merveilleux. A cette requête tendrement formulée, Justyna Chopin ajoute cent exhortations pieuses et tout autant de recommandations de santé : comment vas-tu ? Te soignes-tu bien ?

Le mieux possible, mais, visiblement, la machine se détraque au moindre courant d'air, dès la première fatigue. Frédéric souffre de ganglions. Il est soigné — en même temps que Matuszynski, tuberculeux comme lui — par leur compatriote, le docteur Racibowski, et par l'homéopathe qui surveille Sand, le docteur Molin.

A la faveur d'une amélioration de son état souffreteux [1], Chopin, encouragé par le succès du concert qu'il a donné le 26 avril 1841, récidive. Avec le concours de Pauline Viardot et du violoncelliste Franchomme, il joue, salle Pleyel, le 21 février 1842. Il accompagne ses deux amis et interprète un choix de ses œuvres : trois *Mazurkas*, la *3ᵉ Ballade en la bémol*, trois *Etudes*, op. 25 (1ʳᵉ, 2ᵉ, 12ᵉ), quatre *Nocturnes*, le *Prélude en ré bémol*, *l'Impromptu*, op. 51. Vif

---

1. « Chopin toussaille son petit train », écrit G. Sand.

succès. La *France musicale* l'enregistre et note la présence de
« George Sand et de ses deux filles » prenant la nièce,
Augustine Brault, pour la sœur de Solange. Louise Jedrzejewicz, de Varsovie [1], raille ce *lapsus,* montrant par là que la
famille lointaine est bien informée, en dépit de l'extrême
discrétion de Frédéric. De son côté, à l'occasion d'un changement de résidence, Nicolas Chopin interroge son fils à
mots couverts : « Tu as changé de logement : mais ne seras-
tu pas isolé si *d'autres personnes* n'en changent pas ? » Tout
se sait. Et le père s'étonne dans la même lettre que Frédéric
renvoie si souvent ses domestiques : comment saurait-il que
Sand, maîtresse de maison impérieuse, est à l'origine de ces
congédiements successifs ? Nohant est funeste aux serviteurs
de Chopin [2].

Delacroix.

Ce printemps de 1842 à Nohant laisse toutefois à Chopin
des souvenirs heureux. Delacroix, qui y séjourne, écrit à
Pierret : « Le lieu est très agréable et les hôtes on ne peut
plus aimables pour me plaire. Quand on n'est pas réunis pour
dîner, déjeuner, jouer au billard, ou se promener, on est
dans sa chambre à lire ou se goberger sur son canapé ! Par
instant, il vous arrive par la fenêtre ouverte sur le jardin des
bouffées de la musique de Chopin qui travaille de son côté.
Cela se mêle au chant des rossignols et à l'odeur des roses.
Je mène une vie de couvent. Nous attendions Balzac, qui
n'est pas venu : je n'en suis pas fâché. C'est un bavard qui
eût rompu cet accord de nonchalance dans lequel je me berce

---

1. Elle revient de Szafarnia, où elle a passé ses vacances avec
ses enfants où on a conservé, vivant, le souvenir de Frédéric.
« Les Pitus se portent bien... »
2. Survenue le 20 avril 1842, la mort de Jean Matuszynski,
« Jas », atterre Chopin, à qui la vue de son ami, immobile à
jamais, arrache des sanglots. Sand, bien avisée, précipite les
choses. L'enterrement a lieu le 21 avril et, une semaine plus tard,
tout le monde part pour Nohant.

avec grand plaisir... J'ai des tête-à-tête à perte de vue avec
Chopin, que j'aime beaucoup et qui est un homme d'une
intuition rare. Il est de ceux en petit nombre qu'on peut admirer et estimer... »

« Une conformité de goût, écrit Sand [1], existait chez les
deux artistes. Ils étaient dandys l'un et l'autre. Ils aimaient
pareillement les belles manières, l'élégance, les idées nobles
et leurs cœurs se comprenaient. En fait, Chopin ne comprend pas Delacroix : il estime, chérit et respecte l'homme ;
il déteste le peintre [2] ; Delacroix, plus varié dans ses facultés, apprécie la musique, il a le goût sûr et exquis. Il ne se
lasse pas d'écouter Chopin, il le savoure, il le sait par cœur.
Chopin l'accepte, et il en est touché ; mais quand il regarde
un tableau de son ami, il souffre et ne peut trouver un mot à
lui dire. Il est musicien, rien que musicien. Sa pensée ne peut
se traduire qu'en musique. Il a infiniment d'esprit, de finesse
et de malice, mais il ne peut rien comprendre à la peinture
et à la statuaire. Michel-Ange lui fait peur, Rubens l'horri-
pile. Tout ce qui lui paraît excentrique le scandalise. Il s'enferme dans tout ce qu'il y a de plus étroit dans le convenu.
Etrange anomalie ! Son génie est le plus original et le plus
individuel qui existe. Mais il ne veut pas qu'on le lui dise [3]. Il
est vrai qu'en littérature, Delacroix a le goût de ce qu'il y a
de plus classique et de plus formaliste.

« Maurice casse les vitres au dessert. Il veut que Delacroix
lui explique le mystère des reflets et Chopin écoute, les yeux
arrondis par la surprise. Le maître établit une comparaison
entre les tons de la peinture et les sons de la musique. L'harmonie en musique ne consiste pas seulement dans la construction des accords, mais encore dans leurs relations, dans
leur succession logique, dans leur entraînement, dans ce que
j'appellerais, au besoin, leurs reflets auditifs. Eh bien, la
peinture ne peut pas procéder autrement. « Le reflet du

1. *Impressions et souvenirs.*
2. Cela est, assurément, très exagéré !
3. Et là, Sand voit juste.

reflet » nous lance dans l'infini et Delacroix le sait bien, mais il ne pourra jamais le démontrer...

« Je me permets de communiquer comme je peux mon appréciation. Chopin s'agite sur son siège :

— Permettez-moi de respirer, dit-il, avant de passer au relief. Le reflet, c'est bien assez pour le moment. C'est ingénieux, c'est nouveau pour moi, mais c'est un peu de l'alchimie.

— Non, dit Delacroix, c'est de la chimie toute pure. Les tons se décomposent et se recomposent...

«... Chopin ne l'écoute plus. Il est au piano et il ne s'aperçoit pas qu'on l'écoute. Il improvise comme au hasard. Il s'arrête.

— Eh bien, eh bien, s'écrie Delacroix, ce n'est pas fini !

— Ce n'est pas commencé. Rien ne me vient... rien que des reflets, des ombres, des reliefs qui ne veulent pas se fixer. Je cherche la couleur, je ne trouve même pas le dessin.

— Vous ne trouverez pas l'un sans l'autre, reprend Delacroix, et vous allez les trouver tous les deux.

— Mais si je ne trouve que le clair de lune ?

— Vous aurez trouvé le reflet d'un reflet, reprend Maurice.

« L'idée plaît au divin artiste. Il reprend sans avoir l'air de recommencer, tant son dessin est vague et comme incertain. Nos yeux se remplissent peu à peu de teintes douces qui correspondent aux suaves modulations saisies par le sens auditif. Et puis, la note bleue résonne et nous voilà dans l'azur de la nuit transparente. Des nuages légers prennent toutes les formes de la fantaisie ; ils remplissent le ciel ; ils viennent se presser autour de la lune qui leur jette de grands disques d'opales et réveille la couleur endormie. Nous rêvons à la nuit d'été, nous attendons le rossignol.

« Un chant sublime s'élève !

« Le maître sait bien ce qu'il fait. Il rit de ceux qui ont la prétention de faire parler les êtres et les choses au moyen de l'harmonie imitative. Il ne connaît pas cette puérilité. Il sait que la musique est une impression humaine et une manifestation humaine. C'est une âme humaine qui pense, c'est une voix humaine qui s'exprime. C'est l'homme en présence des émotions qu'il éprouve, les traduisant par le sentiment qu'il en a, sans chercher à en produire les causes par la sonorité. Ces causes, la musique ne saurait les préciser, elle ne doit pas y prétendre. Là est sa grandeur, elle ne saurait parler en prose. »

Outre Delacroix, Witwicki et Marie de Rozières, rentrée en grâce, séjournent à Nohant. Dès le 27 juillet, Sand et Chopin rompent la tradition et rejoignent Paris en quête d'un nouveau logement, car, décidément, ils sont las de la rue Pigalle. Fontana n'est plus là : il leur faut chercher eux-mêmes...

Square d'Orléans.

L'idée d'une sorte de phalanstère d'écrivains et d'artistes les séduit. Précisément s'offrent à eux deux appartements, l'un plus grand au second étage, l'autre composé d'un salon et d'une chambre, aux nos 5 et 9, square d'Orléans (rue Saint-Lazare). Mme Marliani habite au 7, Pauline Viardot, Dantan, Zimmermann, Alkan et Alexandre Dumas peuplent cette « petite Athènes ».

« Nous n'avions qu'une grande cour, plantée et sablée, toujours propre, à traverser pour nous réunir, tantôt chez elle [1], tantôt chez moi, tantôt chez Chopin, quand il était disposé à nous faire de la musique. Nous avions inventé de ne faire qu'une marmite et de manger tous ensemble, chez Mme Marliani, ce qui était plus économique et plus enjoué de beaucoup que le chacun chez soi : la liberté mutuelle y était beaucoup plus garantie que dans le phalanstère des fouriéristes. Chopin se réjouissait d'avoir place d'Orléans un beau salon isolé où il pouvait aller composer ou rêver. Mais il aimait le monde et ne profitait guère de son sanctuaire que pour y donner des leçons. Ce n'est qu'à Nohant qu'il

---

1. Mme Marliani. La description ci-dessus est extraite de *Histoire de ma vie*.

créait et écrivait. Maurice avait son appartement et son atelier au-dessus de moi. Solange avait près de moi une jolie chambrette. Maurice a repris l'atelier, *con furia*, et moi, j'ai repris *Consuelo* comme un chien qu'on fouette... »

De son bref séjour à Nohant, Chopin rapporte le *4° Scherzo, op.* 54, la *4ᵉ Ballade, op.* 52, *la Polonaise en la bémol, op.* 53, le *3ᵉ Impromptu, op.* 51, trois *Mazurkas, op.* 50 et la *Mazurka en la mineur*, sans numéro *d'opus*. Il consacre beaucoup de temps et de soin à donner des leçons. Meyerbeer lui a envoyé, quelques mois plus tôt, une petite pianiste aveugle de huit ans, dont il lui certifie le « génie ». De Lenz, l'auteur des *Trois Styles de Beethoven*, a raconté dans son livre, *les Grands Virtuoses de notre temps*, comment il fit la connaissance de Chopin. Liszt lui a remis, pour son ami Frédéric, une carte en guise de laissez-passer. Chopin, méfiant, fait dire qu'il n'est pas là. De Lenz insiste, Chopin paraît — « un jeune homme de moyenne taille, mince, usé par le chagrin, et de la plus élégante tournure parisienne : je n'ai jamais rencontré une personne aussi séduisante.

— Que désirez-vous ? Vous êtes un élève de Liszt ?

— Un ami de Liszt, et je souhaite avoir le bonheur de travailler vos mazurkas sous votre direction. J'en ai déjà étudié quelques-unes avec Liszt...

— Vraiment ! Veuillez me jouer ce que vous avez joué à Liszt : j'ai encore quelques minutes à ma disposition.

« Je joue la *Mazurka en si bémol majeur,* en y ajoutant un trait appris de Liszt.

— Ce trait n'est pas de vous, ai-je raison ? me dit Chopin. *Il* vous l'a montré — il faut qu'il touche à tout... Eh bien, c'est entendu, je vous donnerai des leçons, mais seulement deux fois par semaine... Que lisez-vous ?

— Je préfère George Sand et Jean-Jacques à tous les autres !

« Il sourit, il fut adorablement beau à ce moment :

— C'est Liszt qui vous l'a soufflé, je le vois. Vous êtes

initié, tant mieux. Je vois déjà que nous deviendrons plus
intimes [1]... »

Un autre jour, de Lenz fait allusion à la première soirée
qu'il a passée chez Mme Marliani, entre Sand et Chopin :
« Sand ne dit pas un mot. Je m'assis à côté d'elle. Chopin vol-
tigeait tout autour comme un petit oiseau effrayé dans sa cage.
— Est-ce que vous ne viendrez pas un jour à Saint-Pétersbourg ? dis-je à George Sand du ton le plus aimable du
monde, où l'on vous lit tant et où vous êtes tant admirée ?
— Je ne m'abaisserai jamais à un pays d'esclaves !
« Elle se lève d'une manière théâtrale et se dirige, d'une
allure toute masculine, à travers le salon, vers la cheminée
flamboyante. Elle tire un énorme cigare *trabucco* de la poche
de son tablier et crie à travers le salon :
— Frédéric, un fidibus !
« Chopin oscille docilement vers elle avec un fidibus.
— A Saint-Pétersbourg, commence-t-elle, je ne pourrai
probablement pas même fumer un cigare dans un salon !
— Dans *aucun* salon, madame, je n'ai jamais vu fumer
un cigare ! »
Fleurets mouchetés !

L'été 1843 voit Sand et Chopin à Nohant, du 22 mai au
1ᵉʳ novembre. Pauline Viardot et Delacroix encadrent Sand
et surtout Chopin, juché sur son âne, dans un petit voyage
aux bords de la Creuse, d'où Sand revient, ayant fait provision d'images neuves et prête à en ensemencer des chapitres
de romans. Chose curieuse, Chopin se montre jaloux, rétros-
pectivement, de l'acteur Bocage, modeste pensionnaire dans
l'Association des Anciens amants de George Sand ! Il m'aime
donc encore ? pense-t-elle. Quel malheur qu'il soit si peu
expansif, si peu confiant !

Mais, en revanche, usant de ruses de Sioux pour adresser
à ses amis des lettres chiffrées. Ainsi nomme-t-il Sand : « la
compagne » ; Mme Marliani : « l'Espagnole » ; Pierre

---

1. Cette relation est assez suspecte. De Lenz est mauvaise
langue et l'on ne peut accueillir sans beaucoup de réserves ses
déclarations.

Leroux : « l'homme roux ». A la mi-août, il va passer quelques jours à Paris pour y voir son éditeur et ramener Solange à Nohant. La fin de l'été est tranquille. Chopin devance Sand d'un mois à Paris et la « petite vie toute simple » recommence, place d'Orléans. Chopin met au net ses manuscrits de l'été. L'un de ses compatriotes, Bohdan Zaleski, lui rend visite un soir. Chopin joue, comme il aime le faire, pour quelques intimes :

« Pâle, souffrant, mais conservant sa gaieté, Chopin m'accueille cordialement et se met au piano. Impossible de dire ce qu'il joue et comment il joue. Pour la première fois de ma vie, je sens si profondément la beauté de la musique que je fonds en larmes. Je saisis avec toutes leurs nuances les émotions du maître, et je me souviens parfaitement des thèmes et du caractère de chaque morceau. Il joue d'abord un magnifique *Prélude,* ensuite la *Berceuse,* puis une splendide *Polonaise,* enfin, en mon honneur, une improvisation dans laquelle il évoque les voix, joyeuses et tristes, du passé, qu'il mêle en un chant funèbre. Il termine par *La Pologne n'a pas encore péri,* qu'il joue sur tous les modes, adoptant tour à tour le ton guerrier, puis le ton enfantin et angélique. Il y aurait de quoi écrire tout un livre sur cette improvisation. »

A peine Chopin quitte-t-il le piano que, soucieux de dissiper sa propre émotion et de ne pas laisser son auditoire sur un sentiment trop passionné, il fait des imitations. Les pianistes à la mode sont une riche proie : il parodie leur voix, leur parler, leurs attitudes, leur jeu. Dans son *Homme d'affaires,* Balzac mentionne ces divertissements. Moscheles note : « Qui croirait que Chopin, avec sa sentimentalité, possède également la veine comique ? » La princesse de Beauvau raconte qu'on croit voir, à Vienne, l'empereur d'Autriche en personne. « Ses traits deviennent alors méconnaissables, écrit Liszt, il leur fait subir les plus étranges métamorphoses. Mais, tout en imitant le laid et le grotesque, il ne perd jamais sa grâce native. »

Au printemps de 1844, Chopin participe à un concert organisé par Charles Valentin Alkan. Avec lui, Pixis et

Zimmermann, il joue, à deux pianos à huit mains des fragments de la *VIIe Symphonie* de Beethoven.

La mort du père.

Au mois d'avril de cette même année, un coup terrible frappe Frédéric au cœur : son père meurt, à Varsovie, âgé de soixante-treize ans. L'un des gendres du défunt, Barcinski, écrit à son beau-frère une lettre touchante, témoignant de la noblesse, de la résignation, du calme avec lesquels le *pater familias* a pris congé de la vie, priant le ciel que son fils lointain supporte courageusement cette douleur ajoutée à tant d'autres : « Il s'est endormi, tout simplement... » Antoine et Isabelle Barcinski prennent Mme Chopin chez eux. Que Frédéric n'ait pas de souci : « Qu'il comprenne que la santé de sa famille repose uniquement sur son bonheur à lui... Qu'il sache aussi que le père, avant de mourir, a demandé aux siens de faire ouvrir son corps après le décès — afin de lui éviter le sort terrible de ceux qui se réveillent dans la tombe [1]. Persuade-toi, pour finir, que « Papa est mort avec sérénité, dans la douce certitude qu'il survivrait dans ses enfants, dont il avait formé le cœur selon le sien. Il était pénétré de l'aimable assurance que l'unité de sentiments, l'amour fraternel, la mutuelle tendresse de tous les membres d'une famille peu nombreuse, mais foncièrement honnête, lui donnaient la formelle garantie de notre félicité sur la terre... »

Louise à Nohant.

Pour consoler « Chip », dont la douleur fait compassion, Sand, intelligemment, invite à Nohant Louise Jedrzejewicz,

---

1. Ce vœu suprême de Nicolas Chopin, Frédéric l'exprimera à son tour, cinq ans et demi plus tard — à moins qu'on n'ait attribué au fils un billet qui aurait été rédigé, en français, par le père ?

tout en la préparant à l'aspect de son frère : celui d'un souffreteux, dont, Dieu merci, « la poitrine est saine et l'orga-
nisme indemne de lésion (?). Venez donc me voir et croyez
que je vous aime d'avance comme une sœur. Votre mari sera
aussi un ami. Je vous recommande seulement de bien faire
reposer le petit Chopin — c'est comme cela que nous appe-
lons le grand Chopin — votre frère, avant de lui permettre
de se remettre en route avec vous pour le Berri [1], car il y a
quatre-vingts lieues, et c'est un peu fatigant pour lui. »

Frédéric et les Jedrzejewicz passent quelques jours à
Paris. Frédéric en fait les honneurs à son beau-frère et à sa
sœur. Ensemble, ils vont applaudir Rachel à la Comédie-
Française, les *Huguenots* à l'Opéra, visiter des amis polonais et ils déposent des fleurs sur la tombe de Matuszynski.
Louise fait la connaissance des amis de son frère : les Léo,
les Franchomme, les Marliani, Marie de Rozières. Chez lui,
Chopin donne une réception en l'honneur des nouveaux
arrivants.

Puis ils prennent la diligence pour Nohant. La réunion du
frère et de la sœur sera brève : trois semaines, autant qu'on
en puisse juger par divers témoignages. Ils sont tous deux
« fous de bonheur » de s'être retrouvés. Il semble, d'ailleurs,
que Louise et Sand aient sympathisé : quelle curiosité devait
éprouver la sœur aînée à l'approche de celle que la famille
désignait sous un euphémisme dans les lettres à Frédéric :
« Ta protectrice... » — ce qui, finalement, disait vrai.
« Pour la première fois, écrit Philippe Jullian, Chopin passe
du rôle d'invité à celui de maître de maison, sans montrer
le moindre embarras de sa situation irrégulière. Le couple
loge dans le bureau voisin de sa chambre. Simples et gais, les
deux époux font la conquête des enfants, amenant une trêve
dans les intrigues. Solange et Chopin jouent à quatre mains,
Calassante apprend le polonais à Maurice. A la veillée,
Georges Sand lit des fragments de *la Mare au diable* [2], Cho-

---

1. Chopin va à Paris, au-devant de sa sœur et de son beau-
frère.
2. Elle fera, l'année d'après, cadeau du manuscrit à Louise.
La Mare au diable est dédiée à Chopin.

pin, au bras de sa sœur, se promène dans le parc, parle de son enfance, plus heureux qu'il ne l'a été depuis bien longtemps. Un soir, tout le monde danse dans la grande cour. » Fin août, c'est le départ, la séparation. Frédéric accompagne les voyageurs jusqu'à Paris, puis il revient passer deux mois encore à Nohant, très reconnaissant à Sand d'avoir rendu possibles ces « retrouvailles » qui ont fait bien plus pour sa santé que toutes les pilules du monde. Cette bouffée d'air polonais l'aide à respirer. « Une cousine [1] de la " maîtresse de maison ", écrit Chopin à sa sœur, loge dans notre appartement. Quand j'y entre, j'y cherche souvent si rien de vous deux n'y est resté, et je n'y vois plus que la place près du canapé où nous prenions le chocolat, et les dessins que Calassante a copiés. Plusieurs souvenirs de toi sont restés dans ma chambre. Sur la table il y a, enveloppée dans du papier de soie, la petite pantoufle que tu as brodée, et, sur le piano, le petit crayon de ton portefeuille... » L'âme de Chopin est uniquement reliée aux souvenirs, aux images de l'enfance : paradis perdu, rouvert par hasard. Aussi Sand voit-elle juste en écrivant à Louise que « sa présence a ôté toute l'amertume de son âme, l'a rendu fort et courageux ». C'est avec optimisme que Chopin voit Sand projeter, au début de l'automne, de nouveaux aménagements destinés à rendre Nohant plus agréable : « Une grande pelouse et des massifs de fleurs seront aménagés dans la cour. Une porte sera percée dans la salle de billard pour donner accès à l'orangerie qui va être construite... » L'œil et l'âme emplis des images de ce bel été, Chopin rentre à Paris.

Mme Marliani ayant déménagé, les habitudes du phalanstère sont rompues. Il neige [2] et Chopin prendrait froid à aller et venir, le soir, de la place d'Orléans à la rue de la Ville-l'Evêque. Une fois de plus, il « vérifie » son travail estival : la *Sonate en si mineur, op. 58*, dédiée à Mme Le

---

1. Il s'agit de la funeste Augustine Brault.
2. « Votre jardinet, écrit Chopin à Sand, restée à Nohant pour fermer la maison, est tout en boules de neige, en sucre, en cygne, en fromage à la crème, en mains de Solange, en dents de Maurice... »

Perthuis, et la *Berceuse, op.* 57 — et il choisit une étoffe dans laquelle la couturière taille une robe pour George Sand. Point fâché du tout de mener, pour quelques jours, une vie de garçon, à l'abri d'une tutelle affectueuse, sans nul doute, mais parfois fatigante : « J'ai dîné hier soir chez Franchomme, au coin du feu, dans ma grosse redingote. Il était rose, frais, chaud et jambes nues. J'étais jaune, fané, froid, et trois flanelles sous le pantalon... Votre momiquement vieux. Chopin. »

Entre les deux associés, jamais l'affection n'a été plus vive. Il règne entre eux une entente agréable, faite de compréhension et de menues concessions. Chacun respecte le travail, le repos, les habitudes de l'autre. Bâti sur des fondations hasardeuses, ce faux ménage semble promis à la durée.

L'orage est proche.

XIII

ORAGES

« L'amour n'est plus ici », écrira Marie de Rozières à la fin de l'année 1845. Pour l'instant, il est toujours là, Chopin est aux petits soins pour Sand. Quant à elle, elle écrit, de Nohant, à Chopin qui a regagné Paris avant elle : « Aime-moi, cher Ange, mon cher bonheur. Je t'aime. »

Griefs.

Quel événement va donc semer la perturbation dans ces cœurs épris ? Non pas un seul : plusieurs. Aucun n'est grave, en soi. Mais l'accumulation des menus griefs finira par peser lourd.

En 1847, Solange Sand a dix-sept ans et son frère, Maurice, vingt et un. La mère décrit ainsi ses enfants : « Maurice est beau et bon, Solange jolie et méchante. » C'est vite dit.

Solange arbore une beauté virile. Elle a du chic à cheval. Le caractère difficile et changeant — nous dirions aujourd'hui « fofolle ». Pour en venir à bout, sa mère la met au couvent, puis, imprudemment, elle la confie à Marie de Rozières, qu'Antoine Wodzinski a quittée, après l'avoir compromise. Sommée de soustraire Solange à la compagnie des hommes [1], Marie fait de son mieux. Bien entendu, le caractère de Solange n'est en rien modifié.

1. « Un moment vient où les petites filles ne le sont plus et où il faut veiller à la tournure que peuvent prendre, dans leur

Maurice est « brun, le teint mat, les pommettes colorées, une petite moustache taillée chaque jour, assez content de lui, dominateur comme son père », note Sand, qui, ainsi que certaines veuves, parle de son fils comme elle le ferait de son mari. De toute évidence, elle préfère Maurice à Solange, que cette rivalité, dont celle-ci a parfaitement conscience, humilie et meurtrit.

Sur ces entrefaites, Sand a eu l'idée de prendre chez elle une cousine éloignée, qui a fait de vagues études musicales au Conservatoire : Augustine Brault. Jolie, douce, effacée, la jeune fille intéresse Maurice. Tous deux se liguent contre Solange et lui infligent mille petites blessures, plus sournoisement cruelles qu'un franc chagrin.

Quelle est, dans la circonstance, l'attitude de Chopin ? Il témoigne aux deux enfants une vive affection — « J'embrasse les *fanfi* », écrit-il à leur mère — mais, au début de leur querelle, il s'abstient sagement de prendre parti. Et cependant, Sand le dépeint « plus taquin, cherchant des poux dans la tête des gens plus que de coutume. J'en ris. Mlle de Rozières en pleure, Solange lui rend coups de dents pour coups de griffe... » Ce jugement semble injuste, à moins que la « bonne dame » ne tire argument de mouvements de jalousie causés par la présence auprès d'elle de Pierre Leroux et de Victor Borie. Il est possible, de surcroît, que Maurice, devenu homme, ait fini par prendre ombrage de Chopin, ami de sa mère, bien que le musicien n'ait jamais cherché à exercer sur les deux enfants la moindre autorité pseudo-paternelle.

Jeux de mots.

Un grain de sable peut enrayer une machine bien réglée. Les domestiques successifs de Chopin ont toujours provoqué esprit, toutes les paroles qu'elles entendent. *Pas un mot*, même indifférent, sur le sexe masculin, voilà toute la prudence que je vous recommande. » (Lettre inédite de George Sand à Marie de Rozières.)

des drames de la part des serviteurs de Sand. En cet été 1845, un certain Jan, Polonais, qui parle très mal le français, met le feu aux poudres. Ignorant tout des nuances de notre langue, il croit lancer une simple pointe à la femme de chambre en lui disant qu'elle est « laide comme un cochon » et qu'elle a « une bouche comme un derrière ». Quand on lui demande : « Y a-t-il du bois ? » il répond : « Il est sorti... » Si on lui dit : « Suzanne est-elle à la maison ? », il articule : « Il n'y a pas. » En outre, écrit Chopin aux siens, « il ne plaît pas aux enfants parce qu'il est ordonné et qu'il fait régulièrement sa besogne. Il se peut que, pour avoir la paix, je sois obligé de le renvoyer [1]... »

Querelle de cuisine, disputes intestines !

Loin d'être découragé pour si peu, Chopin, écrivant à sa famille, lui donne cent nouvelles, se fait l'écho d'autant de potins. Mendelssohn lui a demandé une page autographe de musique pour sa femme, Cécile. Une série d'orages a transformé la plaine en bourbier et l'Indre, si calme d'ordinaire, en torrent furieux. Il a reçu une invitation pour l'inauguration du monument érigé à Beethoven dans sa ville natale, à Bonn. A aucun prix, il n'ira, ayant peu de goût pour ces cérémonies où le vrai visage des grands hommes se voit travesti, où leurs habitudes même ne sont pas respectées : « On vend, à Bonn, de véritables cigares à la Beethoven, alors qu'il n'a certainement jamais fumé que des pipes viennoises. On a déjà vendu tant de bureaux et d'étagères lui ayant appartenu qu'il faut croire que le compositeur de la *Symphonie Pastorale* avait exploité un important commerce de meubles... » Une allusion à la mésaventure de Victor Hugo, pris par le commissaire de police en flagrant délit d'adultère dans le lit de Mme Biard d'Aunet, à la requête du mari trompé. Pour être laissé en liberté, Hugo a dû, en chemise de nuit, montrer au policier qui voulait l'arrêter, la médaille qu'il porte à son cou : « Je suis le

1. De fait, à son retour à Paris, fin novembre 1845, Chopin renverra Jan et prendra à son service un Français « qui a servi pendant sept ans chez les parents de ma *Valse en la bémol majeur* » (les Horsford).

vicomte Hugo, pair de France, et, à ce titre, inviolable... »
« Mais non pas invioleur », ajoute Chopin, grand amateur
de jeux de mots et d'à-peu-près. Il en rapporte quelques
autres : « Parlant de l'aventure de Hugo, une dame a dit
à une de ses amies : « Il a été trouvé flagrant dans le lit... »
Une autre perruche, familière des courses de chevaux souhaite voir *six petites chaises* (un steeple-chase). Une troisième dame mélomane voudrait bien savoir enfin *ce que
c'est que ce tabac du père Golèze* (*Stabat* de Pergolèse). Et
puis, questionne une naïve, « Godefroi de Bouillon est-il
appelé ainsi parce qu'il fut le capitaine le plus consommé
de son temps ? » A cela s'ajoute une de ces nouvelles très
rares sous la plume de Chopin, que la science et la politique
laissent généralement indifférent : « Le télégraphe électro-
magnétique entre Baltimore et Washington donne des résultats extraordinaires. Il arrive fréquemment que, sur un ordre
donné à Baltimore à une heure de l'après-midi, des mar-
chandises et des paquets soient prêts à partir de Washington
dès trois heures. » La statue équestre du duc d'Orléans, tué
dans un accident de voiture, est inaugurée place du Louvre.
On organise des régates aux lampions, la nuit, sur la Seine.

Solange.

En marge de ces broutilles, Chopin laisse percer comme le
reflet d'une inquiétude : « Je me sens dans une atmosphère
étrange, cette année... Je vis dans des espaces imaginaires...
Je ne sais pas pourquoi, mais je ne fais rien qui vaille et,
pourtant, je ne chôme pas, je ne vagabonde pas d'un endroit
à l'autre comme je l'ai fait en compagnie de Louise et de
Calassante. Je passe des journées et des soirées entières dans
ma chambre. Il faut cependant que je termine certains manuscrits avant de rentrer, car il m'est impossible de composer
durant l'hiver. Hier, Solange m'a interrompu dans mon
travail en me demandant de lui jouer quelque chose ; aujourd'hui, elle a voulu me faire assister à l'abattage d'un

arbre ; je reviens d'une promenade avec elle, qui m'avait emmené en cabriolet... »

De cette intimité avec sa fille, Sand commence à prendre ombrage. Le bruit court que Chopin a demandé sa main. Bien sûr, c'est un « canard », auquel elle s'empresse de couper les ailes. Tout de même, c'est ennuyeux. Aussi, l'arrivée des habituels commensaux — Pauline Viardot, Adolf Gutmann, Delacroix — crée-t-elle une utile diversion : « C'est l'artiste le plus admirable qui soit ! écrit Chopin de Delacroix. Je passe avec lui des moments délicieux. Il adore Mozart et sait par cœur tous ses opéras. » Tout en se plaignant de mal travailler, Chopin écrit les trois *Mazurkas, op.* 59, il ébauche la *Barcarolle,* la *Sonate pour cello et piano,* la *Polonaise-Fantaisie,* deux *Mélodies.* « Je ne joue pas beaucoup, car mon piano est faux et je compose moins encore... » De son côté, Sand prophétise : « Chopin commence à perdre confiance en moi. » Fréquemment souffrante — toujours ces douleurs du bas-ventre, cette paresse de l'intestin à laquelle elle finira par succomber — elle arrache à Chopin, dévoué garde-malade, une réflexion très juste : « Plus on a de santé, moins on supporte les malaises. » Pour lui-même, qui tousse éperdument dès que l'air fraîchit, il note : « J'ai déjà survécu à tant de gens plus forts et plus jeunes que moi ! Je me crois éternel... » Ainsi se donne-t-il, bravement, du courage !

Retour à Paris, fin novembre. Il va au théâtre, à l'Opéra, applaudit Marie Dorval dans un drame « pas fameux » de Dennery, envoie aux siens des cadeaux pour le Nouvel An. Il reprend ses leçons. Hélas, Filtsch est mort, au printemps dernier, à l'âge de quinze ans. Un jour, Louis Blanc [1] vient chercher Chopin. Godefroy Cavaignac, fils du célèbre Conventionnel, se meurt. Il veut entendre, une fois encore, de la musique : « Chopin se mit à mon service avec beaucoup d'empressement et de grâce. Je le conduisis chez Cavaignac, où il y avait un mauvais piano. Le grand artiste commence. Soudain, il est interrompu par des sanglots. Cavaignac s'était

---

1. Le fait est relaté dans l'*Histoire de la Révolution de 1848.*

soulevé sur son lit de douleur, il avait le visage baigné de larmes. Chopin s'arrêta, fort troublé. Mme Cavaignac, penchée vers son fils, l'interrogeait du regard avec angoisse. Lui, fit un effort pour se remettre. Il essaya un sourire et, d'une voix faible : « Ne t'inquiète pas, maman, ce n'est rien, un véritable enfantillage... Ah ! Que c'est beau, la musique, comprise ainsi ! »

Au printemps de 1846, un vague projet est en l'air. Si, l'été suivant, Sand parvient à gagner assez d'argent pour voyager avec ses enfants, elle les emmènera, l'hiver suivant, passer avec Chopin les trois mois les plus froids en Italie. Le projet tombe à l'eau « car les enfants, finalement, préfèrent la campagne ».

Lucrezia Floriani.

Sand a-t-elle espéré gagner une fortune en faisant publier par le *Courrier français* son dernier roman, *Lucrezia Floriani*, dans lequel elle se met en scène, aux côtés de Chopin, se réservant, bien entendu, le beau rôle et dépeignant le prince Karol avec de pâles couleurs ? Lucrezia, célèbre actrice italienne, s'est retirée à la campagne, après une vie d'aventures, pour y élever ses enfants. Ayant tout donné, rien reçu, elle n'est pas une courtisane (on voit poindre ici l'évangile de l'amour, selon George Sand !). Elle rencontre un adolescent sensible et doux, beau de surcroît, de santé fragile, pudique, généreux, mais se refusant absolument à traiter en égaux les malheureux et à imaginer que le salut du genre humain puisse, comme le croient Wagner et Sand, s'accomplir sur terre. Tout ce qui sépare, idéologiquement, Sand et Chopin, menace l'union de Lucrezia et de Karol.

Karol s'éprend de Lucrezia qui se donne à lui, tout en le soignant « comme un chaton malade ». Après quelques semaines d'un clair bonheur, le caractère difficile de Karol compromet leur entente.

« Un jour, Karol fut jaloux du curé qui venait faire une quête. Un autre jour, il fut jaloux d'un mendiant, qu'il prit pour un galant déguisé. Un autre jour, il fut jaloux d'un serviteur qui, étant fort gâté comme tous les domestiques de la maison, répondit avec une hardiesse qui ne lui sembla pas naturelle. Et puis ce fut un colporteur, et puis le médecin, et puis un grand benêt de cousin. Karol était même jaloux des enfants. Que dis-je, *même* ? Il faudrait dire *surtout*... C'était bien là, en effet, les seuls rivaux qu'il eût, les seuls êtres auxquels la Floriani pensait autant qu'à lui... »

Evidemment, la « bonne dame de Nohant » ne se donne guère de peine pour camoufler les êtres qu'elle met en scène et déguiser la vérité quotidienne. Comment a-t-elle pu croire que Chopin, comme on dit, n'y verrait que du feu ? Eh bien, elle a raison, car Chopin feint de ne pas se reconnaître dans le portrait transparent du prince Karol. Un soir, Sand fait une lecture de *Lucrezia Floriani* pour Chopin et Delacroix, qui confie à Mme Joubert : « J'étais au supplice pendant cette lecture ! Le bourreau et la victime m'étonnaient également. Mme Sand paraissait absolument à l'aise et Chopin ne cessait d'admirer le récit. A minuit, nous nous retirâmes ensemble. Chopin voulut m'accompagner et je saisis l'occasion de sonder ses impressions. Jouait-il un rôle vis-à-vis de moi ? Non, vraiment, il n'avait pas compris et le musicien persista dans l'éloge enthousiaste du roman [1]... »

Personne, dans l'entourage des deux amants ne douta un seul instant de la réalité de cette prétendue fiction. Ni Liszt, ni Balzac, ni Leroux, ni Mme Marliani, ni Marie de Rozières, ni Heine [2] ne furent dupes. Hortense Allart écrit à Sainte-Beuve : « Je ne vous ai pas dit combien j'ai été indignée de *Lucrezia*. Mme Sand, achevant d'immoler les pianistes, nous livre Chopin, avec des détails ignobles de cuisine et avec une froideur qui fait que rien ne la justifie, comme son sosie. Les femmes ne sauraient trop protester contre ces trahisons du lit, qui éloigneraient d'elles tous les amants. Nélida était excusable dans son transport. Lucrezia est sans excuse

---

1. Caroline Joubert, *Souvenirs, lettres, correspondances.*
2. Heine écrit à son ami Laube : « Elle (George Sand) a outrageusement maltraité mon ami Chopin dans un détestable roman divinement écrit. »

dans sa froide irritation. Comment un si beau génie se laisse-t-il si mal inspirer ? »

Pour avoir le cœur net, Hortense Allart pose la question à Sand. Et c'est alors qu'une fois de plus, prise en flagrant délit, Sand se défend pitoyablement. Elle feint de tomber du ciel. Comment peut-on croire qu'elle a mis ses amours en roman ? La Floriani a quatre enfants et elle n'en a que deux (argument dérisoire !). La meilleure preuve de son innocence n'est-elle pas que, travaillant sous les yeux de Chopin et lui lisant à mesure les chapitres qu'elle vient d'écrire, Chopin ne s'est pas reconnu ? Non, ce n'est pas lui, non ce n'est pas elle : « Je ne connais point le prince Karol, ou je le connais en quinze personnes différentes, comme tous les types de romans complets [1]... » Nous l'avons dit : Sand ment comme elle respire.

Et Chopin, qui est la noblesse même, refuse, même à son plus cher ami, de fournir des armes contre une femme qu'il a aimée. Tant pis si on le traite de niais : il affectera l'incompréhension — quitte à laisser entendre, deux années plus tard, dans une lettre d'Ecosse, qu'il a parfaitement deviné la manœuvre de sa maîtresse : « Je n'ai jamais maudit personne, mais je suis tellement à bout maintenant qu'il me semble que j'irais mieux si je pouvais maudire Lucrezia... »

A quelle tentation Sand a-t-elle cédé en publiant ce mauvais roman ? A la facilité ? A l'attrait d'un scandale « parisien », capable de lancer son ouvrage ? Au désir de faire comprendre au musicien que le temps des amours est passé et qu'il faut songer à la séparation dont elle rendra, plus tard, Chopin responsable, au mépris de la plus élémentaire vérité ? Impossible de démêler, avec cette femme à facettes, le fin mot des histoires.

Mais, le fait est là, son attachement à Chopin est déjà relégué dans le passé. Avec une malice de prestidigitateur, elle « noie le poisson », se contredisant d'une lettre à l'autre,

1. Qu'on prenne la peine de confronter la peinture du prince Karol dans *Lucrezia Floriani* à la description que Sand donne du caractère de Chopin dans *Histoire de ma vie*. Les deux portraits sont rigoureusement superposables.

affirmant une chose à Pierre, la niant à Paul, fidèle à un seul principe, celui-là sacro-saint : se glorifier sans relâche. Elle doit, historiquement, être la plus grande, la plus pure, la plus noble, l'intangible, une manière de sainte laïque. Qu'elle vive entourée de monstres et de médiocres ne fait qu'accroître ses mérites ! Mme Sand est une mythomane — ce qui ne signifie pas qu'on néglige ses qualités réelles. Mais son hypocrisie est écœurante.

Dernier été.

L'été que passe Chopin à Nohant en 1846 — le dernier ! — est morne :

« Tout l'été s'est passé ici en promenades et en excursions dans la région peu connue de la *Vallée Noire*. Pour moi, je n'y ai pas pris part, parce que j'y eusse trouvé plus de fatigue que de plaisir. Je suis las, je m'ennuie. Mon caractère s'en ressent et les jeunes n'éprouvent guère de plaisir en ma compagnie[1]... »

Les jeunes, c'est-à-dire Solange, Maurice et la jeune Augustine, un trio en proie à des passions et à des mouvements d'humeur. Maurice a sans doute été l'amant d'Augustine[2]. Pour ne pas l'épouser, il a invoqué la sévérité de son père. Consciente de la lâcheté de son fils, Sand l'a morigéné. Pour donner à Augustine une manière de compensation, elle favorise son mariage avec le peintre Théodore Rousseau et déclare qu'en guise de dot, elle prélèvera, au bénéfice de la jeune fille, cent mille francs sur ses droits d'auteur. Solange brouille les cartes, fait dire à Rousseau qu'Augustine aime ailleurs et que, si elle l'épouse, ce sera par simple dépit. Du coup, Rousseau, inquiet, bat en re-

---

1. Aussitôt, Sand contredit Chopin : « Quant à Chopin, sa santé est bien meilleure, cette année-ci, ses nerfs se sont calmés, bien sûr qu'il a doublé le cap, ce qui fait que son caractère est aussi devenu meilleur et plus égal. » (20 septembre 1846, à Mme Marliani.)
2. Tel est, du moins, l'avis de Solange.

traite, bien que Sand — qui, cet été-là, tient plus que jamais dans ses mains expertes les fils des marionnettes humaines qui l'entourent — essaye de le « rattraper ».

« Des esprits monstrueux, écrit-elle à Rousseau, veulent que, pour avoir recueilli et sauvé une angélique enfant, je sois l'indigne Sand ; et que cette noble créature, qui a refusé la main de mon fils [1], parce qu'elle ne se trouvait pas aimée au gré de son légitime orgueil, soit une intrigante capable de s'entendre avec moi pour tromper un honnête homme, elle qui pourrait demain devenir la femme de Maurice [2] si elle disait ce qu'elle souffre... » Finalement, Rousseau se dérobe et Augustine « reste calme, comme les roses après la pluie ».

Projet de mariage.

Mais voici une autre péripétie. Au début de l'automne, Solange fait part de ses fiançailles avec un jeune châtelain des environs de Nohant, Fernand des Préaulx : « Ma fille, écrit Sand, la plus superbe des Edmée de Mauprat, s'est laissé attendrir par une espèce de Bernard de Mauprat, moins l'éducation féroce, car il est doux, obligeant et bon comme un ange. Très beau, de surcroît, et taillé comme un dieu. Mais c'est un homme des bois, habillé comme un garde-chasse, chevelu comme un sauvage, sans un sou, légitimiste. J'avais prévu pour mon gendre tout autre chose qu'un noble, un royaliste et un chasseur de sangliers, incapable de briller à Paris. Voilà : nous l'aimons et il nous aime... »

Chopin approuve le mariage. Fernand lui plaît. En revanche, il juge très sévèrement la conduite de Maurice à l'égard de sa cousine Augustine. Vif comme la poudre, Maurice regimbe : s'il faut, il quittera Nohant : « Cela ne pouvait pas et ne devait pas être, écrit Sand [3]. Chopin ne

---

1. D'autant plus facilement qu'il ne la lui a pas offerte !
2. Mais non !
3. *Histoire de ma vie.*

supporta pas mon intervention légitime et nécessaire. Il baissa
la tête et prononça que je ne l'aimais plus. Quel blasphème
après huit années de dévouement maternel ! Mais le pauvre
cœur froissé n'avait pas conscience de son délire... »
Sur l'instant, Sand n'intervint certainement pas de cette
manière. Cependant, pour la première fois, elle dit à Chopin
un mot dur :

— Votre sœur vaut cent fois mieux que vous !

— Vous avez parfaitement raison, réplique Chopin, qui
adore Louise.

Visiblement, Sand amorce le repli, que les stratèges nomment le « décrochage ». « L'amitié de Chopin, dit-elle, n'a
jamais été un refuge pour moi dans la tristesse. Ma véritable
force me vient de mon fils. » A ce fils chéri, elle donne
toujours raison : « Maurice fut blessé tout à coup par Chopin
d'une manière imprévue, pour un sujet futile. Ils s'embras-
sèrent un moment après, mais le grain de sable était tombé
dans le lac tranquille et, peu à peu, les cailloux s'y précipi-
tèrent un à un. Chopin fut irrité souvent sans aucun motif
et quelquefois irrité injustement contre de bonnes intentions.
Je vis le mal s'aggraver et s'étendre à mes autres enfants,
rarement à Solange, que Chopin préférait, par la raison
qu'elle seule ne l'avait pas gâté, mais à Augustine avec une
amertume effrayante. Si Chopin était avec moi le dévouement, la prévenance, la grâce, l'obligeance et la défé-
rence en personne, il n'avait pas pour cela abjuré les aspérités
de son caractère envers ceux qui m'entouraient [1]. »

En novembre 1846, Chopin quitte Nohant, sans savoir
qu'il n'y reviendra jamais. Seize ans plus tôt, il a dit adieu,
sans en avoir conscience, à la Pologne. Une à une, le destin
ferme les portes qu'il franchit, sans qu'il sache que c'est
pour la dernière fois.

Sand et ses enfants vont rester à Nohant jusqu'au mois de
février 1847. D'une part, la « bonne dame » n'est pas fâchée

---

1. Sand, *Histoire de ma vie*.

de mettre quelque distance entre Chopin et elle. Et elle a des projets en tête.

Sitôt arrivé à Paris, rue d'Orléans, Chopin s'ingénie à rendre mille services, à envoyer à Nohant des vêtements chauds pour l'hiver, à faire les commissions dont on l'a chargé, à assortir des étoffes dont il a pris des échantillons, à acheter des bonbons, des parfums, etc. Que de tendres billets adressés à l'ingrate ! « Soyez heureuse et bien portante. Ecrivez quand vous aurez besoin de quelque chose. Comme c'est bien à votre salon d'être chaud, à votre neige de Nohant d'être charmante, à la jeunesse de faire le carnaval ! Avez-vous un répertoire suffisant de contredanses pour faire l'orchestre des pantomimes ? Amusez-vous aussi bien que possible. Portez-vous tous bien, soyez heureux. Moi, je vais comme je peux. » Chacun des billets est suivi d'un tendre *P.S.* pour les enfants.

Est-il meilleure preuve que Chopin, en cette fin d'année 1846, aime toujours Sand, qu'il lui est attaché, fidèle, dévoué, et — contrairement à ce qu'elle prétend — s'ingéniant à rendre des services assurément très indignes de son génie ? Et que, de surcroît, les blessures de l'été se sont cicatrisées, qu'en aucune manière, il n'en veut aux trois enfants ? Mais Sand, après coup, invente une machination dont Chopin fait les frais, et qui, croit-elle, la tirera d'affaire.

Rupture.

En février 1847, Sand et Solange reviennent pour deux mois à Paris. Sand est soucieuse : quand mariera-t-elle Solange à des Préaulx, après avoir espéré avoir pour gendre, tour à tour, Louis Blanc et Victor de Laprade ? « Quand tout le monde fut réuni à Paris pour la signature du contrat, écrit Chopin à sa famille [1], Solange déclara ne plus vouloir de ce mariage. » Que s'est-il passé ?

---

1. A mesure que les liens entre Chopin et Sand se détendent, ceux qu'il entretient avec sa famille se fortifient. Lui qui a horreur d'écrire, il poste aux siens des lettres interminables.

Clésinger.

Ceci : le sculpteur Jean-Baptiste Clésinger vient d'entrer
en scène. A vrai dire, un an auparavant, il avait écrit à
Sand une lettre ridicule, emphatique, pour lui dédier une
statue. Sand, extrêmement sensible aux compliments, d'où
qu'ils lui vinssent, l'avait invité chez elle, à Paris. Ancien
sous-officier de cuirassiers, bohème, casse-cou, endetté, brutal, battant ses maîtresses et les laissant enceintes, doué d'un
grand talent de sculpteur, Clésinger taille Sand dans le
marbre et prie Solange de poser. La *grande princesse,*
comme l'appelle sa mère, va régulièrement chez Clésinger.
Chopin met Sand en garde : cet artiste, qui expose des statues
indécentes, n'est pas le mari qu'il faut à Solange. Si elle le
laisse faire, « il sculptera tout aussi bien, pour l'exposer, son
petit derrière... ». Que Mme Sand le juge hardi, lettré, actif
et ambitieux, c'est son affaire : Chopin, lui, devine rapidement, avec son flair infaillible, que Clésinger est un aven-
turier de talent, doublé d'un rustre, dont le seul mérite est
d'avoir su émouvoir le cœur et les sens de Solange. Il faut, à
tout prix, empêcher un mariage insensé. Chopin, ce doux
rêveur, y voit clair ; il tente d'ouvrir les yeux de Sand ;
hélas ! elle entend les clore. En la circonstance, cette femme
intelligente se conduit comme une sotte, elle donne, tête
baissée, dans le guêpier, si vive est son impatience de se
débarrasser de Solange :

« Voilà, écrit-elle à Maurice, cela se fera parce que cet
homme le veut, qu'il fait tout ce qu'il veut, à l'heure même,
à la minute, sans avoir besoin de dormir ni de manger.
Depuis trois jours qu'il est ici, il n'a pas dormi deux heures
et il se porte bien. Cette tension de la volonté, sans fatigue
ni défaillance, m'étonne et me plaît. J'y vois le salut certain
de l'âme inquiète de ta sœur. Elle marchera droit avec lui... »

A une amie, Sand avoue qu'elle a donné son consentement
lorsqu'elle a appris que Clésinger, en cas de refus, a projeté d'enlever tout bonnement Solange. Elle-même n'est-elle
pas éprise de son futur gendre ? Bien des gens le croient.

En tout cas, elle est séduite. Et, fatiguée des remontrances de Chopin, elle écrit à Maurice : « Pas un mot de tout cela à Chopin : cela ne le regarde pas et, quand le Rubicon est passé, les *si* et les *mais* ne font que du mal... » Aux renseignements défavorables qu'on lui donne sur Clésinger, elle n'ajoute aucune foi. Le 20 mai, Solange épouse Clésinger [1] et, le lendemain, Sand écrit à Marie de Rozières : « Ma fille Solange est mariée d'hier, bien mariée avec un galant homme et un grand artiste, Jean-Baptiste Clésinger. Elle est heureuse, nous le sommes tous... »

Et Chopin, qu'en a-t-on fait ? Depuis le début de l'hiver, il a mené, comme il dit, sa petite vie, essayant de prévenir les décisions fâcheuses, d'atténuer les heurts, d'observer, somme toute, la plus grande discrétion possible. Il a travaillé, donné jusqu'à sept leçons par jour, posé pour Ary Scheffer, Winterhalter, Lehmann et Kolberg, joué pour Vieuxtemps, donné pour Mme Potocka « que j'aime beaucoup » une audition, avec Franchomme et un violoniste, de son *Trio* et de sa *Sonate pour cello et piano* (après quoi, Delphine est partie pour Nice), escompté en vain la venue en France de Titus Woyciechowski, observé avec inquiétude que Sand invite Clésinger — mais non pas lui, Chopin — à séjourner à Nohant. D'ailleurs, quinze jours avant la date du mariage, après avoir passé un hiver acceptable, il tombe malade : une crise [2] d'asthme très grave l'abat, le 2 mai 1847. De Nohant, Sand s'inquiète. Mais elle écrit à ce pro-

---

1. Sand a agi sous la pression de Clésinger, qui a réussi à lui faire partager sa hâte, comme en témoigne cette lettre du 7 mai, adressée à Maurice : « Allons, Maurice, allons, c'est le 12 ou le 13 que tu recevras cette dernière sommation : il faut partir de suite, avec ou sans papa et apporter son consentement et ses instructions pour la rédaction du contrat. Viens, notre position n'est plus tenable, arrive... Ta vieille. » Deux faire-part sont imprimés. Sur l'un d'eux, George Sand annonce le mariage de Solange avec Monsieur Clésinger. Sur l'autre : « Mademoiselle Solange Sand a l'honneur de vous faire part de son mariage avec Monsieur Clésinger. »
2. Il se raille lui-même en contrefaisant son domestique qui parle, à droite à gauche, de la « cerise » de Monsieur...

pos à Grzymala une lettre qui est un chef-d'œuvre d'hypocrisie, digne pendant de celle qu'elle adressait au même destinataire, dix ans plus tôt.

La menteuse.

« Je crois que Chopin a dû souffrir dans son coin de ne pas savoir, de ne pas connaître et de ne pouvoir rien conseiller [1]. Mais son conseil dans les affaires de la vie réelle est impossible à prendre en considération. Il n'a jamais vu juste les faits et compris la nature humaine sur aucun point. Son âme est toute poésie et toute musique et il ne peut souffrir ce qui est autrement que lui [2]. D'ailleurs, son influence dans les choses de ma famille serait pour moi la perte de toute dignité et de tout amour vis-à-vis et de la part de mes enfants [3].

« Cause avec lui et tâche de lui faire comprendre d'une manière générale qu'il doit s'abstenir de se préoccuper d'eux. Si je lui dis que Clésinger (qu'il n'aime pas) mérite notre affection, il ne le haïra que davantage et se fera haïr de Solange [4]. Tout cela est difficile et délicat et je ne sais aucun moyen de calmer et de ramener une âme malade qui s'irrite des efforts qu'on fait pour la guérir. Le mal qui ronge ce pauvre être au moral et au physique me tue depuis longtemps [5], et je le vois s'en aller sans avoir jamais pu lui faire du bien, puisque c'est l'affection inquiète, jalouse et ombrageuse qu'il me porte qui est la cause de sa tristesse. Il y a

1. Autre mensonge. Dans une lettre à Dumas fils, Sand déclare que Chopin est son « autre elle-même » et qu'elle prend volontiers son avis touchant ses enfants. Dans le cas présent, elle n'a pas consulté Chopin, dans la crainte de le voir déconseiller le mariage.
2. Tout au contraire, Chopin pardonne volontiers aux autres d'être différents de lui.
3. Toutefois, en l'écoutant, elle éviterait une inconséquence.
4. Dès que Clésinger eut épousé Solange, Chopin marqua au sculpteur une vraie amitié.
5. Elle va, néanmoins, survivre, rassurons-nous !

sept ans que je vis comme une vierge avec lui et les autres [1], je me suis vieillie avant l'âge et même sans effort ni sacrifice, tant j'étais lasse de passions et désillusionnée sans remède. Si une femme sur la terre devait lui inspirer la confiance la plus absolue, c'était moi, et il ne l'a jamais compris. Et je sais que bien des gens m'accusent, les uns de l'avoir épuisé par la violence de mes sens, les autres de l'avoir désespéré par mes incartades. Je crois que tu sais ce qu'il en est [2]. Lui, il se plaint à moi de ce que je l'ai tué par la privation, tandis que j'avais la certitude de le tuer si j'agissais autrement. Vois quelle situation est la mienne dans cette amitié funeste où je me suis faite son esclave dans toutes les circonstances où je le pouvais, sans lui montrer une préférence impossible et coupable sur mes enfants, où le respect que je devais inspirer à mes enfants et à mes amis a été si délicat et si sérieux à conserver. J'ai fait de ce côté-là des prodiges de patience dont je ne me croyais pas capable. Je suis arrivée au martyre, mais le ciel est inexorable contre

1. Sand oublie volontairement les avances qu'elle fit à l'acteur Bocage et sa liaison avec le peintre Paul Delaroche. L'un et l'autre exaspèrent Chopin, à juste titre. N'oublions pas le jugement de Titus Woyciechowski : « Ce n'était pas la peine que j'empêche Frédéric d'aller se faire tuer dans l'insurrection de Varsovie pour qu'il tombe dans les griffes de Sand ! » Et encore : « Chopin ne sait pas tout... » dit le banquier Léo.
2. Quant à nous, nous l'ignorons. Comment concilier ces « exigences » de Chopin, quand Sand elle-même, au début de sa liaison, se plaignait de ce que Chopin consentît de mauvaise grâce à accomplir « de ces choses saintes qui n'ont de nom que dans le ciel » ? Combien d'années ou de mois, dura leur entente physique : rien ne permet de le dire. Notre opinion, basée sur des confidences de Sand à des intimes et sur divers témoignages, est qu'au retour de Majorque, dès l'été de 1839, la liaison charnelle avait pris fin. Mais que Chopin ait supplié Sand de reprendre leurs « relations » est assurément de la pure fantaisie. Sand, selon son habitude, prend ses désirs pour des réalités. Au demeurant, Chopin est un piètre amant et « la vampire amoureuse » (marquis de Custine) a pu éprouver à cet égard de légitimes déceptions.

moi, comme si j'avais de grands crimes à expier [1], car, au milieu de tous ces efforts et de ces sacrifices, celui que j'aime, d'un amour absolument chaste et maternel, se meurt, victime de l'attachement insensé qu'il me porte [2]. »

Droiture de Chopin.

A cette lettre étonnante, datée de Nohant, 12 mai 1847, s'opposent deux billets, du 15 et du 16 mai, adressés, de Paris, par Chopin à Sand et à Solange. On y chercherait en vain les noirceurs, l'amertume dont l'accuse la « bonne dame » qui, jour après jour, justifie de moins en moins cette appellation rassurante. A Sand : « Vous dirai-je combien votre bonne lettre, que je viens de recevoir, m'a fait plaisir, et combien les excellents détails touchant tout ce qui vous occupe maintenant m'ont intéressé ? Personne plus que moi, parmi vos amis, vous le savez bien, ne fait de vœux plus sincères pour le bonheur de votre enfant. Aussi, dites-le-lui de ma part, je vous en prie. Dieu vous soutienne toujours dans votre force et votre activité. Soyez tranquille et heureuse. Votre tout dévoué : Ch. »

A Solange : « J'ai déjà prié Madame votre mère de vous transmettre mes souhaits les plus sincères pour votre avenir — et, cette fois-ci, je ne puis m'empêcher de vous dire tout le plaisir que m'a fait votre charmante petite lettre dans laquelle vous paraissez si heureuse. Vous voilà au comble du bonheur : c'est comme cela que je compte vous voir toujours. Je fais des vœux de toute mon âme pour votre inaltérable prospérité. Ch. »

Ces deux lettres suent-elles la hargne ou la simple critique ? L'indiscrétion ? Le désir de gouverner l'âme de Solange ? Vraiment non. L'hypocrisie ? Pas davantage. Ja-

1. Non, mais toute une série de petites et de grande fautes !
2. Voilà qui fortifie le jugement de Jules Sandeau : « Cette femme est un cimetière... » et celle d'Edouard Ganche : « Sand est tout à fait digne d'être rangée à côté du Tartuffe de Molière. Son hypocrisie ou son aberration stupéfient. »

mais, au fond de son cœur, Chopin n'a approuvé le mariage de Solange, non plus que le comportement de sa mère en la circonstance. Tout simplement il admet le fait accompli, estime qu'il n'a pas à s'ériger en arbitre et formule, en toute sincérité, les vœux d'un très hypothétique bonheur pour le jeune couple.

Mariage.

De surcroît, il est malade [1]. En aucun cas, il ne peut être question qu'il aille assister, à Nohant, au mariage de Solange, qui a lieu le 20 mai 1847. L'avant-veille, le baron Dudevant est venu signer au contrat du mariage de sa fille : elle recevait en dot l'hôtel de Narbonne à Paris [2] qui lui assurait un revenu annuel de six mille francs. Solange se maria, non pas sous le nom de son père, Dudevant, mais sous celui de Sand. George s'étant foulé la cheville, le matin du mariage, on la porta à l'église. Dès quatre heures du matin, le baron Dudevant regagnait Guillery et Solange partait pour Besançon avec son mari. « Jamais mariage ne fut moins gai », conclut Sand — ce qui ne l'empêcha pas de donner un tout

1. « Je suis effrayée, écrit Sand, le 8 mai 1847, à Marie de Rozières : Chopin a été très mal. La princesse (Czartoryska) me l'a écrit hier en me disant qu'il est hors d'affaire. Je suis malade d'inquiétude. J'ai un vertige. Je ne puis quitter ma famille dans une pareille circonstance, je n'ai même pas Maurice pour sauver les apparences et garder sa sœur de toute supposition malhonnête. Dites à Chopin ce que vous jugerez à propos de moi. Je n'ose pourtant lui écrire, je crains de l'émouvoir, je crains aussi que le mariage de Solange ne lui déplaise beaucoup... »
2. Le 8 mai, donc quinze jours avant le mariage, Sand écrit à Solange et à Clésinger. Elle explique qu'il n'est pas question de grever Nohant d'une hypothèque, ni d'en attribuer une part à Solange. Qu'elle se contente de l'hôtel de Narbonne (200 000 francs, desquels il faudra distraire 50 000 francs d'hypothèques). A la mort de sa mère, elle aura, sur Nohant, 125 000 francs. Quant aux 50 000 francs d'hypothèques sur l'hôtel de Narbonne, ils seront compensés par les séjours « gratuits » que le jeune ménage pourra faire à Nohant.

autre son de cloche à Charles Poncy : « Ma fille est mariée d'hier, bien mariée avec un galant homme et un grand artiste. Elle est heureuse. Nous le sommes tous. M. le baron Dudevant est un étrange père, homme toujours plein de vin, de viande, de vanité, de fausseté et de mauvais vouloir. Que la mangeaille lui soit légère. Maintenant, ayant à peine conclu cet hyménée, j'en recommence un autre, je marie Augustine à Théodore Rousseau [1]... »

Château de cartes.

La joie de Sand, tout ce bonheur échafaudé par ses soins s'écroulèrent tel un château de cartes. Augustine n'épousa ni Maurice, ni Rousseau. Quant à Clésinger il recevait dès le 25 juin 1847, cinq semaines après son mariage, une lettre où sa belle-mère ne lui ménageait pas les reproches : « A Paris, j'ai trouvé Solange redescendue de son piédestal. Je l'ai trouvée revenue à de méchantes petitesses, à de vilaines et sottes jalousies. Au lieu de l'élever à ton niveau, tu l'as laissée redevenir petite fille, malicieuse, *câline* et pas franche [2]. Elle m'a dit des choses blessantes et sur un ton qui ferait croire qu'elle me hait. » Elle reproche à son gendre de faire des dettes, de dépenser sans raison, sans avoir aucune commande importante, de lui avoir menti à maintes reprises, de boire, etc. Qu'il ne compte en rien sur Nohant. Bref, c'est la fâcherie, à défaut de la rupture. Qui donc, en tout cela, a vu juste ? Chopin.

Dans une longue lettre aux siens, à Varsovie, il évoque ses appréhensions justifiées : « Dès le début, je n'ai pas aimé qu'il fût tellement porté aux nues par la mère de Solange, ni qu'elles se rendissent toutes deux presque chaque jour à son atelier y poser pour leur buste. La maman est adorable, mais elle n'a pas un *grosz* de bon sens. Tous les défauts de ce second Michel-Ange, elle les mettait sur le compte

1. Encore un rêve dissipé en fumée !
2. Solange a quelques excuses — et de qui tenir !

du génie. Cependant, tout ce qu'entreprend Mme Sand finit toujours par bien tourner, même quand cela paraît impossible au premier abord. Elle-même, tout en travaillant beaucoup, est très bien portante et, après avoir écrit tant de livres (plus de quatre-vingt-dix), elle a les yeux intacts. Tout le monde l'adore, elle n'est point pauvre, elle est charitable ; au lieu de faire une noce à l'occasion du mariage de sa fille, elle a donné mille francs pour les malheureux de sa paroisse, comme on dit chez nous [1]. Toutefois, il lui arrive de ne pas toujours dire la vérité : c'est une chose permise à une romancière... Ce mariage a fait une curieuse impression à Paris où l'on connaît Clésinger comme un brutal et un buveur sans scrupules. La statue qu'il a exposée dernièrement représente une femme nue dans une attitude plus qu'indécente, si bien que, pour motiver la pose, il a dû enrouler un serpent autour d'une des jambes de la statue. C'est à faire peur de voir comme celle-ci se tortille. La statue représente une femme entretenue, très connue dans Paris. Aussi, bien des gens s'étonnent qu'une jeune personne comme Solange se soit passionnée pour un artiste qui expose des œuvres aussi voluptueuses, pour ne pas dire impudiques. Je vous garantis qu'à sa prochaine exposition, le public aura l'occasion de contempler, sous forme de nouvelles statues, le ventre et les seins de sa propre femme... Pour me refaire un peu avant le retour de Mme Sand à Paris [2], je suis allé chez Albrecht, à la campagne, à Ville-d'Avray, dans les environs de Paris, près de Versailles. Si l'un de vous avait l'intention de voyager cet été, peut-être irais-je l'attendre sur les bords du Rhin. Quel dommage que Titus soit retenu par sa fabrique ! Encore une fois, le mauvais mariage de Solange — que, depuis dix ans, je vois tous les jours et pour laquelle j'ai souvent intercédé auprès de sa mère — m'a fait une impression pénible. Le père du marié, sculpteur lui-même à

1. Bonté profonde de Chopin. *Lucrezia Floriani* ne lui a pas ouvert les yeux. Visiblement, son affection pour Sand est intacte.

2. De ce retour, Sand ne prévint pas Chopin. Elle fit à Paris un bref séjour et repartit pour Nohant sans l'avoir vu.

Besançon, n'est pas venu. Je plains des Préaulx. Il a été parfait. En ce qui concerne ma musique, je vais faire imprimer tout de suite ma *Sonate avec violoncelle* [1] et aussi de nouvelles *Mazurkas* [2]. J'ai posé chez Ary Scheffer, chez Lehmann et chez Winterhalter. Aucun de ces portraits n'est aussi ressemblant que celui que possède Louise et qui est de la main de Mme Sand... Vous êtes au courant de la découverte de l'éther ? Depuis, il n'y a eu aucun événement assez important pour la faire oublier. »

S'ensuivent quantité de menues nouvelles données aux siens, une véritable chronique de l'actualité parisienne. A cette époque, son ami Witwicki meurt. Le poète qui lui a adressé, lors de son départ de Varsovie, un discours l'invitant à honorer sa patrie, où qu'il fût, disparaît, décimant le petit groupe des amis polonais de Chopin.

Violences.

Vers la fin du mois de juin — ainsi que le mentionne la lettre de Sand à Clésinger citée plus haut — le jeune couple, au retour du voyage de noces, vient passer quelques jours à Nohant. Des scènes d'une violence inouïe s'y déchaînent. Sand les relate dans une lettre à Marie de Rozières, où elle se plaint de Solange : « Je souffre d'elle depuis qu'elle existe. Cette froide, ingrate et amère enfant a joué fort bien la comédie jusqu'au jour de son mariage et son mari avec elle, encore mieux qu'elle. Mais à peine en possession de l'indépendance et de l'argent, ils ont levé le masque et se sont imaginés qu'ils allaient me dominer, me ruiner et me torturer à leur aise. Ma résistance les a exaspérés et, pendant les quinze jours qu'ils ont passés ici, leur conduite est devenue d'une insolence scandaleuse, inouïe. Les scènes qui m'ont forcée, non pas à les mettre, mais à les jeter à la

1. *Op.* 65, dédiée à Auguste Franchomme.
2. *Op.* 63 *(si majeur, fa mineur, do dièse majeur)* dédiées à Laura Czosnowska. Parurent également chez Breitkopf et Haertel les *Trois Valses, op.* 64.

porte, ne sont pas croyables, pas racontables. Elles se résument en peu de mots : c'est qu'on a failli *s'égorger* ici, que mon gendre a levé un marteau sur Maurice [1] et l'aurait tué, peut-être, si je ne m'étais mise entre eux, frappant Clésinger à la figure et recevant de lui un coup de poing dans la poitrine [2]. Si le curé qui se trouvait là, des amis et un domestique n'étaient intervenus par la force des bras, Maurice, armé d'un pistolet, le tuait sur place... Ce couple diabolique est parti hier soir, criblé de dettes, triomphant dans l'impudence et laissant dans le pays un scandale dont ils ne pourront jamais se relever. Enfin, pendant trois jours, j'ai été dans ma maison sous le coup de quelque *meurtre*. Je ne veux jamais les revoir, jamais ils ne remettront les pieds chez moi. Ils ont comblé la mesure. Mon Dieu, je n'avais rien fait pour mériter d'avoir une telle fille ! »

Elle termine en avouant n'avoir mis que partiellement Chopin au courant de tout cela, craignant qu'il n'arrivât au milieu d'une catastrophe et qu'il n'en mourût de douleur et de saisissement. En fait, si elle s'efforce de cacher à Chopin ce qu'il apprend par Solange et par Delacroix, c'est qu'il lui paraît dur de reconnaître que, dans toute cette affaire, Chopin a vu juste et qu'elle s'est complètement trompée. Sand l'infaillible ne doit en aucun cas confesser la moindre erreur !

Au même moment, deux lettres s'entrecroisent. L'une, de Sand à Marie de Rozières, lui demandant de prendre les clefs de son appartement parisien, square d'Orléans, pour empêcher les Clésinger d'y mettre les pieds : « Ils ont emporté de Nohant courtepointes et flambeaux. Ils feraient quelque

---

1. A qui Solange venait de déclarer qu'elle savait fort bien qu'il avait été l'amant d'Augustine.
2. Charmant épisode d'intimité familiale ! La petite histoire complète le récit de Sand par le dialogue que voici, entre la romancière et le sculpteur :
— Monsieur, dit Sand, je vous mettrai dans un de mes romans et bien des gens vous reconnaîtront !
— Madame, réplique Clésinger, je sculpterai votre c... et la terre entière vous identifiera !
Délicieux badinage ! (*Souvenirs* de J.-B. Clésinger.)

scandale dans le square et je n'y pourrais jamais retourner : au reste, je prévois qu'ils seront brouillés à mort dans peu de temps... » L'autre lettre est de Solange à Chopin, postée de La Châtre. Rentrant à Paris, elle redoute la fatigue que lui imposera la diligence de Blois et elle supplie Chopin de lui prêter sa voiture personnelle. A quoi Chopin accède volontiers. Mais, par correction, il tient à mettre Sand au courant de sa décision.

A cette lettre courtoise, Sand répond par une lettre amère qui, par malheur, n'a pas été retrouvée, mais à laquelle Delacroix fait allusion dans son *Journal* : « Chopin, venu ce matin, comme je déjeunais, m'a parlé de la lettre qu'il a reçue. *Il faut convenir qu'elle est atroce* [1]. Les cruelles passions, l'impatience longtemps comprimée s'y font jour et, par un contraste qui serait plaisant s'il ne s'agissait d'un si triste sujet, l'auteur prend de temps en temps la place de la femme et se répand en tirades qui semblent empruntées à un roman ou à une homélie philosophique. »

Chopin, toujours chevaleresque, refuse de capituler. Il rappelle noblement à Sand qu'il a souvent intercédé auprès d'elle en faveur de ses enfants, sans préférence ni distinction, bien certain qu'elle-même « est appelée à les aimer toujours, car ce sont les seules affections qui ne changent pas : le malheur peut les voiler, mais non pas les dénaturer ». Il faut que ce malheur soit bien puissant aujourd'hui pour défendre à Sand de voir prononcer le nom de sa fille, à

---

1. Dans la lettre perdue dont Chopin a donné lecture à Delacroix, Sand (on le sait par Chopin lui-même) déclare qu'elle ne tolérera le retour de celui-ci à Nohant que s'il s'engage à n'y pas prononcer le nom de Solange. En somme, George veut éviter à tout prix d'avoir à reconnaître qu'elle a eu tort de favoriser le mariage de Solange et de Clésinger, en dépit des renseignements déplorables reçus sur ce dernier. Elle préférera rompre avec Chopin que de confesser son erreur. En outre, maîtresse à cette époque du jeune Victor Borie et d'Eugène Lambert, camarade d'atelier de Maurice, « elle se soucie fort peu d'avoir chez elle trop de témoins lucides » (A. Maurois, *Lélia*), à commencer par Chopin !

l'époque où son état physique [1] exige plus que jamais des soins maternels. Et Chopin conclut : « En présence d'un fait aussi grave, qui touche à vos affections les plus saintes, *je ne relèverai pas ce qui me concerne.* J'attendrai — *toujours le même. Votre tout dévoué, Ch.* »

Rupture.

A cette lettre ferme, mais courtoise, respectueuse et toujours aimante, Sand, ivre de colère et furieuse de s'être si complètement trompée, répond par un message de rupture. Voici la dernière lettre, citée dans son intégralité, qu'elle adresse, de Nohant, à Chopin, au mois de juillet 1847 :

« J'avais demandé hier les chevaux de poste et j'allais partir en cabriolet par cet affreux temps. Très malade moi-même, j'allais passer un jour à Paris pour savoir de vos nouvelles. Votre silence m'avait rendue inquiète à ce point sur votre santé. Pendant ce temps vous preniez le temps de la réflexion et votre réponse est fort calme.

« C'est bien, mon ami, faites ce que votre cœur vous dicte maintenant et prenez son instinct pour le langage de votre conscience. Je comprends parfaitement.

« Quant à ma fille, sa maladie n'est pas plus inquiétante que celle de l'année dernière, et jamais mon zèle, ni mes soins, ni mes ordres, ni mes prières n'ont pu la décider à ne pas se gouverner comme quelqu'un qui aime à se rendre malade.

« Elle aurait mauvaise grâce à dire qu'elle a besoin de l'amour d'une mère qu'elle déteste et calomnie, dont elle souille *les plus saintes actions* [2] et la maison par des propos atroces. Il vous plaît d'écouter tout cela et, peut-être, d'y croire. Je n'engagerai pas un combat de cette nature : il me fait horreur. J'aime mieux vous voir passer à l'ennemi

1. Solange est enceinte.
2. Décidément, en toutes circonstances, Sand se hisse elle-même, comiquement, sur les autels !

que de me défendre d'un ennemi sorti de mon sein et nourri de mon lait.

« Soignez-la, puisque c'est à elle que vous croyez devoir vous consacrer. Je ne vous en voudrai pas, mais vous comprendrez que je me retranche dans mon rôle de mère outragée et que rien, désormais, ne m'en fera méconnaître l'autorité et la dignité. C'est assez d'être dupe et victime. Je vous pardonne et ne vous adresserai aucun reproche désormais, puisque votre confession est sincère. Elle m'étonne un peu, mais, si vous vous sentez plus libre et plus à l'aise, je ne souffrirai pas de cette bizarre volte-face.

« Adieu, mon ami, que vous guérissiez vite de tous maux et je remercierai Dieu de ce bizarre dénouement de neuf années d'amitié exclusive. Donnez-moi quelquefois de vos nouvelles.

« Il est inutile de jamais revenir sur le reste [1]. »

C'est sur un tout autre ton que Sand commente cette froide réaction à ses amis. D'abord, elle quitte l'appartement qu'elle occupait, 5 square d'Orléans, et elle emménage au n° 3, mais elle n'y habitera jamais, par crainte de rencontrer Chopin. Auprès de Marie de Rozières, elle s'enquiert de la santé de Frédéric : le reste ne l'intéresse nullement, elle n'a pas lieu de regretter son affection. A l'automne de 1847, elle se plaint carrément à Charlotte Marliani, pré-

1. On comprend mieux, dès lors, l'empressement que mit Sand, plus tard, à effacer, comme le renard des sables, les traces de l'amour que lui avait inspiré Chopin. Deux ans après la mort du musicien, Alexandre Dumas fils, à la frontière russo-polonaise, découvre les lettres de Sand à Chopin. La sœur de celui-ci, Louise, les avait apportées de Paris en Pologne, où elle les avait laissées chez des amis. Dumas fait part de sa découverte à Sand, qui lui écrit, le 7 octobre 1851 : « Puisque vous avez eu la patience de lire ce recueil, assez insignifiant par les redites, et qui me semble n'avoir d'intérêt que pour mon propre cœur, vous savez maintenant quelle maternelle tendresse a rempli neuf ans de ma vie. Certes, il n'y a pas là de secret, et j'aurais plutôt à me glorifier qu'à rougir d'avoir soigné et consolé, comme mon enfant, ce noble et inguérissable cœur... » Nous, nous ne nous consolons pas de ne pas avoir sous nos yeux ces lettres que Sand fit brûler.

textant que « Chopin a pris ouvertement parti pour Solange contre sa mère, sans rien savoir de la vérité [1], ce qui prouve envers moi un grand besoin d'ingratitude. Je présume que, pour le retourner ainsi, elle aura exploité son caractère jaloux et soupçonneux et que c'est d'elle et de son mari qu'est venue cette absurde calomnie d'un *amour* de ma part, ou d'une amitié exclusive, pour le jeune homme dont on vous a parlé [2]. Cette défection de Chopin n'est qu'un accessoire dans le malheur de la situation. Je vous avoue que je ne suis pas fâchée qu'il m'ait retiré le gouvernement de sa vie. Son caractère s'aigrissait de jour en jour ; il en était venu à me faire des algarades de dépit, d'humeur et de jalousie, en présence de tous mes amis et de mes enfants. Maurice commençait à s'en indigner contre lui. Voyant venir l'orage, j'ai saisi l'occasion [3] des préférences de Chopin pour Solange et je l'ai laissé bouder sans rien faire pour le ramener. Il y a trois mois que nous ne nous sommes pas écrit un mot, je ne sais pas quelle sera l'issue de ce refroidissement. Je ne ferai rien pour l'empirer ni pour le faire cesser, *car je n'ai aucun tort* (!). Je ne puis plus, je ne dois, ni ne veux retomber sous cette tyrannie occulte qui voulait, par des coups d'épingle continuels et souvent très profonds, m'ôter *jusqu'au droit de respirer.* Le pauvre enfant ne savait même plus garder ce décorum extérieur dont il était pourtant l'esclave dans ses principes et dans ses habitudes. Hommes, femmes, vieillards, enfants, tout lui était un objet d'horreur et de jalousie furieuse, insensée... On en fera une victime et on trouvera plus joli que la vérité de supposer qu'à mon âge — 43 ans — je l'ai chassé pour prendre un amant. Je me *moque* de tout cela. Ce qui m'affecte profondément, c'est la méchanceté de ma fille. Elle me reviendra quand elle aura besoin de moi, je le sais. Mais ce retour ne sera ni tendre, ni concluant. »

1. Il en savait tout !
2. Victor Borie. Si Chopin fut informé de cette rumeur, Solange Clésinger n'en fut point la messagère.
3. Disons le prétexte !

Maison nette.

Trois semaines plus tard, elle reçoit Solange, « fraîche, belle, bien portante, nullement repentante et prête à me dire de lui demander pardon ». Elle mentionne sans insister les « infamies que son mari, elle et Chopin débitent sur elle ». Sand fait maison nette. Elle renvoie à Pleyel le piano à queue de Chopin et se débarrassera du piano droit l'année suivante, ne voulant pas que « Chopin lui paie un piano, alors qu'il la hait ». Puis, en bonne ménagère, elle fait sa lessive : « Il y a, écrit-elle à Pauline Viardot, au mois de décembre 1847, un certain point de respect et de gratitude, où nous n'avons plus le droit d'examiner des êtres qui nous deviennent sacrés. Eh bien, Chopin, loin de garder cette religion, l'a perdue et profanée... Dieu pardonne tout parce qu'il connaît nos entraînements et la faiblesse de notre esprit. Il y a donc une religion éternellement vraie qui nous commande d'agir avec nos semblables comme Dieu avec nous. Je pardonne donc à Chopin du fond de mon cœur, comme je pardonne à Solange, bien plus coupable encore, à mon gendre, fou à lier, à Grzymala, faible et frivole, à Mlle de Rozières, bête comme une oie. » Chacun a son paquet et Sand, une fois encore, sort du bourbier où chacun patauge, immaculée, grande, généreuse et infaillible. Elle se refuse à « payer la haine et la fureur de Chopin par de la haine et de la fureur. Elle revoit fréquemment Solange à Paris, mais elle ne lui trouve jamais qu'une pierre à la place du cœur ».

Les pots cassés.

Résumons : Sand aurait souhaité que Chopin calquât en toutes choses son attitude, ses engouements ridicules, son revirement subit sur les siens. Qu'il marchât, aveuglé à ses côtés ou, mieux, dans son sillage. Elle ne lui pardonne pas d'avoir vu clair quand elle avait un bandeau sur les

yeux. Elle veut ignorer que jamais — ni avant, ni après
la rupture dont elle a pris l'entière responsabilité, par un
réflexe de colère humiliée — Chopin ne dira un seul mot
désobligeant à son propos. Pauline Viardot aura beau lui
écrire « qu'il est absolument faux que Chopin fasse, avec
Solange, partie d'une faction qui la (George) dénigre. Au
contraire, ce cher et excellent ami n'est préoccupé, affligé
que d'une seule pensée : c'est du mal que toute cette malheureuse affaire a dû vous faire et vous fait encore. Je n'ai
pas trouvé le moindre changement en lui — il est toujours
aussi bon, aussi dévoué, vous adorant comme toujours, ne
se réjouissant que de votre joie, ne s'affligeant que de vos
chagrins. Au nom du ciel, chère Mignonne, ne croyez jamais
les amis officieux qui viennent vous raconter des *ragots*. »
En vain, Louis Viardot précisera-t-il qu'en aucune circonstance Chopin n'a manqué de respect à Sand : « Voici en
toute franchise ce qu'il nous a déclaré : " Le mariage de
Solange est un grand malheur pour elle, pour sa famille,
pour ses amis. La fille et la mère ont été trompées, l'erreur
a été reconnue trop tard. Mais cette erreur partagée par
toutes deux, pourquoi n'en accuser qu'une seule ? La fille
a voulu, a exigé un mariage mal assorti, mais la mère, en
consentant, n'a-t-elle pas une partie de la faute ? Avec son
grand esprit et sa grande expérience, ne devait-elle pas éclairer une jeune fille que poussait le dépit plus encore que
l'amour ? Si elle s'est fait illusion, il ne faut pas être impitoyable pour une erreur qu'on a partagée. Et moi, les plaignant toutes deux du fond de l'âme, j'essaie de porter quelque consolation à la seule d'entre elles qu'il me soit permis
de voir. " Vous voyez, conclut Viardot, que ce n'est ni la
conduite, ni le langage d'un ennemi. Je crains qu'il n'y
ait eu entre vous le souffle de méchantes bouches : que
Dieu vous en garde ! »

Tout cela, qui est fort clair, n'entame pas l'orgueil gra-
nitique de Sand. Pour parfaire son grand œuvre d'auto-
glorification, il faut qu'en toutes choses elle ait raison. Chopin fait les frais de l'opération, il paye, comme on dit, les
pots cassés. Sand sait très bien, en définitive, que son ancien

amant a eu raison sur toute la ligne. L'admettre serait déchoir à ses propres yeux.

Au fond, elle a saisi l'occasion qui s'offrait à elle de rompre une liaison qui ne lui apportait plus grand-chose. Elle a joué son rôle favori de garde-malade admirable — tout était dit, il fallait penser à autre chose. L'erreur de jugement portée sur le mariage de Solange, Sand l'a commise, huit ans plus tôt, en liant sa vie à celle de Chopin : ils étaient mal faits l'un pour l'autre. De tout cela, Chopin a parfaitement conscience : « On pourrait croire, écrit-il à sa famille, qu'elle a voulu se débarrasser, du même coup, et de sa fille et de moi, car, tous deux, nous la gênions. Et, comme elle restera en correspondance avec Solange, son cœur maternel, qui ne peut se passer tout à fait de nouvelles de son enfant, sera apaisé pour un temps, et sa conscience endormie. Elle estimera qu'elle est juste et elle proclamera que je suis son ennemi, parce que j'ai pris le parti de son gendre, qu'elle ne supporte plus à présent et pour la seule raison qu'il a épousé sa fille ; et, pourtant, j'ai fait tout ce qui était en mon pouvoir pour que ce mariage ne fût pas conclu. Singulière créature, malgré toute son intelligence ! Une sorte de folie s'est emparée de son esprit. Elle bouleverse son existence et saccage celle de sa fille. Pour le fils aussi, cela finira mal : je le prévois, j'en jurerais. Pour se justifier à ses propres yeux, elle voudrait découvrir quelque méfait commis par ceux qui lui veulent du bien, qui ont eu confiance en elle, qui ne lui ont jamais causé le moindre tourment, et qu'elle ne peut souffrir auprès d'elle, *parce qu'ils sont le miroir de son âme.* C'est la raison pour laquelle elle ne m'a plus écrit un seul mot, c'est pourquoi elle ne rentrera pas cet hiver à Paris et c'est pour cela qu'elle n'a pas dit un mot de moi à sa fille. Je ne regrette pas de l'avoir aidée à passer les huit années les plus délicates de sa vie : celles où sa fille grandissait, celles pendant lesquelles elle a élevé son fils. Je ne regrette rien *de ce que j'ai souffert*, mais je plains sa fille, cette belle plante élevée avec tant de soin, préservée de tant d'orages, pour être ensuite brisée par la main maternelle avec une imprudence et une légèreté qu'on pourrait passer à la rigueur à une femme de vingt ans, mais non à une de quarante. Ce qui a été et n'est plus n'entre pas en ligne de compte.

« Plus tard, lorsqu'elle se plongera dans son passé, Mme Sand ne pourra y retrouver qu'un bon souvenir de moi. Pour le moment, elle est dans le plus bizarre des états d'exaltation maternelle, jouant le rôle d'une mère plus parfaite et meilleure qu'elle n'est en réalité. C'est une fièvre contre laquelle il n'existe aucun remède, surtout quand l'être dont elle s'empare est pourvu d'une imagination débordante et s'élance sur un sol mouvant... »

Le « cas » Chopin.

L'analyse psychologique de la situation est impartiale et irréprochable. Ainsi Chopin, ce poète perdu dans les rêves aurait quelquefois les pieds sur terre ? Ce chimérique est nanti du don d'observer ? Et à cette Sand en tous points admirable, infaillible et sainte, il arriverait de se tromper ? Dieu merci, elle a toujours la ressource de noyer ses erreurs dans des flots d'encre. Car, non contente d'avoir raconté son aventure amoureuse avec Chopin tout au long de *Lucrezia Floriani* — mentant effrontément, comme elle seule sait le faire, prétendant que ce mauvais roman n'est inspiré ni d'elle, ni de Chopin — elle jugera bon de revenir à tête reposée, dans les vingt volumes de l'*Histoire de ma vie*, sur le « cas Chopin ». Sa colère est tombée. Naturellement, elle ne se reconnaît aucun tort : cette *Histoire* en est une, faisons-lui confiance. Et, certes, elle trouve des traits justes pour dépeindre le caractère de Chopin : « Sensible un instant aux douceurs de l'affection et aux sourires de la destinée, il était froissé des jours, des semaines entières, par la maladresse d'un indifférent ou par les menues contrariétés de la vie réelle. Chose étrange : une véritable douleur ne le brisait pas autant qu'une petite. Quant à sa misérable santé, il l'acceptait héroïquement dans ses dangers réels et il s'en tourmentait misérablement dans les altérations insignifiantes.

Ceci est l'histoire et le destin de tous les êtres en qui le système nerveux est développé avec excès. » Certes, elle hésite longuement à se lier à Chopin, partagée entre ses devoirs de mère et ses instincts de femme. Finalement, elle a cédé, considérant Chopin comme un « préservatif » (sic) contre d'autres émotions qu'elle ne veut plus connaître : un devoir de plus lui paraît une chance de plus, l'austérité vers laquelle elle se sent attirée avec une sorte d'enthousiasme religieux (!). Le destin la pousse dans les bras de Chopin : l'y voici, sans même s'être aperçue qu'elle s'est laissé faire (!). Tout n'a pas été rose, car Chopin « tient compte avec usure de la moindre clarté et vous accable de son désenchantement au passage de la plus petite ombre. Modeste par principe et doux par habitude, impérieux par instinct et plein d'un orgueil qui s'ignorait lui-même ». Ainsi l'amitié que Sand a longtemps portée à Chopin n'a jamais été un refuge pour elle dans la tristesse : en fait, il n'a jamais rien compris à ce qui accablait la « bonne dame ». « Quand je dus intervenir auprès de lui dans une grave affaire de famille, Chopin ne supporta pas mon intervention légitime et nécessaire. Il baissa la tête et prononça que je ne l'aimais plus [1]. »

Il y a du vrai et beaucoup de faux dans tout cela. Certains traits du caractère de Chopin sont bien observés. Mais, quant au reste, on s'émerveille de la virtuosité avec laquelle Sand retourne la vérité à son bénéfice. On observe de telles métamorphoses dans les mémoires des chefs d'Etat qui se sont fait la guerre : la nation opposée porte toujours l'entière responsabilité du conflit. Ici, Sand oublie que c'est elle qui a

---

1. « Comme à l'ordinaire, j'ai été dupe de mon cœur stupide. Pendant que je passais six nuits blanches à me torturer de sa santé, il était occupé à penser et à dire du mal de moi avec les Clésinger. C'est fort bien. Sa lettre est d'une dignité risible et les sermons de ce bon père de famille me serviront en effet de leçon... Je trouve Chopin *magnifique* de voir, fréquenter et approuver Clésinger qui m'a *frappée*, parce que je lui arrachais des mains un marteau levé sur Maurice. Chopin, que tout le monde me disait être mon plus fidèle et mon plus dévoué ami ! C'est admirable ! »

prononcé l'arrêt de rupture, qu'elle a écrit à droite et à gauche des choses fort désobligeantes sur Chopin, quand celui-ci s'abstenait de parler et d'écrire. Tout au plus commettait-il le crime de conserver à Solange son amitié. De toute évidence, ni Sand ni Chopin ne sont des êtres parfaits, mais une qualité majeure que Chopin possède de naissance fait défaut à Sand : la noblesse. Entre la ci-devant baronne Dudevant et Frédéric Chopin, fils d'un humble maître d'école de souche paysanne, c'est lui le prince et elle la plébéienne. En dépit de leur apparence physique, Chopin montre un caractère ferme, qui ne transige pas avec la vérité — Sand, menteuse-née, s'arrange, quoi qu'il advienne, pour l'accommoder à son profit. Hélas, elle parle beaucoup, elle entretient avec Jacques, Pierre ou Paul, une correspondance insensée et elle vérifie le proverbe « qu'on est toujours perdu par ses écrits ».

XIV

LA SOLITUDE

En fait, Solange est mal mariée à un homme de talent sans scrupules, mais sans doute éprise. Dans une heure difficile, elle s'est tournée vers Chopin, avec qui elle a vécu depuis les premiers jours de son adolescence. Sa mère l'abandonne, son père — chez qui elle séjourne, néanmoins, en Gascogne — ne lui témoigne aucune tendresse, elle a dix-neuf ans et son seul recours est dans la famille de son mari. Elle emprunte cinq cents francs à Chopin, mais elle les lui rend rapidement. Une première tentative de rentrée en grâce auprès de sa mère échoue : à condition qu'elle se brouille avec son mari, elle pourra revenir à Nohant. Sinon, au large [1] ! Maurice, toujours égoïste et désabusé, a joué la prévenance ; enfin, elle est revenue de Nohant bien plus peinée que si elle n'y avait rencontré personne [2].

Triste bilan.

Chopin est mal portant. Il étouffe, il a mal à la tête, « il attend le choléra ». Fin d'année mélancolique. Malgré

1. Par la suite, Sand reverra souvent Solange à Paris, mais sans plaisir : entre la mère et la fille, l'affection est brisée.
2. Rapidement, Clésinger et Solange avaient dû vendre l'hôtel de Narbonne à vil prix, par autorité de justice, à la requête des créanciers, pour non-paiement des intérêts de l'hypothèque. Sand fit alors, assez généreusement, une rente de 3 000 francs à sa fille.

ses diverses indispositions, notre héros continue à donner des leçons [1]. Même, il en redouble le rythme, car il n'a plus, désormais, d'autre moyen d'existence : plus de Nohant, plus d'été débarrassé de soucis financiers, plus d'occasions de composer paisiblement, à la campagne. Est-ce pour cette raison que la production musicale de Chopin, de moins en moins importante, va pratiquement tarir ? Sa mauvaise santé, qui empire, explique, d'autre part, ce ralentissement. A l'usage de sa famille, il tient une chronique des faits et gestes parisiens. L'une de ces lettres se termine par une allusion, plus moqueuse que méchante, à l'intarissable fécondité littéraire de son ancienne égérie : « J'ai lu son roman *François le Champi* (on donne le nom de *Champi* aux enfants bâtards que l'on fait élever d'ordinaire par des femmes pauvres payées par les hôpitaux). On parle aussi de ses *Mémoires* : Mme Sand a déclaré que ce serait plutôt un recueil des pensées et des réflexions que l'art, la littérature, etc., lui ont suggérées jusqu'à présent, et non ce qu'on entend d'habitude par *Mémoires* [2]. De fait, ce serait prématuré car, avant de vieillir, la chère Mme Sand aura encore beaucoup d'aventures, beaucoup de belles et beaucoup de vilaines aussi [3] ! »

1. Notamment, à Mme Kalergis « qui joue très bien et remporte, à tous les points de vue, infiniment de succès dans la haute société parisienne ».
2. Il s'agit, bien entendu, de l'*Histoire de ma vie*.
3. Autour de Sand, graviteront, après le départ de Chopin, toute une bande de garçons, amis de Maurice : Victor Borie, journaliste ; Eugène Lambert, peintre ; Alexandre Manceau, graveur ; Aucante, etc. Ensemble, ces joyeux personnages emmèneront avec eux Sand en Italie : petit revenez-y du voyage avec Musset... Sand fut-elle la maîtresse de tel ou tel de ses compagnons — ou même de tous les quatre ? C'est possible et probable. Lancée dans le journalisme politique, Sand, socialisante, était bien capable de mener plusieurs passions de front !

Un portrait par Baudelaire.

Remarque bien anodine, si on la compare à ce qu'écrira, plus tard, Baudelaire : « La femme Sand est le Prudhomme de l'immoralité. Elle a toujours été moraliste. Seulement, elle faisait autrefois de la contre-morale. Aussi, elle n'a jamais été artiste. Elle a le fameux style coulant, cher aux bourgeois. Elle est bête, elle est lourde, elle est bavarde ; elle a, dans les idées morales, la même profondeur de jugement et la même délicatesse de sentiment que les concierges et les filles entretenues. Que quelques hommes aient pu s'amouracher de cette latrine, c'est bien la preuve de l'abaissement des hommes de ce siècle.

« Elle prétend que les vrais chrétiens ne croient pas à l'enfer. La Sand est pour le *Dieu des bonnes gens,* le Dieu des concierges et des domestiques filous. Elle a de bonnes raisons pour vouloir supprimer l'enfer.

« *Le Diable et George Sand :* elle est possédée. C'est que le diable lui a persuadé de se fier à *son bon cœur* et à *son bon sens,* afin qu'elle persuadât toutes les autres grosses bêtes de se fier à leur bon cœur et à leur bon sens. Je ne puis penser à cette stupide créature sans un certain frémissement d'horreur. Si je la rencontrais, je ne pourrais m'empêcher de lui jeter un bénitier à la tête. George Sand est une de ces vieilles ingénues qui ne veulent jamais quitter les planches. »

Le jugement est excessivement dur, mais non sans lucidité. Sans être aussi sévère que Baudelaire, plusieurs amis de Sand espacèrent leurs visites ou leurs billets : parmi ceux-ci Marie de Rozières, Delacroix, Grzymala. Witwicki était mort, Gutmann en voyage, Fontana fixé en Amérique, Delphine Potocka à Nice.

Chopin, lui aussi, est bien seul. Tout l'été de 1847, il l'a passé à Paris, mis à part quelques jours à Ville-d'Avray, puis à Ferrières, chez les Rothschild. Privé de séjour estival à Nohant, il ne compose plus. Sa santé est nettement fléchissante, il tousse beaucoup, il souffre d'accès de fièvre, la fin de l'année 1847 est mélancolique : il fait froid, il neige, « il fait sombre dehors et dans mon cœur ».

Finesse de Chopin.

Sans nouvelles directes de Chopin, Sand écrit de Nohant, le 7 février 1848, à son fils Maurice : « Les journaux disent que Chopin va donner un concert avant son *départ*. Sais-tu où il va ? Est-ce à Varsovie, ou simplement à Nérac [1] ? » Trois jours plus tard, Chopin écrit à sa sœur Louise, à Varsovie : « Pleyel, Perthuis, Léo et Albrecht m'ont persuadé de donner un concert. Il ne reste plus de places depuis huit jours. Le concert aura lieu le 16 de ce mois (février 1848). Il n'y avait que trois cents billets à vingt francs. J'aurai tout le beau monde de Paris. Le roi a fait prendre dix billets, la reine dix et le duc de Montpensier dix aussi, bien qu'ils soient en deuil et qu'aucun d'eux n'assistera au concert. On s'inscrit déjà pour un deuxième, que je ne donnerai sans doute pas, car celui-ci déjà m'ennuie.

« Mme Sand est toujours à la campagne avec Borie, son fils et Augustine Brault, que l'on marie — avec certitude, cette fois — à un ami de Borie, professeur de dessin fixé dans la petite ville de Tulle. Elle ne m'a pas écrit un mot, moi non plus. Elle a donné ordre au propriétaire de louer son appartement. Solange est chez son père, son mari est à Paris : ils sont sans argent. *Jolie lune de miel !* En attendant, sa mère publie un beau feuilleton dans *les Débats*. Elle joue la comédie à la campagne [2] dans la chambre nuptiale de sa fille, elle cherche à oublier, à s'étourdir comme elle peut. Elle ne se réveillera que lorsque son cœur, aujourd'hui dominé par la tête, lui fera trop mal. Moi, j'ai fait une croix sur tout cela. Que Dieu la guide et la protège, car elle ne sait pas distinguer un attachement véritable de la flatterie.

1. C'est-à-dire chez le baron Dudevant. Curieuse hypothèse !
2. En marge du théâtre de marionnettes, Maurice avait fait construire une vraie scène de théâtre à Nohant.

D'ailleurs, c'est peut-être seulement à moi que certains semblent des flatteurs et son bonheur est peut-être là où je ne l'aperçois pas. Personne ne pourra jamais suivre en ses détours une âme aussi capricieuse. Huit ans d'une vie en quelque sorte rangée, c'était trop. Dieu a permis que ce fût pendant ces années-là que les enfants ont grandi. Si ce n'eût été moi, il y a longtemps que son fils et sa fille ne seraient plus auprès d'elle, mais chez leur père [1]. Peut-être sont-ce là les conditions nécessaires à sa vie, à son talent d'écrivain, à son bonheur. Que cela ne te tourmente pas : le temps est un grand médecin. Jusqu'à présent, je ne suis pas encore revenu à moi. C'est pour cette raison que vous ne recevez pas de lettres de moi, car je brûle tout ce que je commence à écrire [2]. Entre nous (c'est-à-dire entre Sand et Chopin), il y a seulement que nous ne nous sommes plus vus depuis longtemps, sans qu'aucune *bataille*, aucune scène n'ait eu lieu entre nous. Et je ne suis pas allé chez elle, parce qu'elle m'avait donné pour condition de garder le silence sur sa fille. »

Cette lettre éclaire l'attitude de Chopin et sa psychologie. A ceux qui discutent son intelligence, elle est la meilleure des ripostes. La finesse avec laquelle il analyse la situation, la modération de ses jugements, le rôle de médiateur qu'il n'a cessé de jouer entre Sand et ses enfants, apparaissent exemplaires. Enfin, loin d'affecter, comme le font tant d'humains lors d'une rupture sentimentale, une fausse indifférence — quand ce n'est pas une libération mensongère qui se traduit par un mot familier : ouf ! — Chopin s'avoue meurtri, déçu, mais sans regret, puisque la poursuite de sa liaison aurait exigé qu'il manquât à la loyauté. Pour la première fois, peut-être, Sand vient de se heurter — sans cri, sans drame — à quelqu'un qui lui tient tête : et ce quelqu'un est le sylphe transparent, le pâle Karol, le fantoche qu'elle

---

1. Il est parfaitement exact qu'au long des huit années de sa liaison avec Sand, Chopin n'a cessé de jouer le rôle du pacificateur.

2. Qui sait si, parmi ces lettres qui ne voient pas le jour, certaines n'étaient pas destinées à Sand ?

nommait, avec une tendresse quelque peu apitoyée : « Chip »
ou « Chipette ». Le caractère, la virilité foncière, la noblesse
de caractère de Chopin se montrent, au terme d'une aventure qui avait associé — croyait ingénument Sand — une
femme forte, irréprochable, infaillible et un artiste ondoyant,
maniable, prêt à tout accepter, cachant une faiblesse féminine dans un corps miné par la maladie. Une fois de plus,
la psychologie de l'amazone berrichonne est en défaut.

Malgré son mauvais état de santé — il n'arrive plus à
monter seul les escaliers, on le porte, assis sur une chaise —
Chopin continue à travailler beaucoup. Il prépare son concert
et donne force leçons : « Il me faut donner une leçon
à la jeune Rothschild, puis à une Marseillaise, puis à une
Anglaise, puis à une Suédoise, pour recevoir enfin à cinq
heures une famille de la Nouvelle-Orléans, qui m'est recom-
mandée par Pleyel. Après un dîner chez Léo, une soirée
chez les Perthuis et *dormir s'il y a moyen...* »

L'esseulé.

Ah ! quel malheur que la médecine de 1848 soit encore
dans l'enfance et que Chopin, dont les poumons sont gravement atteints, mais le cœur et l'estomac sains, en soit réduit
à « respirer des flacons homéopathiques », quand, un siècle
plus tard, on aurait prolongé de nombreuses années sa précieuse existence ! Que la maladie ait progressé sous le double coup d'une évolution pathologique et de la tristesse d'une
amitié perdue, ne fait aucun doute [1]. Sans doute, fidèle à

1. Quelle différence entre la sincérité douloureuse de Chopin,
évoquant sans la nommer l'amie à jamais lointaine — et la
sécheresse profonde de Sand écrivant à Maurice, en séjour à
Paris : « Si tu as des objets à laisser à Chopin, dis-le simplement
à sa portière. Si tu le rencontres, dis-lui bonjour, comme si de
rien n'était : " *Vous allez bien ? Allons, tant mieux !* " Rien de
plus et passe ton chemin. A moins qu'il ne t'évite, alors, fais-en
autant. S'il te demande de mes nouvelles, dis-lui que j'ai été très
malade par suite de mes chagrins. Ne lui mâche pas cela, et

ses habitudes, amuse-t-il les siens par le récit de cancans sans importance : toujours il revient, en esprit, sur les lieux où il a vécu heureux, somme toute : « Je reviens encore de recevoir des nouvelles de Nohant [1], on s'y porte bien et l'on transforme de nouveau la maison, ils adorent ça : changer, arranger... Il ne reste pas un seul des vieux domestiques que les Jedrzejewicz ont connus. Tout cela depuis l'arrivée de cette cousine qui a des vues sur Maurice, ce dont le garçon profite. Quant à moi, je suis calme, *dans la mesure du possible...* »

Somme toute, privée d'un antagonisme qui lui était nécessaire, comme le rocher l'est à la vague qui l'éclabousse — la vie de Chopin cesse d'avoir un sens. Retourner en Pologne ? Ce serait consacrer l'aveu d'un échec. Poursuivre l'existence, solitaire ? C'est au-dessus de ses forces. Même si le décor où il vient de vivre était « *en papier mâché* », c'était, du moins, un simulacre de décor, un théâtre de marionnettes, où il tenait son rôle et sa place. En vain cherche-t-il un ami, un compatriote, auprès de qui il pourrait « beaucoup pleurer, comme jadis ». Witwicki est mort ; les Czartoryski sont des mondains ; Delphine Potocka, « dont on sait combien je l'aime », constate de son côté la faillite de sa vie amoureuse ; Matuszynski repose en terre ; Fontana est loin ; « Mickiewicz, les Plater et Sobanski nous ont quittés » ; Mickiewicz est en proie aux désordres d'une exaltation mystique, l'enseignement de Towianski, au Collège de France, l'a plongé dans la neurasthénie : Nowakowski est là, bien sûr : « Quel brave homme, mais quel imbécile, que Dieu le protège ! » Le square d'Orléans est désert : jusqu'à la Marliani qui a, depuis longtemps, déménagé. Le camp des émigrés polonais, qui avait soutenu, entouré, encouragé Chopin, s'émiette dans la mort ou dans l'indifférence. N'ayant plus de rôle à jouer, il va, sans jamais en convenir tout à fait, s'aban-

dis-le-lui d'un ton sec... » Chez Chopin, tout est sincère. Chez Sand, tout est truqué, prémédité, les pièges sont bandés, les souricières en place. Et elle confond des chagrins imaginaires avec une simple déception.

1. C'est-à-dire des nouvelles de Solange.

donner. Avant même que la mort le saisisse, sa vie est achevée.

Il y a ce concert en perspective, bien sûr : simple but temporaire : « Il aura lieu le 16 de ce mois (février 1848). Je n'aurai à m'occuper de rien, si ce n'est de m'asseoir au piano et de jouer. On écrit de Brest et de Nantes à mon éditeur pour retenir des places. Un tel empressement me surprend et je dois aujourd'hui (11 février) me mettre à travailler, quand ce ne serait que par acquit de conscience, car il me semble que je joue plus mal que je n'ai jamais joué. A titre de curiosité, j'exécuterai un *Trio* de Mozart avec Allard et Franchomme. Il n'y aura ni billets gratuits, ni affiches. La salle (Pleyel) est élégante, elle peut contenir trois cents personnes. Pleyel, qui me taquine toujours à propos de ma bêtise, va, pour m'encourager à jouer, faire garnir l'escalier de fleurs. Je serai presque comme chez moi et mes yeux rencontreront surtout des visages amis. J'ai ici le piano sur lequel je jouerai... »

Dernier concert parisien.

Le mercredi 16 février 1848, à huit heures et demie du soir, Chopin donne son dernier concert parisien. Il y a six ans déjà qu'il ne s'est pas fait entendre dans la capitale. Voici le programme de cette soirée sans lendemain :

PREMIÈRE PARTIE

Trio de Mozart pour piano, violon et violoncelle, par MM. Chopin, Allard et Franchomme
Airs chantés par Antonia Molina di Mondi
Nocturne, Barcarolle, composés et joués par M. Chopin
Air chanté par Antonia Molina di Mondi
Etude, Berceuse, composées et jouées par M. Chopin

SECONDE PARTIE

Scherzo, adagio et *finale* de la *Sonate en sol mineur* pour piano et violoncelle, composée par M. Chopin et joués par l'auteur et M. Franchomme

Air nouveau, de *Robert le Diable*, de M. Meyerbeer, chanté
    par M. Roger
Préludes, Mazurkas, Valse composés et joués par M. Cho-
    pin

La salle était pleine, l'escalier et les couloirs fleuris, les
femmes élégantes, le public choisi. Chopin parut, très pâle,
mais résolu. Il exécuta le programme, assez long en dépit de
ses intermèdes, sans défaillance. Tout de même, à l'entracte,
il eut, au foyer, une syncope. Cette dernière apparition parisienne du romantique enchanteur, cet ultime sanglot d'un
cœur malade et génial, comment les désigner autrement que
par l'image qui symbolise la plus mélodieuse, dit-on, des agonies : le chant du cygne ?

La *Gazette musicale* du 20 février rend compte de la
séance en termes délirants :

« Un concert de l'Ariel des pianistes est chose trop rare
pour qu'on le donne, comme tous les autres concerts, en
ouvrant à deux battants les portes à quiconque veut entrer.
Pour celui-ci, une liste avait été dressée : chacun y inscrivait
son nom, mais chacun n'était pas sûr d'obtenir le précieux
billet. Il fallait des protections pour être admis dans le Saint
des Saints, pour obtenir la faveur de déposer son offrande
et, pourtant, cette offrande était d'un louis. Mais qui n'a pas
un louis de trop dans sa bourse lorsqu'il s'agit d'entendre
Chopin ?

« Le sylphe a tenu sa parole, et avec quel succès, quel
enthousiasme ! Il est plus facile de dire l'accueil qu'il a reçu,
les transports qu'il a exaltés, que de décrire les mystères d'une
exécution qui n'a pas d'analogue dans notre région terrestre.
Le programme annonçait d'abord un *Trio* de Mozart, exécuté de manière qu'on désespère de l'entendre jamais aussi
bien. Puis Chopin a joué des *Etudes*, des *Préludes*, des
Mazurkas et des *Valses*. Il a dit ensuite sa belle *Sonate* avec
Franchomme. Ne nous demandez pas comment tous ces
chefs-d'œuvre, grands et petits, ont été rendus. Nous l'avons
déclaré d'avance, nous renonçons à reproduire ces mille et

une nuances d'un génie exceptionnel, ayant à son service une organisation de même espèce. Nous dirons seulement que le charme n'a pas cessé un seul instant d'agir sur l'auditoire et qu'il durait encore après que le concert était fini. Quand nous aurions en notre possession la plume qui a tracé la délicate soirée de la reine Mab, pas plus grosse que l'agate qui brille au doigt d'un alderman, de son char si menu, de son attelage si diaphane, c'est tout au plus si nous arriverions à vous donner l'idée d'un talent purement idéal et dans lequel la matière n'entre à peu près pour rien... »

Le marquis de Custine, dans une lettre à Chopin, donne une impression moins vague : « Vous avez gagné en souffrance, en poésie : la mélancolie de vos compositions pénètre plus avant dans les cœurs ; on est seul avec vous-même au milieu de la foule ; ce n'est pas un piano, c'est une âme — et quelle âme ! On s'aime, on s'entend dans Chopin. Vous avez fait du public un cercle d'amis ; enfin, vous êtes égal à vous-même — c'est tout dire... »

Quant à Chopin, il écrit à Solange Clésinger, le 17 février : « Paris est malade... » Le diagnostic est juste. Six jours plus tard, en effet, c'est l'insurrection.

La fin d'un règne.

Le trône de Louis-Philippe a résisté à la crise de 1837-1839. Il va succomber à celle de 1846-1848. Dès 1840, Guizot s'est vu reprocher avec véhémence sa politique « anti-nationale, inféodée à l'Angleterre ». Lors de l'affaire Pritchard, en 1844-1846, le ministère n'a obtenu que quelques voix de majorité. Encore Guizot peut-il se prévaloir des avantages retirés de l'alliance anglaise. Mais son argumentation s'effondre à la fin de 1846, avec la rupture de l'Entente cordiale, causée par l'affaire dite des mariages espagnols [1].

Pour compenser la perte de l'alliance anglaise, le gouver-

---

1. Mariages simultanés de la reine d'Espagne, Isabelle, avec le duc de Cadix et de l'infante, sœur de la reine, avec le duc de Montpensier.

nement français se rapproche des puissances conservatrices.
Metternich et Nicolas Iᵉʳ prêtent l'oreille aux suggestions de
Guizot qui tente, par ailleurs, de faire prévaloir en Suisse,
en Italie et en Allemagne, une politique réformatrice modé-
rée — point de vue d'autant plus difficile à soutenir qu'en
France même on se montre hostile à toute réforme. Lamartine déclare au Palais-Bourbon que, depuis les mariages espagnols, la France a dû être, ce qui répugne à ses traditions
séculaires : « gibeline à Rome, sacerdotale à Berne, autrichienne en Piémont, russe à Cracovie, française nulle part,
contre-révolutionnaire partout ». La révolution qui va éclater en France sera donc à la fois nationale et libérale. Le
processus du mouvement va rappeler curieusement ce qui
s'est passé à la fin du règne de Charles X.

Sentant venir l'orage, Louis-Philippe vieillissant, au lieu
de faire des concessions, raidit son autorité et respecte mal
le régime parlementaire : « Il n'y a plus de ministres, leur
responsablité est nulle, tout remonte au roi seul, qui a faussé
nos institutions constitutionnelles », écrit en novembre 1847
le propre fils du souverain, le prince de Joinville. A quoi
Louis-Philippe répond qu'il a une grande mission à remplir,
qui est de rétablir l'ordre en Europe. Les scandales se multiplient, l'opposition fait retomber sur le gouvernement une
partie du discrédit qui frappe les classes dirigeantes. « Conservateurs, progressistes et républicains, légitimistes et membres de la gauche dynastique, ouvriers gagnés au socialisme
et bourgeois écartés du pouvoir politique par l'autoritarisme
du roi — tous ces adversaires de Guizot n'ont finalement en
commun qu'un sentiment, traduit par une formule saisissante de Beau de Loménie : " un dégoût confus pour
l'égoïsme des gens au pouvoir[1] ". » L'intransigeance de
Guizot va précipiter les événements. Bien entendu, Paris,
une fois de plus, va donner le *la* à la province. Le régime,
que personne ne défend plus, va tomber, victime, non du
Parlement, mais d'une poignée d'agitateurs parisiens.

---

1. Philippe Vigier, *la Monarchie de Juillet* (Presses Univer-
sitaires de France).

Pavés et barricades.

Le 22 février 1848 — pour protester contre l'interdiction d'un banquet réformiste organisé à l'instigation des chefs de la gauche dynastique, du centre gauche et des républicains — des pavés sont arrachés, des coups de feu tirés. Guizot convoque pour le lendemain la Garde nationale bourgeoise, jusqu'alors le plus sûr rempart du régime. Mais, en allant prendre leur emplacement durant la matinée du 23 février, les légions conspuent le ministère et crient : « Vive la Réforme ! » Trahi par ceux dont il attendait le salut, le roi demande à Guizot sa démission, l'obtient, mais trop tard. Une bande de Parisiens va conspuer Guizot au ministère des Affaires étrangères et se heurte à la troupe qui tire : seize manifestants sont tués. Leurs corps sont promenés par des meneurs républicains à travers Paris qui se hérisse de barricades. Louis-Philippe, vaincu, se résigne à abdiquer dans la matinée du 24, ne voulant pas « faire verser inutilement le sang français ». Quelques heures plus tard, un gouvernement républicain est constitué. Telle est la fin d'un régime qui a pourtant assuré aux Français dix-huit années de paix, durant lesquelles l'activité intellectuelle a été intense, les progrès de l'économie indiscutables, tout comme ceux de l'instruction et de la presse. La monarchie parlementaire ne s'est pas acclimatée en France. L'hypocrisie politique a précipité la chute du régime.

Les émigrés de toutes nationalités qui vivaient en France virent l'événement d'un bon œil. Mais Chopin, qui avait mérité la faveur du roi, prit très mal la chose. La fuite du souverain, son arrivée à Newhaven, sous le nom de M. Smith, lui parut désastreuse et l'adoption du drapeau tricolore proposée par Lamartine lui sembla de mauvais augure. Sans doute le nouveau gouvernement comptait-il parmi ses membres quelques amis de Sand — Louis Blanc, Arago, Mallefille — mais, moins que jamais, Sand ne voulait les faire agir en faveur de son ex-amant. D'ailleurs, les événements se précipitent. Le 28 février 1848, Louis-Napoléon Bonaparte quitte Londres et arrive à Paris : le 10 décembre suivant, il sera élu président de la République. Le 13 mars, à Vienne, Metternich est chassé par l'émeute populaire. Les barricades se multiplient à travers la France. Mgr Affre est tué au moment où il tente d'arrêter les insurgés. Le 4 juillet, mort de Chateaubriand. Mais, à cette époque, Chopin aura quitté la France.

Une rencontre.

Un instant, devant le succès de son concert, il a formé le projet d'en donner un second, le 10 mars. Les événements nationaux l'y font renoncer. Le 3 mars 1848, Solange Clésinger lui annonce la naissance, le 28 février, six semaines avant terme, d'une petite fille. Le lendemain, 4 mars, il rend visite à Mme Marliani, rue Godot-de-Mauroy. Il y rencontre un certain Edmond Combes, vice-consul de France à Rabat, qui a fait un long séjour en Abyssinie : il a écrit sur ce pays un reportage qui lui a valu le surnom d' « Abyssinien ». Quittant le salon de Mme Marliani en compagnie de Combes, Chopin rencontre George Sand, en compagnie de Lambert, ami de Maurice. « J'ai dit un bonjour à Madame votre mère, écrit-il à Solange, et ma seconde parole fut pour lui demander s'il y avait longtemps qu'elle avait reçu de vos nouvelles.

— Il y a une semaine, m'a-t-elle répondu.

— Vous n'en aviez pas hier, avant-hier ?

— Non.

— Alors, je vous apprends que vous êtes grand-mère. Solange a une fillette — et je suis bien aise de pouvoir vous donner cette nouvelle le premier.

« J'ai salué et j'ai descendu l'escalier. Mais, comme j'avais oublié de dire que vous vous portiez bien, j'ai prié Combes de remonter, ne pouvant pas grimper moi-même, pour dire que vous alliez bien et l'enfant aussi. J'attendais l'Abyssinien en bas, quand Madame votre mère est descendue en même temps que lui et m'a fait avec beaucoup d'intérêt des questions sur votre santé. Je lui ai répondu que vous m'aviez écrit *vous-même au crayon* deux mots au lendemain de la naissance de votre enfant [1], que vous aviez beaucoup souffert, mais que la vue de votre fillette vous avait fait tout oublier. Elle m'a demandé si votre mari était auprès de vous, j'ai répondu que l'adresse de votre lettre me semblait mise de sa main. Elle m'a demandé comment je me portais, j'ai répondu que j'allais bien — et j'ai demandé la porte au concierge. J'ai salué et je me suis retrouvé chez moi, square d'Orléans, reconduit à pied par l'Abyssinien [2]. Madame votre mère est à Paris depuis quelques jours. Elle repart pour Nohant. Sa santé me paraît bonne. Je pense qu'elle est heureuse du triomphe des idées républicaines... »

Que penser de ce « revoir » glacial, mondain, sans abandon ? Visiblement, les deux anciens amis se surveillent, chacun épie les réactions de l'autre et, sans aucun doute, Chopin éprouve une joie malicieuse à informer Sand d'une nouvelle qui la touche de plus près que lui, mais qu'elle ignore. Comment Sand juge-t-elle cette rencontre — toute fortuite ? Elle en dit deux mots dans l'*Histoire de ma vie :* « Je le revis un instant en mars 1848. Je serrai sa main tremblante et glacée. Je voulus lui parler, il s'échappa. C'était à mon tour de dire qu'il ne m'aimait plus. Je lui épargnai cette souffrance et je remis tout aux mains de la Providence et de l'avenir. Je ne devais plus le revoir... »

S'il est exact — rien n'est moins sûr — que Sand aurait voulu prolonger l'entretien, Chopin eut cent fois raison de prendre rapidement et courtoisement congé de son égérie. A quoi aurait abouti une vraie conversation : au rappel de vieux griefs, à un débat sans issue ? Chopin n'est pas l'homme qui s'accroche. La rupture lui a été signifiée, il s'éloigne.

---

1. L'enfant ne vivra que huit jours. Chopin ne cessera de prêcher à Solange du calme et du courage.
2. Qui écrit à Sand : « Vous avez bien raison de ne pas en vouloir à Chopin : je l'ai reconduit chez lui bien triste et bien abattu. »

Qu'il soit triste ou gai ne regarde personne. Au fait, le 7 mars, Sand est de retour à Nohant. Elle fait élire maire de la commune son fils Maurice.

Voyager ?

Grâce à une lettre de Mme Chopin à son fils en date du 5 mars, nous apprenons qu'à Varsovie, *le Courrier* prête à notre musicien des projets de voyage. A peine remis d'une grippe qui a fait beaucoup de malades à Paris, où va-t-il aller ? En Hollande ? En Allemagne ? A Saint-Pétersbourg ? « Peut-être chez nous ? insinue la mère. Nous nous sommes disputés à propos d'où tu descendrais. Les Barcinski voulaient te céder leur appartement. Louise voulait te donner le sien. Ce fut un véritable jeu d'enfants faisant des bulles de savon... »

Le destin des bulles de savon est de crever après quelques jeux de lumière. Ni en Hollande, ni en Allemagne, ni en Russie, non plus qu'en Pologne. En ce début du mois d'avril 1848, Chopin n'a encore pris aucune décision. Si peu attentif, généralement, aux événements politiques, pour la première fois, il analyse la situation internationale.

Stratégie.

Ecrivant à Fontana, qui vit à New York, il lui donne de véritables consignes politiques — disons nationales : « Ne rentre chez nous que lorsque les choses auront vraiment commencé. " Les nôtres " se réunissent à Poznan. Czartoryski est arrivé le premier, mais Dieu sait ce qu'il devra encore se passer avant qu'il y ait de nouveau une Pologne. Les journaux d'ici n'écrivent que mensonges à ce sujet. La république n'a pas été proclamée à Cracovie. L'empereur d'Autriche n'a pas été intronisé roi de Pologne et dans leur appel au gouverneur autrichien, les journaux de Lwow, contrairement à ce qu'on m'a dit, ne demandent pas du tout qu'il le soit. Quant au roi de Prusse, il ne songe aucunement à abandonner la Poznanie. Il s'est couvert de ridicule chez lui, mais les Allemands de Poznanie lui ont néanmoins adressé un appel déclarant que " puisque cette terre a été conquise au prix du sang de leurs pères, et qu'ils ne savent même pas parler le polonais, ils ne veulent dépendre d'aucun autre gouvernement que du gouvernement prussien ". Tu vois combien tout cela fait présager la guerre. Mais où va-t-elle éclater ? On l'ignore. Lorsqu'elle aura commencé, toute l'Allemagne marchera. On se bat en Italie. Milan a chassé les Autrichiens, mais il en reste dans les provinces et des combats auront encore lieu. Sans doute la France va-t-elle aider l'Italie, car il est nécessaire pour elle de faire sortir certaines gens de son territoire... Le Moscovite aura chez lui bien du fil à retordre, lorsqu'il aura à marcher contre le Prussien. Les paysans galiciens ont donné l'exemple à ceux de Volhynie et de Podolie. Des choses terribles vont nécessairement se dérouler, mais il y aura au bout une Pologne prestigieuse et grande : la Pologne, en un mot. Ainsi donc, en dépit de notre impatience, attendons que les cartes soient bien mêlées afin de ne pas perdre en vain des forces qui, à point nommé, peuvent devenir si utiles. Cette heure est proche, mais elle ne sonnera pas encore aujourd'hui. Peut-être sera-ce dans un mois... peut-être dans un an. Ici, on est convaincu que notre affaire prendra corps avant l'automne... »

Chopin, dans cette lettre, ne ressemble en rien au dandy « indifférent à tout et à tous » dépeint par Sand. Il témoigne au contraire un intérêt passionné au destin de sa patrie lointaine. Mais, pour bien comprendre les événements et les espoirs auxquels il fait allusion, voyons où en est la Pologne en ce début de l'année 1848.

Que se passe-t-il en Pologne ?

Contrairement à ce qu'ont avancé quelques biographes mal informés, le soulèvement polonais de 1831 n'a rien arrangé.

L'occupant russe, victorieux, a entrepris une répression impitoyable : pendaison des chefs, confiscation de terres, déportations massives en Sibérie. Des milliers de gentilshommes pauvres ont été transportés avec leurs familles dans le Caucase. D'autres, réduits à l'humiliante condition de paysans libres ou de bourgeois. Partout, l'administration russe s'est substituée aux organismes d'Etat polonais, la langue russe a été décrétée d'obligation dans les tribunaux et les écoles ; l'université de Wilno et de Varsovie, ainsi que le lycée de Krzemieniec, fermés ; une première fraction de deux mille trois cents émigrés ont pris le chemin de l'exil, d'autres ont suivi, terrifiés par les déclarations de Paskévitch, nommé prince de Varsovie, et de Nicolas, annonçant qu'à la moindre rébellion il détruira Varsovie et ne la reconstruira en aucun cas.

Sans doute, en 1832, daigne-t-il accorder au Royaume un statut organique, mais dont les clauses les plus libérales ne seront jamais appliquées dans leur intégralité. Les Polonais ne possèdent plus ni Diète, ni armée, mais on leur a concédé l'usage de leur langue, de leur code civil et le recours à une administration en principe autonome. Tous les emplois sont ouverts aux Russes qui occupent des postes de plus en plus nombreux. Les évêques sont surveillés de près, le clergé latin durement traité dans les territoires annexés, si bien que Grégoire XVI, après avoir blâmé l'insurrection de 1831, a dénoncé en 1842 la persécution religieuse.

L'action des émigrés inquiète fort les autorités occupantes, dont la surveillance et la répression se font, d'année en année, plus lourdes et brutales — bien qu'à vrai dire lesdits émigrés se trouvent profondément divisés quant aux buts poursuivis.

Les conservateurs, groupés autour du prince Adam Czartoryski, résidant à l'hôtel Lambert à Paris, correspondent avec quantité d'agents étrangers. Leur but est de fomenter une guerre européenne. Ils veillent à l'amélioration progressive du sort des paysans, de manière à ne pas trouver en eux des adversaires, le moment venu.

En revanche, les démocrates sont d'avis de ne compter

que sur eux-mêmes, de déchaîner les paysans et de provoquer l'insurrection locale.

La jeunesse polonaise est séduite par la voix des grands artistes émigrés, tels Chopin, Krasinski, Slowacki et, surtout, Mickiewicz. A Paris, Mickiewicz a composé le *Livre des pèlerins polonais,* que Montalembert traduit en français. C'est une exhortation au martyre : « Nous sommes semblables à ce que fut le Peuple de Dieu dans le désert. Le Christ s'est élevé jadis au milieu des Juifs, avec sa loi de sacrifice et d'amour. Nous verrons, nous aussi, surgir un Messie qui nous délivrera. Les nations seront sauvées, non par l'ancienne loi, mais par les mérites de la Nation suppliciée. Vous combattez pour la liberté du monde. » La lecture de la *Litanie des pèlerins* galvanisait les étudiants :

« Notre Père, qui as tiré ton peuple de la servitude d'Egypte et l'as ramené dans la Terre Sainte, ramène-nous dans notre patrie...

« Fils de Dieu, notre Sauveur, qui as été martyrisé et crucifié, puis qui es ressuscité et qui règnes dans la gloire, réveille notre Patrie d'entre les morts...

« Par le sang de tous les soldats morts dans la guerre pour la foi et la liberté, délivre-nous, Seigneur. Accorde-nous la guerre générale pour la liberté des peuples, nous t'en prions, Seigneur [1]... »

Soulèvement.

A Poznan, où agit une cellule du parti démocratique (bien qu'en 1840, Frédéric-Guillaume IV ait promulgué des mesures plus libérales), les extrémistes décident d'organiser un soulèvement général. Un philosophe mazovien, Dembowski,

---

1. Grand poète, Mickiewicz agit avec un irréalisme de visionnaire. Ainsi conçoit-il l'idée folle de lever une légion italienne pour voler au secours de la Pologne, tandis que Slowacki, non moins utopique, prêche en faveur du désarmement ! Combien le jugement de Chopin apparaît, en la circonstance, plus juste !

parcourt le pays, excitant nobles et paysans. Dans la nuit du 21 au 22 février 1848, à Cracovie, un gouvernement révolutionnaire proclame l'insurrection et l'abolition de la corvée. Cinq ans plus tôt, le comité polonais de Versailles a délégué, pour soutenir les efforts de Dembowski, un certain Mieroslawski, écrivain et orateur militaire remarquable. Les opérations les plus attentivement montées se retournent parfois contre leurs instigateurs. Mieroslawski tombe, avec soixante-dix conjurés, entre les mains de la police. A Tarnow, les paysans, bien et dûment endoctrinés, s'insurgent néanmoins contre leurs meneurs et les livrent aux Autrichiens, en échange de force gratifications. Plus de quatre cents manoirs sont pillés par ceux mêmes qui auraient dû les défendre, mille cinq cents nobles massacrés. Pour arrêter la fureur des paysans, Dembowski lance contre leurs bataillons des processions, bannières en tête. L'avant-garde autrichienne ouvre le feu, Dembowski est tué. Sans l'intervention des conservateurs et des impériaux, Cracovie serait brûlée. Mieroslawski et sept chefs sont, néanmoins, condamnés à la déportation. La République est annexée à l'Autriche. Mais les massacres de Galicie ont, du moins, un effet heureux : la chute de Metternich.

En outre, la révolution française de 1848 déclenche un immense mouvement d'opinion, par malheur éphémère. Les Poznaniens déposent les armes, la presse polonaise est bâillonnée et les associations dissoutes. Un groupe d'émigrés participe à des insurrections en Autriche. La Galicie demande une entière autonomie, les paysans y obtiennent l'abolition de la corvée. Quant aux Hongrois, Paskévitch les écrase. Sauf en Galicie, le soulèvement a échoué. Les émigrés n'ont plus d'autre ressource que d'espérer en l'avènement de Napoléon III et en la clémence d'Alexandre II, successeur de Nicolas Iᵉʳ. Sur ces entrefaites, Paskévitch meurt, il est remplacé par Gortchakov, vieux soldat libéral qui autorise la création d'une Société d'agriculture présidée par le comte André Zamoyski, et permet aux étudiants de Varsovie de fréquenter une Ecole de médecine et une Ecole des beaux-arts, appelées à jouer un rôle important. En dépit de quoi, une fois encore, la Pologne paye cher son désir d'indépendance et doit courber la tête devant les étrangers qui s'acharnent contre ce malheureux pays, dont le destin est d'être envahi, pillé, partagé, comme un quartier de viande par des fauves. De Londres, le 13 mai 1848, Chopin résume sa pensée — disons son amertume — dans une lettre à Grzymala : « Les funestes nouvelles du grand-duché de Poznanie m'ont été apportées ici par Szulczcwski, pour qui Zaleski m'avait donné un mot, et par Kozmian Stan. Malheur et malheur ! Mon âme n'éprouve plus aucun désir. » Tant il est vrai que le seul souci de Chopin, depuis qu'il a quitté la Pologne, a été d'assister à la renaissance de sa patrie et d'y coopérer par l'esprit, à défaut des armes. Une nuit, il relit un poème de Krasinski et compose un chant qui résume ses douleurs d'exilé :

Du haut des monts, où ils portaient le lourd fardeau de la croix,
Ils voyaient de loin la Terre Promise,
Et les mille petites lumières bleues vers lesquelles
Leur tribu progressait de loin vers la vallée.
Mais eux, jamais ils n'entreront dans cette contrée heureuse,
Jamais ils ne s'assiéront au banquet de la vie,
Et peut-être même seront-ils oubliés...

A bas Mme Dudevant !

L'attitude de Chopin, crucifié par l'échec du mouvement révolutionnaire polonais, est autrement réaliste que l'enthousiasme assez ridicule de Sand qui se prend pour Jeanne d'Arc : « Je vis, je suis forte, je suis active et je n'ai que vingt ans ! » Faute de monter sur le bûcher, elle s'affilie à la gauche révolutionnaire, se dit communiste, affirme que les Evangiles sont le vrai traité du communisme, rédige des communiqués pour le gouvernement et des articles pour la Réforme, qui les publie à côté de textes de Karl Marx : « Nous sommes fous, nous sommes ivres, nous sommes heureux parce que, nous étant endormis dans la fange, nous nous sommes réveillés au ciel ! » La « bonne dame » de Nohant déraisonne. L'événement ridiculise son exaltation de Pasionaria. Les socialistes combattent les démocrates et les conservateurs se brouillent simultanément avec les démocrates et les socialistes. Lamartine remâche amèrement sa défaite. Quant aux paysans de Nohant, cajolés, portés aux nues par leur châtelaine, ils l'en récompensent — et Maurice avec sa mère — en défilant sous ses fenêtres aux cris d' « A mort les communistes ! A bas Madame Dudevant ! »

A la veille de son départ pour l'Angleterre, Chopin dit à son ami Kozmian : « Ma carrière est terminée. Si vous avez une petite église dans votre village, donnez-moi une bouchée de pain et j'irai y jouer en l'honneur de la Sainte Vierge ! »

La Pologne, toujours la Pologne, rien que la Pologne !

Le 20 avril 1848, il s'embarque pour l'Angleterre.

XV

VERS LES BRUMES D'ÉCOSSE

Pourquoi ce voyage, alors qu'il est très mal portant, miné par la tuberculose, qu'il prend tour à tour pour de l'asthme ou des névralgies [1]. Privé des bienfaisants séjours de naguère à Nohant, dont le climat et le calme lui étaient assurément bénéfiques, il prend, en décidant d'aller passer le printemps à Londres, une résolution inconsidérée.

1. Comment soigne-t-on Chopin ? A la mode de l'époque. En lisant une ordonnance de Laennec rédigée en 1823 pour un phtisique, on s'aperçoit qu'elle est appliquée à la lettre par Chopin. Laennec conseille de « changer d'air, de se rendre dans le Midi, de porter de la flanelle sur la peau, de faire des frictions avec une laine chaude imprégnée de vapeur de benjoin, de se promener en voiture, d'user de boissons douces, d'eau de gomme, de bouillon de poulet et de gelée de lichen ». La cause microbienne de la maladie étant ignorée, on ne pouvait la traiter sérieusement. Les docteurs Louis et Clarke, phtisiologues réputés, appliquaient à la lettre les prescriptions de Laennec. Matuszynski avait auparavant, « soigné » Chopin de la même manière. Avant Laennec, Broussais préconisait une médication vésicatoire et antiphlogistique : cautères, moxas, saignée, ipéca, kermès, opium, quinquina, eaux sulfureuses, créosote, arsenicaux — et, par là-dessus, la diète. Epuisé par les saignées, le malade était, de surcroît, débilité par une nourriture insuffisante.

Pourquoi Londres ?

Ses raisons ? Elles sont multiples. La Révolution de 1848 a dispersé nombre de ses élèves parisiens, dont la plupart ont passé la Manche. La blessure causée par Sand saigne toujours : peut-être, au loin, oubliera-t-il l'ingrate ? Ajoutons à cela l'impatience du tuberculeux qui tourne en rond dans sa maladie et espère y échapper en prenant le train ou le bateau — les deux, en la circonstance. Rien ne le retient à Paris. En outre, son élève, Jane Stirling, et sa sœur, Mme Erskine, le poussent à s'installer définitivement à Londres, ou en Ecosse, leur pays d'origine. Tous ses amis parisiens encouragent Chopin à entreprendre ce voyage, aussi fou que l'a été, dix ans plus tôt, celui de Majorque. Les brumes d'Ecosse vont parachever le mal fait par le climat détestable de Valldemosa, sous la pluie. Ainsi, sans qu'elle s'en doute, Jane Stirling va-t-elle jouer à l'égard de Chopin, le rôle funeste d'ange de la mort.

Jane Stirling.

Agée de quarante-quatre ans, sentimentale, exaltée, nourrie de la Bible, stimulée par un zèle infatigable, mais parfois bien fatigant, éprise de Chopin dont elle espère vaincre la résistance et l'amener au mariage, d'autant qu'elle est fort riche et que Chopin n'a pas d'autres ressources que de donner, malade ou mieux portant, leçon sur leçon. Tout concourt à ce que les deux sœurs conseillent à Chopin le voyage qui va lui être funeste. Elles lui représentent que son renom l'a précédé en Grande-Bretagne, que la *gentry* londonienne s'arrachera le pianiste et le professeur, qu'en fait, à Londres, il gagnera bien plus largement sa vie qu'en France. La perspective de rencontrer à Londres ses éditeurs, le fait que des virtuoses tels que Moscheles, Mme de Belleville-Oury, Sophie Bohrer, Field, Holmes, Pirkhert, Jowson, Bernett, parmi d'autres, ont fait connaître ses œuvres aux mélo-

manes britanniques — tout cela le décide, et non pas du tout
le désir d'abandonner la France à sa révolution, comme
Sand l'insinuera avec une rare malveillance. Après tout, en
quittant Varsovie en 1830, n'avait-il pas l'intention, ainsi
qu'il est mentionné sur son passeport, de se rendre à Londres,
via Paris ? Il aura passé en France dix-sept ans. Voici, maintenant, le terme du voyage.

Et le début des aventures. Lesté d'un peu d'argent, que
lui a procuré le concert du 16 février — la Révolution l'a
empêché d'en donner un second pour accroître son pécule —, il arrive à Londres le vendredi saint 21 avril 1848,
après s'être reposé quelques heures à Folkestone. Ses deux
anges gardiens l'accueillent dans un appartement du 10 Ben-
tick Street, Cavendish Square. Tout a été prévu pour son
confort : « Elles ont pensé à mon chocolat du matin et fait
graver à mon chiffre le papier à lettres. Malgré cela, je
déménage dans quelques jours, pour me rapprocher de mes
deux fées, je m'installerai alors au 48 Dover Street, Picca-
dilly », écrit Chopin à Grzymala. En cette fin du mois d'avril,
le temps est maussade. Le 1ᵉʳ mai, le soleil fait son apparition dans un ciel bleu-gris. « Depuis ce matin, je suffoque
un peu moins, mais toute la semaine dernière, j'ai été souffrant... Erard a mis un de ses pianos à ma disposition. J'ai
aussi un instrument de Broadwood, un autre de Pleyel —
en tout trois pianos, mais à quoi cela me sert-il, puisque je
n'ai pas le temps de jouer ? J'ai d'innombrables visites à
faire et à rendre, mes journées passent comme l'éclair. Il
faudra bien pourtant que je me fasse entendre ; on m'a proposé de jouer à la Philharmonie ; je préférerais m'abstenir
car, pour avoir du succès ici, il faut jouer du Mozart ou
du Beethoven et, de préférence, du Mendelssohn. De surcroît, leur orchestre est comme leur roastbeef ou leur
potage-tortue : énergique, sérieux, rien de plus, et il y a
une seule répétition — publique ! » Chopin a mis dans ses
plans de jouer, si possible, devant la reine, puis de donner
quelques matinées musicales dans des salons, pour un nombre limité d'auditeurs. Toujours la crainte des grandes
salles !

Déception.

A cette époque, la musique en Grande-Bretagne est uniquement suivie par une élite mondaine. Pas plus qu'en France, elle n'a encore pénétré dans les mœurs bourgeoises ou populaires. La vie musicale, à l'exception des théâtres d'opéra, d'une salle ou deux, est réfugiée dans les salons : il faut s'y montrer pour y « recruter » des auditeurs. « Ici, la musique, écrit Chopin, est une profession, non un art. Ils jouent des bizarreries excentriques et les présentent comme des œuvres de toute beauté : c'est folie que de les intéresser aux choses sérieuses. La bourgeoisie exige de l'extraordinaire et de la mécanique. Le grand monde entend trop de musique pour y prêter une attention sérieuse. Lady X..., une des plus grandes dames de Londres, dans le château de laquelle j'ai passé quelques jours, passe pour musicienne. Un soir que j'avais joué, on lui apporte une sorte d'accordéon et elle se met le plus sérieusement à exécuter dessus les airs les plus horribles. Toutes ces créatures sont un peu toquées. Celles qui connaissent mes compositions me disent : « *Jouez-moi donc votre second soupir... j'aime beaucoup vos cloches...* » Tout ce qu'elles trouvent à me dire est que *ma musique coule comme de l'eau...* La vieille Rothschild m'a demandé combien je coûte. Ayant demandé vingt guinées à la duchesse de Sutherland, je réponds : vingt guinées. La brave dame me dit là-dessus qu'effectivement je joue très bien, mais elle me conseille néanmoins de prendre moins, car en cette *season*, il faut plus de *modéré-cheune...* » Rentrées d'argent difficiles, avarice des grands seigneurs, aucun amour sincère de l'art — tels sont les griefs de Chopin au bout de deux mois de séjour dans un pays qui n'est plus celui de *M. Pickwick*, mais bel et bien celui de *David Copperfield* : une nation infiniment plus progressiste que la France, où le prolétariat a conquis sur le capitalisme industriel ses premières victoires — à commencer par la législation sur le travail des femmes et des enfants. Mais ce mouvement social échappe complètement à Chopin.

Une fourmilière d'artistes.

Londres est, selon l'expérience de Berlioz — qui y réside en ce moment que nous évoquons — « une fourmilière d'artistes ». Thalberg annonce douze récitals ; Kalkbrenner et Osborne se produisent fréquemment. Hallé est sur le point de se fixer à Londres. A Covent Garden et à Haymarket, on applaudit Mme Viardot-Garcia [1], Jenny Lind [2], Lablache, Grisi, l'Alboni, Persiani, Mario, Flavio. Chopin rencontre plusieurs de ses anciens élèves : le Norvégien Tellefsen, Lindsay, Sloper. Pour vivre — et il se plaint de la cherté de la vie : vingt-six guinées par mois pour l'appartement — il reprend le collier du professeur : cinq élèves, fin mai.

Evidemment, le refus opposé à l'invitation de la Philharmonique indispose quelque peu les Anglais. Pourquoi Chopin n'accepte-t-il pas de jouer l'un de ses deux *Concertos* ? Sans doute parce qu'il craint de voir massacrer ses ouvrages par le fameux orchestre qui joue sans avoir répété à huis clos. Tout de même, une exécution, même incertaine, serait préférable au silence dans lequel il se mure et aux « thés », qui sont pour Chopin l'occasion de se montrer, mais non pas de faire valoir son talent. Il est vrai que sa santé chancelante lui interdit les efforts et ne favorise pas ses projets. Il crache le sang, se soutient avec du citron et des glaces, renâcle à monter trop souvent les escaliers de son immeuble, passe finalement chez lui le plus clair de ses journées et réserve ses forces à ses sorties mondaines, tout comme à Paris extrêmement nombreuses. Jusqu'à la fin, Chopin gardera ses habitudes salonnières. Aristocrate-né, pratiquant la politesse comme une vertu et l'oubli de soi comme une hygiène, il ne serait pas très éloigné de « mourir dans un

---

1. Qui chante à Covent Garden les *Mazurkas* de Chopin.
2. Dont Chopin, qui l'a entendue en présence de la reine, écrit à Grzymala : « C'est une Suédoise hors de pair. Ce ne sont pas les lueurs habituelles qui l'illuminent, mais une sorte d'aurore boréale. Elle chante *la Somnambule* avec assurance et sûreté. Son *piano* est aussi continu et égal qu'un cheveu. »

salon en feignant l'indifférence », pour reprendre le mot d'André Maurois. « Si j'étais en état d'errer toute la journée d'Anne à Caïphe, écrit-il à Grzymala, si je ne crachais pas le sang, si j'étais plus jeune, si je n'étais pas terrassé par mes amitiés comme je le suis, alors peut-être pourrais-je recommencer ma vie... ». La poursuivre, du moins.

Chez la duchesse de Gainsborough.

Pendant les trois mois de son séjour londonien, il se fait entendre cinq fois en privé — deux soirées à vingt guinées et trois concerts privés — chez Lady Gainsborough, chez le marquis de Douglas, chez la duchesse de Sutherland, à Stafford House. « Stafford House, écrit Chopin à sa famille, est proche du palais Saint-James. Son escalier est célèbre par sa splendeur. Le point du départ ne se trouve ni dans un vestibule, ni dans une antichambre, mais il s'élève dans les appartements mêmes et forme comme un immense salon garni de peintures, de statues, de tentures, de tapisseries précieuses selon des plans admirablement distribués et offrant aux yeux des perspectives enchanteresses. Aussi fallait-il voir la reine étincelante de diamants, de décorations, et portant l'ordre de la Jarretière, descendant l'escalier avec la plus parfaite élégance, s'arrêtant parfois sur les différents paliers pour y converser. S'il avait été donné à Paul Véronèse d'assister à pareil spectacle, la peinture compterait un chef-d'œuvre de plus... » S'ensuit une revue détaillée de tout l'armorial d'Angleterre. La reine Victoria et le prince Albert sont les hôtes de la duchesse ; ils applaudissent Chopin après un dîner de quatre-vingts couverts, groupant l'élite de la société londonienne. Au lendemain de ce concert, le bruit courut que la reine avait demandé à Chopin des leçons particulières. Plutôt qu'à des leçons, il s'attendait à une invitation de jouer au Palais. Elle ne vint pas : Chopin payait son refus d'être le soliste de la Philharmonie.

Concerts.

En concerts publics, Chopin se produit plusieurs fois. Une première fois, en matinée, chez Mrs. Adelaïde Sartoris, née Kemble, fille d'un célèbre acteur anglais, cantatrice jusqu'à son mariage avec un riche industriel anglais. Chopin l'a rencontrée à Paris. Il partage le programme musical de la soirée avec le chanteur Mario et exécute un choix de *Nocturnes*, d'*Etudes*, de *Mazurkas*, de *Valses*, pour conclure par la *Berceuse*. L'*Athenaeum* publie un article très flatteur : jamais, on n'a enregistré à Londres un enthousiasme comparable à celui-là.

Deuxième concert, le 7 juillet 1848, dans les salons du comte de Falmouth, décrit avec une verve étonnante par Chopin : « ... grand amateur de musique, riche, grand seigneur, très aimable. On lui donnerait bien deux sous dans la rue et il a chez lui toute une armée de valets mieux habillés que lui... » Mme Viardot-Garcia participe au concert et chante des *Mazurkas* arrangées pour la voix. Les deux cents auditeurs acclament les deux artistes et deux — décidément, cette fois, tout va par deux ! — journaux : l'*Athenaeum* et le *Daily News*, rivalisent d'éloges : « M. Chopin joua son *Andante spianato et Polonaise*, son *Scherzo, op*. 31, un choix d'autres pièces, où se manifeste son extrême puissance de composition. Sa musique est extraordinairement travaillée, neuve par ses harmonies, pleine d'habileté dans le contrepoint et d'inventions de génie ; et, pourtant, nous n'avions jamais rien entendu qui donnât une telle impression d'élan spontané, tant l'artiste semble s'abandonner aux impulsions de son imagination, se complaire dans le rêve et exprimer à son insu, pour ainsi dire, les pensées et les émotions qui lui traversent l'esprit. Il surmonte des difficultés extrêmes, mais avec tant de souplesse et d'aisance, de délicatesse et de raffinement, que l'auditeur les soupçonne à peine. C'est l'exquise finesse, la volonté harmonieuse de ses tonalités, la limpidité de ses traits qui caractérisent son exécution, tandis que sa musique exalte la liberté de la pensée, la variété de l'expression et une sorte de mélancolie romantique, qui semble l'état d'esprit habituel de l'artiste.» Au mot « tonalités » près — il n'a de sens qu'en matière d'écriture musicale, mais aucun s'il s'agit d'exécution : le critique amateur l'emploie sans doute au lieu de « nuances » — l'article est très juste, il rend un compte exact de l'œuvre de Chopin considérée dans son essence, comme de la nature de son jeu tel que Liszt l'a jugé. Par malheur, deux autres journaux — le *Times* et le *Musical World* — avec lesquels Chopin est brouillé parce qu'ils le croient acharné contre la mémoire de Mendelssohn, leur dieu, usent d'une tout autre encre à son égard : « Toute l'œuvre de Chopin n'est qu'un mélange confus et superficiel d'hyperboles tonitruantes et de cacophonies atroces... » Impossible d'être plus bête !

« Je végète... »

Certes, Chopin rencontre Carlyle, Dickens, Hogarth et Lady Byron, de qui il écrit : « Il semblerait que nous ayons beaucoup d'attirance l'un pour l'autre. En fait, nos conversations ressemblent à celles que pourraient tenir une poule et un petit cochon : elle glousse en anglais et moi, je crie comme un porc qu'on égorge, en français. Je comprends pourquoi Byron s'ennuyait avec elle. » Chose curieuse, Chopin, qui a appris l'anglais à Varsovie, quand il était au lycée, prétend n'en pas comprendre ni pouvoir en articuler un seul mot : l'aurait-il oublié ?

Bref, une fois encore, il est malheureux. D'abord, l'idée de la Pologne le ronge à Londres, comme elle le rongeait à Paris, il pressent que son destin ne peut être rapidement réglé : « Dans quelques centaines d'années, écrit-il à Grzymala, tes arrière-arrière-arrière-petits-fils se rendront d'une Pologne libre dans une France rénovée, pas avant... » En quoi il voit juste. Par ailleurs, sa santé déplorable ne l'incite pas à l'optimisme, ni aux illusions : « J'ai les nerfs à bout et ne puis achever cette lettre. Je souffre d'une nostalgie stupide ; malgré ma résignation, je ne sais que faire de ma personne et cela me tourmente... Je ne peux plus être triste ou heureux ; je ne sens vraiment plus rien ; je végète, simplement, et j'attends patiemment ma fin... Ah ! si je pouvais savoir que la maladie ne m'achèvera pas ici l'hiver prochain ! »

Par Solange Clésinger, il a des nouvelles de Sand, qui poursuit sa politique de mensonges : « Je n'ai pu, écrit-elle à Pauline Viardot, payer sa fureur et sa haine par de la haine et de la fureur. » Comment, dans son for intérieur — si tant est qu'elle ne soit pas la première dupe de ses calomnies — juge-t-elle sa conduite ? Mystère. Chopin, de son côté, pense, non sans raison peut-être, que « George est bien avec son gendre ». Quant à Mlle de Rozières, qui a été mêlée de près à tous ces événements, elle écrit, sans ambages à la sœur de Chopin, Louise Jedrzejewicz, « qu'il faut bénir Dieu d'avoir fait sortir Frédéric d'un tel bourbier ». Les lettres faussement apitoyées de Sand à Louise n'auront plus la moindre prise sur celle-ci.

Les Ecossaises.

Et les Ecossaises ? Bonnes, attentives, exténuantes, elles « assomment » Chopin — d'autant plus que Jane, vieille fille inassouvie, ne renonce pas à son projet chimérique d'épouser Frédéric. Elle « l'aura à la fatigue », selon la méthode des pêcheurs qui insistent, lancent et relancent la ligne jusqu'au moment où le poisson, par lassitude, finit par happer l'hameçon. Notons en passant que l'hypothèse de Wierzynski, selon laquelle Jane Stirling « aurait été la maîtresse de Chopin » ne repose sur aucun fondement. Qu'elle ait essayé, discrètement, de se faire épouser est une autre affaire. Mais Chopin n'y songe pas : « J'aimerais mieux épouser la mort », note-t-il dans une lettre à un ami [1]. Et

1. Selon d'autres traducteurs, Chopin aurait écrit, sans allusion à Jane Stirling : « Il ne me reste plus qu'à épouser la mort. »

dans une autre, il précise son sentiment ou, plutôt, son absence de sentiments : « Elles sont bonnes, mais si ennuyeuses ! Elles m'écrivent tous les jours, je ne leurs réponds pas, mais, dès que je me trouve n'importe où, elles y arrivent tout de suite, quand elles le peuvent. C'est peut-être cela qui a fait penser à quelqu'un que j'allais me marier. Mais il faudrait, pour cela, éprouver quelque *attrait* physique : or, celle qui n'est pas mariée me ressemble par trop. Comment ferais-je pour m'embrasser moi-même ? L'amitié est l'amitié, ai-je déclaré nettement, et elle ne donne pas droit à autre chose. Et, même, si je tombais amoureux et qu'on me rendît la pareille, comme je le désirerais, je ne me marierais pas, parce que nous n'aurions pas de quoi manger, ni nous loger [1]. Celles qui sont riches recherchent des riches, et si elles en trouvent qui soient pauvres, il faut que ce ne soit pas des infirmes, mais des jeunes gens bien tournés. On a le droit d'être pauvre seul, mais l'être à deux, c'est le plus grand des malheurs. Je veux bien crever à l'hôpital, mais je ne voudrais pas laisser après moi une femme dans la misère. Au fait, je me sens plus près du cercueil que du lit nuptial. Je suis résigné. D'ailleurs, il est bien superflu que je te dise tout cela, tu connais mon opinion à ce sujet. *(Ici, par malheur, quelques mots biffés, qu'il eût été peut-être capital de connaître.)* Ainsi, poursuit Chopin dans cette lettre à Grzymala, je ne pense pas du tout à me marier : je pense à la maison, à ma mère, à mes sœurs. Et qu'ai-je fait de mon cœur ? *(Plusieurs mots biffés.)* C'est à peine si je me souviens comment on chante au pays... » Privé de ce souvenir qui l'a soutenu jusque-là, il a cessé de composer.

Vers l'Ecosse.

Constatant la vanité de ses espoirs et, peut-être, de ses efforts, Jane, sachant la *season* londonienne terminée en

---

1. En tout état de cause, Chopin, sans fortune, n'envisagerait d'aucune manière d'épouser une jeune fille riche.

cette fin du moins de juillet 1848, suggère à Chopin de l'accompagner, ainsi que sa sœur, dans leur famille, en Ecosse. C'est aller du brouillard à la brume, du mal au pis. Qu'importe ? Les dés sont jetés, Chopin sait que sa fin est proche. Qu'il meure en Ecosse ou à Paris est sans importance, puisque la grâce suprême de finir ses jours à Varsovie, bercé par ses « trois femmes », lui est refusée par les circonstances. Donc, plus haut vers le nord ! Fin juillet, il boucle ses valises et prend le train de Londres pour Edimbourg. Il y restera jusqu'au 29 août, date à laquelle il est engagé pour donner deux concerts à Edimbourg.

Manoirs.

Le 6 août 1848, après huit jours passés à l'hôtel, il est, avec son domestique Daniel, à Calder House, l'hôte de Lord Torpichen, vieux gentilhomme de soixante-dix-huit ans, amateur de musique, doté d'une voix agréable, qui fredonne des chansons écossaises, accompagné par Chopin. Le manoir, ombragé d'arbres centenaires et cerné de vastes pelouses, est confortable... « Des murs de huit pieds d'épaisseur, des corridors interminables, pleins de vieux portraits d'ancêtres plus noirs et plus écossais les uns que les autres — rien n'y manque... On m'apporte chaque matin les journaux de Paris. Je suis dans le calme et la tranquillité, je suis bien, logé assez loin des autres, afin de pouvoir jouer et faire tout ce qui me plaît. Je ne suis jamais dérangé, la première règle dans ce pays étant de ne gêner ses hôtes en rien. Un piano dans ma chambre, un autre au salon. La vie de château, en Grande-Bretagne, est bien agréable. La bibliothèque, les chevaux, les équipages, sont, ainsi qu'une nombreuse domesticité, à la disposition de tous. »

L'endroit a du charme, mais Chopin ne s'y attarde pas. L'indomptable Stirling entreprend de le « montrer », comme on promène une bête curieuse, à ses amis et connaissances. Elle le trimbale de château en château, pensant naïvement que le « changement d'air » lui fera du bien « On me fait visiter des coins perdus, tel Keir, où il n'y a ni poste, ni chemin de fer, aucune voiture (d'où l'impossibilité de me promener), aucune barque, pas le moindre chien à siffler... Je suis seul, seul, seul... Aux approches de la nuit, mon brave Daniel me porte dans l'escalier — que je ne puis monter — jusqu'à ma chambre, me déshabille, me couche et me laisse une bougie, et je suis libre de haleter et de rêver jusqu'au matin... » Et les rêves ne sont pas précisément couleur d'aurore. A Fontana, de passage à Londres, il écrit : « Si j'étais mieux portant, je serais demain à Londres pour t'embrasser. Sans doute ne nous reverrons-nous pas de sitôt. Nous sommes comme de vieux cymbalums [1], auxquels le temps et les circonstances ont fait jouer leurs misérables petits trilles. La table d'harmonie est excellente ; seules, les cordes sont cassées et quelques chevilles ont disparu. Mais le malheur, le voici : nous sommes l'œuvre d'un luthier illustre, celle de quelque Stradivarius *sui generis*, qui n'est plus là pour nous réparer. Des mains médiocres sont incapables de nous rendre la faculté de chanter et, alors, nous étouffons en nous ce que personne ne pourra plus jamais en faire sortir, puisque notre luthier est mort... Moi, je respire à peine : je suis tout prêt à crever. Toi, tu deviendras complètement chauve et tu te pencheras sur ma tombe, semblable aux saules de chez nous qui, tu t'en souviens, montrent un crâne dénudé. Continuellement, Jeannot Matuszynski, Antoine Wodzinski, Witwicki et Sobanski hantent ma pensée ! Et ceux avec qui j'étais dans la plus intime harmonie [2], ils sont morts pour moi — jusqu'à

1. Ancêtre du piano, à cordes frappées par des marteaux. En polonais, « cymbal » signifie également nigaud, crétin — ce qui fournit à Chopin l'occasion de faire un jeu de mots.
2. Allusion transparente à George Sand. Dans une lettre adressée aux siens, Chopin revient sur le « cas » Sand : « A Paris, Solange a vu sa mère, à qui l'on a conseillé de quitter la capitale. A Nohant, les paysans l'ont fort mal reçue et elle a dû aller se réfugier à Tours. On lui attribue des proclamations incendiaires poussant à la guerre civile. Son second journal n'a pas mieux réussi que le premier. Parce qu'il était extrémiste et excitait seulement les gens à courte vue, il a été interdit, mais il était moribond, faute de lecteurs, comme le premier. On a imprimé,

Ennike, notre meilleur accordeur, qui s'est noyé. Alors, je n'aurai plus en ce monde de pianos accordés à mon goût... Je végète et j'attends patiemment l'hiver... Ce qui me reste, c'est un grand nez et un quatrième doigt non exercé... »

Admirons en passant la virtuosité avec laquelle Chopin manie la parabole, et la lucidité qui lui montre son bref avenir tel qu'il se déroulera.

« *Comme aux miens propres...* »

Pour l'instant, il lui faut à nouveau boucler ses valises. On l'attend à Manchester, à Glasgow et à Edimbourg, pour y donner des concerts. A Manchester, il est invité chez Neukomm, le meilleur élève de Haydn. La perspective des déplacements et des concerts l'inquiète, mais « je les ferai, je les donnerai, car je ne sais comment je me tirerai d'affaire cet hiver : si seulement j'étais sûr d'avoir de quoi manger ! J'ai toujours mon appartement à Paris. On veut, malgré le climat, me retenir à Londres. Quant à moi, je voudrais autre chose, mais quoi ?.... Si ce Londres était moins noir, si les gens y étaient moins lourds, s'il n'y avait ni ce brouillard, ni cette poussière de charbon, je me mettrais à apprendre l'an-

puis distribué dans les rues sa biographie, écrite par le père d'Augustine Brault, qui se plaint de ce qu'elle ait corrompu sa fille en en faisant la maîtresse de Maurice, et puis qu'elle l'ait mariée ensuite au premier venu, malgré l'opposition des parents à qui elle avait promis d'en faire la femme de son fils. Le père reproduit les lettres de Mme Sand : c'est une bien vilaine aventure livrée à la curiosité de la populace parisienne. C'est une infamie de la part du père, mais c'est la vérité. Le voilà donc, ce bienfait qu'elle a cru accomplir et contre lequel j'ai combattu de toutes mes forces depuis l'arrivée de la jeune fille dans la maison ! Chaque fois que le père a voulu reprendre sa fille, on s'y est refusé, parce que Maurice s'y opposait. Mme Sand trouvait sa fille gênante, parce que celle-ci avait, par malheur, tout deviné : d'où mensonges, malaise, honte et tout le reste. » Encore une fois, il éclate que Sand n'a point pardonné à Chopin sa clairvoyance !

glais. Mais les Anglais sont si différents des Français, à qui
je me suis attaché comme aux miens propres !... »

Chopin joue le 28 août à Manchester [1]. « On m'a trop
bien reçu et j'ai dû revenir trois fois au piano. Une belle
salle : mille deux cents personnes. » Trois chanteurs célèbres
— l'Alboni, Mme Corbari et le signor Salvi — prenaient
part au concert. La « belle salle » inquiéta Chopin, qui dit à
d'Osborne, accompagnateur des vedettes italiennes : « Vous
qui m'avez si souvent entendu à Paris, gardez vos impressions
d'alors. Mon jeu va être perdu dans cette salle et mes compositions [2] n'y porteront pas... ». En quoi Chopin voyait juste,
car le *Manchester Guardian* tomba d'accord avec lui dans le
compte rendu de la séance : « Chopin paraît avoir une trentaine d'années. Il est d'allure fort distinguée, avec une expression quasi douloureuse, évoquant une certaine apparence de
faiblesse. Cette impression disparaît cependant lorsqu'il
prend place devant son instrument qui paraît, dès lors, l'ab-
sorber tout entier... La musique de Chopin et le style dans
lequel il l'interprète possèdent de semblables caractéristiques :
raffinement plutôt que vigueur, élaboration subtile plutôt que communication directe, toucher rapide et élégant
plutôt qu'une ferme et nerveuse commande du clavier... Ses
compositions, de même que son jeu, seraient parfaitement
adaptées à l'esthétique de la musique de chambre, mais ils
manquent de la grandeur, de la fermeté de dessin et de la
puissance instrumentale requises pour une audition dans
une vaste salle. » Là encore, Chopin avait vu et prédit
juste [3].

1. La veille du départ en chemin de fer, Chopin eut un accident de voiture qui faillit lui coûter la vie. Se promenant en
calèche au bord de la mer, il voit soudain les chevaux prendre
le mors aux dents. Les rênes cassent, le cocher tombe de son
siège, projeté contre un arbre, la voiture est brisée en morceaux,
Chopin attend sereinement son heure dernière.
2. L'*Andante spianato et Polonaise*, un *Scherzo*, quelques *Etudes*, un *Nocturne*, la *Berceuse* et, le lendemain, en privé, la
Sonate funèbre (cf. p. 299).
3. Le concert de Manchester lui rapportait soixante livres.

Composer ?

Pourquoi ne composez-vous plus ? lui demandaient ses hôtes et amis. « Vraiment, écrivait-il à Franchomme, je n'ai pas en tête une seule idée musicale : je ne suis plus du tout dans mon élément. Je me fais l'effet d'un âne à un bal masqué ou d'une corde de violon sur une basse de viole... Je suis ahuri, je ne suis pas dans mon assiette... » Son élément, son assiette, ç'avait été Nohant, si calme, si paisiblement confortable, les longues matinées, le piano droit dans sa chambre, où il prenait son déjeuner pour ne pas interrompre son travail, le salon vers quatre ou cinq heures de l'après-midi, un coup d'œil jeté aux massifs fleuris, les longues conversations avec Delacroix et Pauline Viardot, les après-dîners sous les grands arbres dans la fraîcheur du soir, quelques pages de musique égrenées pour les hôtes de passage, des charades, le théâtre de marionnettes. Là, il se sentait protégé, à l'abri du hasard. Que c'était loin, tout cela !

Glasgow, Edimbourg et Cie.

Séjour chez une Mme Houston, sœur des fées écossaises. Beau château élégant. Nouveau départ chez Lady Murray. Deux concerts, l'un à Glasgow, l'autre à Edimbourg. Le premier se réduit à une matinée donnée le 17 septembre au Merchant Hall, en présence de « quelques dizaines de représentants de la noblesse », parmi lesquels il a la joie de retrouver le prince Alexandre et la princesse Marcelline Czartoryski[1]. Ils évoquent toutefois les soirées de l'hôtel Lambert. Le concert rapporte soixante livres à Chopin, qui en a escompté le double, ignorant ce qu'il en est de la légendaire parcimonie écossaise ! Le concert d'Edimbourg s'annonce moins favorablement encore. Heureusement,

---

1. Parents éloignés du prince et de la princesse Adam Czartoryski, hôtes de l'hôtel Lambert, à Paris.

Jane Stirling, apprenant que la location est des plus faibles, souscrit personnellement cent billets et les distribue à des amies. Chopin, lui, ne s'est inquiété de rien, si peu même qu'il écrit à Grzymala : « Je dois jouer ici demain soir, mais je n'ai pas encore vu la salle, ni établi le programme. » Le cœur n'y est plus, à preuve cette phrase désabusée dans une lettre à Marie de Rozières : « Beaucoup de gens ici me tourmentent pour jouer et, par politesse, j'accepte. Mais je joue toujours avec un nouveau regret, jurant qu'on ne m'y reprendra plus, car je me situe entre l'énervement et l'abattement. »

A Hopetown Rooms, il donne l'avant-dernier concert de sa vie — seul, cette fois, sur l'estrade. Le programme est ainsi composé :

1. *Andante spianato* et *Impromptu ;*
2. *Etudes* (parmi lesquelles les n°s 1 et 2 de l'*op.* 25) ;
3. *Nocturnes* (*op.* 9, n°s 2 et 55, n° 1) et *Berceuse ;*
4. *Grande Valse brillante, op.* 18 ;
5. *Préludes ;*
6. *Ballade en fa ;*
7. *Mazurkas* et *Valses.*

A Gutmann, il écrit, le 16 octobre : « Tout le monde distingué de la région s'était rassemblé. On dit que cela fut bien. Il y eut un peu de succès et un peu d'argent... » En fait, la soirée fut rien moins que triomphale.

A partir de là, Chopin, fantôme ambulant, va de château en château, de lady en lady. Pour payer son écot, il se met au piano, à moins que la maîtresse de maison, ne doutant de rien, ne s'y installe pour y faire entendre « des horreurs ». Une de ces musiciennes du dimanche « chante debout, tout en s'accompagnant elle-même au piano — posture singulière — une romance française dont elle prononce à l'anglaise les paroles françaises : " J'aïïe aiiemaiié " — ce qui signifie : " J'ai aimé " ! Par ailleurs, la princesse de Parme m'a sérieusement confié que l'une de ses dames d'honneur sifflait d'une manière fort remarquable avec accompagnement de guitare. On aura tout vu, sinon tout entendu ! »

A Edimbourg, Chopin passe plusieurs jours chez son compatriote, le docteur Lyszczynski, médecin homéopathe, émigré polonais, époux d'une Anglaise bonne musicienne. Là, du moins, on le laisse tranquille, on ne l'exhibe pas comme un chien savant, on le soigne, on lui permet de jouer du piano à sa guise. C'est un havre dans cette tournée ultime où le tragique le dispute au burlesque. On pense, en l'évoquant, à ces voyages d'adieux organisés par des barnums qui épuisent, pour remplir leur caisse, les dernières forces d'une vieille actrice, dont on se demande chaque soir si elle ne va pas mourir en scène. Trois quarts de siècle après Chopin, Sarah Bernhardt, Réjane et la Duse affronteront ces tours de piste dégradants : jusqu'au bout, se tenir droite en scène, procurer aux badauds, non pas un spectacle d'art, mais l'occasion de pouvoir dire, sur leurs vieux jours : « Moi qui vous parle, j'ai vu, dans ma jeunesse, Sarah... Ah ! ce n'était guère brillant, mais, tout de même, quel souvenir ! » L'affreuse tristesse d'une décrépitude prématurée envahit Chopin. Mais sa politesse l'emporte sur sa fatigue. La tournée des châteaux continue. Le voici à Wishaw, chez Lady Belhaven, chez le duc de Hamilton. Les papotages de salons sont vides, comme les hémisphères de Magdebourg : « Ce ne sont que cousins et cousines de nobles familles, portant d'illustres noms que personne n'a jamais entendus sur le continent. La conversation roule toujours sur les sujets généalogiques. C'est comme dans l'Evangile : un tel qui engendra un tel et celui-ci en engendra un autre, et cela sur deux feuilles entières jusqu'à Jésus-Christ ! »

Un peu de bonheur colore ce triste séjour quand il se retrouve avec des compatriotes — Lyszczynski, ou les Czartoryski — qui parlent sa langue et témoignent des mêmes réactions. Avec eux, après avoir plaisanté, il s'inquiète de l'épidémie de choléra, qui a envahi la France et frappé déjà bien des gens à Londres. Ne sévit-elle pas à Varsovie ? Puis il se raille lui-même : « J'oublierai bientôt le polonais, je vais parler le français à l'anglaise et je vais

apprendre à parler l'anglais à l'écossaise. Je finirai par res-
sembler au vieux Jaworski qui parlait cinq langues à la
fois... » Les plus beaux paysages du monde ne séduisent pas
le pauvre malade : « J'aperçois des montagnes et des lacs
et un charmant parc : en un mot, une des vues les plus répu-
tées d'Ecosse. Je ne vois pourtant rien de tout cela que
lorsqu'il plaît à la brume de céder pendant quelques minutes à un soleil pas très combatif. Et je me traîne chaque
semaine sur une autre branche. Que dire de l'ennui mortel
des soirées, au long desquelles je halète en m'efforçant de
garder bonne contenance, de feindre quelque intérêt pour les
inepties qui s'échangent de fauteuil à fauteuil ? Partout
d'excellents pianos, de beaux tableaux, des bibliothèques
choisies, des chaises, des chiens, des dîners à n'en plus finir,
des ruines, des abîmes, des brouillards et du *spleen*, un
déluge de ducs, de comtes, de barons. Est-il possible de s'ennuyer autant que je m'ennuie ? »

Spleen.

Le 31 octobre 1848, il quitte l'Ecosse pour Londres où
Lord Stuart lui a demandé de prêter son concours à une fête
de charité donnée pour les Polonais, le 16 novembre.
Enrhumé, souffrant de maux de tête et d'étouffements, il
est remis sur pied, provisoirement, par un homéopathe, le
docteur Mallan. Soirée sans éclat, éclipsée par le bal qui
suit l'audition. Ce n'était pas honorer Chopin que de le
faire préluder à des flonflons. Telle est l'opinion d'un des
auditeurs, le docteur Hueffer, qui note : « Sa présence et sa
collaboration en une telle occasion étaient aussi parfaitement
déplacées l'une que l'autre... » Ce qui est vrai : mais jamais
Chopin ne refuse son concours dès que l'intérêt de la Pologne, si minime soit-il, est en jeu. Bien que rien ne le retienne
plus en Angleterre, il est indécis : restera, restera pas ? Du
4 Saint James Place, il envisage de louer à proximité « un
appartement dont les pièces seront plus vastes et où je pourrai mieux respirer ». A tout hasard, il recommande à

Grzymala de lui chercher un logement à Paris, sur les boulevards, à partir de la rue de la Paix ou de la rue Royale, à
un premier étage bien orienté au midi, près de la Madeleine
ou dans la rue des Mathurins ; surtout pas dans la rue Godot-
de-Mauroy, ou dans un coin triste et étroit. Impossible de
garder son ancien appartement, trop humide l'hiver — il en
a déjà fait l'expérience. Mais qu'on n'en donne pas congé sans
le prévenir. Cette lettre à Grzymala, il l'émaille, au milieu
de ses préoccupations immobilières, d'une apostrophe soudaine à l'ingrate : « Je n'ai jamais maudit personne, mais
je suis tellement à bout que je me sentirais, je crois, plus
léger si je parvenais à maudire Lucrezia... » Car, entre Sand
et lui, à défaut d'un amour véritable, s'était installée une manière de symbiose. Loin d'elle, finalement, il se sent perdu.

Le 23 novembre 1848, Chopin quitte Londres, passe une
nuit à Boulogne. Accompagné de son domestique Daniel
et de Léonard Niedzwiedzki, qui va devenir bibliothécaire à
la Bibliothèque polonaise de Paris, il arrive square d'Orléans où, sur ses instances, on a fait du feu, jour et nuit,
depuis une semaine, pour que les draps soient bien secs.
Il est tout enflé : l'œdème des membres inférieurs et une
lésion cardiaque se sont déclarés. Pleyel a envoyé un piano.
Grzymala a acheté un bouquet de violettes pour parfumer le
salon. Du moins Chopin trouve-t-il « un peu de poésie chez
lui, ne fût-ce qu'en traversant le salon pour entrer dans sa
chambre où il se couchera sans doute pour longtemps... ».

Ainsi s'achève — lamentablement — l'équipée britannique. En sept mois, il a changé soixante et une fois de domicile, affronté des foules d'indifférents, donné des concerts
sans prestige, perdu son temps, vu s'aggraver son état et,
pour prix de tant de fatigues, il ne rapporte pas à Paris un
seul centime. Certain que sa fin est proche, il ignore seulement la durée du sursis.

XVI

LA MORT DU SYLPHE

« Vous me demandez des nouvelles de Chopin : en voici,
écrit, le 15 février 1849, Pauline Viardot à George Sand.
Sa santé décline lentement, avec des jours passables où
il peut sortir en voiture, et d'autres pendant lesquels il a
des crachements de sang et des quintes de toux qui l'étouffent. Il ne sort plus le soir. Cependant, il peut encore donner
quelques leçons et, dans ses bons jours, il lui arrive d'être
gai. Voilà l'exacte vérité. Il y a, du reste, fort longtemps que
je ne l'ai vu. Il est venu trois fois me voir sans me trouver.
Il parle de vous toujours avec le plus grand respect et je
persiste à affirmer qu'il n'en parle jamais autrement... » A la
même époque, Sand dit ouvertement que Chopin se répand
contre elles en « accusations épouvantables ». Non contente
de se fabriquer des auréoles successives, la « bonne dame »
est atteinte d'un vrai délire de la persécution. D'ailleurs,
elle est logique dans sa résolution, prise une fois pour toutes,
d'avoir raison dans l'affaire Chopin. Elle doit sortir blanche
comme neige, ce qui l'oblige à noircir Chopin dans la proportion inverse.

Hauts et bas.

Quant à la santé de Chopin, Pauline Viardot dit vrai.
C'est une succession de hauts et de bas. Dès avant le retour
à Paris, Chopin a fait son testament, noté « quelques recom-

mandations sur ce qu'il faudra faire de sa vieille carcasse
s'il vient à rendre le dernier soupir ». Sur la même feuille de
papier, il dessine, côte à côte, un cercueil, des croix, un
cimetière et des notes de musique.

Diafoirus.

Le médecin en qui il avait une absolue confiance, le docteur Molin — « lui seul savait me soigner » — meurt, tandis que Chopin est encore à Londres. Tout à tour, ou simultanément, il confiera sa santé aux docteurs Louis, spécialiste
de la phtisie, Roth, Simon, homéopathe, Fraenkel et Cruveilhier. Ces praticiens viennent le visiter jusqu'à deux fois
par jour, lui demandent des honoraires élevés et se bornent
à prescrire des remèdes inefficaces. En 1849, on ne sait pas
guérir la tuberculose, dont on ignore la vraie nature, à commencer par l'origine microbienne. Chopin les devine impuis-
sants à le soigner convenablement : « Ils sont tous d'accord
sur le climat, le calme, le repos. Le repos, je l'aurai un jour
sans eux... Ils tâtonnent et ne me soulagent pas... »

Delacroix.

Le *Journal* de Delacroix nous donne quelques renseignements précieux sur l'état moral et physique de Chopin, à
qui il rend de fréquentes visites :

29 janvier 1849. — « Ce soir, été voir Chopin, je suis resté
avec lui jusqu'à dix heures. Cher homme ! Nous avons parlé
de Mme Sand, de cette bizarre destinée, de ce composé de
qualités et de vices. C'était à propos de ses *Mémoires*. Il me
disait qu'il lui serait impossible de les écrire. Elle a oublié
tout cela : elle a des éclairs de sensibilité et oublie vite. Elle
a pleuré son vieil ami Pierret et n'y a plus pensé. Je lui
disais que je lui voyais à l'avance une vieillesse malheureuse.

Il ne le pense pas [1]... Sa conscience ne lui reproche rien de ce que lui reprochent ses amis. Elle a une bonne santé qui peut se soutenir. Une seule chose l'affecterait profondément : ce serait la perte de Maurice, ou qu'il tournât mal.

Quant à Chopin, la souffrance l'empêche de s'intéresser à rien, à plus forte raison au travail. Je lui ai dit que l'âge et les agitations du jour ne tarderaient pas à me refroidir aussi. Il m'a dit qu'il m'estimait de force à résister : « Vous jouissez, m'a-t-il dit, de votre talent dans une sorte de sécurité, qui est un privilège rare, et qui vaut bien la recherche fiévreuse de la réputation. »

5 mars. — Fait la connaissance de Prudent [2] ; il imite beaucoup Chopin ; j'ai été fier pour mon pauvre grand homme mourant.

8 mars. — Le soir, Chopin. Vu chez lui un original qui est arrivé de Quimper pour l'admirer et le guérir : car il est, ou a été, médecin et a un grand mépris pour les homéopathes de toutes couleurs. C'est un amateur forcené de musique ; mais ses admirations se bornent à peu près à Beethoven et à Chopin. Mozart ne lui paraît pas à la hauteur de ces noms-là. Cimarosa est perruque, etc. Il faut être de Quimper pour avoir ces idées-là et pour les exprimer avec cet aplomb.

30 mars. — Vu le soir chez Chopin l'enchanteresse Potocka. Je l'avais entendue deux fois ; je n'ai guère rencontré quelque chose de plus complet. Vu Mme Kalergis : elle a joué, mais peu sympathiquement ; en revanche, elle est vraiment fort belle quand elle lève les yeux en jouant, à la manière des Madeleines du Guide ou de Rubens.

7 avril. — Chez Chopin. Alkan y était. Vers trois heures et demie, accompagné Chopin en voiture dans sa promenade. Quoique fatigué, j'étais heureux de lui être bon à quelque chose.

---

1. Encore une fois, Chopin voit clair. Sand vieillira, entourée de respect et de considération.
2. De son vrai nom, Racine Gaultier, pianiste et compositeur français (1817-1863).

11 avril. — J'ai revu ce soir Mme Potocka chez Chopin. Même effet admirable de la voix.

14 avril. — Le soir chez Chopin. Je l'ai trouvé très affaissé, ne respirant pas. Ma présence, au bout de quelque temps, l'a remis. Il me disait que l'ennui était son tourment le plus cruel. Je lui ai demandé s'il ne connaissait pas auparavant le vide insupportable que je ressens quelquefois. Il m'a dit qu'il savait toujours s'occuper de quelque chose ; si peu importante qu'elle soit, une occupation remplit les moments et écarte ces vapeurs. Autre chose sont les chagrins.

22 avril. — Après dîner, chez Chopin, homme exquis pour le cœur, et je n'ai pas besoin de dire, pour l'esprit. Il m'a parlé des personnes que j'ai connues avec lui. Il s'était traîné à la première représentation du *Prophète*. Son horreur pour cette rhapsodie.

17 mai. — Chez Chopin. Il allait véritablement un peu mieux. Mme Kalergis est venue [1].

Posthumes...

C'est au mois de mai que, dans une phase de nette amélioration de son état de santé, Chopin prend la décision de brûler une partie de ses manuscrits. Quoi donc, au juste ? On l'ignore. Il laisse une note interdisant la publication des œuvres inédites qu'il n'a pas brûlées. Cette interdiction, il la formulera une seconde fois, peu avant de mourir. Fontana ne tiendra pas compte de cette volonté, par deux fois exprimée, il publiera ces pages condamnées, leur donnant des titres fantaisistes, emmêlant les numéros d'*opus*, si bien qu'il est difficile de s'y reconnaître dans le catalogue des

1. « Elle fait une impression inoubliable, note Iwaszkiewicz, contrairement à ce qu'en dit Delacroix. J'ai connu des personnes qui l'avaient entendue jouer du Chopin. Il lui suffisait de paraître pour émouvoir le public. Une blonde très claire, jusqu'à la vieillesse habillée de blanc, une véritable *symphonie en blanc majeur,* comme l'appelait Gautier. »

œuvres de Chopin [1]. Au cours des deux dernières années de sa vie, le malade, bien que prétendant « ne plus pouvoir écrire une seule note de musique » composera encore un *Chant polonais*, la *Valse en si majeur* (sans numéro d'*opus*) et les deux *Mazurkas*, *op.* 67, n° 2 *en sol mineur* et *op.* 68, n° 4 *en fa mineur*. C'est sur une « danse du pays », évoquant dans sa brièveté magistrale l'âme de sa nation, qu'il prend congé. « Grâce à lui, écrit le poète Cyprien Norwid, les larmes du peuple polonais, éparses à travers champs, ont pu être assemblées, sous une forme cristalline, dans le diadème de l'humanité [2]. »

Rue de Chaillot.

Durant l'été, Chopin, pour respirer un air meilleur, déménage et va habiter 74, rue de Chaillot [3] (aujourd'hui entre

---

1. Cf. chap. « L'Œuvre », p. 465.
2. A cette même époque, Chopin tente de réaliser un projet ancien ; rédiger, d'après ses expériences professorales, une *Méthode de piano*. Le manuscrit, légué par la sœur aînée de Chopin à la princesse Czartoryska, sera acquis, en 1936, par Alfred Cortot, chez qui je l'ai souvent feuilleté. Il se réduit à une douzaine de feuillets, dont le texte est sans intérêt véritable. Quelques lieux communs, des doigtés de gammes, quelques conseils, des remarques judicieuses sur le rôle des différents doigts de la main — c'est tout, et c'est peu. Tout au plus peut-on isoler quelques phrases qui, si l'on songe à l'étrange musique « moderne » que l'on compose à l'époque où paraît ce volume, prennent une signification savoureuse : « Les mots proviennent des sons ; les sons existaient avant les mots. Le mot est une certaine modification du son. Les sons sont utilisés pour créer la musique, tout comme les mots pour créer le langage. La pensée s'exprime par des sons ; une expression humaine mal définie est à peine un son. L'art de manier les sons est la musique. Le mouvement qu'on fait pour fléchir le poignet est comparable à celui qu'on accomplit pour moduler le souffle dans le chant. »
3. Sans, toutefois, donner congé de son appartement du square d'Orléans, où il compte revenir fin juillet.

les nᵒˢ 10 et 16 de la rue Quentin-Bauchart), c'est-à-dire, à cette époque, hors de Paris, comme étaient encore les quartiers de Passy, d'Auteuil et de Boulogne. Le loyer était de quatre cents francs, sur lesquels une dame russe, amie de Chopin, Mme Obreskoff, paya deux cents francs. Chopin occupe le second étage d'une petite maison, située sur une butte. Par les cinq fenêtres de son salon, il découvre, comme d'un observatoire, la chambre des députés, Saint-Germain-l'Auxerrois, les Tuileries, Saint-Etienne-du-Mont, les tours de Notre-Dame, le Panthéon, Saint-Sulpice, le Val-de-Grâce, les Invalides et « entre ces édifices, rien que des jardins ». On l'imagine, cette vue errante du grand malade sur ce Paris où il a tant désiré venir et qui, loin de sa ville natale, lui a donné quelques plaisirs, bien davantage de déboires et d'espérances avortées. « Il avait tout connu dans cette ville, écrit Jaroslav Iwaszkiewicz : la gloire, l'amour, le succès, des illusions innombrables et des déceptions plus nombreuses encore — et maintenant tout cela se changeait en poussière. Il n'en restait rien, et dans les moments de désespoir cette interrogation poignante venait serrer son cœur : " Et mon art, qu'est-il devenu ? "

« La ville triomphait : elle existait, elle allait durer, grandir, embellir — lui était irrémédiablement condamné à disparaître. Mais pourtant il devait comprendre que la beauté de cette ville, que son triomphe, justement, étaient faits de milliers d'existence comme la sienne, de leur travail et de leur génie, de leurs projets et de leurs idées qui avaient mûri ici depuis des siècles ; il devait comprendre que *l'homme* triomphait dans cette ville.

« Mais peut-être, dans ce panorama contemplé à travers cinq fenêtres et qui nous émeut encore tant aujourd'hui, dans la brume grisâtre de Paris, d'où émergent les monuments d'existences et de pensées humaines — peut-être trouvait-il une consolation, en fin de compte ? Tout ce qu'il avait vécu, ressenti ici, ne retournait pas en poussière, non ; cela restait inscrit dans la couleur, le ton, la forme, le paysage, le rythme de cette ville admirable. Et il trouvait peut-être alors la réponse à la question qu'il se posait sur son art :

comme un fleuve puissant, il était allé se jeter dans l'océan de la vie des hommes — ici dans cette ville merveilleuse, là-bas dans sa patrie lointaine, mais si proche de son cœur, et enfin partout, dans le monde entier...

« Et, dans ces moments-là, Chopin s'élevait au-dessus de la poussière de ses soucis quotidiens, de la poussière de ses amours, de la poussière de ses " tracas ", il devenait l'immortel artiste. Etrangement embelli. »

« *Mon ennui...* »

Chaillot, c'est presque la campagne. Dans ce demi-ermitage, Chopin reçoit les visites de Norwid, dont le témoignage n'est pas sans intérêt.

« C'est dans son salon que Chopin prend son repas à cinq heures. Puis, il descend comme il peut, se rend au bois de Boulogne en voiture. Après quoi, on le porte dans l'escalier, car il ne peut le monter seul. Je mangeais avec lui, je l'accompagnais souvent en promenade. Un jour que nous voulions rendre visite à Bohdan Zaleski, qui habitait Passy, nous nous arrêtâmes en route, mais, comme il n'y avait personne pour transporter Chopin à l'étage, nous restâmes au jardin, devant la maison, où le petit garçon du poète jouait sur l'herbe. »

Soigne-t-on Chopin ? Oui — à la mode de l'époque, c'est-à-dire de manière on ne peut plus empirique. Dans une lettre à Grzymala, le malade évoque les méthodes singulièrement changeantes du docteur Fraenkel : « Il est impossible de savoir, d'après lui, si je dois aller dans une ville d'eaux, ou dans le Midi. Il m'a, un jour, supprimé l'infusion qu'il m'avait ordonnée la veille, m'a prescrit un autre médicament dont, encore une fois, je n'ai plus besoin — et quand je lui demande quel régime suivre, il dit que je ne suis pas obligé de mener une vie régulière. Bref, c'est un fou. »

Pratiquement, Chopin, abandonné par la Faculté impuis-

sante, passe par des alternances d'espoir et de désespoir.
Un jour, il dit, mélancoliquement : « Maintenant, j'ai dit
ce que j'avais à dire... » Un autre jour, il fait des projets
d'avenir, achète, en dépit de sa situation financière réduite
à presque rien, deux meubles coûteux, il combine des
voyages lointains et retombe, le lendemain, dans cet
« ennui » dont il fait part à Delacroix et qui traduit, en
somme, l'impossibilité où il se trouve de mener à bien un
travail suivi. La musique était sa vie, et voilà que l'une et
l'autre lui échappent...

Une visite.

Un jour, il reçoit la visite de son ancien condisciple, le
R.P. Alexandre Jelowicki. Il y a bien longtemps qu'ils ne se
sont vus. Sans rien manifester pour l'instant, le prêtre est douloureusement surpris par l'aspect de son ami : « Il avait le
visage froid comme le marbre, blanc et transparent. Les
yeux, le plus souvent voilés comme d'une brume légère,
s'éclairaient parfois d'un regard transparent. D'une douceur,
d'une amabilité à toute épreuve, pétillant d'esprit, d'une
bonté extrême, il semblait détaché en partie de cette terre.
Mais, hélas, il ne pensait pas au Ciel... »
Car, nous l'avons déjà noté, Chopin a oublié, à Paris, les
préceptes que sa pieuse mère lui avait inculqués. Jamais la
moindre allusion à « la jolie foi de son enfance ». Pas un
mot, pas une ligne ayant trait à la religion — Liszt s'en est
porté garant. Visiblement, il a rompu avec toute pratique.
« Seule, sa délicatesse exquise, note le P. Jelowicki, le retient
de tourner les choses sacrées en ridicule. » Fin comme
l'ambre, Chopin comprend que la visite du religieux n'est
pas accidentelle : sans doute, Mme Justyna, fervente chrétienne, l'a-t-elle envoyé aux nouvelles. Aussi répond-il à
l'abbé : « Je n'aimerais pas mourir sans avoir reçu les sacrements, parce que je ne veux pas causer de chagrin à ma
mère. Mais je ne puis les accepter, car je ne comprends pas
les choses comme toi-même. » Est-ce la lecture de Voltaire

— l'un des rares auteurs qui l'enchantent : Chopin ne lit
presque rien — qui a développé en lui ce scepticisme ?
Toujours est-il que, quelques semaines plus tard, le P. Jelowicki se souviendra de la phrase de Chopin et il viendra
l'administrer, le 13 octobre 1849.

Tel qu'il fut...

De cette époque date la seule photographie — il s'agit,
en fait, d'un daguerréotype — prise, à Paris, en 1849, et
représentant Chopin.

Aujourd'hui exposé à l'Institut Chopin de Varsovie, c'est
un curieux document qui, à l'encontre de tous les portraits
de Chopin, nous montre un corps apparemment robuste
(bien qu'à vrai dire, la superposition visible de plusieurs
vêtements puisse faire illusion), un visage plein, légèrement
bouffi, peut-être — mais, surtout, un air « rentré », une
expression défiante que viennent aggraver la bouche amère
et deux petites rides contractées, à la naissance du nez, que
l'on devine très fort. Le regard est amer, presque malveillant. Tout, dans cette effigie, semble proclamer quelque
chose comme : « A quoi bon ? Laissez-moi tranquille ! Mon
secret ne vous appartient pas. Ne cherchez donc pas à violer
mes pensées intimes : si vous saviez combien elles me déçoi-
vent moi-même !... » Il se peut au fait que Chopin, surpris
par l'appareil qui fixe les traits de son visage, se soit départi
de son urbanité coutumière et ait affiché comme malgré lui
cette sombre contenance. Il n'importe : ce document est
révélateur, au sens photographique et physiognomonique
du mot[1].

---

1. Ce daguerréotype a inspiré au psychologue André Rabs,
déjà cité, p. 88, l'étude morphologique que voici :
« Front extrêmement large à forme rectangulaire. Grande
réceptivité au milieu extérieur. Les yeux très enfoncés et très
rapprochés indiquent une forme de spécialisation et de techni-

Appel au secours.

Comme tout au long de son existence parisienne, les amis de Chopin lui seront fidèles jusqu'à la fin. Nombreuses sont les visites qu'il reçoit. Un soir, Jenny Lind chante pour lui, en présence de Delphine Potocka, de Mmes de Beauvau et de Rothschild. Cichowski, Gutmann, Pleyel, Franchomme, la princesse Sapieha, les Czartoryski, sont parmi les plus assidus. Une jeune garde-malade, Virginie, lui tient compagnie le reste du temps. Les semaines s'écoulent, marquées de hauts et de bas. Tout de même, le 25 juin, Chopin écrit à sa sœur Louise et à son mari Calassante :

« Si vous le pouvez, venez ! Je me sens faible et nul médecin ne me fera du bien comme vous. S'il vous manque de l'argent, empruntez-en. Quand j'irai mieux, j'en gagnerai facilement et je rembourserai celui qui vous l'aura prêté. Mon appartement de Chaillot est assez grand pour vous loger, même avec deux enfants. Si Calassante le préfère, il pourra loger dans mon appartement, square d'Orléans. Procurez-vous donc un passeport. Je ne sais pas moi-même pourquoi je désire tant voir Louise, c'est comme une envie de femme enceinte... Alors donc, maman Louise et sa fillette,

cité. L'horizontalité des sourcils indique la négation de tous problèmes métaphysiques.

« Alors que la base du nez, très large, laisse supposer un besoin d'activité, avec le besoin de donner, aussi bien que de recevoir. Le chef indique la concentration. Un côté méthodique et rangé. La bouche assez grande, la lèvre proéminente suggèrent des appétences instinctives qu'il cherche constamment à cérébraliser. La façon de ramener la main droite sur la gauche, et la raie gauche de la chevelure, indiquent une recherche permanente du passé dont il n'a jamais pu se libérer. Elle peut expliquer, jusqu'à un certain point, que la maladie de Chopin fut bien plus l'effet d'une conséquence psychique que le résultat d'un état purement physiologique. » (Cité par Marise Querlin, *Chopin, explication d'un mythe,* éd. du Scorpion.) Nous faisons toutes réserves sur cette analyse.

prenez vos dés et vos aiguilles, je vous donnerai des mouchoirs à ourler, des bas à tricoter et vous passerez quelques
mois à l'air frais en compagnie de votre vieux [1] frère et
oncle. Ecrivez-moi tout de suite un mot.

> « Votre frère fort attaché, mais bien faible.
> Ch. »

Mais, pour quitter la Pologne, il faut un sauf-conduit.
On va profiter de la présence du tsar à Varsovie pour lui en
présenter la requête. Une parente de Delphine Potocka [2] agit
de son côté. Chopin attend la décision dans la plus vive
anxiété. Les crachements de sang se multiplient. Il voit le
docteur Cruveilhier, qui lui ordonne de prendre une médication à base de lichen. Fait bien plus important, il laisse
entendre au malade qu'il est bel et bien phtisique. En fait,
Chopin l'avait toujours ignoré, tant on avait pris soin, autour
de lui, de camoufler sa maladie sous des noms vagues et
rassurants : névralgies, irritation du larynx, enflure, troubles
nerveux. Les docteurs Gaubert et Papet avaient juré à George
Sand que son amant n'était pas tuberculeux, alors qu'il l'était
bel et bien. Que le mal fût larvé ou déclaré, on peut, sans
exagérer, dire que Chopin est phtisique de naissance.

C'est à cette époque — le 16 juillet 1849 — que Delphine
Potocka, en cure à Aix-la-Chapelle, écrit à Chopin la lettre
que nous avons reproduite plus haut [3]. Elle est, cette lettre
unique, si digne, si triste, si désabusée et à ce point exempte
de la plus anodine familiarité qu'il est impossible de l'attribuer à une femme naguère éprise, écrivant à son amant. On
la sent à l'unisson de Chopin et, pour d'autres raisons, « revenue de tout ». Non, même si l'amour s'est éloigné, ce n'est
pas le ton qui sied à d'anciens amoureux. C'est le style,
amicalement compassé, d'une grande dame écrivant à un

1. Chopin a trente-neuf ans.
2. Cf. lettre p. 222.
3. Cf. p. 222.

musicien à qui elle garde un attachement empreint d'admiration artistique.

Une lettre.

Au même moment, une certaine Mme Grille de Beuzelin — amie de Marie de Rozières, à qui George Sand avait envoyé deux de ses ouvrages — écrit à la dame de Nohant. Elle sait qu'il a existé entre celle-ci « et un autre illustre une longue amitié. La maladie le frappe et je ne crois pas me tromper en vous disant qu'il sent cruellement combien vous lui manquez. Comme sa position le fait craindre, Madame, s'il était au dernier terme de ses longues souffrances et que, ne le sachant pas, vous ne lui donniez pas la consolation d'une marque de souvenir, vous en auriez de la peine et il finirait peut-être dans le désespoir... »

C'est une invitation très nette à rompre le silence et à donner à Chopin signe de vie, avant que la sienne ne se termine. Sand va-t-elle réagir et se rendre, comme on l'en sollicite, au chevet de Chopin, lui écrire pour le moins quelques lignes amicales ? Nullement. La bonne dame a forgé son roman personnel de la rupture dont elle a fait part à tant de gens que changer d'attitude reviendrait à se déjuger :

« Je suis forcée [1], Madame, de vivre où je suis et, lors même que nos rapports n'eussent pas été brisés volontairement de part et d'autre, les circonstances nous eussent inévitablement séparés. Il me fallait choisir entre mon fils et mon ami [2]. Je crois que vous eussiez fait ce que j'ai fait.

« Un peu plus tôt, ou un peu plus tard, mes séjours à Paris devaient cesser avec mes ressources, et ceux de mon ami à la campagne avec ses forces. Ce n'était plus qu'en tremblant que je le gardais aussi loin des secours des grands

---

1. Par qui et par quoi ?
2. En aucune manière : Maurice n'a été pour rien dans la rupture des relations de sa mère avec Chopin.

médecins [1] et dans une résidence qui lui déplaisait par elle-même : il ne le cachait point, puisqu'il nous quittait aux premiers jour de l'automne [2]...

« Ce sont *les autres* qui nous ont brouillés : de lui à moi, il n'y avait même pas de refroidissement dans l'amitié. Tout cela accompli, il était toujours temps, me direz-vous, de se consoler l'un l'autre par de douces paroles et d'éternels témoignages d'estime mutuelle. Je ne demandais pas mieux. Je l'ai rencontré depuis, je lui ai tendu la main... Il s'est comme enfui, j'ai fait courir après lui [3] ; il est revenu à son corps défendant et, ne parlant ni de lui, ni de moi, il m'a montré dans son attitude et dans ses regards de la colère, presque de la haine. Depuis, il s'est répandu sur mon compte en confidences amères, en accusations épouvantables [4]. J'ai pris cela comme je devais le prendre : pour du délire, et je vous jure que je lui pardonne tout du fond du cœur. Mais, en présence de cette aversion et de cette rancune, que pouvais-je faire ? Rien.

« Qu'il m'ait appelée auprès de lui dans les courts séjours

---

1. Les secours en question étaient nuls. Et, à Nohant, le docteur Papet soignait de son mieux Chopin. Mais ici pointe, si l'on peut dire, le bout de l'oreille. Sand s'est-elle vraiment souciée, sentant Chopin très atteint, de jouer jusqu'au bout son rôle de garde-malade qu'elle a, jusqu'en 1847, courageusement assumé ? S'est-elle sentie envahie de ce que Tristan Bernard, faisant allusion, en le raillant, au dévouement passionné de certaines femmes, appelle la « gloire ambulancière » ? Ce n'est pas certain. Une réflexion de Heine à Fanny Lewald, au mois de mars 1848, donne un certain crédit à notre hypothèse : « J'ai beaucoup aimé Sand, dit Heine, très malade, mais voilà bien longtemps que je ne sais plus rien d'elle. Il est permis d'être infidèle à un homme bien portant — il peut se consoler — il est indigne d'abandonner un mourant. »
2. Tout cela est faux. Chopin se plaisait fort à Nohant et il lui arrivait d'y demeurer jusqu'en décembre, et cela de son propre gré.
3. C'est, au contraire, Chopin qui a « fait courir » après Sand par Edouard Combes (cf. pp. 396-397), ne pouvant monter lui-même l'escalier de Mme Marliani.
4. Non point, du tout.

que j'ai faits à Paris, j'y serais allée, qu'il m'ait écrit ou fait
écrire un mot affectueux, j'y aurais répondu, mais, maintenant, désire-t-il réellement de moi un mot d'amitié, de pardon (!) ou d'intérêt quelconque ? Je suis prête. Mais je crains
de lui causer, en lui écrivant, une émotion plus fâcheuse
que salutaire. Et puis, je ne sais sous quel prétexte lui écrire,
car lui témoigner l'inquiétude que j'éprouve, ce serait éveiller la sienne sur sa propre situation. L'aller voir, c'est ce qui
m'est absolument impossible en ce moment et qui augmen-
terait, je crois, tout le mal. J'ai encore l'espérance qu'il vivra,
je l'ai vu tant de fois comme s'il était sur le point d'expirer
que je ne désespère jamais de lui. Alors, l'état de siège (?)
passé, si je pouvais être à Paris quelques jours sans être
persécutée ou appréhendée, et s'il désirait me voir, je ne
m'y refuserais certainement pas

« Mais, dans ma conscience intime, il ne le désire pas.
Son affection est morte depuis longtemps et, s'il se tourmente de mon souvenir, c'est parce qu'il sent quelque
reproche au fond de lui-même. S'il est possible qu'il sache
que je n'ai aucun ressentiment, donnez-lui les moyens de
lui en faire avoir la certitude sans risquer de le faire souffrir par une émotion nouvelle... »

Cette lettre est un modèle d'astuce et de cynisme menson-
gers. Sand se déclarant prête à oublier l'initiative — qu'elle
a prise — de la rupture et à pardonner le mal qu'elle a fait,
c'est vraiment superbe et, d'ailleurs, dans la logique toute
personnelle de cette personne infaillible qui, jamais, ne se
reconnaît le moindre tort. Une victime sublime, c'est sous
de tels traits qu'elle se voit. L'histoire, impartiale et sereine,
en a, par malheur, jugé tout autrement. Au vrai, elle ne veut
pas revoir Chopin, quitte à prétendre, au moment de la mort
du musicien, que « de mauvais cœurs les ont séparés ».
Toujours, entre eux, l'image de Solange, qui n'a rien fait
pour cela, mais dont le mauvais mariage, voulu, souhaité,
favorisé par Sand, joue dans l'esprit de celle-ci, le rôle d'un
remords et d'un mensonge qu'elle en veut à Chopin d'avoir
si lucidement dénoncés. Encore une fois, la rupture a été
causée par l'orgueil mal placé de Sand.

Etrange histoire.

Un incident étrange se produit alors. L'épidémie de choléra fait de nombreuses victimes à Paris, parmi lesquelles
Angelina Catalani — cantatrice illustre : elle avait, jadis, fait
cadeau d'une montre en or à Frédéric enfant —, le pianiste
Kalkbrenner, d'autres familiers de Chopin. La première
garde-malade étant partie en Bretagne, les Czartoryski en-
voient à Chopin leur vieille servante, Matuszewska, pour
le veiller la nuit. La brave femme lui prodigue des conseils
parfaitement inefficaces, tels des emplâtres de miel et de
farine... Sur ces entrefaites, Solange Clésinger invite Chopin
chez les parents de son mari. Une crise d'hémoptysie fait
échouer le projet. D'ailleurs, Chopin est à bout de ressources.
Des amis bien intentionnés alertent Jane Stirling, qui tombe
d'étonnement. N'a-t-elle pas, plusieurs mois auparavant, remis à Mme Etienne — la concierge du square d'Orléans —
une enveloppe anonyme — libellée au nom de Chopin et
contenant vingt-cinq mille francs ? Mme Erskine, sœur de
Jane Stirling, raconte tout à Chopin : les bras lui en tombent.
   « Je ne savais plus, écrit-il le 28 juillet à Grzymala, s'il
fallait croire mes Ecossaises sujettes aux hallucinations, me
juger amnésique ou fou, soupçonner Mme Etienne : en un
mot, ma caboche éclatait. Mme Erskine est venue me faire
sa confession et elle m'a déclaré si stupidement que sa sœur
ignorait tout, que je me suis vu contraint de lui répondre
par des vérités. Je lui ai dit que je ne pourrais jamais
accepter pareil cadeau, à moins que celui-ci vînt, par exemple, de la reine d'Angleterre... »
   En fait, que s'est-il passé ? Une histoire rocambolesque.
Jane Stirling dépose chez Mme Etienne, au nom de Chopin,
une enveloppe qui ne mentionne pas l'identité de l'expédi-
teur et contient vingt-cinq mille francs en billets de banque.
La concierge prend l'enveloppe qu'elle va, dit-elle, remettre
immédiatement au destinataire. En fait, elle glisse le message dans un tiroir et l'oublie. Au bout d'un certain temps,
Jane Stirling s'étonne que rien, ni dans les propos de Cho-

pin, ni dans sa manière de vivre, ne révèle que la somme lui soit parvenue. Inquiète, elle prie sa sœur, Mme Erskine, de questionner Grzymala, lequel, à son tour, conseille d'écrire à Chopin. Ce qui est fait. Pendant ce temps, Jane Stirling, voulant en avoir le cœur net, est allée consulter un médium renommé, Alexis. Celui-ci demande qu'on lui confie des cheveux, un mouchoir ou des gants appartenant à la personne à qui on a remis la fameuse enveloppe. Chopin convoque Mme Etienne et la prie de lui remettre une mèche de ses cheveux ! La concierge s'exécute. Le médium touche la mèche de cheveux et déclare que l'enveloppe est intacte, dans un petit meuble près du lit de la concierge. On se rend square d'Orléans et on trouve le paquet à l'endroit exact décrit par Alexis. Stupeur ! Finalement, Chopin, qui a peine à croire en un roman invraisemblable, accepte, en se faisant prier, quinze mille francs sur les vingt-cinq mille qui lui étaient offerts.

Louise arrive.

Au début du mois d'août, Solange Clésinger et sa fille s'installent dans le quartier de Chaillot et Chopin en est tout heureux. Mais, après avoir protégé Clésinger, il le juge « effroyablement bête de ramener sa femme, l'enfant et une nourrice » à Paris, en pleine canicule, sans argent, « au moment où tout le monde se sauve à la campagne ». Hélas, Louise n'a pu encore obtenir la permission de quitter la Pologne et Chopin en est désemparé : « Je suis oppressé, je tousse, je suis tout engourdi, je ne fais rien et je n'ai envie de rien... » Le 8 août, sans crier gare, les Jedrzejewicz arrivent à Paris, avec leur fille. Plus faible que jamais, Chopin trouve cependant la force d'accompagner sa sœur, square d'Orléans, pour résigner le bail de son appartement. Au bout de quelques jours, Calassante reprend le chemin de la Pologne. Louise s'efforce d'égayer son frère, mais elle comprend très vite qu'il est perdu. L'été est torride, Paris complètement dépeuplé, Chopin, alité, transpire à grosses

gouttes sous les épais rideaux de son lit. « Je suis passé chez
lui un matin, raconte Norwid [1]. Son domestique français m'a
dit qu'il dormait ; j'ai donc fait le moins de bruit possible et,
laissant une carte, je suis sorti. A peine avais-je descendu
quelques marches que le domestique me rappela, disant
qu'en apprenant de qui il s'agissait, Chopin avait demandé
qu'on m'introduisît ; bref, il ne dormait pas, mais ne voulait
pas recevoir n'importe qui. J'entrai donc dans la chambre
voisine du salon, dans laquelle Chopin couchait, très heureux qu'il eût consenti à me recevoir. Je le trouvai tout
habillé, mais étendu sur son lit ; il avait les jambes enflées ;
je m'en aperçus tout de suite, bien qu'il fût chaussé de bas
et de souliers. La sœur de l'artiste était assise à côté de lui ;
de profil, elle lui ressemble étrangement... Il était dans
l'ombre du grand lit garni de rideaux, appuyé sur ses oreil-
lers, et enveloppé d'un châle ; il était très beau ; il y avait,
comme toujours, une sorte de perfection classique dans le
moindre de ses gestes... Puis, d'une voix brisée par la toux et
l'essoufflement, il commença à me reprocher de n'être pas
venu le voir depuis si longtemps. Ensuite, il plaisanta, se
mit à me taquiner sur mes tendances mystiques ; voyant
qu'il y prenait plaisir, je le laissai faire. Je parlai avec sa
sœur ; il avait des accès de toux, et bientôt il fut temps de
le laisser seul. Je lui dis adieu, et lui, pressant ma main dans
la sienne, rejeta en arrière les cheveux qui lui tombaient
sur le front et me dit : « Je m'en vais... » et il se remit à
tousser. En entendant cela, je lui baisai le bras et, sachant
qu'il aimait à être contredit un peu brutalement, je lui dis,
de ce ton que l'on prend avec les êtres forts et courageux :
« Tu t'en vas ainsi tous les ans et pourtant, Dieu merci, nous
te voyons toujours en vie. » Là-dessus, Chopin terminant
la phrase que la toux avait interrompue, reprit : « Je dis que
je vais quitter cet appartement pour m'installer place
Vendôme. »

Sand va-t-elle demeurer muette ? Pas tout à fait. En demandant à Louise des nouvelles de son frère, elle marquera

---

1. Cité par C. Wierzynski, *la Vie de Chopin* (Robert Laffont).

sa sympathie sans éveiller les inquiétudes du malade sur sa propre situation. « Chère Louise, écrit-elle de Nohant, le 1ᵉʳ septembre 1849, j'apprends que vous êtes à Paris : je ne le savais pas. J'aurai enfin par vous de vraies nouvelles de Frédéric. Les uns m'écrivent qu'il est beaucoup plus malade que de coutume, les autres qu'il n'est que faible et souffreteux, comme je l'ai toujours vu. Ecrivez-moi un mot, j'ose vous le demander, car on peut être méconnu et délaissé de ses enfants sans cesser de les aimer. Parlez-moi de vous aussi et ne croyez pas que j'ai passé un jour de ma vie, depuis celui où je vous ai connue, sans penser à vous et sans chérir votre souvenir. On a dû gâter le mien dans votre cœur, mais je ne crois pas avoir mérité tout ce que j'ai souffert. »

Toujours la martyre innocente qui, noblement, pardonne à ses bourreaux ! Louise, avertie par son frère, ne répond pas.

Titus.

Sur ces entrefaites, Chopin reçoit une lettre de Titus Woyciechowski. Il fait une cure à Karlsbad et ira ensuite à Ostende. Pourra-t-il venir à Paris ? L'obtention d'un passeport est chose longue et difficile. Chopin fait agir un ami pour hâter les formalités. « Je voulais déjà, écrit-il, le 12 septembre à Titus, me lancer en chemin de fer jusqu'à Valenciennes pour t'embrasser ; mais, il y a quelques jours, je n'ai même pas pu arriver jusqu'à Ville-d'Avray pour voir ma filleule. Mes médecins m'interdisent de quitter Paris. Ils ne me laissent même pas partir pour l'hiver dans un climat plus chaud. C'est de ma faute, puisque je suis malade, sinon je t'aurais bien rencontré quelque part en Belgique. Peut-être trouveras-tu le moyen de parvenir jusqu'à Paris. Je ne suis pas égoïste au point de te vouloir ici pour moi tout seul. Malade comme je suis, tu auras auprès de moi quelques heures d'ennui et de déception, mêlées à quelques heures de joie et de bons souvenirs. J'aurais mieux aimé, cependant,

que le temps que nous passerons ensemble fût celui d'un
bonheur complet... »

En raison de l'instabilité politique de la France, Titus
n'obtient pas son passeport. L'ultime joie de revoir le cher
compagnon de sa jeunesse est refusée à Chopin. Qu'ils sont
loin, les jours d'été passés ensemble à Poturzyn, comme ils
claquent dans le souvenir du mourant, les sabots de leurs
montures, quand ils galopaient côte à côte, cheveux au vent,
dans la campagne polonaise !

Sans trop d'illusion, Chopin se prête, au début de septembre, à une consultation entre trois médecins : les docteurs Cruveilhier, Louis et Blache — ce dernier pédiatre
célèbre, dont Chopin dit en plaisantant : « Il va, certes,
m'être d'un grand secours, à moi qui suis si près de l'enfance. » Car les extrêmes se touchent et l'image des anciens
est juste : la vie est semblable à un cercle. Le commencement et le terme se confondent. De la consultation, rien ne
ressort, sinon le conseil de trouver un appartement exposé
au midi. Chopin en fait part à Franchomme : c'est le dernier billet qu'il écrit, un mois, jour pour jour — 17 septembre — avant sa mort :

Place Vendôme.

« Après avoir bien cherché, il s'est trouvé un appartement
très cher, réunissant toutes les conditions voulues — place
Vendôme, n° 12. Albrecht [1] y a ses bureaux. Méara m'a été
d'un grand secours dans la recherche de l'appartement.
Enfin, je vous verrai tous, l'hiver prochain, bien installé.
Ma sœur reste avec moi, à moins qu'on ne la rappelle dans
son pays. Je t'aime et voilà tout ce que je peux te dire, car
je tombe de sommeil et de faiblesse... »

Vers la fin de septembre, on transporte Chopin place
Vendôme, à l'endroit même, ô dérision, où s'élevait jadis
l'ambassade de Russie. Il a eu la force, toujours soucieux

---

1. Ami de Chopin qui est le parrain de sa fille.

des plus menues perfections, de commander les meubles et de choisir des étoffes. L'appartement est superbe. La chambre ensoleillée, le salon donne sur l'une des plus belles places du monde. De temps en temps, Chopin se lève, va de pièce en pièce et rêve devant la colonne fondue avec le bronze des canons russes et autrichiens. Aux yeux de l'exilé qui ne rêve qu'à la revanche de la Pologne, elle apparaît comme un symbole de victoire. Son front brûlant appuyé contre les vitres de la grande fenêtre, c'est à Varsovie qu'il songe, désespérément.

Les derniers jours.

Proust, évoquant la mort de sa grand-mère, note que, lorsque autour d'un mourant, nombre de gens défilent, s'affairent et conversent à voix basse, « les agonies ont quelque chose des fêtes... ». L'observation s'applique très exactement à la mort de Chopin.

Durant les dix derniers jours, à partir du 7 octobre, c'est, dans l'appartement de la place Vendôme, un va-et-vient incessant. « Toutes les grandes dames de Paris, écrit Pauline Viardot à George Sand, se sont crues obligées de venir s'évanouir dans sa chambre qui était encombrée de dessinateurs faisant à la hâte des croquis, un daguerréotypeur voulait faire mettre le lit près de la fenêtre, afin que le mourant fût au soleil. Alors, le bon Gutmann, indigné, a mis ces industriels à la porte... »

Cette lettre appelle certains commentaires. D'abord, que Sand n'y répondit pas et qu'elle ne vint point. Dans *Histoire de ma vie*, elle note : « Je ne devais plus le revoir : il y avait de mauvais cœurs entre nous [1]. Il y en eut de bons aussi, qui ne surent pas s'y prendre [2]. Il y en eut de frivoles qui aimèrent mieux ne pas se mêler d'affaires délicates. Gut-

---

1. Ceci pour Solange.
2. Ceci pour Pauline Viardot et Mme Grille de Beuzelin (cf. 435).

mann n'était pas là [1]. On m'a dit qu'il m'avait appelé [2],
regrettée, aimée filialement jusqu'à la fin. On a cru devoir
me le cacher jusque-là. On a cru devoir lui cacher aussi que
j'étais prête à courir vers lui [3]. On a bien fait si cette émotion
de me revoir eût dû abréger sa vie d'un jour, ou seulement
d'une heure. Je ne suis pas de ceux qui croient que les choses se résolvent en ce monde. Elles ne font qu'y commencer
et, à coup sûr, elles n'y finissent point... Garde-malade, puisque telle fut ma mission pendant une notable partie de ma
vie, j'ai dû accepter sans trop d'étonnement et, surtout, sans
dépit, les transports et les accablements de l'âme aux prises
avec la fièvre. J'ai appris au chevet des malades à respecter
ce qui est vraiment leur volonté saine et libre et à pardonner
ce qui est le trouble et le délire de leur fatalité.

« J'ai été payée de mes années de veille, d'angoisse et
d'absorption, par des années de tendresse, de confiance et
de gratitude, qu'une heure d'injustice ou d'égarement n'a
point annulées devant Dieu. Dieu n'a pas puni, Dieu n'a pas
seulement aperçu cette heure mauvaise [4] dont je ne veux pas
me rappeler la souffrance. Je l'ai supportée, non pas avec
un froid stoïcisme, mais avec des larmes de douleur et d'enthousiasme (!), dans le secret de ma prière. Et c'est parce
que j'ai dit aux absents, dans la vie et dans la mort : " Soyez
bénis ! " que j'espère trouver dans le cœur de ceux qui me
fermeront les yeux la même bénédiction à ma dernière
heure. »

Requiescant in pace ! Jusqu'au bout, Sand agence de
subtiles contrevérités. Malheureusement, les faits sont là, qui
contredisent son hypocrisie. Mais revenons à Chopin.

Et, d'abord, quelle sera, devant la mort, son attitude métaphysique ?

Nous avons déjà indiqué à plusieurs reprises qu'à Paris,
c'est-à-dire depuis 1831, Chopin a renoncé à toute pratique

1. Voir p. 448.
2. Cf. l'une des dernières phrases prêtées à Chopin, p. 450.
3. Entièrement faux. Cf. la réponse de Sand à Mme Grille de
Beuzelin, p. 435.
4. Dont Sand a pris l'entière responsabilité !

religieuse et que jamais, dans sa correspondance et dans la conversation, il ne fait la moindre allusion aux problèmes mystiques. Visiblement, il ne croit plus : l'entretien qu'il a eu avec un de ses amis d'enfance, le P. Jelowicki [1], en donne la preuve. Mais le religieux revient, si l'on peut dire, à la charge. Voici, dans une lettre adressée le 21 octobre — quatre jours après la mort de Chopin — à une dame polonaise, sa version du « retour à Dieu » du musicien dans les dix derniers jours de sa vie.

« Tout le monde s'étonnait de ce que, dans un corps si frêle, l'âme pût demeurer sans rien perdre de sa vivacité. Dans ses yeux, d'habitude voilés un peu, s'allumaient parfois des regards étincelants. Il semblait à peine appartenir à la terre — mais, hélas, il ne pensait pas au Ciel ! Il avait fort peu de bons amis, et beaucoup de mauvais, sans foi, et ces derniers surtout formaient le cercle de ses adorateurs. Les triomphes qu'il avait remportés dans l'art le plus pénétrant assourdissaient en son cœur les plaintes ineffables du Saint-Esprit. La piété, qu'il avait sucée avec le lait, du sein de sa mère polonaise, n'était plus pour lui qu'un souvenir de famille, tandis que l'impiété des compagnons et des compagnes de ses dernières années s'infiltrait de plus en plus dans son esprit si réceptif et, comme un nuage de plomb, se déposait sous la forme du doute dans son âme. C'est grâce seulement à son élégante bienséance qu'il ne se moquait pas des choses saintes, ou qu'il ne les raillait pas encore... »

Confession.

« La nouvelle de la mort prochaine de Chopin s'abattit sur moi à mon retour de Rome [2]. Je suis allé le voir, j'ai profité de son attendrissement pour lui parler de sa mère et

---

1. Cf. p. 431.
2. Où l'abbé Jelowicki prétendait avoir obtenu une audience du pape. On a démontré depuis la fausseté de cette allégation.

pour tenter de réveiller en lui la foi qu'elle lui avait inculquée... »

« Je tentai de gagner Chopin en lui parlant de la Sainte Vierge, puis de Notre Seigneur Jésus-Christ et, enfin, en lui traçant le tableau le plus attendri de la miséricorde divine. Peine perdue. Je lui offris de faire venir auprès de lui un confesseur de son choix. Il me dit enfin : « Si un jour je veux me confesser, c'est certainement à toi que je le ferai. » Après tout ce qu'il venait de me dire, c'était ce que je craignais le plus. »

Plusieurs mois s'écoulent entre cette conversation et le 12 octobre 1849, date à laquelle le docteur Cruveilhier avise le P. Jelowicki « qu'il ne répond pas de la nuit ». Le religieux se rend place Vendôme, mais seulement pour s'entendre dire : « Je t'aime beaucoup, mais ne dis rien : va dormir... »

Le lendemain, 13 octobre, le P. Jelowicki déjeune avec Chopin. Le dialogue que voici s'établit entre les deux amis :

— C'est aujourd'hui la fête de mon frère Edouard. En son honneur, fais-moi un cadeau.

— Je te donnerai ce que tu voudras.

— Donne-moi ton âme...

— Je te comprends : prends-la !

— Crois-tu ?

— Je crois.

— Comme ta mère t'a enseigné ?

— Comme ma mère m'a enseigné.

« Et, regardant Jésus-Christ crucifié, il se confessa dans un flot de larmes. Il reçut aussitôt le viatique et l'extrême-onction, qu'il venait de demander. Un instant après, il fit donner au sacristain vingt fois autant qu'on lui donne d'habitude. Je lui dis :

— C'est trop...

— Ce n'est pas trop ! Ce que je viens de recevoir est au-dessus de tout prix.

« Et, dès ce moment, transformé par la grâce divine, par Dieu lui-même, il est devenu un autre homme, un *saint déjà*, pourrais-je dire. »

Et l'abbé poursuit son récit, il affirme qu'à dater de cette heure, Chopin tiendra, jusqu'à la fin, les propos les plus édifiants, ne parlant que du ciel, s'étonnant que l'on ne prie pas autour de lui, remerciant Dieu de lui infliger d'ultimes souffrances pour l'expiation de ses fautes et concluant gaillardement, à la polonaise, en disant à son ami et confesseur : « Sans toi, mon cher, je serais crevé comme un cochon ! » Au moment suprême, Chopin aurait répété encore une fois « les doux noms de Jésus, de Marie et de Joseph. Il a pressé la croix sur ses lèvres et sur son cœur et, dans un dernier souffle, il a prononcé ces mots : " Je suis déjà à la source du bonheur." Et il rendit l'âme. »

Cette édifiante narration appelle des commentaires. Que Chopin se soit confessé au P. Jelowicki et qu'il ait reçu de lui les derniers sacrements n'est pas douteux. Quant à la transformation du moribond, il semble que le religieux ait brodé sur la réalité, aucun de ceux qui entouraient Chopin à son heure dernière n'en ayant rien confirmé. Il apparaît même que la confession du mourant ait été, selon le mot d'Alfred Cortot, « subtilisée, plutôt que consentie ». Chopin n'a pas résisté à l'insistance de son ancien camarade, il lui a cédé, peut-être par lassitude autant que par conviction[1]. C'est un point d'histoire qui n'a jamais été complètement éclairci. En revanche, il apparaît bien qu'en d'autres circons-

---

1. « Pauvre garçon, écrit Pauline Viardot à George Sand, après la mort de Chopin, il est mort martyrisé par les prêtres qui lui ont fait embrasser de force les reliques durant six heures de suite jusqu'à son dernier soupir, entouré d'une foule de gens connus et inconnus qui venaient sangloter à son chevet... »

Grzymala, dans une lettre à Auguste Léo, ami de Chopin, émet un avis différent et, sans doute, excessif : « Au dernier moment, ma pensée a été brisée par cette conviction que, s'il n'avait pas eu le malheur de connaître G. S., il aurait pu vivre l'âge de Cherubini. » Ainsi donc, l'ami de cœur de Sand, celui à qui elle écrivit force lettres en le nommant : « Mon époux... » jugeait-il avec une extrême sévérité l'attitude de la romancière. Toutefois, il est bien certain que la tuberculose a emporté Chopin, mais comment déterminer l'influence précise d'un chagrin sur l'évolution, plus ou moins rapide, de la maladie dont il souffrait ?

tances, le P. Jelowicki ait beaucoup perfectionné la vérité.
Cela dit, une conversion, un retour à Dieu de dernière heure
sont choses possibles : l'histoire en offre des exemples. Qui
sait ce qui — angoisse ou délivrance ? — se partage l'esprit
d'un homme qui sait sa mort prochaine ?

Du 13 au 17 octobre, ce sont les jours et les nuits de
l'agonie proprement dite. Nombreux furent les visiteurs
admis dans le salon où Chopin vécut ses derniers jours. Quels
intimes l'entouraient vers la fin ? Sa sœur, Louise, et la fille
de celle-ci, Louisette [1] ; Delphine Potocka, les serviteurs de
Chopin : Daniel et Mme Matuszewska, Solange Clésinger ;
Charles et Elise Gavard ; Grzymala ; la princesse Marceline
Czartoryska ; le violoncelliste Franchomme ; Jane Stirling ;
Adolphe Gutmann qui, dans une lettre du 22 octobre à une
amie allemande, affirme qu'au dernier instant, Chopin dit :
« Qui me tient la main ? » et qu'ayant reconnu sa voix, il
voulut baiser la main de son ami. « Alors, poursuit Gutmann,
nous nous embrassâmes et il posa sur ma joue un baiser
d'adieu en disant ces mots : " Cher ami ! " Sa tête s'inclina
sur sa poitrine, son âme s'était envolée. » Quand cette
lettre de Gutmann fut publiée, en 1892, par Karasowski,
Mme Ciechomska, nièce de Chopin, adressa au *Courrier de
Varsovie* un démenti formel : « Chopin n'expira pas dans les
bras de Gutmann, celui-ci ne se trouvait même pas à Paris à
ce moment-là. Il n'a pu, évidemment, veiller Chopin, ni le
soulever dans ses bras, comme le dit M. Karasowski ; et cela,
du reste, n'aurait pas été nécessaire car, jusqu'à la fin de sa
vie, mon oncle s'est soulevé et assis dans son lit de lui-
même. Je puis ajouter, comme preuve que Gutmann n'était
pas à Paris au moment de la mort de Chopin, qu'il y est
revenu après et que ma mère a fait sa connaissance quand il
est venu lui faire ce qu'on appelle une " visite de condo-
léances ". » Voilà qui est formel. Ajoutons toutefois que la
déclaration de Mme Ciechomska est en contradiction avec

1. Agée de quinze ans et devenue, ensuite, par son mariage,
Mme Ciechomska, elle sera la détentrice de la plupart des souvenirs, objets, lettres et manuscrits de son oncle.

deux témoignages de contemporains : ceux de Grzymala, qui assistait à la mort de Chopin [1] et de Pauline Viardot qui, elle, n'était pas place Vendôme. Auprès du lit de mort d'un homme célèbre, tant de gens ont intérêt à se trouver que certains ne résistent pas à la tentation d'enjoliver. Comment discerner, à distance, le vrai du faux ?

Delphine.

Une chose est certaine : le 15 octobre, Delphine Potocka, apprenant que Chopin est au plus mal, arrive à Paris, venant de Nice. Elle est « plus belle que jamais ». A sa vue, le visage de Chopin s'éclaire et il dit : « C'est donc cela que Dieu tardait tant à m'appeler à Lui : Il a voulu me laisser le plaisir de vous revoir. » Il demande à Delphine de lui chanter quelque chose. L'abbé Jelowicki insiste dans ce sens. On roule dans le salon le piano droit qui se trouve dans la chambre du malade : « La malheureuse comtesse, écrit Charles Gavard, dominant sa douleur et retenant ses sanglots, se força à chanter. Quant à moi, je n'entendis rien. Je ne sais pas ce qu'elle chanta. Cette scène, faite de sinistres contrastes et d'une indicible tristesse, m'était par trop pénible. Je me souviens seulement du moment où un nouvel accès de toux du malade interrompit le deuxième air que chantait la comtesse. »

Que chanta Delphine ? On ne sait pas au juste. Certains disent un *Psaume* de Marcello et l'*Hymne à la Vierge*, de Stradella. D'autres — Grzymala, notamment — penchent pour des mélodies de Bellini (*Beatrice di Tende*) et de Rossini.

1. Le récit semble confirmer les dires de l'abbé Jelowicki : « Le dernier jour de sa vie, la dernière heure, Chopin avait toute sa précision d'esprit. Il se relevait très souvent sur son séant et adressait à vingt personnes pour le moins, ses adorateurs en hermine et en guenilles qui, pendant quatre jours et quatre nuits de suite, à genoux, récitaient des prières, il adressait, dis-je, des conseils, des remontrances, presque des consolations, avec une convenance, une mesure, un à-propos inconcevables, avec une bonté et une indulgence qui ne sont pas de ce monde. »

Paroles ultimes.

Incertaines également sont les dernières paroles prononcées par Chopin. Il recommande assurément qu'on ne publie pas les manuscrits qu'il a lui-même reconnus indignes d'être diffusés [1]. Franchomme affirme avoir entendu le moribond murmurer : « Elle [George Sand] m'avait dit que je ne mourrais que dans ses bras », puis appeler sa mère : « Maman ! » Devant le même Franchomme, Chopin aurait dit à la princesse : « Vous jouerez ensemble du Mozart en mémoire de moi... » A Elise Gavard et à la princesse : « Vous jouerez ensemble, vous penserez à moi et je vous écouterai. » Il n'aurait pas demandé qu'on jouât le *Requiem* de Mozart à son enterrement. Pas davantage, il n'aurait prononcé la phrase, un peu trop littéraire, que certains lui ont prêtée : « C'est une rare faveur que Dieu fait à l'homme en l'avertissant de l'heure où commence son agonie. Cette grâce, il me l'a faite : ne me troublez pas. » A-t-il dit : « Cher ami... » à Gutmann ? On n'est pas certain, non plus, de l'authenticité du billet qu'il aurait, ne pouvant plus parler, griffonné au crayon, en français : « Comme cette toux [2] m'étouffera, je vous conjure de faire ouvrir mon corps, afin que je sois pas *(sic)* enterré vif. » Cette crainte — commune à beaucoup de poitrinaires, qui meurent asphyxiés — et ce vœu, le père de Chopin, lui aussi atteint de tuberculose, les avait exprimés de son vivant. On ne sait si le billet, appartenant aux collections de la nièce de Chopin, Louise Ciechomska, est de la main de Frédéric ou de celle de son père.

« *Plus...* »

Charles Gavard a laissé le témoignage écrit des dernières heures de Chopin : « Le 16 octobre au soir, deux médecins

---

1. Cf. plus haut, p. 427.
2. Ou « cette terre ».

l'examinèrent. L'un d'eux, le docteur Cruveilhier, prit une lumière, la tint devant le visage de Chopin, qui était devenu blanc de suffocation, et nous fit remarquer que les sens avaient cessé d'exister. Mais quand il demanda à Chopin s'il souffrait, nous entendîmes encore distinctement la réponse : « Plus. » C'est le dernier mot que j'ai entendu sortir de ses lèvres. Il mourut sans souffrance entre trois et quatre heures du matin, le 17 octobre. »

Jane Stirling, dit-on, lui ferma les yeux en prononçant deux phrases devenues célèbres : « Il était pur comme une larme... » et : « Il n'était pas comme les autres. » Clésinger, appelé par sa femme, prend des moulages de la figure et de la main de Chopin. Kwiatowski dessine au crayon plusieurs esquisses de la tête. Au troisième jour seulement après le décès, Cruveilhier procède à l'autopsie du corps, déclare que les poumons sont moins atteints que le cœur : ce cœur, il le prélève. Il sera placé dans un pilier de l'église de la Sainte-Croix à Varsovie, selon le vœu exprimé par le malade à sa sœur, Louise. Le corps, embaumé et habillé, est replacé sur le lit au milieu de fleurs et exposé aux regards des amis et des indifférents qui ne cessent de défiler, place Vendôme. Chopin ne laisse pas un centime. Grzymala ouvre une souscription pour le monument commandé à Clésinger, au Père-Lachaise. Pleyel, Delacroix, Franchomme, Albrecht, Kwiatowski, Herbault complètent la somme demandée par le sculpteur. « Le projet de Clésinger est ravissant, écrit Grzymala à Léo. C'est le génie de la musique affaissé par la douleur indiquant par une lyre aux cordes brisées le médaillon de l'artiste enterré. »

Dans la nuit même de la mort, Louise Jedrzejewicz écrit à son mari, retourné en Pologne : « O mon amour, il n'est plus ! Ma santé et celle de Ludka sont bonnes. Dans mon cœur, je vous embrasse. Veille sur ma mère et Isabelle. Adieu. » Au même Calassante, beau-frère de Chopin, la princesse Czartoryska écrit : « Notre pauvre ami a cessé de vivre. Il a beaucoup souffert avant d'arriver à cet instant suprême, mais il a enduré cette épreuve avec une patience et une résignation angéliques. Votre femme l'a soigné d'une manière exemplaire. Dieu lui en a donné les forces physiques et morales. Dans quelques jours, elle vous écrira les détails et vous prie de ne pas être en peine d'elle. Les amis de Chopin la secondent en toutes choses et, quant au voyage, elle assure qu'elle sera en état de le supporter toute seule. Je n'ai pas la force de vous écrire plus longuement, mais mon cœur m'ordonne de vous dire que je remplirai fidèlement la promesse que j'ai faite à l'ami mourant et m'occuperai de votre femme comme de ma propre sœur... »

Requiem.

Qui donc prit l'initiative de faire exécuter le *Requiem* de Mozart à l'église de la Madeleine, où les obsèques devaient avoir lieu ? On ne sait. Toujours est-il que, saisi de ce vœu, l'archevêché de Paris commença par s'opposer à l'engagement des chanteurs capables de l'exécuter [1]. Il ne cédera qu'aux instances de l'abbé Deguerry, vicaire à la Madeleine, ami et admirateur de Chopin. Mais les jours passeront et le corps de Chopin attendra, dans la crypte de l'église, la date du 30 octobre, fixée après maintes tergiversations.

A onze heures du matin, trois mille personnes emplissaient l'église, drapée de noir. A midi, aux sons de la *Marche funèbre*, orchestrée par Reber, le cercueil fut transporté en haut dans la nef latérale et placé sur un haut catafalque. L'orchestre et le chœur de la Société des Concerts du Conservatoire exécutèrent, sous la direction de Narcisse Girard, le *Requiem* de Mozart, qu'on n'avait pas entendu à Paris depuis le retour des cendres de Napoléon aux Invalides. Les

---

1. Toujours cette horreur de l'Eglise à l'égard des chefs-d'œuvre de la musique religieuse ! On connaît le mot prêté par Huysmans à Satan (*la Vengeance du diable*) prévoyant les fastes catholiques et le triomphe de Dieu : « Du moins, ce sera laid ! » La liturgie contemporaine donne largement raison à Huysmans... et au Malin !

solistes étaient Mme Viardot-Garcia et Lablache [1], Jeanne Castellan et Alexis Dupont. L'organiste de la Madeleine, Lefébure-Wély, joua les transcriptions des *Préludes en mi mineur* et *en si mineur* de Chopin. Puis il improvisa des *Variations* sur le thème d'un troisième *Prélude*.

Durant le trajet de l'église au cimetière du Père-Lachaise, les cordons du poêle étaient tenus par Franchomme, Delacroix, Pleyel et le prince Alexandre Czartoryski. Le prince Adam Czartoryski, représentant la Pologne, et Meyerbeer, représentant la musique, conduisaient le deuil. Pas de discours sur la tombe, on jeta simplement sur le cercueil la poignée de terre polonaise que Chopin avait reçue de Witwicki à son départ de Varsovie en 1830, et qu'il avait conservée dans une coupe d'argent.

Le 17 octobre 1850, une messe fut célébrée dans la chapelle du cimetière et le monument de Clésinger — jugé sévèrement par Norwid et Delacroix, mais avec enthousiasme par Jane Stirling — fut dévoilé. Il semble, en confrontant les divers portraits de Chopin, que le médaillon, comme, d'ailleurs, le marbre mortuaire exécuté sur la demande de Jane Stirling [2], soient très ressemblants. La même Jane Stirling réunit tous les souvenirs de Chopin qu'elle trouva place Vendôme — ses papiers personnels, son calepin, les lettres de Marie Wodzinska, la rose de Dresde —, y joignit ce qu'elle possédait elle-même et fit parvenir le tout à la famille de Chopin.

Mme Justyna avait soixante-sept ans à la mort de son fils : elle lui survécut dix-neuf ans. Louise mourut en 1855,

1. Ces deux grands artistes, qui avaient connu intimement Chopin, n'en réclamèrent pas moins deux mille francs chacun, pour rendre à leur ami cet hommage suprême « que le respect d'eux-mêmes eût commandé d'offrir et non de rendre à sa mémoire », note Grzymala dans le *post-scriptum* d'une lettre à Auguste Léo. En revanche, Jane Stirling envoya cinq mille francs à la sœur de Chopin pour couvrir les frais des obsèques. Elle passa communément pour « la veuve de Chopin ».

2. Placé dans un coffre en chêne, cerclé de ferronneries et garni de velours à l'intérieur, il est exposé dans une des salles de Calder House, en Ecosse.

laissant trois fils et une fille, Mme Ciechomska, qui, après la mort, en 1881, d'Isabelle, sœur cadette de Chopin, recueillit tous les souvenirs de son oncle. La plupart furent brûlés par les Cosaques, le 19 septembre 1863, lors du soulèvement polonais contre la Russie. Le piano Bucholz sur lequel Frédéric avait étudié, des manuscrits, des lettres, des livres destinés à un musée Chopin furent réduits en cendres.

George Sand fit détruire les lettres qu'elle avait écrites à Chopin et qu'Alexandre Dumas fils venait de retrouver à Myslowitz, en Silésie. La romancière survécut de vingt-sept ans à son ancien amant. Maurice mourut en 1889, dix ans avant Solange qui s'était séparée de son mari et menait une existence aventureuse.

Dernier hommage.

De nombreux articles furent publiés dans la presse polonaise et française à l'annonce de la mort de Chopin. Berlioz, Jules Janin, Eugène Guinot et Théophile Gautier rendirent hommage à sa mémoire. De cette gerbe de témoignages, nous détachons l'article de Janin, publié dans *les Débats*. « Nous ne voulons pas que le grand artiste Chopin soit mort cette semaine, sans que son nom soit prononcé par nous avec tous les sentiments d'un respect sincère et d'une profonde pitié. Un plus habile que moi dira sans doute ici même, à cette place, quel fut ce jeune homme à peine connu par la foule, qui était entouré d'une si profonde admiration, d'un culte sincère par les amis passionnés de son génie. Il était la musique même et l'inspiration même ; il touchait à peine à la terre que nous foulons, son talent ressemblait à un rêve ! Ceux-là seulement qui l'ont entendu peuvent se faire une idée de ce talent si fin, si délicat, si varié, qui s'adressait à ce que l'âme humaine a de plus honnête et de plus charmant. Il évitait, comme d'autres les recherchent, le bruit, la fanfare et même la renommée. On l'appelait l'Ariel du piano, et la comparaison était juste. Il avait grandi dans l'exil, il y est mort, entouré d'exilés comme lui à qui il rappelait la patrie absente. O l'infortuné ! comme il a souffert ! Quelle lutte acharnée contre la mort !...

« De tous les artistes de nos jours, c'est Chopin qui s'est le plus emparé de l'âme et de l'esprit des femmes. Ses élèves, et il a fait des élèves dignes de lui, l'aimaient d'une tendresse quasi maternelle ; elles l'entouraient d'un enthousiasme mêlé de vénération, tant sa musique leur parlait un honnête et chaste langage. Hélas ! elles l'ont perdu, et elles le pleurent ! Elles l'ont vu s'éteindre, elles lui ont fermé les yeux. »

Quant à Gautier, il terminait ainsi, dans *la Presse,* son récit des funérailles de Chopin : « Repose en paix, belle âme, noble artiste ! L'immortalité a commencé pour toi et tu sais mieux que nous où se retrouvent, après la triste vie d'ici-bas, les grandes pensées et les hautes aspirations ! »

POSTLUDE

T'ai-je trahi — alors que, passionnément, je te voulais ressemblant à celui que tu n'as pas connu : à toi-même ? A force d'étudier ta vie, de scruter les détours de ton âme compliquée, de vivre à tes côtés ta triste et magnifique aventure, t'ai-je embelli, ou bien défiguré ? S'il est vrai que la biographie exige beaucoup d'amour, alors, j'ai dû faire, à défaut de mieux, œuvre sincère et vraie.

Laisse-moi méditer, quelques instants encore, place Vendôme, où tu reposes, parmi les fleurs. Avec les quelques amis qui errent, désemparés, de la chambre que tu n'as guère occupée, au salon où tu viens de t'éteindre, je vais, j'arpente, je médite — mais, toujours, je reviens à ton masque aux yeux clos qui s'est refermé sur le secret de ta vie.

Ce masque, Kwiatowski l'a dessiné à plusieurs reprises : il porte les signes de la torture. Clésinger l'a moulé ; un peu plus tard, il l'a sculpté, adoucissant les stigmates d'une agonie de quatre jours et quatre nuits, qui avait rendu ton profil pareil à ceux des suppliciés. L'artiste en a dégagé l'essence, plus proche du vrai que la simple réalité, comme si la mort avait gommé tout ce qui mentait sur le visage d'un vivant. Un tableau va plus loin qu'une photographie ressemblante. Et le souvenir idéal que nous laissent les disparus est plus fidèle à la vérité de leur être qu'une journée de leur existence. Ce qui, en eux, était périssable, parasite, et dont ils souffraient parfois les premiers, la mort l'efface, et ils apparaissent à la faveur du recul, plus semblables à eux-mêmes qu'ils n'avaient été durant leur vie. Là est le sens profond de la maxime énoncée par Sacha Guitry : « Masque mortuaire ? Mais, au contraire : tombé le masque ! » — et de la réflexion de Marcel Proust devant sa grand-mère qui vient de succomber à une crise d'urémie : « La vie en se retirant venait d'emporter les désillusions de la vie. Un sourire semblait posé sur les lèvres de ma grand-mère. Sur ce lit funèbre, la mort, comme le sculpteur du Moyen Age, l'avait couchée sous l'apparence d'une jeune fille. »

Revenons à toi. La mort vient de te délivrer d'une longue épreuve. Elle a pris cent formes diverses. La maladie n'a peut-être pas été la pire. Ta plus cruelle disgrâce ne fut-elle pas celle de l'exilé éternel ? Car, non content d'avoir quitté la Pologne pour la France, n'étais-tu pas descendu d'un mystérieux éden sur cette terre où tu vécus comme un étranger suspect, précaire, ne reconnaissant ni ses habitants, ni leurs mœurs, non plus que leurs ambitions dérisoires ? D'où venais-tu, pour ne te sentir à l'aise nulle part ? D'ailleurs... L'enfant prodige dont j'ai raconté l'histoire et décrit la foudroyante progression, nous arrivait du ciel, lesté d'une grâce qui n'avait rien d'humain. Privilège royal ? Sans doute. Mais grevé d'une étrangeté dont, jusqu'à sa dernière heure, il ne cessa de souffrir, comme d'une de ces infirmités qui font se retourner les gens dans la rue. Les sourds et les bossus font rire, les aveugles apitoient, l'homme de génie émerveille et consterne : il n'est pas des nôtres. Il est vraiment « un dieu tombé qui se souvient des cieux », un Icare dont les ailes décollées gênent la marche plus qu'elles ne la facilitent, un albatros égaré sur le pont d'un navire et qui se souvient de ses vols étincelants dans l'azur. L'exilé, toujours l'exilé, qui ne retrouve pas son climat natal, son beau paradis perdu, son univers respirable. Esseulé à jamais — tel est son lot.

Les botanistes nous enseignent que certaines semences légères, granules impondérables soulevés par le vent, franchissent parfois les mers et viennent s'enraciner dans un creux de roche, où un peu de terre humide les fait germer. Un projet de plante, l'avenir d'un arbre, inconnus de ce côté de l'océan, dépendent de cette migration, qui ne s'accomplit qu'une fois sur des milliards. Ainsi prolifèrent des espèces dont le populaire dit juste en répétant qu'elles sont venues d'un autre monde. Tombés du ciel — c'est l'aventure du saint, du savant, de l'artiste, du grand homme.

Dès lors, faut-il s'étonner si celui qui accomplit de tels voyages entre difficilement dans nos fiches répertoriées, s'il se plie de mauvaise grâce à nos statistiques ? Jusqu'à nos sentiments qu'il épouse d'un cœur défiant. Comme un voyageur qui, dans une ville inconnue, ne situe que son hôtel et s'égare sitôt qu'il s'en éloigne, l'homme d'exception, étranger parmi des étrangers, mène sur terre une vie où tout l'étonne, où rien ne le satisfait, où bien des choses le scandalisent. Seulement, il n'en dit rien. Il garde tout pour lui — et pour son œuvre.

Même dans ta ville natale, tu étais, déjà, secrètement dépaysé. Mais la chaleur du nid familial te prodiguait ses illusions. Des parents très aimés, trois sœurs tendrement chéries protégeaient tes rêves fragiles. Tu étais rieur, espiègle, enthousiaste et discipliné. Doué à miracle, jamais il ne te vint à l'esprit de dénigrer le mince savoir de tes maîtres. Au contraire, tu leur portas jusqu'à leur mort une touchante gratitude : signe de grandeur. Autre signe : jamais tu ne t'enorgueillis d'un succès, et Dieu sait pourtant si, dans la nuit de Varsovie, tu figurais l'étoile du Berger ! Tu étais doux, affectueux et tendre. Un cœur à prendre. Personne, jamais, ne s'en empara tout à fait.

Tu devais, en effet, échapper à une grande banalité de l'existence : l'amour. Adulé, fêté, tu n'as jamais aimé. On t'a préféré — tu n'as pas choisi. Cela, Sand, l'a compris : « Il n'avait jamais brûlé du feu de l'amour, il n'avait jamais senti battre contre son cœur le cœur d'une femme. Il passait sa vie à se battre en duel, au nom de l'esprit contre la matière. Il avait vu dans la sanctification du mariage et, dans l'union bénie de deux virginités, la seule réhabilitation de cet acte

qui, selon lui, n'était divin que parce qu'il était nécessaire [1]. »
Constance et Maria t'inspirèrent une affection qu'il te
répugna de muer en un sentiment plus vif. L'une et l'autre
se marièrent. Qui sait si, loin d'en concevoir du dépit, tu
n'en éprouvas pas un secret soulagement ? *Moja bieda*
— chagrins guérissables, rapidement mis en musique ! D'ailleurs, tu es ainsi fait que tes peines, tes alarmes, tes angoisses, tu les exprimes une fois, en passant — et puis, elles tombent comme des pierres au fond de l'eau : quelques rides à
la surface, tout se referme, tu ne parles plus jamais, sauf au
piano, de ce qui t'a meurtri.

Titus ne comprenait rien aux épanchements excessifs de
ton amitié, qu'à la rigueur on pouvait prendre pour de l'exubérance. Tes aveux déguisés, il les accueillait d'un hausse-
ment de ses robustes épaules et tu n'insistais point, perdu toi-
même dans l'écheveau de tes sentiments. Mais Sand ne s'y
laissa pas prendre. La fine mouche sut très vite faire le dépar-
tage entre l'homme du monde — exquis, princier — et
l'amant, si peu empressé qu'elle dut l'inciter à « l'acte saint
qui n'a de nom que dans le ciel », s'indignant auprès d'amis
intimes de ta réserve, qui confinait à la répugnance. Indis-
cutablement, le corps féminin était sans attraits pour celui
dont la musique, sans relâche, chantait l'amour, l'héroïsme
et la patrie lointaine. Sur les huit années de ta liaison avec
George, combien de mois furent consacrés aux ébats amoureux ? Guère, à en croire les confidences voilées — mais si
peu — de la vaillante amazone. D'autres amours — Delphine, les cameristes de Sand — nous avons fait justice. S'il
est vrai qu'en une telle matière, on ne puisse jamais rien affirmer avec certitude, ici, les présomptions sont assez fortes,
et les preuves du contraire trop grossières, pour qu'on
hasarde sérieusement l'hypothèse que nous avons combattue.

Les tuberculeux de ton espèce, malades négligents, sont
généralement attirés par l'acte sexuel, comme si, sachant
leur existence menacée, ils voulaient la prolonger par un
simulacre de génération. Mais, à partir d'un certain degré

---

1. *Lucrezia Floriani.*

de faiblesse, l'instinct amoureux ne joue plus. Liszt l'a noté :
« A dater de 1846, Chopin ne marche presque plus, ne
pouvant monter un escalier sans éprouver de douloureuses
suffocations. Depuis ce temps, il ne vivra qu'à force de précautions. » Bien auparavant, tu souffrais déjà d'une anémie
intense. En plein été, près d'un bon feu, tu avoues : « J'ai
toujours froid, je ne me réchaufferai que dans la tombe. »
A une jeune femme fragile, tu confies : « O ma pauvre petite
dame, à nous deux nous n'avons pas le sang d'un homme ! »
Sand, elle, n'y va pas par quatre chemins : « J'avais le sentiment de coucher avec un cadavre... » De telles anémies
engendrent l'indifférence. Même les agaceries de Solange te
laissent insensible. Voluptueux et chaste dans ta jeunesse
par timidité, tu le seras à l'âge adulte par déficience physiologique. Une âme de feu, un corps de glace — tu es né
dégoûté. Ton cerveau seul s'embrase facilement. D'autant
plus — c'est Jane Stirling qui le rapporte — que tu as « une
si noble idée de ce qu'une femme doit être... ». Au reste,
tu as donné assez de témoignages de l'exception qui confirme
la règle ! Il t'a suffi d'entrevoir l'amour pour l'exprimer
— comme à un peintre de jeter un coup d'œil sur une
fleur pour en retrouver, ensuite, les coloris. Toujours l'abîme
entre l'imaginaire et le réel !

Pourquoi as-tu quitté la Pologne, pourquoi es-tu venu
vivre en France ? Pour honorer, demi-Français, la patrie de
ton père ? Non, bien que, près de ta fin, tu aies déclaré
« avoir aimé les Français autant que les tiens ». Ta musique
est polonaise, rien que polonaise, elle est le vivant témoignage du génie d'une race. Alors ? Qui t'obligeait à tenter
une aventure aussi périlleuse ? A Varsovie, tu aurais conti-
nué de vivre selon tes goûts, dans ton climat, choyé par tes
amis, cajolé par les dames, à l'abri du besoin grâce à
ton talent, écrivant la même musique qu'à Paris, n'ayant qu'à
tendre l'oreille pour savoir « comment on chante au pays ».
Alors ? Mon Dieu, que le silence des morts, indifférents à
toutes les questions qu'on leur pose, est donc irritant ! Ce
visage de marbre, qui ne porte même plus la trace des tempêtes qui l'ont agité — cet envol, cet oubli, ce leurre. Puis-

que tu ne me réponds pas, je vais t'expliquer la raison d'un exil qui a peut-être échappé à ta conscience.

Tu es parti pour témoigner, pour dire au monde libre que là-bas, vers l'Est, une nation captive de l'ogre russe, gémissait, tel un oiseau écrasé sous une botte maudite. Refusant de ployer l'échine, mais incapable, physiquement, de te battre, tu as guerroyé d'autre manière, avec tes armes à toi : elles étaient à l'abri du temps et des ripostes. Résistant, alors que le mot n'existait pas, tu lui as donné un sens avant la lettre. Tu t'es offert en holocauste, pour que la plainte lointaine de ton pays assassiné fût entendue, pour qu'à jamais l'univers sût le prix de la fierté polonaise. Prévoyant pour ta race une longue avenue de tribulations, tu as dessiné avec des notes, des volutes et des arabesques le profil dramatique de la revanche. Tu faisais plus pour la Pologne, derrière ton piano, que tes amis, sabre au poing, dans les rues de la capitale. Car on a oublié le fracas des canons de Varsovie, tandis que, pour toujours, ta musique sonne la charge d'un héroïque refus. On succombe, on n'abdique pas : c'est la devise de ta musique.

On peut même se demander si tu n'as pas quitté ta patrie pour souffrir davantage, de loin ? N'étant pas polonais pour rien, peut-être te fallait-il l'éloignement pour sentir la force d'un amour douloureux et l'étirement du fil qui te reliait aux paysages de ton enfance ?

Tu n'étais pas, semble-t-il, un homme facile ? Il n'aurait plus manqué que cela ! Facile, quand tant de contradictions se hérissaient en toi, comme des pointes qui te meurtrissaient le premier ? Malade, tu montrais une patience angélique. Pauvre, tu pestais contre les harpagons de l'édition musicale, qui t'accordaient des redevances dérisoires, mais jamais personne, en te voyant habillé à la dernière mode, n'imaginait que, sans les leçons, tu aurais couché sous les ponts. Tu redoutais de paraître en public, mais, sitôt qu'un club de tes compatriotes émigrés sollicitait ton concours, tu acquiesçais et, pour rien au monde, tu n'aurais accepté un centime. Tu détestais écrire, mais à une lettre ou à une visite, tu répondais, du tac au tac, par une visite ou par une

lettre. Tu abusais de tes amis ? Je crois surtout que tu les
ravissais en les mettant à contribution. Tu étais susceptible ? Oui, mais pas rancunier. D'humeur changeante ? Soit :
à l'image de ta santé. Oublierons-nous les cruelles souffrances, physiques et morales, qui t'ont sans relâche accablé ?
Berlioz nous les rappelle : « Sa faiblesse et ses douleurs
étaient devenues telles qu'à la fin il ne pouvait plus ni se
faire entendre sur le piano, ni composer. La moindre conversation, même, le fatiguait d'une manière alarmante. Il
cherchait, en général, à se faire comprendre autant que possible par signes. De là l'isolement dans lequel il a vécu les
derniers mois de sa vie... »

Orgueilleux ? Non pas : lucide. Mal disposé à l'endroit de
tes « collègues » ? Cela, oui — mais, pour être soi-même,
un créateur ne doit pas s'embarrasser de trop d'admirations :
elles tarissent sa veine. Le premier devoir d'un artiste est
d'être seul au monde. Wagner, sur ce point, t'en rend quelques-uns... Egoïste ? Disons concentré. Désinvolte à l'égard
de Sand ? Jamais. Jouant les maîtres de maison à Nohant ?
En aucun cas. Mais poussant l'élégance jusqu'à refuser de
te reconnaître dans un mauvais roman, perfide à souhait, de
ta maîtresse, quand tout le monde te disait : « C'est toi ! »
Et nous avons trop présent à l'esprit l'épisode de la rupture
pour ne pas distinguer, en la circonstance, le prince de la
plébéienne. George, qui disait volontiers : « Il me faut chérir
ou mourir », cessa d'aimer, mais non de vivre — tandis que
toi qui ne proclamais pas tes sentiments, abandonné par la
robuste matrone qui te nommait, poétiquement : « Mon cher
cadavre... » ou, à la berrichonne : « Le père Gatiau... »,
tu lui donnas raison et lui offris en pâture un moribond
auprès duquel elle ne vint pas se recueillir. Nous lui avons
assez rendu justice pour convenir qu'à la fin elle se conduisit
comme une paysanne, maniant le mensonge avec une virtuosité qui éclipsait la tienne, au piano. Mais n'offensons pas
une ombre. Elle est entrée dans la nuit, quand tu rayonnes
dans la lumière.

Heureux ou malheureux ? — je crois bien que tu ne t'es
jamais posé la question. Vivant, c'est-à-dire partagé entre

l'espoir et le désespoir, nourri d'images de ta jeunesse, hanté de présages, poursuivant ton chemin tout en voyant le bout de la route, écrivant jusqu'à ce que la plume te tombe des doigts, construisant avec des chagrins éphémères un monde éternel.

En te fermant les yeux, Jane l'Ecossaise, qui t'a beaucoup agacé durant ta vie, prononce en face de la mort une parole qui va loin : « Il n'était pas comme les autres... » En quelques mots, tout est dit. Non, certes, pas comme les autres ! D'aucune manière. A croire que tu n'es venu au monde — au monde entier — que pour le ravir. Le peu de forces dont tu disposais, tu l'employas à construire, de tes faibles mains, une musique inusable : laquelle a résisté, comme la tienne, aux fantaisies des virtuoses, aux petits doigts malhabiles, aux dégradations du recul, aux atteintes du temps ? Je n'en vois guère.

Tu es venu au monde pour dire une seule chose et, cette chose, tu l'as dite de cent manières différentes. Peu importe ta fatigue : il faut, à tout prix, exprimer une autre lassitude : celle d'un peuple épuisé de servir, ne vivant que pour la révolte. Tes *Polonaises*, tes *Ballades*, tes *Scherzi*, tes *Sonates* — quels coups de cravache ! Tes *Mazurkas*, tes *Valses*, quelles caresses après la morsure ! Que cette musique virile ait pu jaillir d'un corps affaibli ferait croire en Dieu : pourquoi, au fait, n'y croyais-tu pas, n'y croyais-tu plus ? Peut-être parce que Dieu, qui est toute beauté, tu l'avais remplacé dans ton cœur par une image ressemblante : par ta musique, qui croit, espère et aime. Qui sait ? Tout est grâce, et il y a tant de manières de dire à Dieu : « Je t'aime ! »

C'en est fini, pour toi, de souffrir. La longue marche est terminée. Voici que tu t'éloignes de cette forme allongée qui te ressemble encore, mais dont le cœur, déjà, est absent, au propre comme au figuré. Un corps sans âme. Tu as rejoint des paysages adorés. Par des chemins jalonnés de pommiers, tu t'avances au milieu des blés, qui frissonnent, loin de la « bien-aimée ville », jusqu'à l'humble jardin de tes premières années, que tu n'as, depuis, cessé de fleurir en rêve. Le génie, c'est le don d'inventer, c'est-à-dire de ressusciter. La plupart des hommes perdent l'un et l'autre avec l'enfance. Qu'est-ce qu'un poète, sinon l'enfant éternel ? Tu es mort, « pur comme une larme », échappé d'une enveloppe qui n'était pas à ta mesure, comme l'insecte qui mue — enfin libre !

La moitié de ta vie, tu l'as passée loin des tiens, loin du pays qui t'a vu naître, mais à qui tu es resté fidèle, par le cœur et le génie, sachant mieux que personne « qu'un oiseau ne chante jamais aussi juste que dans son arbre généalogique ! »

L'ŒUVRE

Avant d'analyser l'une après l'autre les pièces de Chopin, groupées par genres musicaux, quelques généralités sur le caractère de son œuvre nous paraissent nécessaires, encore que, chemin faisant, nous nous soyons attardés sur divers aspects de son génie créateur. Après l'analyse, voici un essai de synthèse.

Et, si possible, une synthèse équilibrée, sans parti pris, aussi proche de la complexe, de l'ondoyante vérité qu'il est donné d'atteindre ce qui, par essence, est fuyant. Essayons, du moins, de ne pas commettre l'erreur de l'explication *a priori*. Pas de thèse : des réalités.

Assurément, il serait ridicule de considérer l'œuvre de Chopin dans l'optique de la seule maladie, de n'y voir qu'une longue plainte d'étranger loin de sa patrie et de tout rapporter à la Pologne. Mais, sans doute, bien plus inexact encore d'éliminer la triple influence de la tuberculose, du polonisme et de l'exil. Ce ne sont pas là des images d'Epinal, mais des aspects bien réels de la vie et de la personnalité de Chopin.

Revenons, pour n'en plus parler, sur l'état maladif de Chopin. Edouard Ganche décrit ainsi le portrait de Chopin à dix-neuf ans, exécuté par Miroszewski à Varsovie : « L'œuvre originale le présente comme le type même d'Aréthée, c'est-à-dire d'un jeune homme menacé de phtisie. Notre musicien a la peau blanche, le gosier saillant, les joues creuses font ressortir les pommettes et les deux maxillaires, les oreilles ont déjà le décollement particulier aux tuberculeux pulmonaires. De toute évidence, c'est un valétudinaire en continuelle prédisposition morbide. « La schizoïdie et la psychasthénie sont facilement décelables. Leur existence ne présente pas pour nous d'intérêt pathologique et n'a guère tourmenté Chopin. En revanche, elle découvre les conditions d'un grand nombre de ses manifestations et divers modes de sa création artistique. »

Nous avons cité d'autre part la « silhouette caractérielle » de Chopin, définie par le psychologue André Rabs [1].

« Polonistes » et « francophiles » n'ont pas fini de s'entre-déchirer à propos de Chopin. Querelle stérile, mais acharnée. Chacun veut tirer le musicien dans son camp : génie slave, génie français ? Répondons : génie universel, nous ralliant à la thèse qu'Alfred Cortot développe dans un chapitre de ses *Aspects de Chopin* [2]. L'essence du génie « chopinien » est assurément polonaise. Sans en modifier les composantes, le climat parisien enrichira son talent, accentuant sans doute le classicisme, c'est-à-dire l'universalité du message.

L'exilé : voilà encore un mot qui fait sourire bien des gens — à tort. L'exil, s'agissant de Chopin, est un fait historique, auquel notre héros se réfère incessamment lorsqu'il écrit à ses amis ou converse avec eux.

Certes, Chopin quitte, en 1830, son pays natal pour des raison musicales, et non pas nationales. Et, non moins évidemment, il ne cherchera jamais sérieusement à y revenir — pas plus que son père n'aura tenté de rallier sa contrée natale : la Lorraine. Mais, sitôt franchie la frontière polonaise, il se prend à regretter sa patrie et son cœur déchiré en suit, de loin, le calvaire. Ce qui, bien entendu, ne l'empêche point de goûter les ambiances viennoise, britannique,

1. Cf. p. 88.
2. *Ce que Chopin doit à la France.*

allemande et parisienne, de couler maints jours heureux loin de Varsovie — mais, périodiquement, le mal du pays le ressaisit. Pour lui, le meilleur moyen d'exorciser sa nostalgie est d'en fixer le reflet sur du papier réglé. La psychologie suggère, les faits confirment ce transfert du regret en une musique où Chopin avoue « se déchaîner » — disons se confesser.

Si puéril que soit le débat qui met aux prises Polonais et Français — alors que Chopin, mi-Français, mi-Polonais, devrait mettre tout le monde d'accord — attardons-nous un instant à peser les arguments des antipolonistes. On peut ainsi résumer les motifs de leur agacement :

1. Chopin est, d'abord et avant tout, un classique, un disciple de Bach et de Mozart, dans la musique desquels on ne distingue aucun nationalisme systématique.

2. Chopin demeure insensible aux sollicitations de son ami Witwicki, de son maître Elsner, de sa sœur Louise, qui l'adjurent d'écrire un opéra polonais pour attester le génie vivant de sa patrie occupée par les troupes russes.

3. Chopin a chanté toute sa vie une Pologne idéale, celle de son enfance (Zelazowa-Wola, Szafarnia, Varsovie), mais il a introduit dans sa musique des éléments étrangers (ruthènes, ukrainiens, italiens, etc.). Certes, *polonaises* et *mazurkas* sont des danses familières en Pologne, mais la *polonaise* est répandue en Europe depuis le XVIᵉ siècle, on en trouve des exemples dans l'œuvre de Bach, de Telemann, de Mattheson, de W. F. Bach qui a fort bien pu en transmettre la tradition au comte Oginski, compatriote de Chopin. Devant la *mazurka*, évidememnt, il faut capituler, mais quoi...

4. La musique nationale polonaise est très fortement stylisée par Chopin. D'ailleurs, les citations folkloriques sont rares. Et, même lorsque Chopin montre le bout de son oreille mazovienne, c'est bien plus en divinateur de l'avenir qu'en chantre du présent. Il transfigure tout ce à quoi il touche — fort heureusement, ajouterons-nous.

5. Argument décisif, fourni par Henri Heine : « Le petit intérêt de la motte de terre sur laquelle il est né a dû être

sacrifié à l'intérêt cosmopolite et, déjà, dans les œuvres les plus récentes, on voit la physionomie trop spéciale du Sarmate se perdre et son expression, dès lors, se rapprocher peu à peu de cette physionomie idéale universelle, dont les divins Grecs ont été depuis longtemps reconnus pour les créateurs, qui fait que, tout en suivant des voies différentes, nous finissons toujours par nous retrouver nous-mêmes dans Mozart. »

Avouerai-je qu'aucun de ces arguments ne me paraît déterminant, que chacun d'eux, au contraire, ajoute à l'image qu'il prétend détruire : celle d'un artiste qui, puisant son génie à des sources nationales, universalise ses emprunts et lègue à l'humanité un message né d'une expérience typiquement polonaise ? Comme l'écrit à merveille Sacha Guitry : « Pour être universel, il faut commencer par être de son pays, passionnément — et Cervantès ne serait pas connu du monde entier s'il n'avait commencé par incarner l'Espagne elle-même, en personne. »

Vais-je, sans réserve, donner raison aux « polonistes », dont le chef de file, Ignace Paderewski, pianiste légendaire et président du Conseil de la République polonaise, s'exprimait sans ambages sur son illustre compatriote : « Danses familières du pays mazovien, mélancoliques nocturnes, fringantes cracoviennes, mystérieux préludes, ronflantes polonaises, titaniques, fabuleuses études, ballades épiques où mugit la tempête, sonates héroïques — il comprend tout, il sent tout, parce que tout est à lui, tout est polonais. Chopin a tout embelli et tout ennobli. Dans les profondeurs de la terre polonaise, il a découvert des pierreries dont il nous a fait un trésor. Lui, le premier, a conféré au paysan polonais la plus haute noblesse : celle du beau. Il a introduit notre paysan dans le vaste monde et l'a mis à côté du conquérant et, à côté de la très haute dame, il a placé l'orpheline déshéritée. Poète, magicien, monarque par la puissance de l'esprit, il a égalisé toutes les classes, non point dans les basses régions de la vie quotidienne, mais là-haut, sur le sommet altier du sentiment. C'est ainsi que le Polonais écoute Chopin. Le Polonais écoute et, comme le poète, s'inonde de larmes pures. C'est ainsi que nous l'écoutons tous — car, comment l'écouter autrement, ce chantre de la nation polonaise ? »

Il me semble qu'entre les apostrophes enflammées de Paderewski et les restrictions vétilleuses des biographes français, il y a place pour une conception juste d'un Chopin romantique, à base fortement classique, point littéraire pour un sou, mais prêtant attention aux rumeurs du « vent qui passe et nous raconte l'histoire du monde ». Il va sans dire que Chopin, nullement confiné dans un nationalisme étroit, est un Européen. De là à prétendre qu'il n'est pas plus polonais que Liszt ne fut, réellement, hongrois [1], il y a un pas sérieux et la faille d'une erreur.

Le substrat polonais de Chopin est si évident qu'il paraît inutile d'y insister. Bien des auteurs, parmi lesquels Ludwik Bronarski, s'y sont toutefois acharnés, apportant à l'exégète de bonne foi des arguments du plus vif intérêt.

1. D'abord, il insiste sur ce que démontre notre récit en son début : Chopin, dans sa jeunesse, a parfaitement connu les chants populaires paysans. Rythmes, cadences, tours mélodiques, tonalités, harmonies lui sont familiers, grâce aux *mazurs* qu'il voit danser et dont il entend la musique. Karasowski, se basant sur les informations fournies par la famille même de Chopin, précise à ce sujet : « Dans les fréquentes excursions que Frédéric faisait dans les environs de Varsovie, d'habitude en compagnie de son père, ou bien pendant les vacances scolaires à la campagne, lorsqu'il entendait un chant villageois ou les sons d'un violon arrivant d'une chaumière ou d'un cabaret, il s'approchait, écoutait avec attention, absorbait la mélodie de toute son âme, se repaissait du rythme. Alors, il n'y avait plus moyen de le tirer de cet état de rêverie où il était plongé.

---

1. N'oublions pas que Liszt quitte Raiding à six ans et que son village natal est à courte distance de l'Autriche.

Il restait immobile et écoutait jusqu'à ce que le chant eût
cessé et qu'il fût certain qu'il ne reprendrait plus [1]. »

2. Cité par Fr. Hoesick, l'un des principaux biographes
de Chopin, un ami de ce dernier, Woycicki, témoigne dans
le même sens : « En rentrant un soir d'hiver à la maison,
à Varsovie, Frédéric entendit tout à coup un musicien villageois qui, dans une auberge, jouait des *mazurs* et des
obereks avec une verve incomparable. Frappé par l'originalité et le caractère très prononcé des mélodies, le jeune
artiste s'arrêta devant la fenêtre et supplia son père de
s'arrêter aussi, pour lui permettre d'écouter cette musique.
Il y resta au moins une demi-heure, malgré les instances
de son père, qui le pressait de rentrer à la maison. Frédéric
ne bougea pas jusqu'à ce que le ménétrier eût cessé de
jouer... Pendant les belles fêtes villageoises, surtout celles
qui se déroulent en Pologne à la fin des moissons, Frédéric était toujours présent aux amusements des paysans.
A Szafarnia, chez les Dziewanowski, il écoutait les chants,
les orchestres primitifs, il observait les danses et on voyait
alors combien cela lui causait de plaisir, à quel point il se
sentait dans son élément. »

3. Chose frappante : Chopin, tout au long de sa vie,
ne sera sensible *qu'au folklore polonais*. A Nohant, il entend
force ritournelles berrichonnes, Sand en joue au piano et
en chante. A Majorque, il écoute assurément des fandan-
gos, comme à Gênes, des tarentelles d'origine sicilienne, en
Ecosse à la fin de sa vie des bag-pipes. Or, il est vrai qu'en
1849, les trois *Ecossaises* sont écrites depuis belle lurette,
que le *Boléro* est composé avant le voyage aux Baléares et
que seule la *Tarentelle* (1841) est postérieure à l'incursion
en Italie. Mais aucune de ces pièces ne porte la moindre
trace des modèles nationaux. Mises à part quelques allu
sions fugitives à l'Ukraine, tout ce qu'écrit Chopin est
inventé ou remodelé à partir de rythmes polonais.

1. Karasowski : *F. Chopin*. Varsovie, 1882, vol. 1, p. 47.

1. LES DIX-SEPT POLONAISES

Liszt, dans son ouvrage consacré à *Chopin* après la mort de son ami, insiste longuement sur les origines et le caractère de la *polonaise* [1]. Il souligne, d'entrée de jeu, la différence — l'abîme — qui sépare « les *polonaises* mignardes, fardées à la Pompadour, celles des orchestres de bals et de salons, de la musique héroïque de Chopin. Un sentiment de ferme détermination joint à la galanterie — ce qui était, dit-on, l'apanage des grands hommes d'autrefois — y frappe tout d'abord. Elles respirent la bravoure et la valeur qui distingue des autres cette nation guerrière. Résolution, courtoisie, fierté pompeuse, honneur vétilleux, mépris de la hâte, lentes inclinaisons, redressements subits, danse ouverte par le maître de maison et suivie par l'assemblée selon la dignité de chacun, danse dédiée au plus vaillant et à la plus belle, défilé où toute la société faisait la roue et se complaisait dans sa propre admiration. Au reste, Mickiewicz a décrit la *polonaise* dans le dernier chant du *Pan Tadeusz*, qui évoque les premières années du siècle et une tradition qui n'a cessé de s'affaiblir avec le temps, mais dont Chopin a pu recueillir les derniers échos dans sa jeunesse. »

De quels modèles Chopin a-t-il pu s'inspirer ? De la légendaire *Polonaise de Kosciuszko*, grave et douce ; des *Polonaises* du comte Oginski, lugubres, languides ; de celles de Lipinski, tendres, printanières ; mais surtout des *Polo-*

---

1. Au sujet de la *Marche funèbre* (qui n'a rien d'une *polonaise*), de la *Sonate en si bémol mineur*, Liszt note que « seul un Polonais était capable d'écrire une telle page : en effet, tout ce que ce cortège d'une nation en deuil, pleurant sa propre mort, a de solennel et de déchirant, se retrouve dans le glas funéraire qui semble ici l'escorter ». Simple témoignage de « polonisme », donné en passant par un musicien qui connaissait fort bien et Chopin et la Pologne.

naises de Weber, éblouissantes, chaleureuses, passionnées. Les *Polonaises* de Chopin en *la majeur, la bémol, mi majeur,* se rapprochent de celles de Weber, en les surpassant toutefois. Complètement originale est la *Grande Polonaise en fa dièse mineur,* au milieu de laquelle s'intercale un *mazur* qui modifie brusquement la couleur du morceau. « Une élégiaque tristesse prédomine dans la *Polonaise-Fantaisie,* entrecoupée de mélancoliques sourires, de soubresauts inopinés, de repos tressaillants, d'étincelles qui font arriver l'esprit à un diapason d'irritabilité avoisinant le délire. » Ainsi s'exprime Liszt, dans son vocabulaire imagé. Somme toute, l'ensemble des dix-sept *Polonaises,* y compris les sept *Polonaises* de jeunesse forme une courbe qui part de la pièce rythmée, évoque la danse nationale, frôle le poème épique et s'évade en se stylisant. On dirait un kaléidoscope de la Pologne vue par Chopin.

La première œuvre composée par Chopin est une *Polonaise.* Il a sept ans. S'ensuivent, jusqu'en 1829, six autres *Polonaises* dites de jeunesse. A cette époque, Varsovie, occupée par les Russes, n'a pas encore subi la dure répression de 1830-1831. Le jeune musicien n'attache aucune signification de révolte patriotique aux *Polonaises,* qu'il compose par simple tradition, parce que cette danse est à la mode.

1. Nullement tragique, la *Polonaise en sol mineur,* composée en 1817, a été découverte cent dix ans plus tard par Jachimecki, dans une collection de pièces éditées à Varsovie. Sans doute le petit Chopin âgé de sept ans ne connaît-il alors que les *Polonaises* d'Oginsky, d'Elsner, de Kurpinski et de Weber. L'étonnant est qu'un enfant de sept ans ait l'instinct d'une harmonie déjà très en place, d'un rythme ferme, d'une modulation « douée », d'une réplique ingénieuse à la main gauche et d'un gracieux *trio* médian. Pièce mieux que prometteuse.

2. La *Polonaise en si bémol majeur* date aussi de 1817. Animée, naïve, presque mozartienne, elle imite par instants la classique boîte à musique.

3. La *Polonaise en la bémol majeur* (1821), essentielle-

ment gracieuse, ne mérite son titre que par l'usage d'un rythme caractéristique.

4. Dédiée à Zywny qui l'a peut-être retouchée en y ajoutant des formules de virtuosité à la mode et en conseillant l'adoption d'un plan très strict, la *Polonaise en la bémol majeur* date de la onzième année. Des modulations ingénieuses, des ornements typiques à la main droite font que l'auditeur s'écrie : « C'est du Chopin ! »

5. Chopin a seize ans quand il compose la *Polonaise en sol bémol majeur*, dite « de l'adieu », dédiée à son ami Guillaume Kolberg. Beaucoup plus évoluée que les précédentes, utilisant avec adresse le croisement des mains, modulant avec mélancolie, transformant en polonaise la cavatine de la *Pie Voleuse* de Rossini, on ne voit pas qui — Chopin mis à part — aurait pu, si jeune, composer une pièce aussi parfaite.

6. Groupées sous le numéro d'opus 71, trois *Polonaises posthumes*, composées entre 1827 et 1829, sont précédées d'une introduction et traduisent une mélancolie de plus en plus personnelle. La première, en *ré mineur*, est rêveuse, ensorcelante ; la deuxième, en *si bémol*, laisse échapper comme un secret à travers des artifices de virtuosité ; la troisième, en *fa mineur*, plus travaillée mélodiquement, n'est pas sans annoncer de loin le charme triste de la *Quatrième Ballade*.

7. Chopin a vingt ans. Déjà fort apprécié comme virtuose, il écrit sa *Grande Polonaise brillante en mi bémol*, op. 22, qu'il fera précéder, cinq ans plus tard, d'un *Andante spianato*. C'est un morceau de bravoure, d'abord paré d'un accompagnement d'orchestre, puis réduit au seul piano. On sent chez lui, sous les traits enrubannés, l'admirateur de l'opéra italien. L'*Andante* rêveur contraste avec la *Polonaise* pétulante.

8. Dès l'arrivée à Paris, changement à vue. Dans ses deux *Polonaises* op. 26 (1835), en *ut dièse mineur* et *mi bémol mineur*, Chopin s'est définitivement trouvé. Et si Cortot a raison d'y voir plus « l'âme d'un Polonais que celle de la Pologne », le caractère martial et lyrique de la première,

mystérieux et dramatique de la seconde (que Niecks juge « pleine de conspirations ») renouvelle complètement les allures brillantes de la polonaise telle qu'à l'époque on la dansait à Varsovie. Harmoniquement, Chopin y use d'un vocabulaire extraordinairement riche et personnel, cultive l'enharmonie, ne laisse pas un instant l'attention de l'auditeur en repos et traduit sa pensée en un style d'épopée. Son génie visionnaire s'affirme dans ces deux pièces à profil de destin.

9. Composées à Majorque, les deux *Polonaises* op. 40 (*la majeur, ut mineur*) ont été jadis attribuées par Anton Rubinstein à la représentation des deux visages de la Pologne : l'un glorieux, l'autre accablé. N'oublions pas que Chopin, le moins littéraire de tous les hommes de génie, ne se veut que musicien. Une chose est certaine : la *Polonaise militaire* suggère oriflammes, tambours, défilés de troupes, horizons radieux. Pas un instant, l'ardeur virile ne s'y dément : la nuance *forte* s'y maintient d'un bout à l'autre. La seconde *Polonaise*, en *ut mineur*, symbolise, selon l'heureuse expression d'Alfred Cortot, « une gloire endeuillée ». La main gauche y énonce, sur une batterie de croches égales confiées à la main droite, un chant de déploration. Coupée de sursauts, jalonnée de rythmes guerriers, éclairée de progressions harmoniques superbes mais impuissantes à dissiper la brume, cette *Polonaise*, d'un style très particulier, finit ainsi qu'elle a commencé.

10. Précédée d'une introduction mystérieuse qui s'organise en un *crescendo* saisissant, la *Polonaise* en *fa dièse mineur* op. 44 se divise en trois sections :

— la polonaise proprement dite, martiale, impérieuse, guerrière ;

— un long épisode en triples croches, qui paraît simuler des roulements de tambours ;

— au centre, un *tempo di mazurka* tout à fait imprévu, inséré par Chopin au cœur d'un morceau véhément. Par la grâce du génie, cet intermède développé ne fait aucunement longueur et conduit, par deux traits de foudre, à la reprise de l'introduction et du premier thème rythmique. Tout au long de la pièce, les moments de tension alternent avec les épisodes de détente. A l'exception de la *Polonaise en la majeur*, l'œuvre entier de Chopin joue sur de tels contrastes.

11. La *Polonaise héroïque* op. 53 en *la bémol majeur* ne date pas de 1843, comme on le croit communément, mais de 1836. Le 12 septembre de cette année, Chopin, de passage à Leipzig, en offre à Clara Wieck une copie autographe, avec un mot « de son admirateur ». 1843 est l'année de la gravure et de la dédicace au banquier Léo. La légende veut que, exécutant *l'Héroïque* en présence de quelques amis, Chopin se soit arrêté dans l'épisode en octaves à la main gauche, comme fasciné par l'évocation des armées en marche vers la Pologne attendant sa libération. Cette relation est douteuse. Bien plus importants sont les témoignages concordants de Gutmann, Hiller et Liszt, d'après lesquels Chopin, fidèle à son esthétique — et, sans doute, jugulé par sa faiblesse physique —, ménageait à l'extrême les deux crescendos en octaves, partant du *mezzoforte* jusqu'à un *forte* sans autrement d'éclat, mais soulignant d'un accent incisif la superbe modulation de *mi majeur* en *ré dièse majeur*. Assurément, l'éclat de la technique lisztienne devait accorder à cette pièce éminemment batailleuse — où des commentateurs obstinément cartésiens ne veulent voir que la traduction d'une déception amoureuse (!) — une allure grandiose que la virtuosité distinguée de Chopin pouvait difficilement mettre en relief. A noter que l'auteur blâmait la vitesse excessive dont usaient certains interprètes. Nul doute que les *tempi* aujourd'hui pratiqués ne soient très au-dessus de ceux que préconisait Chopin.

12. *Polonaise-Fantaisie* op. 61 en *la bémol majeur*.

Dans une lettre de 1845 à sa famille, Chopin dit « son embarras à trouver un titre à une nouvelle composition ». Pourquoi pas « Polonaise » ? C'est qu'en fait l'œuvre ne tient de la polonaise que par une allusion rythmique intermittente. Il s'agit, en fait, d'une fantaisie, ou, si l'on veut, d'une rêverie épique dont, de temps à autre, un appel clai-ronnant rompt la mélancolie. Chopin semble évoquer, tout au long de ce magnifique morceau, des souvenirs, des regrets, des reflets d'une ardeur affaiblie par la maladie. « Puis, conclut Alfred Cortot, se dégageant peu à peu des irréalités du songe, s'organise une envolée de sonorités accrues. C'est alors la vision saisissante dont s'éblouit lui-même l'inspirateur d'une glorieuse hallucination : la Pologne victorieuse est rendue à son destin. » Jamais, peut-être, Chopin n'a composé une pièce aussi libre, aussi diverse de style, ni qui aille aussi loin que celle-là. C'est ici l'occasion de marquer l'indépendance miraculeuse dont Chopin fait preuve à l'égard des formes musicales. Chez lui, le sens inné de la « coupe » remplace le respect vétilleux des moules préétablis. Ainsi, les *Ballades* et les *Scherzi* sont-ils, dans leur architecture, tout à fait différents les uns des autres.

II. LES CINQUANTE-SEPT MAZURKAS

La *Mazurka* est une danse originaire de Mazurie, où elle a détrôné la *Krakoviak*. Rythmée à 3/4, elle offre aux talons des danseurs le prétexte de savoureux contretemps. Elle se danse, elle se chante : elle peut aussi se chanter tandis qu'on la danse.

« A la différence des *Polonaises*, écrit Liszt, les *Mazurkas* donnent à l'élément féminin un rôle de premier plan. La femme n'apparaît plus en protégée, mais en reine. L'homme est bouillant, fier, présomptueux, livré au vertige d'un plai-sir veiné de mélancolie... Chopin a dégagé l'*inconnu de poésie* qui n'était qu'indiqué dans les thèmes originaux des mazurkas vraiment nationales. Conservant leur rythme, il en a ennobli la mélodie, agrandi les proportions ; il y a intercalé des clairs-obscurs harmoniques aussi nouveaux que les sujets auxquels il les adaptait, pour peindre dans ces tableaux, qu'il aimait à nous entendre appeler des *tableaux de chevalet*, les innombrables émotions qui agitent les cœurs pendant que durent et la danse et ces longs intervalles, surtout, où le cavalier a, de droit, une place à côté de sa dame, dont il ne se sépare point. Presque toutes les mazurkas sont remplies de cette même vapeur amoureuse qui plane comme un fluide ambiant autour de ses *Préludes, Nocturnes* et *Impromptus,* où se retracent une à une toutes les phases de la passion, qui se rapprochent d'un monde féerique, nous dévoilant les indiscrètes confidences des Péri, des Titania, des Ariel, des Reine Mab, de tous les génies des airs, des eaux et des flammes. » Liszt souligne, ailleurs, l'infinie diversité des cinquante-sept mazurkas, notées par Chopin de sa quatorzième à sa dernière année. « Plusieurs sont entremêlées de la résonance des éperons. Mais dans la plupart, on distingue avant tout l'imperceptible frôlement du crêpe et de la gaze sous le souffle léger de la danse, le bruit des éventails, le cliquetis de l'or et des diamants. En d'autres, on perçoit, à travers le rythme de la danse, les peines et les secrets ennuis apportés à des fêtes dont le bruit n'assourdit pas les clameurs du cœur. Aussi toutes ces pièces doivent-elles être jouées avec cette sorte de balancement accentué et prosodié dont il est difficile de saisir le secret si on ne l'a pas entendu lui-même. Le *zal*[1] les imprègne toutes. »

La *mazurka* résume plusieurs types de danses populaires : l'*oberek*, la *kujawiak*, le *mazur* proprement dit.

Le rythme typique de cette danse à trois temps est celui-ci : ♪♪♩♩ , ou ♪♪♪ ♩♩.

Une des variantes de Chopin peut ainsi se noter ♪ ♫ ♩♩.

On trouve naturellement, dans le recueil des *Mazurkas,* une foule d'autres combinaisons dérivées du type original.

Le *tempo rubato*, subtilement manié, est ici de rigueur.

Trois catégories de sentiments s'expriment au travers des *mazurkas* de Chopin :

1. Cf. p. 189.

— Feu, verve, fantaisie, crânerie (*zaciece*).

— Légèreté, grâce, coquetterie, espièglerie (*sans nom*).

— Nostalgie, découragement (*zal*).

D'une importance primordiale, les accents qui soulèvent les danseurs sont plus réguliers dans l'*oberek* et la *kujawiak*, plus variés dans la *mazurka*, où ils affectent généralement le temps faible. Les syncopes y reçoivent le nom italien de *sforzati*.

Loin de dériver uniformément des modes tonaux, les *mazurkas* de Chopin se recommandent souvent des modes grecs (*lydien, phrygien*), de modes exotiques comportant une seconde augmentée. Les quintes à vides imitant la contrebasse et la musette, ou le violon et la clarinette des ménétriers y sont fréquentes. De même, l'écriture chromatique, les artifices du contrepoint (imitations, canons) et la répétition systématique de courtes phrases de huit à seize mesures. Les thèmes, pour la plupart inventés, n'offrent que de rares réminiscences populaires. Encore une fois, Chopin n'a voulu faire de la musique polonaise qu'à condition de la styliser.

« Des canons cachés sous des fleurs », note Schumann dans une ellipse saisissante.

De son vivant, Chopin publie quarante-sept *Mazurkas*. En 1858, Fontana prend sur lui d'en publier dix autres, contre l'avis de l'auteur qui ne les avait pas jugées dignes de l'édition. Au total, il y a donc cinquante-sept mazurkas, à quoi s'ajoute une cinquante-huitième, d'authenticité plus douteuse.

En ayant précédemment défini l'essence poétique et le caractère national, notre intention n'est pas d'analyser chacun de ces délicats joyaux : tâche fastidieuse et inutile.

Il nous paraît plus précieux, ayant écouté à trois reprises toutes les mazurkas, le texte sous les yeux, d'en conseiller à nos lecteurs l'audition attentive. Ils éprouveront sans doute la surprise émerveillée qui fut la nôtre. De ce que l'on connaît une dizaine des mazurkas les plus jouées par les virtuoses, on induit que l'on en a une connaissance synthétique. Rien de plus illusoire.

Dans l'œuvre entier de Chopin, les mazurkas tiennent une place privilégiée. Sans doute n'expriment-elles que fugitivement les sentiments d'héroïsme, de grandeur et de revanche que prodiguent sonates, scherzos, ballades et polonaises. Mais, sur le plan de la musique proprement dite, elles sont peut-être ce que Chopin a écrit de plus raffiné, de plus personnel, de plus prodigieusement original.

Il faudra, en effet, attendre Gabriel Fauré pour retrouver un pareil emploi de moyens somme toute traditionnels, mais transfigurés par une subtilité harmonique qui ne s'apprend pas plus qu'on ne devient sourcier ou médium. Il y a là un sens inné, indépendant de l'étude, qui est donné au berceau, une trouvaille de la note irremplaçable, de la modulation fuyante, de l'enharmonie qui fait sourire d'aise le connaisseur. L'oreille est charmée. Quant à l'œil, il contrôle l'audition et, doublement éclairé, le mélomane s'avoue : « Ce n'était que cela ? Rien de plus simple, au fond. Il fallait le trouver, voilà tout... »

Nous connaissons la brièveté des études théoriques de Chopin : quelques leçons d'harmonie et de contrepoint avec le bon Elsner, des principes rudimentaires de composition — la nature avait fait le reste. D'instinct, les doigts du jeune Chopin avaient suivi « le plus doux chemin » : celui des élus qui n'ont aucun besoin de mots nouveaux pour exprimer une pensée originale — il leur suffit de donner à leurs phrases un tour personnel. Un jeu d'élisions, d'enharmonies, d'appogiatures, de suspensions, appliqué à un thème tantôt très simple, tantôt très cherché, mais, dans les deux cas, toujours « trouvé », renouvelle la couleur d'une brève mazurka. L'emploi très fréquent de l'écriture chromatique ne parvient pas à en affaiblir le caractère tonal. Si éloigné soit-on de la tonalité d'origine, un tour de passe-passe nous la fait rallier, comme par magie. Tels sont les jeux, non du talent, mais du génie.

Nous nous contenterons de noter, au passage, les plus savoureuses de ces pièces, dont André Messager disait passer en leur compagnie des soirées solitaires et séduisantes.

Un univers de sentiments neufs tient dans leur recueil. Qu'elles soient « dansées » (type *op. 6, n° 1*), « chantées » (type *op. 41, n° 2*), « dansées et chantées » à la fois, si raffinées qu'elles soient, elles ont toutes une origine rustique. Elles ne sont venues à l'existence des salons, note Alfred Cortot[1], qu'après avoir longtemps animé de leur cadence opiniâtre les instruments des ménétriers mazoviens, cadence qui se voit généralement caractérisée par un appui plus ou moins prolongé sur le deuxième ou le troisième temps de chaque mesure. Une anecdote contée par Sir Charles Hallé illustre la liberté avec laquelle Chopin traitait la mesure, sinon le rythme. Le narrateur rapporte que, se trouvant auprès de Chopin pendant qu'il exécutait la *Mazurka n° 24, op. 33,* en *ut majeur,* il lui fit remarquer que l'on pouvait compter quatre temps par mesure au lieu de trois indiqués à la clef. Après avoir protesté énergiquement, Chopin fut obligé de donner raison à son auditeur, expliquant en riant cette anomalie par le souci de se conformer à la tradition nationale qui exigeait, pour les besoins de la danse, une longue prolongation du deuxième temps.

1. La *Mazurka op. 6, n° 1* est divisée en trois sections. La première, enjouée, commande l'emploi d'un *rubato* pour ne pas tomber dans la monotonie rythmique. La seconde, de caractère populaire, exige un rythme fortement appuyé. La troisième, au contraire, est « pimpante et gracieuse ». Nombreuses sont les mazurkas tributaires de cette coupe et, de ce fait, extrêmement libres et variées.

2. La *17e Mazurka, op. 24, n° 4* annonce le style de la *4e Ballade* et de la *Barcarolle.* « A elles seules, note Cortot, les quatre mesures d'introduction nous font pénétrer dans un monde de musique jusqu'alors insoupçonné. » Un premier épisode traité en duo, d'une extraordinaire sensibilité harmonique. Une seconde idée « valsante ». Un intermède à l'unisson, de caractère asiatique. Puis un épisode de quatre mesures modulant par d'exquis artifices chromatiques. Retour des deux premières idées associées : « merveille de sen-

1. *Edition de travail des œuvres de Chopin,* Salabert édit.

sibilité et de signification poétique, dont l'étrange douceur semble prolonger, au-delà des murmures de la danse qui s'éloigne, une secrète amertume ». Nous avons affaire, là, non plus à une simple mazurka, mais à un véritable poème dansé, dont la teneur dépasse de très loin celle d'une évocation populaire. Nombreuses sont, parmi les cinquante-huit mazurkas, celles qui transcendent ainsi la forme primitive.

3. La *21ᵉ Mazurka* en *ut dièse mineur* mérite, comme certaines autres, l'appellation « alla mazurka », tant elle idéalise en la stylisant la danse mazovienne. Sur ces accords arpégés qui simulent la guitare, un thème mystérieux virevolte, module, fait bondir et rebondir ses tierces. Une seconde idée, celle-là monodique, s'élance sur un rythme obstiné de la main gauche. Un troisième motif, noté « con anima », amène une diversion, qui rend plus poignant, par contraste, le retour à la mélancolie du début. Tout finit dans l'amertume.

4. La *27ᵉ Mazurka, op. 41, n° 2* en *mi mineur*, composée à Palma, est un exemple d'état d'âme traduit en musique, en ce sens que la nostalgie l'emporte sur la danse. La pièce termine dans la tristesse, comme elle a commencé.

5. Le critique James Huneker affirme que la *31ᵉ Mazurka, op. 50, n° 2* en *la bémol majeur* est le plus parfait exemple de la mazurka aristocratique, conçue pour le salon. Voluptueuse, féminine, elle se ressaisit en son milieu, se cambre, se cabre, s'alanguit de nouveau et s'éclipse sans attirer l'attention — tel un convive de bonne compagnie.

6. La *32ᵉ Mazurka, op. 50, n° 3* en *ut dièse mineur* est traitée en « imitations », à la manière d'un divertissement fugué. Un motif d'un éclat chevaleresque, celui-là sans aucun artifice, s'oppose aux jeux de plume. Et toujours l'extraordinaire subtilité du langage harmonique fait qu'on se pose la question : s'agit-il d'un travail à la table — ou bien se peut-il que Chopin ait pu réaliser sur le métier, c'est-à-dire au piano, *quasi improvisando*, une tapisserie aussi complexe ?

7. Contrastant avec les raffinements des précédentes, la *34ᵉ Mazurka, op. 56, n° 2* en *ut majeur* n'est que truculence rustique, fête populaire, foule en liesse — tandis que

la suivante (*n° 35* en *ut mineur, op. 56, n° 3*) mérite sa
qualification de « contemplative ». Elle est aux autres mazurkas ce que la *Polonaise-Fantaisie* est aux autres polonaises.
Très « écrite », minutieusement élaborée, sans rien qui
évoque une possible improvisation, mêlant savamment la
songerie nostalgique et l'élan dansé, délicatement polyto-
nale par instants, elle est de celles qui dépasse, et de loin,
le cadre de la mazurka traditionnelle.

8. Faut-il croire que Chopin, vers la fin de sa vie, s'enfonce de plus en plus dans la mélancolie, accablé par son
destin de malade ? Nullement. Jusqu'à son terme, il aura,
tour à tour, des accès de gaieté et des moments d'infinie
tristesse. Ainsi la *39° Mazurka, op. 63, n° 1* en *si majeur*,
datée de 1847, est-elle d'une fraîcheur exquise et de caractère quasi villageois. Mais la *41° Mazurka, op. 63, n° 3* en
la majeur — la dernière de celles publiées du vivant de
Chopin — est parfaitement définie par Cortot, qui y voit
« l'ombre du souvenir dansant avec l'ombre du regret, au
son d'une lointaine mélodie ». Ambiance de nocturne, poésie dans laquelle passe inaperçu, à l'audition, sinon à la
lecture, l'usage classique du « canon », traité avec une
suprême élégance. Ici, Chopin, fidèle à l'axiome de Rameau,
« efface l'art par l'art même ». Jusqu'à son dernier jour,
il varie sa manière, renouvelle sa pensée et tient, avec ses
mazurkas, le plus fidèle journal qui se puisse concevoir.

III. LES DEUX CONCERTOS

Je laisse à un commentateur français de Chopin, dont
les jugements ont la grâce voluptueuse de coups de trique,
la honte d'avoir discerné dans le *larghetto* du *Concerto en
fa mineur* et dans la romance du *Concerto en mi mineur*
« autant de pauvres phrases d'opéra italien ornées de
nombreuses boucles de faux cheveux ». Que ces deux ado-
rables rêveries écloses dans le cœur d'un adolescent de

dix-huit et dix-neuf printemps s'inspirent de très loin de
la technique de l' « enrubannement mélodique » pratiqué
par Rossini et Bellini n'enlève pas à Chopin une once d'originalité. On dit aussi qu'il a pris ses modèles chez Mozart,
Hummel et Kalkbrenner. Quant au premier, il y a pire.
Pour les deux autres, il y a, sous des formules de virtuosité
en vogue dans les « années 30 », un si complet renouveau
de la substance musicale qu'on ne pense à aucun de ces
éblouissants techniciens : tout vient de Chopin, tout est
à lui, tout est, d'ores et déjà, génial.

Quels modèles Chopin a-t-il sous les yeux et sous les
doigts quand il compose ses deux *Concertos*, très semblables
par la coupe et l'esprit, le second en date un peu plus travaillé quant à l'accompagnement orchestral ? Mendelssohn
et les virtuoses de son temps. Si Mozart l'inspire, c'est de
bien loin. En fait, tout ce qui fait le charme, tantôt rêveur,
tantôt brillant des deux chefs-d'œuvre annonce le tour de
plume et de pensée si absolument personnel de Chopin. Il
est jeune — cela se voit — mais il est lui-même.

Où il faiblit, c'est dans sa manière de traiter l'orchestre.
Pour lui, instrumenter, c'est transcrire symphoniquement une
partie de piano. Sans parler, comme Berlioz, « d'accompagnement morne et presque superflu », on sent Chopin exclusivement pianiste, mais déjà très habile dans la conduite
des développements, dans le choix des thèmes et dans l'agen-
cement des modulations, dont la plupart sont exquises. Les
deux *allegros* sont symétriques à peu de chose près, fortement rythmés en leur début, puis s'infléchissant vers deux
thèmes chantés, de caractère nettement vocal. Le *larghetto*
en *fa mineur* transpose musicalement les traits de Constance
Gladkowska, l'inaccessible. La romance du *Concerto en mi
mineur* est « comme un regard posé sur le lieu de nos plus
chers souvenirs, une rêverie de printemps au clair de lune[1] ».
Les deux *rondos* conclusifs ne se différencient guère que
par un rythme de mazurka caractérisant le finale du *Concerto
en fa mineur*. A remarquer dans le *Concerto en mi mineur*

---

1. Lettre de Chopin à Titus Woyciechowski.

des hardiesses harmoniques étonnantes, au nombre desquelles « une série d'accords de septième ou lignes chromatiques sur la pédale *si*, avant l'entrée du second thème dans le premier mouvement [1] ». La *Romance* de ce même concerto annonce déjà le style et l'écriture de la *Barcarolle* — ce qui revient à souligner une fois de plus l'incroyable précocité de Chopin. Tout jeune, il a en partage deux qualités qui marqueront tout son œuvre : la bravoure, le don de la virtuosité instrumentale — l'instinct, la personnalité harmonique. Dès avant la vingtième année, son art est sans bavures.

IV. AUTRES ŒUVRES
POUR PIANO ET ORCHESTRE

Mis à part les deux *Concertos,* Chopin a fait intervenir l'orchestre accompagnant le piano dans trois de ses œuvres. A noter qu'il s'agit de pièces composées avant la vingtième année. Passé cet âge, Chopin ne reviendra jamais à l'orchestre qui, décidément, n'est pas dans sa nature.

Les *Variations sur La ci darem la mano, op. 2,* dédiées à Titus Woyciechowski et publiées à Vienne en 1830, provoquent, en 1831, un éloge enthousiaste de Schumann : « Chapeau bas, messieurs, un génie ! En écoutant ces *Variations,* je me figurais voir s'ouvrir étrangement devant moi des yeux absolument inconnus, des yeux de fleur, des yeux de basilic, des yeux de paon, des yeux de jeune fille. A plusieurs endroits, cela devenait plus clair : je croyais apercevoir *La ci darem* de Mozart au travers de cent accords enlacés. Leporello semblait réellement me cligner des yeux et Don Juan volait devant moi dans son manteau blanc. » Par parenthèse, Schumann donne ici un coup de bâton magistral aux cuistres qui n'admettent pas l'analyse poétique de la musique, quand, précisément, les deux arts les plus

1. Jachimecki.

proches l'un de l'autre sont la poésie et la musique ! Cela
dit, ces *Variations* assez insignifiantes quant au rôle dévolu
à l'orchestre (il se contente, ou peu s'en faut, de scander
le refrain entre les variations) sont, pianistiquement, fort
brillantes, bien qu'assez inférieures à celles que Liszt, plus
tard, brodera sur les thèmes de *Don Juan*. Chopin ne s'y
inspire guère de la « grande variation amplificatrice » beethovénienne. Mise à part une interrogation mystérieuse, parée
d'une harmonie délicieuse et plusieurs fois répétée, il sacrifie à d'ingénieuses formules de virtuosité qui font miroiter
le thème sans en renouveler vraiment la substance. La
4ᵉ Variation est la mieux venue et la *Polonaise* finale a de
l'allure. L'ensemble est séduisant et, de la part d'un musicien
de dix-sept ans, bien mieux que prometteur.

La *Grande Fantaisie sur des thèmes polonais, op. 13*, de
deux années postérieure aux *Variations*, développe des thèmes de Kurpinski, en eux-mêmes assez anodins. Chopin les
personnalise avec un talent singulier et multiplie les fioritures. Deux danses populaires font grand effet : une *Kolo-
myjka* ukrainienne et un *Kujawak* polonais. Le morceau a
l'allure d'une rhapsodie populaire à saveur de terroir.

Le *Rondo en fa « à la Krakowiak », op. 14*, lui aussi
composé en 1828, s'ouvre sur un *andantino unisono*, mystérieux à souhait, trouvé à miracle, qui crée dès les premières mesures une « aura » poétique dont Chopin a pleinement conscience, au point d'en écrire à l'ami Titus : « Cette
introduction est beaucoup plus originale que moi-même dans
ma redingote. » Son rythme à trois temps s'oppose à celui,
binaire, de la *Krakowiak*, danse polonaise en grand honneur à Cracovie. « Les hommes en costumes bariolés, écrit
André Cœuroy, marquent la mesure avec leurs souliers
ferrés et des rondelles métalliques accrochées à la ceinture.
Les femmes portent des rubans dans leurs tresses. La danse,
caractérisée par un appui sur le second temps, débute avec
lenteur, s'accélère et se termine par un galop, le *Suwany*. »
Des trois œuvres que nous venons d'analyser sommairement,
la dernière est sans doute la mieux venue. Chopin, d'ailleurs,
la considérait comme telle.

V. LES TROIS SONATES POUR PIANO

Dès la *Sonate en ut mineur, op. 4*, dédiée à Elsner et composée en 1828, se confirme l'étonnante virtuosité naturelle à Chopin, qu'on imagine ainsi doué dès son adolescence d'une technique innée. Travaillant peu, sitôt achevées ses années d'études, il conservera intactes l'adresse et la vélocité sans doute acquises assez spontanément. Né pianiste, il ne passe pas les longues heures de travail au clavier nécessaires à la plupart de ses émules pour entretenir leur « forme ».

Autre observation en présence des trois *Sonates* pour le piano, dont la première est scolaire et les deux autres géniales : l'indifférence à laquelle ces trois pièces se heurtent auprès de compositeurs tels que Liszt et Schumann et du professeur intransigeant que fut Vincent d'Indy. Des deux premiers — que, cependant, le carcan scolastique n'étranglait guère — une sévérité de principe étonne. Pourquoi refuser à Chopin ce qui donne précisément à son imagination une couleur si particulière : la liberté dans la forme, l'insouci des moules stéréotypés ? De la part de Vincent d'Indy, un rigorisme strict est naturel. J'ai entendu de mes oreilles l'auteur de *Fervaal* déclarer à son cours de la Schola Cantorum, que je suivis une année en auditeur libre, « qu'il était dommage que Schubert et Chopin ignorassent le contrepoint : d'où la pauvreté de leurs sonates... ». Il était bien plus dommage que d'Indy et ses élèves fissent aveuglément confiance à des schémas scolaires : d'où des sonates parfaites, inertes, au moelleux de béton armé... Pour d'Indy, la musique n'était pas l'abandon au plaisir, mais l'exercice d'un devoir. Entre cet austère théoricien et nos deux romantiques, il y avait incompatibilité radicale d'humeur. Tant pis pour l'héritier du *Pater Seraphicus* !

La *Sonate n° 1, op. 4* date de 1828. La studiosité du

jeune Chopin y éclate : on le sent avide de prouver à Elsner
que ses leçons n'ont pas été vaines. Aussi, à partir d'un
thème assez banalement dramatique, multiplie-t-il les épisodes en imitations. Du fait d'une écriture trop serrée, le
développement attendu déçoit, car on retombe dans les
mêmes formules symétriques. Par bonheur, certains épisodes plus fluides éclairent cet *allegro* compact. S'ensuit un
gentil *minuetto,* dont l'agréable mièvrerie se voit relevée
par un jeu de triolets et plus ouvertement interrompue par
quelques mesures de valse. En dépit de sa mesure à cinq
temps, le *larghetto* au parfum de nocturne est bien pâle.
Le talent s'y devine, mais ne s'y affirme guère. Quant au
finale, trop long, semé de redites fastidieuses, il ne brille
que par la rapidité des doigts et l'élan du discours. Somme
toute, les pianistes ont raison de jouer si rarement — pour
ainsi dire jamais — ce devoir d'école qui n'ajoute rien au
grand nom de Chopin. Mieux vaut carrément l'oublier.

Des commentateurs sans imagination se sont vainement
efforcés de « démythifier » la *Sonate funèbre en si bémol
mineur,* op. 35, qui, de tous les morceaux de musique, est
sans conteste le plus imaginé, celui qui abrite derrière les
notes dont il se compose la signification la plus irrécusable.
Non que Chopin, ennemi de toute analyse littéraire, ait lui-
même défini cette signification [1] — mais elle ressort de tout
ce qu'on sait de lui. Et Antoine Rubinstein reste bien
modéré en donnant à cette sonate frémissante le nom de
Poème de la Mort. Le témoignage de Sand, relatant les
visions morbides dont Chopin était hanté, tandis qu'à Majorque il esquissait la *Sonate en si bémol mineur,* vient à
l'appui du point de vue formulé par le célèbre pianiste. Nous
donnons également raison à Alfred Cortot, qui en fut l'interprète inspiré, lorsqu'il suggère de voir dans le premier
mouvement « les révoltes et les supplications d'une lutte tragique contre un destin sans espoir ; dans le *scherzo,* les jeux
menaçants des forces mystérieuses qui s'agitent confusément
dans les ténèbres ; dans la *marche funèbre,* l'écho stylisé de

1. Encore que... cf. pp. 298-299.

toutes les douleurs humaines ; dans le frissonnement de l'hallucinant *finale*, le tourbillon glacé du vent sur les tombes ». De telles images trouvaient en tout cas leur justification dans la traduction pianistique qu'en donnait Cortot. Je doute que les cartésiens, ennemis de tout imagerie, eussent-ils été virtuoses, auraient donné de la *Sonate funèbre* une interprétation plus convaincante que celles de Rubinstein et de Cortot. Reste évidemment l'opinion sévère de Schumann qui voyait dans le finale « plus de sarcasme que de musique — l'image d'un certain génie nous soufflant au visage. On dirait que l'arrière-fond polonais a disparu et que, par-dessus l'Allemagne, Chopin incline vers l'Italie ». L'atonalisme de ces pages conclusives devait excéder le caractère profondément traditionaliste de Schumann. Quant à l'Allemagne, elle reste tout à fait étrangère au génie de Chopin. Enfin, il faut une longue vue pour discerner le moindre italianisme dans ce poème en quatre chants qui résume mieux que n'importe quel autre le talent spécifique de l'auteur. Les épisodes chantants de la *Sonate funèbre* n'ont vraiment rien d'une cavatine ou des « roulades » qui enjolivent les airs à succès d'un Rossini ou d'un Bellini ! Résignons-nous une fois pour toutes à ce que Chopin soit un compositeur polonais et que le sort de sa patrie lui soit un souci constant ! Il y a des évidences plus accablantes que celles-là.

Que la sonate en question n'obéisse pas aux canons dérivés des ouvrages similaires de Haydn, Mozart et Beethoven n'est pas un signe d'infériorité, loin de là. Qui se plaindra d'une réexposition incomplète dans le premier mouvement — le motif initial ayant été dit (facultativement) deux fois et ne reparaissant que dans le développement où les deux motifs s'affrontent en un halètement saisissant ?

Trouvera-t-on excessif le caractère terrifiant du *scherzo* ? Cortot parle d'un « tournoiement d'Euménides » et Chopin lui-même de « créatures souterraines » dansant au rythme éperonnant des octaves répétées comme à celui des montées chromatiques de sixtes vers l'aigu du clavier. Bien entendu, le *trio*, synonyme d'apaisement précaire, se verra encore accusé d'italianisme, quand sa langueur maladive est typiquement slave et — si l'on cherche une image — symbolique d'un clair de lune voilé.

Deux idées s'affrontent dans la *marche funèbre* : à un cortège de deuil s'oppose une méditation telle qu'en peut inspirer une foule agenouillée. Puis le convoi se remet en marche au son d'un glas dont tout le mystère réside dans l'alternance d'un accord parfait mineur et d'un accord de sixte et quarte du même ton.

Le *finale* confie à l'unisson des deux mains effleurant le clavier plus qu'elles ne le percutent, un long ruban sonore, d'une étrangeté harmonique sans exemple avant Chopin. Les tonalités s'y succèdent à une allure si terrifiante que, sauf dans les premières et les dernières mesures, on ne peut plus parler, au sens propre, de tonalité. Schoenberg a dû rêver sombrement à ce qu'on peut faire de l'atonalité — avec du génie à la clé !

Pas plus que dans la précédente, Chopin n'accorde de réexposition à l'*allegro* de sa *Sonate en si mineur, op. 58.* Pas un instant non plus, l'auditeur ne songe à regretter cette élision qui enchantait Debussy : « Pourquoi, écrivait-il, faut-il à tout prix redire deux fois la même chose ? A quoi bon dire aux gens : enfoncez-vous bien cela dans la tête ? » Quant à l'idée que Chopin aurait péché par inexpérience, elle est burlesque. Au début du développement, ne témoigne-t-il pas d'une virtuosité de plume capable de confondre les cuistres qui « cherchent des poux » dans sa crinière de lion ? On peut même dire, sans diminuer le mérite génial de cette *3ᵉ Sonate*, qu'elle obéit, plus que la deuxième, à l'esthétique beethovénienne.

Le fuyant *scherzo* est interrompu par un trio aux allures de berceuse, qui n'est pas sans rappeler le second thème du premier *scherzo*.

Précédé par une introduction solennelle, le *largo* développe largement un thème élégiaque fortement rythmé, laisse s'épanouir longuement un motif dont tout l'intérêt est d'ordre harmonique et finit, comme il a commencé, sur une variante de la main gauche.

Le *finale* inscrit dans la forme toute classique du *rondo* un morceau où se déchaîne la puissante virilité de Chopin. Le thème, qui revient, comme il se doit, à maintes reprises (soutenu à la main gauche par des triolets, des quartolets, puis des sextolets), est périodiquement interrompu par un motif dont la rafale balaie le clavier de l'aigu au grave dans une impressionnante pyrotechnie. Ce morceau est d'une exécution particulièrement difficile. Il donne une idée de la virtuosité naturelle de Chopin.

VI. LES QUATRE BALLADES

« Point de musique sans arrière-pensée », note Chopin. Il déclare en outre à Schumann, lors de la visite qu'il lui rend à Leipzig, que ses quatre *Ballades* lui furent inspirées par la lecture de poèmes écrits par Mickiewicz. Nous accueillons cette confidence avec la réserve qui s'impose, vu le peu de goût de Chopin pour la traduction de poèmes en musique. Nous l'avons répété cent fois au long de ce volume : Chopin est musicien, rien que musicien, il n'a pas de goût pour la littérature et la poésie. Il faut donc être très prudent lorsqu'on évoque les sources possibles de sa musique. Mais, d'autre part, dans le cas présent, nous avons à considérer une confidence faite à Schumann : impossible de la mettre en doute. Exposons les faits. Chacun en tirera les conséquences qu'il lui plaira.

Voici, résumés par Laurent Cellier, rédacteur des notices de concerts historiques donnés par Alfred Cortot en 1924, les arguments des quatre poèmes de Mickiewicz auxquels Chopin fit allusion au cours de son entretien avec Schumann.

*I*re *Ballade, op. 23 :* « Konrad Wallenrod ». Wallenrod, à l'issue d'un banquet et surexcité par l'ivresse, vante l'exploit des Maures se vengeant des Espagnols, leurs oppresseurs, en leur communiquant, au cours d'effusions hypocrites, la peste, la lèpre et autres maladies qu'ils avaient, au préalable, volontairement contractées. Wallenrod laisse entendre aux convives stupéfaits que lui aussi, Polonais, saurait au besoin insuffler la mort à ses adversaires, dans un fatal embrassement.

Malgré l'allusion à la haine des Polonais pour l'occupant russe, il faut dire qu'une lecture attentive de la *1re Ballade* ne permet d'établir aucune correspondance précise entre le récit de Mickiewicz et la pièce de Chopin. Que celui-ci, séduit par le poème, ait trouvé dans son émotion l'élément moteur de la ballade est tout autre chose.

2e Ballade, op. 38 : « Le Switez ». Le lac des Willis, uni comme une nappe de glace où, la nuit, se mirent les étoiles, est situé sur l'emplacement d'une ville jadis assiégée par les hordes russiennes. Pour échapper à la honte qui les menaçait, les jeunes filles polonaises obtinrent du ciel d'être englouties dans la terre subitement entrouverte sous leurs pieds, plutôt que d'être livrées aux vainqueurs. Changées en fleurs mystérieuses, elles ornent désormais les bords du lac : malheur à qui les touche !

Là, les deux rafales qui entrecoupent les épisodes idylliques de la ballade imagent plus fidèlement le poème. La correspondance est plausible, sinon tout à fait évidente.

3e Ballade, op. 47 : « L'Ondine ». Sur les bords du lac, un jeune homme a juré fidélité à une jeune fille entrevue. Celle-ci, qui doute de la constance des hommes, malgré les protestations de l'amoureux, s'éloigne et réapparaît sous la forme ensorcelante d'une ondine. A peine a-t-elle tenté le jeune homme qu'il succombe au sortilège. Pour expier sa faute, il sera entraîné dans l'abîme aquatique et condamné à poursuivre, en gémissant, l'ondine fuyante qu'il n'atteindra jamais.

4e Ballade, op. 52 : « Les trois Budrys ». Les trois Budrys — trois frères — sont envoyés par leur père en des expéditions lointaines, à la recherche des plus riches trésors. L'automne passe, puis l'hiver. Le père imagine que ses fils ont péri à la guerre. Au milieu de tourbillons de neige, chacun, pourtant, revient à son tour. Mais ils ramènent, pour unique butin, trois fiancées.

Si l'avant-dernier poème cadre plus ou moins avec la musique de Chopin, ce dernier texte n'offre aucune similitude avec la longue élégie tumultueuse de la *4ᵉ Ballade*. Encore une fois, nous citons ces différents textes sous toute réserve.

Avant Chopin, le mot « ballade » désignait exclusivement des pièces vocales. Voici, sous la plume du compositeur polonais, les premières *Ballades* instrumentales. Aucune forme précise n'en limite les contours ; d'ailleurs, les quatre *Ballades* ont des structures très différentes.

La *1ʳᵉ Ballade en sol mineur*, commencée en 1830, achevée six ans plus tard, énonce, après une introduction arpégée, un premier thème interrogateur qui emprunte sa ligne mélodique à un accord de septième appogiaturé. Un second motif, de caractère vocal, chante, lyriquement, à plein gosier. S'ensuit, comme dans un premier mouvement de sonate, un développement au long duquel les deux thèmes s'affrontent, entrecoupés par de grands traits de virtuosité, tout cela dans un style sans rigueur — jusqu'à l'instant où un *presto con fuoco* amorce une *coda* orageuse d'une extrême difficulté d'exécution (résistance des doigts, souplesse du poignet, extension). Son exécution ne posait à Chopin « aucun problème » : preuve d'une aptitude digitale et d'une technique sans secondes. Des gammes étincelantes alternant avec des rappels de thème principal conduisent le morceau à sa conclusion. Un dernier mot : de ses quatre *Ballades*, la première était la préférée de Chopin.

Dédiée à Schumann, qui rendra à Chopin sa politesse en lui dédiant ses *Kreisleriana*, la *2ᵉ Ballade en fa majeur* est construite sur l'alternance d'un thème idyllique et d'une rafale impétueuse, sans développement au sens scolastique du terme. L'*agitato* final symboliserait l'engloutissement de la ville au bord du lac et les dernières mesures qui concluent bizarrement en *la mineur*[1] évoqueraient les jeunes filles changées en fleurs. Musicalement parlant, cette *Ballade* offre

---

1. « Je me rappelle, note Schumann, avoir entendu Chopin jouer sa *Ballade* avec une conclusion en *fa* majeur : aujourd'hui, elle finit en *la* mineur. » Preuve que le morceau avait subi des remaniements et que, d'autre part, le fétichisme d'école n'était pas le fait de Chopin.

un luxe extraordinaire de modulations par enharmonies, de quintes augmentées, d'appogiatures, de dissonances hardies, on ne peut plus neuves pour l'époque — et pour la nôtre. Joués lentement, les épisodes dramatiques sont d'un modernisme stupéfiant : ils « passent » à la faveur du *tempo* rapide.

« Dans les deux dernières *Ballades*, note Alfred Cortot, Chopin semble renoncer au principe d'opposition dramatique des thèmes sur lequel il appuie la construction musicale des deux premières. Conjonction plutôt que conflit. Quoi qu'il en soit d'une possible affabulation poétique, suggérée par un récit de Mickiewicz ou un poème de Heine, les huit premières mesures de la *3e Ballade en la bémol majeur* semblent illustrer le tendre dialogue de deux amants imaginaires : " M'aimeras-tu toujours ? — Oui, je le jure. Et toi, me garderas-tu ta foi ? — Tant que je vivrai. " Dans cette ambiance de fraîcheur printanière s'établit un développement de caractère rythmique : expansion d'un bonheur juvénile, pure ardeur d'un sentiment candide. »

Un second thème flexible, ondoyant, affecte le balancement d'une barcarolle, qui justifie d'une certaine manière l'allusion à l'ondine. On a raison de dire que le style général dépasse le piano et suggère l'orchestre. En dépit de la virtuosité des traits, la couleur de la conclusion est plus douloureuse que triomphale.

La *4e Ballade en fa mineur* est sans doute la plus belle, la plus riche de substance, la plus polyphonique, la plus émouvante aussi et la plus subtile. L'auteur et l'auditeur n'y sont guidés que par le fil du rêve. L'intériorité de cette *Ballade* en a longtemps rendu l'approche plus difficile et l'effet moins populaire. Son décor est imprécis, nostalgique, de caractère quasi impressionniste. Sa forme tient du rondo, de la sonate et de la variation. Chopin s'abandonne sans jamais s'égarer. Du nocturne et de la barcarolle, il évolue, grâce à tout un jeu d'admirables transitions, vers un climat de violence qui s'oppose, chez lui, tout naturellement, à la rêverie et qui aboutit à un *agitato* d'une exécution prodigieusement malaisée à qui veut faire ressortir la polyphonie des trois motifs superposés. Une fois encore, les partisans d'un Chopin doux rêveur en sont pour leurs frais. En fait, les deux versants opposés, d'une nature éminemment complexe, sont l'extrême fluidité et la passion dévorante. Sous les habits à la mode s'abrite un guerrier en éveil. Cette dualité fondamentale, Delacroix, mieux que personne, l'a traduite dans son célèbre portrait.

VII. LES QUATRE SCHERZOS

Là aussi, Chopin innove, à la fois dans l'appellation et dans la forme.

Sous la plume de Beethoven, *scherzo* est synonyme de divertissement appelé à séparer — comme le *menuet* des symphonies et des sonates de Mozart et de Haydn — l'*allegro* de l'*adagio,* ou l'un de ces deux morceaux du *finale.*

Chopin néglige cette tradition et donne au *scherzo* une tout autre signification : « Ce sont des jeux, cependant, note Alfred Cortot, mais terrifiants ; des danses, mais enfiévrées, hallucinantes ; elles semblent ne rythmer que l'âpre ronde des tourments humains. » Ces remarques visent surtout la coupe et la substance des trois premiers *scherzos.* Le quatrième est moins véhément que nostalgique, il exprime plus de mélancolie que de révolte.

La structure des quatre *scherzos* est de nature ternaire : deux thèmes, retour du premier thème. Rythme 3/4 traité en *presto.*

Quant aux sentiments exprimés, ils sont nombreux et variés : « Passion, violence, rêverie, tendresse, fantaisie féerique, il y a de tout cela dans les *scherzos,* note Louis Aguettant, et bien d'autres accents encore. » Quant au fait, selon le même commentateur, que Chopin « juxtapose bien plus qu'il ne construise », c'est une autre affaire. Disons que jamais Chopin ne se plie aux règles d'école, comme aux clichés stéréotypés — il obéit à une logique personnelle

née d'un équilibre intérieur, ce qui libère sa musique des
moules classiques tout en lui laissant une personnalité aiguë.
Inspiré par une nuit d'angoisse passée dans la cathédrale
de Vienne, tous cierges éteints, repris à Stuttgart, terminé
à Paris en 1835, le *1ᵉʳ Scherzo en si mineur* commence sur
des accords sauvages et se déchaîne aussitôt après, posant à
l'interprète les plus sérieux problèmes. Ce trait furieux, en
coup de cravache, comment lui donner tout à la fois son
élan, son poids, son caractère d'invective ou de défi ? Comment apaiser brusquement les ardeurs de cette chevauchée
pour laisser chanter très paisiblement un des rares thèmes
populaires utilisés par Chopin : celui d'une berceuse pour le
temps de Noël : « Dors, petit Jésus, dors, ma petite perle ! »
Redit plus que vraiment développé, ce motif si tendre cède
la place au retour du trait furibond qui ne s'interrompt,
après la répétition, martelé d'un accord singulièrement hardi,
cher à Ravel, que pour mieux rebondir et s'envoler vers
un horizon de soufre et de flammes.

Le *2ᵉ Scherzo* en *si bémol mineur*, des quatre le plus populaire, débute par un motif interrogateur, plusieurs fois formulé à la basse. La réponse, dans l'aigu, est scandée triom-
phalement. Un thème majeur s'épanouit dans un élan d'infinie tendresse. Une calme mélodie s'élève, en *la majeur*. Dans
la *coda*, on remarque une brusque modulation de *ré bémol*
en *la majeur* par le truchement enharmonique *ré bémol = do
dièse*, dont Fauré usera dans le dernier épisode de son
6ᵉ Nocturne. Schumann compare, bien littérairement, l'ouvrage entier à un poème de Byron.

Le *3ᵉ Scherzo en ut dièse mineur* s'amorce dans un climat
orageux ponctué d'éclairs sonores. Un choral en *ré bémol*
déroule ses quatre strophes, que séparent des bruissements
d'ailes frémissantes. S'ensuivent des jeux d'arpèges qui amè-
nent la réexposition du scherzo avec une déclamation du
choral en *mi majeur*, puis en *mi mineur*. Une coda véhémente conclut.

Le *4ᵉ Scherzo en mi majeur* évoque en son début des
jeux icariens. La musique n'est que fuite dans l'espace, sub-
tilités harmoniques, évasions hors du ton, retours imprévus

au port d'attache. Nullement dramatique, ce *scherzo* est tout entier voué à la poésie. Il éclôt dans le coloris floral d'une superbe mélodie modulante. Admirons en passant la perspicacité des commentateurs qui, fuyant toute allusion littéraire ou ethnique, voient dans ce *scherzo*, publié en 1843, l'écho des premiers dissentiments surgis entre Chopin et George Sand. Critiques à courte vue et à longues oreilles !

VIII. LES VINGT-SIX PRÉLUDES

Lorsque Chopin quitte Paris pour les Baléares, plusieurs des vingt-quatre futurs *Préludes* sont achevés, la plupart des autres sont esquissés. Il montre à son ami Camille Pleyel, facteur de ses pianos préférés, les préludes achevés et lui confie son intention d'en porter le nombre à vingt-quatre, selon les douze tonalités majeures et les douze relatifs mineurs de la gamme chromatique. Pleyel s'enthousiasme, promet deux mille francs pour la série complète et remet à Chopin cinq cents francs à titre d'acompte. Chopin confie à Gutmann : « J'ai vendu mes *Préludes* à Pleyel, parce qu'il les aimait. »

Dès son arrivée à Majorque, Chopin se met au travail. Le 15 novembre, il écrit à Julien Fontana : « Tu recevras bientôt les *Préludes*. » Puis il tombe malade et, le 3 décembre, il précise : « Je ne puis pas t'envoyer les manuscrits, car ils ne sont pas encore prêts. » Le 14 du même mois, « il espère faire bientôt envoyer les textes ». Le 28 : « Je ne puis t'envoyer les *Préludes* : ils ne sont pas finis. Mais je vais mieux à présent et je vais travailler. » Le 12 janvier 1839 : « Je t'envoie les *Préludes* : recopie-les avec Wolf. Je pense qu'il n'y a pas de fautes. Tu en donneras une copie à Probst (l'éditeur) et le manuscrit à Pleyel... J'aimerais que mes *Préludes* soient dédiés à Pleyel et ma *2ᵉ Ballade* à Schumann. Si Pleyel ne veut pas renoncer à la dédicace de la *Ballade*, tu dédieras les *Préludes* à Schumann. Tu infor-

meras Probst du changement des dédicaces. » Finalement,
la *Ballade* est dédiée à Schumann, l'édition française des
Préludes à Pleyel et l'édition allemande à Kessler. L'éditeur
anglais Vessel les publie de son côté. Les *Préludes* paraissent au mois de septembre 1839.

Nous avons déjà cité l'opinion de Sand sur les *Préludes*[1].
Mais voici le jugement porté par Liszt : « Cette composition
est d'un ordre tout à fait à part. Ce ne sont pas, ainsi que
le titre pourrait le faire penser, des morceaux destinés à être
joués en guise d'introduction à d'autres morceaux, ce sont
des préludes poétiques, analogues à ceux d'un grand poète
contemporain (Lamartine), qui bercent l'âme en songes dorés
et l'élèvent jusqu'aux régions idéales. Admirables par leur
diversité, le travail et le savoir qui s'y trouvent ne sont
appréciables qu'en un scrupuleux examen. Tout y est de
premier jet, d'élan, de soudaine venue. Ils ont la libre et
grande allure qui caractérise les œuvres de génie. » Schumann, de son côté, rend compte de la parution des *Préludes* :
« Je dois les signaler comme très remarquables. J'avoue
que je m'attendais à quelque chose de très différent, enlevé
en grand style comme ses *Etudes*. C'est presque le contraire :
ce sont des esquisses, des commencements d'études ou, si
vous voulez, des ruines, des plumes d'aigle follement mêlées.
Mais dans chaque pièce nous trouvons son écriture raffinée,
perlée : c'est de Frédéric Chopin, nous le reconnaissons
même dans les pauses et dans sa respiration ardente. Il est
l'âme poétique la plus hardie et la plus fière d'aujourd'hui.
Le cahier contient aussi évidemment des traits fiévreux et
morbides. Laissons chacun y chercher ce qui lui convient
et l'enchante : seul, le Philistin n'y trouvera rien. »

Enfin, Gide, dans une étude sur Chopin, note avec raison
que « ce grand romantique fut, plus que tout autre, épris
de pureté classique et le plus antigermanique de tous les
compositeurs[2]. Barrès en eût fait un musicien lorrain...

---

1. Cf. pp. 285-286.
2. De fait, rares sont les interprètes allemands de Chopin.
« Ce n'est pas leur affaire », note **Paderewski**.

Improvisateur-né, Chopin se laisse conduire par les notes...
Schumann est un poète, Chopin est un artiste comparable
à Baudelaire... Le Chopin des virtuoses est trop brillant,
trop précipité, trop affirmatif — celui des jeunes filles est
trop sentimental. » De fait, la plupart des virtuoses jouent
Chopin trop vite : cela ressort des déclarations mêmes de
l'auteur. Mais où Gide déraille, c'est quand il s'appuie sur
sa laborieuse expérience personnelle de pianiste amateur.
J'ai eu le privilège de l'entendre jouer du piano : sonorité
de carton, doigts sans éloquence aucune, le moins doué des
pianistes, en dépit d'un entraînement quotidien allant parfois jusqu'à trois heures. Lorsqu'il souhaite pour épigraphe
aux *Préludes* les vers de Valéry :

> *Est-il art plus tendre*
> *Que cette lenteur ?*

il confond le vœu de Chopin et les empêchements de Gide
pianiste. Quand il note : « Cette musique n'est pas assez
difficile », il atteint les cimes du ridicule. Notant : « L'insupportable habitude de phraser Chopin, de ponctuer sa
mélodie », il dénonce sans le savoir la raideur mécanique
de son jeu de vieux pasteur protestant. Et voici le bouquet :
« On pourra jouer Bach aussi bien et même mieux que moi
(*sans doute !*). Pour Chopin, c'est autre chose, parce que,
pour le bien jouer, il faut être d'abord un artiste (*mais,
avant tout, un pianiste !*). » Pour conclure, il juge « consternante l'interprétation des *Préludes* par Cortot, à part
quelques-uns ». Or, de l'aveu universel, Cortot a été sans
doute le traducteur le plus génialement inspiré des *Préludes*.
La fable de la grenouille qui veut se faire aussi grosse que
le bœuf est éternelle !

Et, puisque nous venons de faire allusion à Cortot, nous
citerons sous toute réserve les sous-titres qu'à titre d'hypothèses personnelles le grand pianiste avait donnés aux *Préludes*. Sachant mieux que personne que Chopin détestait la
« littérature », il ne cherche nullement à faire croire que
l'auteur de ces esquisses magiques avait été guidé par un fil

poétique aussi précis : il soumettait tout bonnement au public ses réactions d'interprète.

1. « Attente fiévreuse de l'aimée »
2. « Méditation douloureuse ; la mer déserte, au loin... »
3. « Le chant du ruisseau »
4. « Sur une tombe »
5. « L'arbre plein de chants »
6. « Le mal du pays »
7. « Des souvenirs délicieux flottent comme un parfum à travers la mémoire »
8. « La neige tombe, le vent hurle, la tempête fait rage ; mais en mon triste cœur, l'orage est plus terrible encore »
9. « Voix prophétiques »
10. « Fusées qui retombent »
11. « Désir de jeune fille »
12. « Chevauchée dans la nuit »
13. « Sur le sol étranger, par une nuit étoilée, et en pensant à la bien-aimée lointaine »
14. « Mer orageuse »
15. « Mais la mort est là, dans l'ombre... »
16. « La course à l'abîme »
17. « Elle m'a dit : Je t'aime... »
18. « Imprécations »
19. « Des ailes, des ailes, pour m'enfuir vers vous, ô ma bien-aimée ! »
20. « Funérailles »
21. « Retour solitaire à l'endroit des aveux »
22. « Révolte »
23. « Naïades jouant »
24. « Du sang, de la volupté, de la mort ».

Notons enfin qu'aux *24 Préludes*, publiés sous le numéro d'opus 28, il y a lieu d'ajouter deux pièces du même style : un *Prélude*, op. 45, en *ut dièse mineur*, daté de 1841, et un autre, en *la bémol*, sans numéro d'opus, dédié « à son ami Pierre Wolf » en 1843. Nous analyserons donc succinctement non pas 24, mais 26 *Préludes*.

1. *Ut majeur : agitato.* — Ardeur impatiente, frémissement passionné, traduits par la courbe ascensionnelle du morceau et l'écriture en syncopes haetantes, qui doivent s'interpréter sans sécheresse ni empâtement.

2. *La mineur : lento.* — Accablement, amertume, rythmés par un glas lointain. Jugé « discordant » et même « injouable » par nombre de contemporains de Chopin, ce *Prélude* néglige en effet les lois de l'harmonie traditionnelle pour ne viser qu'à l'effet psychologique qu'il entend produire. Il hésite sans cesse entre le majeur et le mineur.

3. *Sol majeur : vivace.* — Sur un trait de main gauche fluide et sans virtuosité trop visible, se déploie, à la main droite, un chant fragile, flexible, primesautier et sensible. Il n'est pas facile de tenir compte d'autant de caractères, parfois contradictoires.

4. *Mi mineur : largo.* — Plaintive, galvanisée de sursauts précaires, quasi désespérée, la mélodie se développe sur une série d'accords réguliers, descendant selon un mouvement chromatique qui, « note à note, désagrège les harmonies ». Tout se replie et s'éteint dans une sorte de néant.

5. *Ré majeur : allegro molto.* — Ici, Chopin se pose des problèmes techniques : combinaison du *legato* et des extensions dans un mouvement rapide, égalité de jeu en dépit d'une position incommode de la main. Le sentiment à exprimer est celui d'un bruissement léger ou d'un murmure aquatique.

6. *Si mineur : lento assai.* — Les *Préludes* n° 4 et 6 furent joués aux funérailles de Chopin. Le deuxième consiste en un chant élégiaque, mais nullement emphatique, de la main gauche sur des batteries régulières à la main droite. S'agit-il du prélude dit « de la goutte d'eau » ? Les *Préludes* n° 8 et 15 lui disputent ce privilège, au sujet duquel Chopin n'a pas donné la moindre indication.

7. *La majeur : andantino.* — Seize mesures d'une mazurka improvisée, comme rêvée. La seule difficulté réside

dans le choix de la sonorité appropriée à ce songe de printemps.

8. *Fa dièse mineur : molto agitato.* — Liszt y voit la fameuse « goutte d'eau », tandis que Chopin y propose à l'interprète quatre difficultés : l'énonciation claire et *legato* d'un chant fortement rythmé, confié au pouce de la main droite ; le saut rapide du pouce entre notes éloignées ; l'exécution d'un dessin mélodique juxtaposant des octaves et des fioritures intermédiaires ; la ponctuation vigoureuse de la main gauche. Le drame, l'orage sont évidents.

9. *Mi majeur : largo.* — « Voix d'airain, prophétiques et solennelles », dit à juste titre Cortot. Etude de sonorités qui doivent restituer, sans lourdeur, un timbre de trombone.

10. *Ut dièse mineur : allegro molto.* — Une fusée de la main droite, retombant sur une cadence, tandis que la main gauche soutient cette chute par des accords arpégés.

11. *Si majeur : vivace.* — Une esquisse fuyante et tendre, moins facile à exécuter qu'il n'y paraît, la mélodie ne devant pas souffrir de la polyphonie de la main droite. Tout est ici grâce, légèreté, pudeur.

12. *Sol dièse mineur : presto.* — Etude basée sur la répétition des notes de la mélodie, polyphoniquement accompagnée à la main droite, tandis que la main gauche éperonne nerveusement la chevauchée. Peut-être est-il plus aisé de résoudre les problèmes techniques posés par cette page véhémente que de lui donner tout son caractère.

13. *Fa dièse majeur : lento.* — Un nocturne, tendrement nostalgique. Chopin-qui-rêve après Chopin-qui-bondit. Une modulation en *ut dièse* éclaire tout à coup la brume où se meut cette pièce mélancolique.

14. *Mi bémol mineur : allegro.* — On dirait l'ébauche — ou le reflet — du *finale* de la *Sonate funèbre*, esquissée à Majorque. La pièce est d'écriture atonale et de caractère tragique.

15. *Ré bémol : sostenuto.* — Le plus sûr des prétendants au titre de la « goutte d'eau ». Ce beau nocturne laisse s'épanouir en son milieu une progression terrifiante en *ut*

dièse mineur, qui rend plus saisissant, par contraste, le retour à la lumière en *ré bémol*.

16. *Si bémol mineur : presto con fuoco*. — Tout y est déterminé par l'impulsion cravachante de la main gauche. On pense à la galopade sinistre des « noirs coursiers » de la *Damnation de Faust* sur une route dessinée par le trait de la main droite. Les négateurs de toute imagerie voient dans ce prélude le témoignage d'un Chopin viril : on s'en doute, en effet...

17. *La bémol : allegretto*. — Une romance sans paroles ? C'est réduire Chopin à la stature d'un Mendelssohn, dont il prisait l'aimable caractère, mais point du tout la musique. Disons qu'il s'agit d'un chant d'amour exalté, persuasif, heureux. Et que la difficulté consiste à soutenir ces aveux sans les écraser ni les affadir. Cortot en donnait une traduction enivrée, sans seconde.

18. *Fa mineur : allegro molto agitato*. — Un cri en musique. Un récitatif véhément, symbole de défi, proche de l'état de folie qui ressort de l'épisode de Stuttgart.

19. *Mi bémol : vivace*. — Un oiseau s'envole dans la lumière. Ses ailes y palpitent sans effort apparent, l'interprète ayant pour souci principal de dissimuler les difficultés cachées de cette page aérienne.

20. *Ut mineur : largo*. — Un cortège s'éloigne, emportant à jamais le cher souvenir de quelque grande mémoire. Pour évoquer l'impassibilité, le hiératisme voulus par Chopin, on s'abstiendra soigneusement d'arpéger le moindre accord et l'on s'efforcera, comme disent les professeurs de piano, d'aller jusqu'au fond des touches.

21. *Si bémol majeur : cantabile*. — Un chant magnifique s'épand sur un lacis de croches, prétexte à d'ingénieux doigtés de liaison. N'y voyons que de la musique.

22. *Sol mineur : molto agitato*. — Encore une page farouche où les deux mains alternées créent le climat orageux qui donne à cette page si brève une valeur d'eau-forte à la Méryon.

23. *Fa majeur : moderato*. — On retrouve ici les allures fuyantes, souples, heureuses du *Prélude en mi bémol*. Une

technique d'effleurement et d'indépendance entre les deux mains, la gauche bondissant, tandis que la droite poursuit sa course élégante.

24. *Ré mineur : allegro appassionnato.* — Ce prélude passe pour avoir été composé, ainsi que le *2ᵉ Prélude en la mineur*, à Stuttgart. Sa violence traduit, à n'en pas douter, l'épouvante nerveuse de l'exilé réduit à l'impuissance par l'éloignement. Une de ces pages où l'interprète doit oublier — mais non pas négliger — le piano pour ne penser qu'au sentiment de fureur éperdue qu'elle exprime.

25. *Ut dièse mineur, op. 45.* — Rêverie « bien modulée », aux dires de son auteur. De fait, Chopin y pratique une très curieuse instabilité tonale, passe en se jouant du majeur au mineur, ouvrant aux amateurs de la « musique de l'avenir » des chemins ingénieux.

26. *La bémol majeur.* — De cette page brève publiée à Genève en 1918, Saint-Saëns disait : « Ce prélude est joli, mais il n'a pas grand intérêt. Il pourrait être aussi bien d'un autre compositeur de talent : on n'y sent pas le génie. » Ne chicanons pas Saint-Saëns.

IX. LES QUATORZE VALSES

Quatorze *Valses*, dont six posthumes, égrenées de 1829 à 1847, tel est le catalogue de ces pages, gracieuses ou nostalgiques, dont Chopin réclamait avant tout « qu'elles ne fussent pas dansées, parce qu'elles n'y étaient point destinées ». Pas davantage n'admettait-il qu'on les considérât comme « de la musique de salon. Je n'enverrai plus jamais une seule note à cette rosse de Vessel [1] qui a baptisé " Agrément de salon " un de mes *Impromptus*, à moins que ce ne soit l'une de mes *Valses*. »

De la même manière, il ne faut pas chercher dans les

1. Son éditeur anglais.

Valses de Chopin ce qui fait l'agrément des valses viennoises. Durant son séjour à Vienne, Chopin précise : « Je n'ai rien de ce qu'il faut pour imiter Strauss ou Lanner. »

Mais Alfred Cortot a raison de distinguer trois styles dans la chaîne des valses de Chopin : les *Valses brillantes*, qui évoquent, malgré le vœu de l'auteur, des salles de bal où tournoient les couples ; une série de *Valses de salon* (encore une fois, pardon !) dont Chopin est l'inventeur : pièces rêveuses, parfois réveillées sur un rythme de mazurka, vouées au songe ; enfin les *Valses allusives*, où le rythme qui caractérise cette forme s'alanguit au bénéfice de la seule poésie.

Comme ailleurs, les numéros d'opus sont loin de correspondre aux repères chronologiques des années de création. Chopin tenait son catalogue avec un grand désordre et Fontana, après sa mort, ne fit pas, en publiant contre le gré de son ami, ses pièces posthumes, œuvre d'exécuteur soigneux.

1. *Grande Valse brillante en mi bémol, opus 18.*

La première éditée, mais non pas composée : nous trouverons parmi les « *posthumes* » cinq valses antérieures. Celle-ci mérite son qualificatif. Piaffante, empanachée, elle se déroule au scintillement des lustres, rebondit à chaque « séquence » et finit dans un *accelerando* qui époumone les danseurs imaginaires.

2. *Valse brillante en la bémol, opus 34, n° 1.*

Des « Trois valses brillantes », op. 34, Schumann note : « Ce sont des valses pour les âmes plus encore que pour les corps. » La diversité des rythmes est saisissante dans la première du triptyque. Un thème masculin affirmatif, un thème féminin, doucement balancé, une voluptueuse idée secondaire relancent l'intérêt dans un luxe de modulations subtiles.

3. *Valse en la mineur, opus 34, n° 2.*

Stephen Heller précise que, de toutes ses valses, celle-ci était la préférée de Chopin, peut-être en raison de sa nostalgie qui semble comme l'écho d'un regret.

4. *Valse en fa majeur, opus 34, n° 3.*

Les pianistes l'ont surnommée « Valse du chat » parce que les petites notes du passage médian pourraient en effet illustrer les cabrioles de notre animal domestique.

5. *Valse en la bémol majeur, opus 42.*

De cette valse, Schumann écrit que, « si jamais on devait la danser, ce devrait être seulement par des comtesses ». La superposition d'un rythme binaire à la main droite et d'un rythme ternaire à la main gauche crée une équivoque délicieuse que rompent, ici et là, quelques accords vigoureux. Une brillante coda met un point final à cette valse sinueuse.

6. *Valse en ré bémol, opus 64, n° 1.*

Cette fois, ce n'est pas d'un chat, mais d'un petit chien qu'il s'agit. Le chien favori de Sand se divertissait à courir après sa propre queue en tournant sur lui-même et Chopin aurait noté musicalement les ébats de l'animal d'après une improvisation. Il ne jouait pas cette valse très vite, conservant une marge d'accélération, mais il donnait aux gammes un « coulé » dont s'émerveillaient ses belles auditrices et il se gardait bien, d'après le témoignage de Mathias, d'accorder au second épisode un trop voluptueux alanguissement.

7. *Valse en ut dièse mineur, opus 64, n° 2.*

Composée en 1847, deux années avant la mort de l'auteur, elle est peut-être la plus parfaite, la plus aristocratique de ses valses, la plus célèbre aussi. Le refrain qui répond à plusieurs reprises au couplet précédent gagne à n'être jamais traité en ritournelle, tant il éclate qu'un mouvement trop vif et un jeu mécanique altèrent irrémédiablement le charme de cette page.

8. *Valse en la bémol, opus 64, n° 3.*

Cette pièce semble née des amours d'une valse et d'une mazurka. Confié à la main gauche, un motif secondaire crée dans un rythme régulier une diversion ravissante.

9. *Valse posthume en la bémol, opus 69, n° 1.*

Nous avons fait justice de l'appropriation de cette valse dite « de l'adieu » aux circonstances qui accompagnèrent la rupture des fiançailles de Chopin avec Maria Wodzinska. Faute de lui être dédiée, elle lui fut offerte, selon un usage auquel, plus d'une fois, Chopin se conforma. Le caractère attendri de cette jolie valse pouvait — l'année de composition aidant : 1835 — prêter à confusion.

10. *Valse posthume en si mineur, opus 69, nº 2.*

Composée en 1829, elle est, de toutes les valses de Chopin, la plus fragile, donc la plus souvent exécutée par les amateurs. Elle module en si majeur, puis revient au ton principal et finit ainsi qu'elle a commencé.

11. *Valse posthume en sol bémol majeur, opus 70, nº 1.*

Datée de 1835, mystérieusement condamnée par Chopin, cette valse est de style quasi populaire et de caractère bondissant. Un épisode qui fait penser aux *laendler* autrichiens rompt une menace d'imperceptible monotonie.

12. *Valse posthume en la bémol, opus 70, nº 2.*

Cette valse-là, composée en 1842, Cortot y voit une « danse parlée », tant le rythme s'y diversifie, comme au gré d'une tendre conversation dont un second thème avive le rythme.

13. *Valse posthume en mi majeur, opus 70, nº 3.*

Au sujet de cette page, délicieusement polyphonique, composée en 1829, Chopin écrit à Titus Woyciechowski qu'il y évoque un « être charmant » : Constance Gladkowska. Il y fait allusion à un passage amoureux, souligné, dont nul autre que son ami ne comprendra la signification : « Mais je sais qu'il n'est pas nécessaire d'attirer ton attention sur ce détail : tu le sentiras de toi-même. » Qui sait si les deux voix confiées à la main droite n'imagent pas deux cœurs réunis dans le même sentiment ?

14. *Valse posthume en mi majeur, sans numéro d'opus.*

Encore une valse de jeunesse — la dernière — datée de 1829. Elle est charmante dans sa gaucherie et ne mérite, somme toute, aucun commentaire.

X. LES VINGT-SEPT ÉTUDES

Commencées à Varsovie ainsi que des « exercisses » (*sic*) destinés à développer la virtuosité du jeune compositeur, poursuivies à Paris, finalement éditées dans cette ville en 1832 et 1837, les *24 Etudes* de Chopin, suivies de trois autres réservées à la *Méthode des méthodes* de Moscheles, sont devenues le bréviaire du pianiste de haut bord. Conçues comme de simples prétextes, elles sont, en fait, autant de chefs-d'œuvre. En aucune manière, l'ingéniosité n'y jugule l'inspiration. Bien au contraire, elle l'aiguillonne.

Le premier cahier, *opus 10*, est dédié à Liszt, qui en fut l'interprète prestigieux ; le second, *opus 25*, à Marie d'Agoult.

Etudes, opus 10.

1re Etude : ut majeur.

Cette étude, qui déploie de grands arpèges à la main droite, a pour but d'aider à vaincre plusieurs difficultés : l'extension et la sûreté du déplacement de la main sur l'étendue complète du clavier ; l'égalité dans la force de tous les doigts ; leur résistance ; un *legato* parfait — tandis que la main gauche, chargée des appuis harmoniques, n'offre aucun obstacle.

2e Etude : la mineur.

Ecrite pour la main droite sur les degrés chromatiques, elle développe l'indépendance des doigts faibles (3e, 4e, 5e) en obligeant le pianiste à user de doigtés insolites et d'un perpétuel chevauchement pour obtenir un jeu parfaitement lié. Les deux premiers doigts de la main droite accompagnent le ruban volubile que déroulent les trois autres sur un balancement de la main gauche. Les doigtés ont été scrupuleusement fixés par Chopin lui-même.

3ᵉ Etude : mi majeur.

Surnommée par un éditeur en mal de sous-titres « Tristesse », nantie de paroles ineptes par un autre, l'*Etude en mi majeur* arracha à Chopin, sous les doigts de Gutmann, une exclamation douloureuse : « O mon pays ! » C'est une romance appelée à favoriser, dans un *legato* absolu, le jeu polyphonique, les doigtés de substitution, la faculté de faire chanter les différentes voix, la sûreté de l'attaque dans les positions écartées. Facile en apparence, elle pose, en fait, tout un luxe de problèmes délicats.

4ᵉ Etude : ut dièse mineur.

Cette *toccata* impétueuse *alla Bach* (cf. le *Prélude en ut mineur* du *Clavecin bien tempéré*, 1ᵉʳ vol.) développe l'égalité des doigts des deux mains, leur brio et leur volubilité, « la main, précise Cortot, étant dans une position tantôt ramassée, tantôt écartée ».

5ᵉ Etude : sol bémol majeur.

Ecrite sur les touches noires et, à ce titre, nommée parfois « La Négresse », la *5ᵉ Etude* offre au pianiste l'occasion de travailler le fameux « passage du pouce » sur les touches noires, d'obtenir du brio et le « jeu perlé » dans la vitesse, le déplacement souple et rapide de la main. « Improvisation magnifique », jugeait Liszt.

6ᵉ Etude : mi bémol mineur.

L'intensité expressive du jeu polyphonique et chantant, le *legato* dans l'extension sont les principaux caractères de cette admirable étude, douloureuse et passionnée.

7ᵉ Etude : ut majeur.

Travail des doubles notes, de l'extension et du *legato* combinés, dans une fuyante légèreté. Souplesse du poignet.

8ᵉ Etude : fa majeur.

Passage du pouce dans la vitesse et la fluidité. Extrême régularité des doigts, indépendance des deux mains, exactitude dans la frivolité.

9ᵉ Etude : fa mineur.

Volubilité de la main gauche dans l'extension. Travail de la déclamation « tantôt hésitante, tantôt apaisée ». Indépendance des deux mains. Rien n'est simple sous la plume de Chopin et cette élégie est un modèle de difficulté voilée de poésie.

10ᵉ Etude : la bémol majeur.

Mobilité individuelle des doigts, travail de l'extension, développement de la force de l'auriculaire. Bülow soutenait que « quiconque saura exécuter cette étude d'une manière vraiment parfaite pourra se flatter d'avoir atteint la cime dans l'art du piano ».

11ᵉ Etude : mi bémol majeur.

Constituée de grands accords arpégés simultanément aux deux mains, cette étude est basée sur l'extension. Elle développe en outre la sonorité chantante de la partie supérieure.

12ᵉ Etude : ut mineur.

Composée à Stuttgart et dite, à ce titre, « La Révolutionnaire », cette étude s'élance d'un trait de la main gauche, *furioso*, et balaie le clavier dans le grave. La difficulté réside dans l'exécution particulièrement ardue de ce dessin confié à la main gauche et dans l'énonciation, par la main droite, d'un cri de révolte maintes fois répété. Violence, passion, appel à la revanche.

Etudes, opus 25.

1ʳᵉ Etude : la bémol majeur.

Schumann en écrit ceci, après l'avoir entendu jouer par Chopin : « Qu'on imagine une harpe éolienne qui aurait toute l'échelle des sons et que la main d'un artiste jette ces sons, pêle-mêle, en toutes sortes d'arabesques fantastiques, de façon pourtant que toujours on entende un son fondamental grave et une délicate note haute. Cette étude est plus un poème qu'une étude. On se tromperait en pensant que Chopin faisait entendre nettement chaque petite note qu'on y voit. C'était plutôt une ondulation de l'accord de la bémol majeur, transportée par la pédale jusque dans le registre supérieur. A travers les harmonies, on percevait, en larges notes, la mélodie merveilleuse. Vers le milieu, à côté de ce chant, une voix de ténor ressortait du flot des accords. L'étude achevée, il semble qu'on voit s'échapper comme une image radieuse contemplée en rêve et que l'on voudrait déjà, à demi réveillé, percevoir encore. » Cette étude, vaporeuse et précise, exige de l'interprète une très grande légèreté et la faculté de donner au chant supérieur un *legato* parfait, malgré l'emploi d'un seul doigt.

2ᵉ Etude : fa mineur.

Six notes en triolets à la main droite, trois à la main gauche : la difficulté est de donner au ruban sonore déroulé au soprano une parfaite égalité et une grâce fuyante, sans marquer aucun accent pour faciliter l'intervention mesurée de la basse. On y atteint par l'immobilité de la main et par le seul jeu des doigts au ras du clavier.

3ᵉ Etude : fa majeur.

Netteté dans la vitesse, obligation de laisser retomber la main sur les touches, sans crispation, pour obtenir l'effet de légère percussion et de rapidité voulu par Chopin.

4ᵉ Etude : la mineur.

Staccato et déplacement rapide des deux mains. Flexibilité et rebondissement du poignet.

5ᵉ Etude : mi mineur.

Deux épisodes s'opposent dans cette étude d'exécution périlleuse. D'abord un passage basé sur une écriture toute en appogiatures sur des arpèges de la main gauche. Puis un chant lyrique confié à la main gauche sur un dessin de la main droite en triolets, puis en doubles croches. Retour, pour finir, à l'épisode initial. La difficulté majeure est de ne conférer à aucun moment une brusquerie mécanique au toucher, qui doit rester souple dans la vive accentuation des temps forts.

6ᵉ Etude : sol dièse mineur.

La célèbre étude en tierces chromatiques est une des plus difficile du recueil, en raison de sa vitesse et des doigtés anormaux qu'elle requiert. Certaines mains sont inaptes à en traduire le charme et la liberté d'allures. Certains interprètes l'ont surnommée « La Sibérienne » en ce qu'elle évoque les grelots d'une troïka fuyant sur le sol glacé. Chopin la jouait volontiers et, paraît-il, facilement, grâce à la conformation idéale de sa main.

7ᵉ Etude : ut dièse mineur.

Etude dite à tort « de la main gauche » parce qu'un chant de violoncelle s'y épanouit à la basse. Cortot suggère raisonnablement « qu'à la plainte douloureuse de la main gauche réponde la voix blessée, triste et tendre, de la main droite ». Tout, ici, est dans l'équilibre de deux expressions différentes.

8ᵉ Etude : ré bémol majeur.

Etude en sixtes liées pour la main droite, en sixtes et quintes pour la main gauche. Elle pose de redoutables problèmes de doigté — en tenant compte que le poignet y joue un rôle aussi important que les doigts eux-mêmes.

9ᵉ Etude : sol bémol majeur.

Etude vive, légère, désinvolte, exigeant un toucher particulièrement spirituel et un jeu détaché du poignet qui doit aider au souple rebondissement sur les touches. Curieusement, le thème figuré au soprano est celui d'un *allegretto* de sonate de Beethoven : citation ou coïncidence ? On ne sait.

10ᵉ Etude : si mineur.

Etude en octaves rapides, nécessitant à la fois souplesse et endurance. Le mécanisme du poignet est mis à une rude contribution, d'autant plus que l'interprète doit marier des mouvements de suspension, de va-et-vient et de déplacement latéral, ascendant ou descendant. L'exécution

du *lento* médian suppose, au contraire du *staccato* orageux du début, le recours à un *legato* rigoureux qui ne
s'obtient que par le choix de doigtés assez complexes.

11ᵉ Etude : la mineur.

Etude de caractère orchestral, véhémente, rapide et passionnée. Aux traits en rafale de la main droite s'oppose
à la main gauche un motif puissamment rythmé. De ce
fait, cette étude, jouée sans nuances et insuffisamment
colorée, tournerait vite à l'exercice insipide.

12ᵉ Etude : ut mineur.

Il est possible, mais non pas certain, que cette étude
ait été composée à Stuttgart, en même temps que l'*Etude
nᵒ 12, op. 10* qui, de par son caractère révolté, est la
digne réplique de celle-ci. Exécution d'arpèges *ff*. aux deux
mains, mise en valeur du motif mélodique énoncé à la
basse, déplacements rapides, ponctuation d'accents vigoureux placés sur la première double croche de chaque temps,
legato vigoureux — telles sont les principaux obstacles
que cette pièce orageuse propose à l'exécutant.

*Trois Etudes (sans numéro d'opus) pour la Méthode des
méthodes.*

Ces trois *Etudes,* composées pour *la Méthode des méthodes,* de Moscheles et Fétis, sont publiées, sans numéro
d'opus, en 1840.

Etude nᵒ 1 : fa mineur.

Uniformément basée sur la superposition de deux rythmes
différents — ternaire et binaire — sextolets à la main
droite, croches à la main gauche. Une mélodie fluctuante
erre tristement sans pouvoir trouver de repos, ou d'appui.
Sa continuité crée un sentiment de prenante mélancolie.

Etude nᵒ 2 : ré bémol majeur.

La main droite écrite à deux parties offre la particula-
rité d'être liée dans la partie supérieure et *staccato* dans
la partie inférieure, tandis qu'à la main gauche est dévolu

un simple soutien harmonique. D'où une très grande difficulté d'exécution.

Etude n° 3 : la bémol majeur.

Parti pris de « trois pour deux », s'opposant au « trois pour quatre » de la première étude, compliqué dans le cas présent par l'écriture polyphonique de la main droite, à laquelle s'applique un strict *legato*, grâce à quoi les accords confiés à la partie supérieure se fondent les uns dans les autres.

XI. LES VINGT NOCTURNES

Au XVIIIe siècle, le mot *Notturno*, dont Haydn, notamment, fait usage, désigne une sérénade ou une cassation de plein air, sans aucun rapport avec la forme que Chopin illustrera. Un peu plus tard, l'Irlandais John Field, élève de Clementi, crée le nocturne romantique, défini par Marmontel en ces termes : « Il a été l'inventeur d'un genre de petites pièces caractéristiques : sortes de rêveries, de méditations, où la pensée d'un sentiment tendre, parfois un peu maniéré, est le plus souvent accompagnée d'une basse ondulée en arpèges ou en accords brisés, bercement harmonieux qui soutient la phrase mélodique et l'anime par l'imprévu de ses modulations, mais ne dialogue que très rarement avec elle. »

Dès ses années d'école, Chopin prend connaissance des *Nocturnes* de Field et il s'en inspire aussitôt, jusqu'au moment où il donne à cette forme un peu mièvre l'âme qui lui manquait : « Et cette âme, écrit Louis Aguettant, c'est la sienne, sans doute, mais c'est aussi celle de l'époque — cette grande nuée diffuse qui, vers 1830, flottait entre ciel et terre, formée des rêveries et des soupirs de toute une génération romantique. Il faut, pour recomposer l'ambiance de ce temps-là, se rappeler les belles phrases mys-

térieuses de Chateaubriand sur « *le grand secret de mélan-*
colie que la lune aime à raconter aux grands chênes et
aux rivages antiques des mers », les vers les plus vaporeux
de Lamartine et les mouvements les plus pathétiques de
Musset. Il y a tout cela dans les *Nocturnes* de Chopin.
Sauf qu'à partir du *Nocturne en ut mineur, op. 48,* il
s'appropriera complètement ce genre emprunté à un devan-
cier et transformera en message personnel ce qui n'était
jusqu'alors qu'une rêverie de salon.

1ʳᵉ Nocturne en si bémol mineur.

Ici, Chopin reprend à la base la formule arpégée, quelque peu monotone, dont Field usait et abusait. Un thème
dolent, d'une tristesse distinguée, s'épanouit longuement,
quasi improvisando, à la main droite. Page d'album, étude
de timbre.

2ᵉ Nocturne en mi bémol majeur.

L'un des plus célèbres et des plus souvent joués. Voluptueux et mélancolique, semé de roulades et de trilles de ros-
signal, il va son chemin sur une basse en triolets, s'exalte
un moment et conclut dans l'apaisement. A noter (édition
Cortot) les très curieux doigtés préconisés par Chopin,
dans le but d'obtenir une sonorité diaphane [1].

3ᵉ Nocturne en si majeur.

Notée *scherzando* par Chopin, cette page appartient,
malgré tout, à la nostalgie bien plus qu'à une quelconque
allégresse. Cette mention souligne tout simplement que
Chopin redoute les alanguissements factices. Un épisode
médian indiqué *agitato* donne au nocturne une carrure
bithématique à laquelle Chopin reviendra plus d'une fois.

4ᵉ Nocturne en fa majeur.

Là aussi, l'onde pure, qui fait irrésistiblement penser au
Lac de Lamartine — bien que Chopin n'ait donné à ce pro-

---

1. Il y aurait, d'ailleurs, une curieuse étude à faire sur les
doigtés, parfois insolites, mais toujours rationnels, indiqués par
Chopin.

pos aucune indication — est tout à coup bouleversée par
un ouragan des profondeurs. Et le nocturne finit comme
il a commencé.

5° Nocturne en fa dièse majeur.

Celui-là, on le dirait, selon Cortot, « né des enchan-
tements du crépuscule ». Une effusion médiane, certaine
complication du rythme animent le discours qui revient,
pour conclure, à son propos initial.

6° Nocturne en sol mineur.

Cette page marque un retour sans lendemain vers une
grande simplicité harmonique. Rêverie à la Field, qui
débouche sur une manière de choral religieux sur lequel
tout s'éteint. Pour une fois, Chopin a inscrit en marge
de son manuscrit : « Après une lecture d'*Hamlet*. »

7° Nocturne en ut dièse mineur.

C'est, peut-être, la perle du recueil, le rêve le plus
accompli, le plus fervent, que Chopin ait confié au piano.
Qu'un remous l'agite, il n'en conclut pas moins dans une
paix étoilée.

8° Nocturne en ré bémol majeur.

Trois strophes et une coda forment toute l'argumentation
de cet admirable nocturne, sauf qu'à la reprise, deux voix
amoureuses dialoguent, comme celles d'Iseut et de Tristan.

9° Nocturne en si majeur.

A en juger par son calme déroulement de romance, et
n'était une fort ingénieuse modulation avant les dernières mesures, on daterait volontiers cette pièce de l'époque
varsovienne.

10° Nocturne en la bémol majeur.

Et, vraiment, on en peut dire autant de ce nocturne-ci,
l'un des plus faibles de la série.

11° Nocturne en sol mineur.

Un choral tient lieu d'épisode médian à cette page d'une
mélancolie si caractéristique que Schumann écrit à son

sujet : « Chopin n'a plus besoin de signer ses œuvres :
son nom est désormais attaché à chacune de leurs notes. »
De fait, on dirait un pastiche de Chopin par Chopin.

12° Nocturne en sol majeur.

Une barcarolle sous les étoiles — cette image sans hardiesse a souvent fait assigner au *Nocturne en sol majeur*
une date de composition (1838) contemporaine du voyage
à Majorque. Un second thème balancé accentue l'impression de flots marins berçant calmement l'esquif où les voyageurs avaient pris place.

13° Nocturne en ut mineur.

Cette page géniale, *op. 48*, n'est pas, à proprement parler, un nocturne, au sens où Chopin l'avait jusque-là
entendu. Grave, solennel, le chant monte comme une
flamme, éclaire un choral qui s'anime et conduit à la
réexposition mouvementée du thème principal.

14° Nocturne en fa dièse mineur.

Pour Barbedette, ce nocturne dégage une « tristesse
navrante » : n'est-ce pas le fait du fameux « zal », auquel
nous nous sommes à plusieurs reprises référé. « L'opposition d'accords autoritaires et d'un dessin plaintif, écrit
A. Cœuroy, révèle une nouvelle fois le double Chopin en
quête d'un équilibre par l'expression musicale. »

15° Nocturne en fa mineur.

Le plus populaire, peut-être, mais non le meilleur, à coup
sûr pas le plus subtil. L'extrême simplicité de sa ligne
mélodique le rend assez semblable aux chants folkloriques polonais dont Chopin s'est très parcimonieusement inspiré.

16° Nocturne en mi bémol majeur.

Une seule idée mélodique assure toute la substance de
ce très beau nocturne, qui fait songer à une improvisation
semée d'harmonies rares et, d'un bout à l'autre, frémissante
d'émotion.

17ᵉ Nocturne en si majeur.

A ne pas ranger dans la catégorie des pages les plus inspirées de Chopin, bien que contemporain des hauts chefs-d'œuvre que sont la *Barcarolle* et la *Polonaise-Fantaisie.*

18ᵉ Nocturne en mi-majeur.

Caractère d'arabesque ou de cantilène soutenue par des harmonies raffinées. La page est tout entière admirable.

N.B. Deux nocturnes posthumes en *ut dièse mineur* et *mi mineur* sont d'un intérêt médiocre. Ces pages de jeunesse ne nous ont pas semblé mériter une notice, même brève.

XII. LES QUATRE IMPROMPTUS

Etymologiquement, « impromptu » est synonyme d'improvisation. Même s'il s'est abandonné à rêver au piano sur les thèmes de ses impromptus, Chopin les a ensuite si bien travaillés à la table que les quatre pièces dont il va être ici question marient la saveur du premier jet à la perfection d'une écriture châtiée. La forme en est simple. Elle répond au schéma A-B-A : c'est dire qu'un épisode médian se voit entouré de deux épisodes symétriques et jumeaux. Aussi bien, l'intérêt des *Impromptus* de Chopin est-il, non pas dans la forme, mais dans la substance musicale. Mais il appartient à l'interprète de restituer à ces quatre joyaux leur caractère spontané. Comme le dit fort bien Cortot : « La musique doit paraître en quelque sorte naître sous les doigts de l'exécutant. » Quant à Schumann, après avoir lu le *1ᵉʳ Impromptu,* il écrit : « Si peu qu'il ait d'importance dans le total de ses œuvres, je saurais à peine lui comparer quelque autre composition de Chopin. C'est si délicat de forme, avec une cantilène au début et à la fin ! »

Et pour méfiant que l'on doive être à l'égard — parfois même à l'encontre — des trop littéraires exégètes de Chopin, il faut reconnaître qu'un artiste d'exception peut avoir raison quand il se propose à lui-même telles suggestions poétiques auxquelles il donne une traduction parfaite d'un ouvrage musical sans argument avoué par l'auteur. Les inspirations du compositeur et de son interprète ne sont pas, essentiellement, comparables. Cela pour justifier quelques citations empruntées aux éditions de travail d'Alfred Cortot.

1er Impromptu en la bémol majeur, op. 29.

« Un ruissellement d'eaux vives, un frissonnement de feuilles aux cimes des frondaisons, un murmure de la brise dans le matin naissant, tout ce qui effleure, glisse et chuchote paraît avoir inspiré le contour délicieux de cette arabesque de sonorités » : impossible de mieux caractériser la fraîcheur fluide de cette page adorable à laquelle des triolets aux deux mains donnent son élan, quitte à ce qu'elle se recueille un instant grâce à la détente d'un thème noté *sostenuto*, que suit une reprise du motif initial.

2e Impromptu en fa dièse majeur, op. 36.

Si Chopin avait titré *Nocturne* au lieu d'*Impromptu*, nul ne s'en serait étonné. Car cette cantilène notée *andantino* n'a rien de fuyant. Elle s'attarde, au contraire, à chanter, avec de jolies modulations, jusqu'à l'entrée d'un thème lui-même en triples croches : coda vaporeuse, aérienne et caressante.

3e Impromptu en sol bémol majeur, op. 51.

Le plus parfait, peut-être, de la série des impromptus, noté *vivace giusto*, assez proche quant à l'écriture et au sentiment qu'il exprime de la fameuse *Leggerezza* de Liszt. Mais Chopin, lui, ne sacrifie jamais à la virtuosité gratuite. Ici, comme ailleurs, sa musique est frémissante d'aveux, comme gonflée d'élans et d'extase enivrée. L'adjonction, en cours de route, d'une seconde partie sous forme de doubles notes à la main droite, ne doit en aucune manière alourdir le jet du discours. Pas davantage l'exécutant ne « pathétisera » le chant de violoncelle qu'un intermède, *sostenuto*, propose à sa main gauche, jusqu'au retour du gazouillis initial.

Fantaisie-Impromptu en ut dièse mineur, op. 66.

Pourquoi Fontana a-t-il donné à ce quatrième impromptu, publié parmi les œuvres posthumes, le titre de *Fantaisie-Impromptu* ? Mystère. Et pourquoi Chopin avait-il retranché du catalogue de ses ouvrages cette pièce, aussi parfaitement réussie que les trois premières ? On ne sait. Toujours est-il que, des quatre, la *Fantaisie-Impromptu* est devenue la plus populaire, si bien qu'aux dires d'un humoriste, si cet impromptu n'existait pas, il ne resterait plus aux cours de musique des pensionnats de jeunes filles qu'à fermer leurs portes ! Cela, sans doute, parce que la première section de cette page est rapide, sans offrir aux doigts qui la traduisent de trop grandes difficultés et que le second thème, chantant à souhait, donne aux sensibilités à fleur de peau l'occasion de s'épancher, parfois trop généreusement. Ni passion déchaînée, ni pathos baigné dans la confusion de la pédale forte, mais un chuchotement impatient suivi d'un moment d'abandon pudique.

XIII. LES QUATRE RONDOS

Quatre rondos — ou rondeaux — dont un posthume.

Rondo en ut mineur, op. 1.

Le premier en date (1825) porte aussi le numéro 1 dans le catalogue par numéros d'opus. Schumann fit-il grand plaisir à Chopin en écrivant : « Une dame dirait que cet ouvrage est beau, plein d'esprit, presque du genre de Moscheles... ? » Ce n'est pas certain.

Sur un rythme de polka, le thème, d'essence populaire et de caractère délibérément polonais, s'élance, aigretté de *grupetti*. Comme le signale Alfred Cortot, un épisode noté *piu lento* se réfère à de médiocres modèles dont il a fallu que le jeune Chopin s'éloignât pour conquérir sa personnalité. Le morceau est fait d'épisodes modulants et de retours du thème initial. La composition proprement dite est des plus hasardeuses, du fait de l'inexpérience du compositeur en herbe.

Rondo à la mazur en la majeur, op. 5.

Schumann disait, plus flatteusement, de ce second rondo : « A celui qui ne connaîtrait pas Chopin, on ne saurait conseiller, pour découvrir sa personnalité créatrice, meilleure introduction que l'étude de ce rondo. »

« Rondo à la mazur » signifie : « Rondo dans le style d'une mazurka » — comme le sont le finale du *Concerto en fa mineur* et *la Krakowiak*. L'allusion à une danse typiquement polonaise est évidente. Il s'agit d'un divertissement populaire, mais, précise Schumann, « dont les participants adopteraient une attitude aristocratique ». Deux thèmes animent ce rondo, séparés par des épisodes accessoires. Le progrès accompli depuis l'ouvrage précédent est très net. Nous ne sommes pas encore dans la galerie des chefs-d'œuvre, mais, si l'on peut dire, dans l'escalier qui y conduit.

Rondo en mi bémol majeur, op. 16.

Nouvelle progression, plus sensible encore. Des thèmes très simples, une écriture pianistique raffinée donnent à penser que Chopin a dû reprendre des notes de jeunesse pour les parer, en 1834, d'un vêtement harmonique et instrumental raffiné. Pièce de salon, certes, par opposition avec le style polonais des deux premiers *rondos*. La composition est ferme, les motifs bien choisis, les couplets s'enchaînent avec une poésie qui rompt la symétrie quelque peu mécanique du morceau, sans en masquer toutefois la longueur, assez disproportionnés à la valeur intrinsèque des motifs mis en œuvre.

Rondo en ut majeur pour deux pianos, op. 73 (posthume).

Daté de 1828, originellement départi à un piano seul, ce rondo a été, ensuite, récrit pour deux pianos, dans le but probable d'en étoffer les sonorités. Comme l'écrit André Cœuroy, « thèmes, développement, construction n'ont rien que d'usuel avec, par endroits, des touches chopiniennes : chromatisme, contrastes, poésie ».

XIV. MUSIQUE DE CHAMBRE

Trio en sol mineur, op. 8.

Ecrit en 1828, le *Trio en sol mineur pour piano, violon et violoncelle* ne sera publié qu'en 1833. Quatre mouvements : *allegro con fuoco, scherzo, adagio, finale.* Une certaine inexpérience, toute naturelle chez un étudiant, et qui se remarque surtout à un certain empâtement de l'écriture, n'atténue pas, pour autant, le charme de cette composition, très rarement jouée. Un *allegro* vigoureux, un *scherzo* plus banal, un *adagio* poétique, un *finale* d'allure populaire, s'écoutent avec un agrément que Schumann a justement noté, s'étonnant que Chopin n'ait guère persévéré dans la voie de la musique de chambre, où, le « métier » venu, il aurait assurément brillé « des feux du génie ». Mais — à part quelques rares incursions dans ce domaine — il devait se consacrer tout entier au piano.

Introduction et Polonaise en ut majeur, op. 3.

C'est chez le prince Radziwill, à Antonin, rappelons-le, que Chopin compose, en 1829, à l'intention de ses hôtes, un *Alla polacca* avec violoncelle : « des effets brillants pour les salons et pour les dames — rien de plus ». Le jugement porté par l'auteur est équitable. L'*Introduction* fut ajouté à la *Polonaise* après la composition de cette dernière. Le violoncelle est traité avec timidité. L'influence de Rossini, dénoncée par André Cœuroy, est en effet sensible.

Grand duo concertant pour piano et cello sur des thèmes de « Robert le Diable » (sans numéro d'opus).

Composé en 1832 — donc, à Paris — avec la collaboration de Franchomme, professeur de violoncelle au Conservatoire, le *Grand duo* fait l'objet d'une remarque pertinente de Schumann : « A mon avis, il paraît avoir été entièrement esquissé par Chopin et Franchomme n'a eu qu'à dire *amen*. Ce que Chopin touche prend du premier coup forme et esprit, même dans ce minime style de salon. » En effet, Chopin a dû se contenter de demander à Franchomme si certains traits étaient d'une exécution aisée, ou bien au contraire, impossible. Quant au « style de salon », c'est bien celui qu'emprunte Chopin, à une époque où les paraphrases sur les thèmes d'opéras à la mode font fureur à travers l'Europe. On n'en est pas — loin de là — au règne de la « musique pure ».

Sonate en sol mineur, op. 65 pour cello et piano.

Rappelons que Chopin jouera cette sonate pour la première fois, avec Franchomme, qui en est le dédicataire, lors de son dernier concert à Paris, le 16 février 1848, salle Pleyel. Partiellement, d'ailleurs, car n'étant pas satisfait de l'*allegro* initial, il le retranchera du programme. L'équilibre des deux instruments est, en effet, mieux assuré dans le *scherzo*, le *largo* et le *finale*.

De ses deux expériences antérieures, Chopin a tiré profit, en ce sens que le piano, ici, laisse le violoncelle chanter librement. Nous avons affaire à un véritable duo concertant. Sans doute, le *largo* fait-il irrésistiblement penser à un *nocturne,* également réparti entre le piano et le cello. L'équilibre est plus parfait dans le *scherzo* d'allure enjouée : le violoncelle se taille la part du lion dans le *trio*, noté *cantabile*. Le *finale* victorieux est sans doute, de par l'élan qui l'anime, la meilleure page de la sonate.

XV. PIÈCES DIVERSES

Fantaisie en fa mineur, op. 49.

Trois hypothèses littéraires — disons psychologiques — ont été hasardées pour expliquer la structure de la *Fantaisie en fa mineur*. Charles Rollinat y voit l'imagerie des querelles et des réconciliations entre Chopin et Sand, à Nohant. Le récit de Rollinat a la puérilité d'une bande dessinée. Edouard Ganche, lui, n'y devine que du polonisme : cavalcades, parades et défilés. Plus prudent, Alfred Cortot rattache la composition de l'œuvre à un rêve que Chopin aurait fait peu de temps auparavant et auquel il fait allusion dans sa correspondance : « J'ai rêvé une fois que je mourais dans un hôpital et ce souvenir est fortement enraciné dans mon esprit. Maintenant, je rêve souvent les yeux ouverts, ce qui, peut-être, n'a ni rime ni raison. »

Faut-il répéter une fois de plus que l'inspiration de Chopin est purement musicale et que, si l'on excepte les souvenirs de la Pologne et de sa jeunesse, jamais il ne cherche dans un fait précis ou dans l'évocation d'une lecture le prétexte de ses ouvrages ? S'il dépeint quelque chose en composant, c'est, uniquement, sa propre image.

La *Fantaisie* s'ouvre sur un *tempo di marcia*, non pas funèbre, mais solennel, lointain, comme voilé — jusqu'à l'instant où un motif plus affirmé s'énonce avec une sonorité de trompette jouant *piano*. S'ensuit un de ces épisodes à allure d'improvisation par lesquels Chopin module, en accélérant, d'un état d'âme à un autre. On entre, à présent, dans le vif du sujet, par le truchement d'un thème de couleur sombre qui va s'éclairant jusqu'à l'énoncé d'une phrase séduisante, exaltée : la lumière a raison de l'ombre. Développement, jeux de rythmes, jongleries pianistiques. C'est alors qu'éclôt un chant noblement chevaleresque, ponctué de *pizzicatti* « lourés » à la main gauche. A partir de là,

Chopin, sans recourir aux éléments de l'introduction, joue avec les autres motifs et aboutit à un *lento sostenuto* méditatif, recueilli et pacifiant — assez bref, au demeurant. C'est alors une reprise, transposée, de l'épisode premier succédant à l'introduction, un éventail de modulations qui se referme, d'un coup sec, sur une cadence plagale.

Barcarolle en fa dièse majeur, op. 60.

De ce chef-d'œuvre entre les chefs-d'œuvre, Maurice Ravel a donné une brève, mais éloquente analyse : « La *Barcarolle* synthétise l'art expressif et somptueux de ce grand slave, italien d'éducation[1]. Chopin y a réalisé tout ce que ses maîtres, par négligence, n'exprimèrent qu'imparfaitement. Le thème en tierces, souple et délicat, est constamment revêtu d'harmonies éblouissantes. La ligne mélodique est continue. Un moment, une mélopée s'échappe, reste suspendue et retombe mollement, attirée par des accords magiques. L'intensité augmente. Un nouveau thème éclate, d'un lyrisme magnifique, tout italien. Tout s'apaise. Du grave s'élève un trait rapide, frissonnant, qui plane sur des harmonies précieuses et tendres. On songe à une mystérieuse apothéose. » Il est possible qu'en écrivant la *Barcarolle*, Chopin ait voulu évoquer Venise, ses canaux et ses gondoles, d'après les souvenirs rapportés par Sand de la cité des doges où elle avait accompli avec Musset un pèlerinage funeste. Remarquons une fois de plus, pour conclure, que Chopin ne se soucie jamais — et ici moins qu'ailleurs — des formes classiques stéréotypées. De même qu'il invente son propre langage harmonique, il crée de toutes pièces des formes ne dépendant que de son instinct des proportions et des contrastes. A cet égard, il est le précurseur de Debussy, lequel n'avait, pas plus que Chopin, le respect fétichiste des canons traditionnels.

---

1. Exagération manifeste. Ainsi que nous l'avons noté, Chopin témoigne d'un goût très vif pour l'opéra de Rossini et de Bellini. Mais son éducation musicale tient à des racines slaves et germaniques.

Berceuse en ré bémol majeur, op. 57.

Pièce en forme de variations établies sur une basse d'une seule mesure, répétée avec de très menues variantes — une tierce, ici et là, au lieu d'une quinte —, le tout en *ré bémol*, jusqu'à l'instant où un *do bémol*, délicieusement dissonant, sensibilise, s'il se peut, le discours. Dans la délicatesse, l'effet de surprise est, d'une certaine manière, comparable à celui que produit, à la fin du *Boléro* de Ravel, la modulation d'*ut majeur* en *mi majeur*, dans une apothéose lumineuse : il s'agit, ici et là, d'une modification subite de l'éclairage.

Tarentelle en la bémol majeur, op. 43.

Faut-il croire que Chopin se soit inspiré, dans cette pièce, des danses dont il avait été le témoin, lors d'un bref séjour à Gênes en compagnie de Sand, au retour de Majorque ? Rien ne confirme cette hypothèse. Il est plus probable qu'ayant entendu sous les doigts de Kalkbrenner et de Thalberg force tarentelles et lu les pièces du même style de Liszt et Rossini, il ait voulu s'essayer, pour une fois, dans un genre à la mode. Mais il en personnifie aussitôt le caractère de danse rapide, sans modification du rythme bondissant et sans cesse rebondissant, par le chatoiement d'harmonies subtiles et le jeu de trois motifs qui se renvoient la balle avec une ingéniosité confondante.

Allegro de concert, op. 46.

Chopin a dû, à la suite de ses deux *Concertos* composés à Varsovie, noter l'esquisse d'un *3ᵉ Concerto* et s'en tenir à l'*allegro* initial dans une version pianistique où se remarquent aisément les passages solennels appelant une orchestration ultérieure. Puis, à Paris, il a repris l'esquisse dudit *allegro* et en a perfectionné l'harmonisation en laissant tels qu'il les avait initialement écrits les nombreux épisodes de virtuosité pure. Sur le plan de la technique transcendante, cette pièce offre un intérêt constant. Musicalement parlant, la substance du morceau est plus faible, plus conventionnelle que celle des deux *Concertos* en *fa mineur* et *mi mineur.* Chopin ne s'y montre guère plus ambitieux qu'un Ries ou un Moscheles. L'*Allegro de concert* est une des rares concessions faites par Chopin au « style d'époque ».

Boléro, op. 19.

Publié en 1834 sous le titre « Souvenir d'Andalousie », le *Boléro* a sans doute été composé à Varsovie, environ l'année 1828, à l'époque où Chopin assiste à une représentation de *la Muette de Portici,* incluant un *Boléro* dont la verve amuse le jeune Frédéric. Pièce de salon sacrifiant à de nombreux « poncifs », d'intérêt thématique et harmonique douteux. Sans caractère ethnique défini, cette page est une des plus faibles qu'ait laissée Chopin.

Variations en mi majeur sur un air national allemand (sans numéro d'opus).

Publiées en 1851, mais composées en 1824 (Chopin a quatorze ans) sur un thème de « tyrolienne » : *Schwazerbub,* ce qui signifie littéralement : *le Petit Suisse,* ces variations sacrifient délibérément à la virtuosité superficielle en honneur à l'époque. Le grand pianiste s'y dessine plus nettement que le futur compositeur. Ici et là pointe cependant — notamment dans la variation mineure — la « nature » du musicien qui, très vite et pour toujours, s'éloignera du style des pièces de salon dans l'ambiance desquelles il aura baigné lors des années de sa formation musicale.

Variation en mi majeur, dite de l'Hexaméron (sans numéro d'opus).

Composée en 1837 et éditée en 1841, cette *Variation* unique est la sixième d'un groupe de pièces destinées par Chopin, Liszt, Thalberg, Pixis, Herz et Czerny à être exécutées par leurs auteurs à un concert de charité organisé par la princesse Belgiojoso. Le thème choisi est celui de la *Marche des Puritains,* de Bellini. Chopin écrit sur ce thème assez fade un *largo* de la plus noble essence poétique. C'est une page majeure — au double sens du terme — de son œuvre.

Variations en si bémol majeur, op. 12, sur le thème du rondeau favori de *Ludovic* : « Je vends des scapulaires ».

Ludovic est un opéra inachevé d'Hérold, complété par Halévy et représenté sous cette forme en 1833 à Paris. Chopin entend l'ouvrage, note le thème du rondeau et compose, à partir de ce prétexte, des *Variations brillantes* dans le goût français de l'époque, qui n'est pas des meilleurs. Ce « goût du jour » parisien est paradoxalement déterminé par les paraphrases d'un Liszt, d'un Thalberg et d'un Kalkbrenner — tous artistes d'origine étrangère. Schumann juge les *Variations* de Chopin avec sérénité. A la décharge de l'auteur, on invoquera l'extrême banalité du thème, résolument tonal et veuf de la plus fugitive modulation. Le mérite de Chopin n'en est que plus manifeste d'avoir su broder d'ingénieuses arabesques sur ce canevas indigent. L'œuvre est toutefois d'intérêt nettement secondaire.

Fugue en la mineur (sans numéro d'opus).

Publiée en 1862, cette *fugue* est la seule que Chopin ait écrite ou du moins conservée dans ses manuscrits. Elle traduit, dans le style de Bach, mais avec une couleur nettement romantique, les étonnantes dispositions de Chopin pour les jeux de l'écriture contrapuntique. Cette page est révélatrice de la formation sévère que Zywny et Elsner avaient imposée à leur élève, dont les jeunes années s'étaient, de ce fait, trouvé partagées entre l'étude des formes abstraites et une inclination naturelle vers la frivolité des salons de Varsovie.

Variations pour flûte et piano (sans numéro d'opus).

Ecrites entre 1826 et 1830 sur un thème de la *Cenerentola* de Rossini, sans doute à la requête d'un flûtiste amateur, ou peut-être à la demande de Nicolas Chopin, ces *Variations* anodines n'offrent d'autre intérêt que de porter la signature de Chopin, dont, à aucun moment, la personnalité n'apparaît. Elles sont de valeur à peu près nulle.

Trois Ecossaises, op. 72 C.

Composées en 1830, ces trois esquisses brillantes font partie du lot des pièces que Chopin s'était refusé à faire éditer de son vivant. Sévérité abusive, semble-t-il, si l'on tient compte de leur réel agrément, de leur nervosité bondissante et de l'ingéniosité de la rédaction pianistique. L'exécution de ces trois « Scottishs » est semée d'embûches.

Pages d'album.

Citons — sans pour autant les commenter — quelques pages d'album venues jusqu'à nous par hasard et publiées par fétichisme : un bref *Nocturne* pour la comtesse de Cheremetiev (1843) ; une mélodie inédite — *Charme d'amour* — pour l'album de Maria Woszinska ; une page de virtuosité pianistique conservée par la famille Katyl ; certain *Souvenir de Paganini,* publié par *l'Echo musical de Varsovie.* Des revues ont publié des valses et mazurkas à l'authenticité plus que douteuse.

Notons encore un *Largo en mi bémol majeur,* sorte de marche solennelle dont le manuscrit se trouve à la bibliothèque du Conservatoire de Paris ; une *Marche funèbre,* op. 72 (posthume) ; un *Cantabile en si bémol majeur* composé en 1834 ; une *Contredanse en sol bémol majeur* composée en 1827 à l'intention de Titus Woyciechowski ; quatre *Valses* de jeunesse, en *mi mineur,* en *mi majeur,* en *la mineur* et en *mi bémol majeur.*

XVI. LES DIX-NEUF MÉLODIES

Entre 1828 et 1845, Chopin écrit dix-neuf mélodies, au fil de la plume, comme au gré d'un émoi amoureux ou d'un sursaut patriotique. La lecture de poèmes polonais lui inspire ces pages qui sont à la fois banales et significatives. Je m'explique.

Assurément, ce que Chopin met dans ces mélodies, c'est moins lui-même que le souvenir de sa nation. Il est à peu près impossible, devant ces tableautins naïfs, mélancoliques ou ardents, de déceler la personnalité artistique de l'auteur. Celui qui sut faire chanter le piano mieux que personne n'était pas fait pour le lied. Au demeurant, n'accordait-il aucune estime particulière — chose étrange — aux lieder de Schubert et de Schumann. Et sans doute en avait-il une connaissance sommaire et superficielle. Le piano était son univers. Le royaume du chant lui fut, somme toute, fermé.

Aussi bien, c'est du souvenir de ce qu'il entendit chanter à Varsovie, à Poturzyn, à Szafarnia, à Antonin ou à Zelazowa-Wola qu'il tire la substance de ses mélodies. Ce sont des premiers jets, sans doute fredonnés au piano, spontanés, sans trop de raffinement. On chercherait en vain, dans les accompagnements de ces chants si simples, la recherche, la subtilité dont font preuve les *mazurkas* par exemple. Quelques accords, des batteries, des arpèges brisés, le strict nécessaire pour habiller la mélodie. S'il fallait donner un sous-titre à cette guirlande de chants populaires, on emprunterait à l'une des dernières lettres de Chopin ce cri du cœur : « ... Comme on chante au pays ».

Peut-être, finalement, Chopin a-t-il eu raison de nous livrer ce témoignage tout brut du folklore polonais. Au lieu d'un diamant taillé, il nous offre des pierres dans leur gangue — ou, si l'on préfère, une manière de journal intime fait d'évocations de sa jeunesse. Il nous en dit long sur l'âme polonaise en reléguant sa personnalité au second plan. Telle est, croyons-nous, la disposition dans laquelle il faut égrener ces dix-neuf perles d'un collier rustique.

Aucune de ces mélodies ne paraît du vivant de Chopin. En 1855, Fontana en livre dix-sept à titre posthume. Les deux dernières — *Sortilège* et *Doumka* — seront publiées séparément.

Les traductions françaises dénaturant à peu près complètement le sens des poèmes, nous avons résumé chacun d'entre eux et indiqué, entre parenthèses, le nom de l'auteur.

1. « Ma Mignonne » (Mickiewicz).

Quand ma mignonne, dans sa gaieté folle, rit et ba-
bille, je ne désire qu'écouter les trilles de ce ramage.
Mais qu'elle s'enfièvre, que ses yeux brûlent, ah ! quel
charme ! Je la regarde sans plus l'entendre, je lui clos
les lèvres, et l'embrasse, l'embrasse.

Mélodie populaire sur un rythme de mazurka. Agréables
modulations.

2. « La Messagère » (Witwicki).

Légère hirondelle, tu reviens, fidèle, devant notre porte.
Sois la bienvenue. Déjà tu t'envoles, gaiement tu tour-
noies, tu cries. Montre moins de joie : ma fille est
partie. Elle s'est mariée. Un soldat l'a prise. L'as-tu
rencontrée ? Dis-moi, je t'en prie, si la faim les presse,
s'ils ont douce vie et s'ils sont en liesse.

Frais et agréable, sans plus.

3. « Chanson lituanienne » (Osinski).

A l'aube, la mère s'assied à la fenêtre et questionne
sa fille : « D'où viens-tu ? Pourquoi ta couronne est-
elle mouillée ? — Quoi d'étonnant, répond la fille,
puisque j'étais à la fontaine. — Assez, reprend la mère,
tu avais rendez-vous dans un champ. — Oui, mère,
aux champs, j'ai rencontré celui que j'aime et un seul
instant a suffi pour que les fleurs, sur ma tête, soient
humides de rosée. »

Type de mélodie slave, traitée en dialogue tendre et mystérieux.

4. « Printemps » (Witwicki).

Les fontaines murmurent, une clochette tinte, mon
troupeau s'attarde sur la pente abrupte et moi qui le
garde, insouciant, je chante. Les buissons fleurissent,

*l'alouette trille et mon cœur soupire. A l'oiseau je
dis : « Va, petit psalmiste, porter le chant de notre
terre aux célestes sphères. »*

Mélodie populaire.

5. « Désirs de jeune fille » (Witwicki).

*Si j'étais le soleil, je ne brillerais que pour toi. Si
j'étais un oiseau, je ne chanterais que pour toi, à ta
fenêtre, ma chanson la plus belle.*

Sur un rythme de mazurka.

6. « Ce qui manque ici » (Zaleski).

*Triste est le cœur d'où l'ombre s'élève, tristes les yeux
qui d'ombre s'emplissent. Doumka, tu nais, tu meurs
sur ma lèvre. Silence et nuit, bercez ma peine. L'absence, hélas, rien n'en délivre, rien n'en repose. Il
manque ici ce qui fait vivre : ciel et soleil, l'amour
et les roses... Qui pourrait m'entendre, qui pourrait
m'offrir la fleur d'un visage ? Lorsque le vent mène
à l'assaut le froid sous les portes, j'ouvre mon cœur
à d'autres murmures et je sens qu'ailleurs, Doumka,
tu t'emportes.*

Doumka développée en plusieurs couplets. Mélancolique à
souhait.

7. « Le beau gaillard » (Zaleski).

*D'une belle carrure, l'œil vif et noir : c'est qu'il est
un beau gaillard ! S'il s'attarde d'une heure, je trépi-
gne, je pleure. S'il m'adresse un sourire, je tombe de
faiblesse. Quand nous dansons ensemble, je tremble
de délices. Quelle sera ma vie, si jamais on se marie ?*

Gaie, enlevée, sur un dessin de mazurka.

8. « Les feuilles tombent » (Pol).

*Le ciel est livide, les feuilles tombent. Un oiseau
chante sur les tombes. Vains étaient nos rêves. Nos*

fils sont en terre. Quand reviendront nos braves ?
Beaucoup sont morts en combattant, d'autres, en dé-
route, se terrent dans les bois. Des vautours planent
sur nos têtes. Notre foi se lasse. Chère Patrie ! O
Pologne aimée ! Que pouvons-nous faire ?... Sous la
force infâme, on ne peut revivre. Réduits au silence,
nous portons nos peines sans aucune chance de briser
nos chaînes.

Chant funèbre. Psalmodie rompue par quelques mesures
obsédantes au piano. Puis la voix et son accompagnement
se fondent nostalgiquement.

9. « L'alliance » (Witwicki).

Tu n'étais qu'une enfant quand à ton doigt je mis une
alliance. Mon amour a su t'attendre. Mais un autre
gars est venu te prendre, toi et ton alliance. Le village
rit de ma défaite. Je montre un gai visage, et je pleure
en cachette.

Emotion et gaieté se mêlent dans ce chant populaire.

10. « Double destin » (Zaleski).

Un an ils se sont aimés. Puis ils se sont quittés pour
longtemps. Maintenant, ils reposent loin l'un de l'autre.
La jeune fille dans sa chaumière, le cosaque dans un
bois solitaire. Puis tous deux ils sont morts. Pour
elle, sonnent les cloches tristes et douces. Pour le cosa-
que, hurlent les loups sous les arbres.

Assez proche de Moussorgski. L'une des meilleures mélodies du cycle.

11. « Jeunesse » (Witwicki).

Les eaux cherchent la plaine, les lapins la garenne, les
oiseaux virent dans le ciel, la jeunesse aime à rire.
Des yeux bleus l'éclat l'enchante, des yeux noirs le
feu la tente... Tout lui semble plein de charme.

Mélodie populaire.

12. « Doumka » (Zaleski).

Une tristesse de mon cœur monte. Ma chanson meurt sur mes lèvres. Heureux qui chante parce qu'il aime. En vain, j'espère ; en vain, j'appelle. Nul au monde ne peut m'entendre.

Type de chant nostalgique.

13. « Sortilège » (Witwicki).

C'est un sortilège, un maléfice, un envoûtement, que sais-je ? Mais le diable en est complice. Jour et nuit je tente d'échapper à ce manège. Jour et nuit je ne vois plus qu'elle. En vain, je voudrais fuir. Est-ce afin de me soumettre qu'elle ourdit ces manigances ? On ne peut avoir confiance en ces êtres faux et traîtres...

Vive, agréable, bien venue.

14. « Mélodie » (Krasinski).

Portant leur croix, du haut des roches grises, ils contemplent la terre promise, les rayons d'or de la clarté divine, le but vers lequel leurs frères s'acheminent. Mais jamais ils ne pourront les suivre et n'auront part à leur bonheur. Peut-être même, à jamais effacés, au cours du temps ils seront oubliés.

Sans commentaire.

15. « Le guerrier » (Witwicki).

Mon cheval gratte la terre d'un sabot de feu. Toi mon père, toi ma mère, vous mes sœurs, adieu ! La bataille s'engage, viens mon alezan ! Nous reviendrons joyeux, crinière au vent. Partons, et si ton maître meurt au combat, au logis de ses ancêtres, seul tu reviendras. O cheval, mes sœurs m'appellent, rebroussons chemin ! Mais non ! Tu cours de plus belle. Bravons le destin !

Vive, emportée, belliqueuse.

16. « Tes yeux me chassent » (Mickiewicz).

Tes yeux me chassent loin de leur lumière, ton cœur ordonne mon exil, mais c'est peine inutile que d'essayer de faire taire la mémoire.

Plus proche du type « lied ».

17. « Rivière triste » (Witwicki).

Pourquoi tes eaux sont-elles troubles, fleuve des terres lointaines ? Là-bas près de ma source, une mère est en larmes. Elle a bercé sept filles. Sept filles, elle a enterrées, toutes sept au pied d'un arbre. Elle les appelle, et sur leur tombe murmure un chant funèbre.

Typiquement slave.

18. « Le fiancé » (Witwicki).

« Où vas-tu, jeune homme, au galop de ta monture, cavalier fantôme ? — Chère, je suis las d'attendre, ouvre-moi ta porte. — Pauvre gars, ta fiancée est morte. — Laissez-moi lui clore les yeux... De mes cris, de mes larmes, je romprai le charme de son sommeil de glace. »

Sur un refrain pianistique en rafales, d'un style imagé très rare sous la plume de Chopin, se déroule un des chants les plus caractéristiques du cycle.

19. « Chanson de cabaret » (Witwicki).

A quoi penses-tu, maladroite sommelière ? Je me fâche car tu gâtes mon meilleur habit. Pour ta pénitence, je t'inflige un baiser. Et toi, frère taciturne, bois pour oublier la misère. Si tu t'enivres, quel mal à cela ? Ton épouse te mettra au pas. Bois, ou gare à mon bâton ! Servante aux yeux doux, vide la bouteille tout entière !

Le titre dit tout.

DISCOGRAPHIE

Nous ne croyons pas opportun de donner une discographie détaillée de l'œuvre de Chopin. Rien ne se « périme » aussi rapidement qu'un disque. Qu'il nous suffise de dire qu'à notre avis et à la date où cet ouvrage est publié (1973-1974), les meilleurs interprètes contemporains de Chopin sont Alfred Cortot, Arthur Rubinstein, Wladimir Horowitz, Samson François, Maurizio Polini. D'autre part, signalons que l'œuvre entier de Chopin a été gravé à Varsovie par l'Edition nationale polonaise et reprise par Erato, 60, rue de la Chaussée-d'Antin, Paris-9ᵉ. Ce coffret de vingt-cinq disques est indispensable à qui veut connaître dans son intégralité la musique du maître polonais.

TABLEAU CHRONOLOGIQUE
DE LA VIE ET DES ŒUVRES DE CHOPIN

Dates	Vie de Chopin	Œuvres	Dédicaces	Dates de publication	Evénements littéraires et artistiques	Evénements historiques
1810	1er mars. Naissance de Chopin à Zelazowa-Wola. La famille vient s'installer à Varsovie.				Naissance de Schumann et de Musset.	Metternich chancelier de l'empire d'Autriche.
1811	Enfance.				Naissance de Liszt. *Itinéraire de Paris à Jérusalem* de Chateaubriand.	Naissance du Roi de Rome.
1812	—				7e *Symphonie* de Beethoven.	Campagne de Russie.
1813	—				Naissance de Wagner et de Verdi.	
1814	—				Fondation des Editions Peters.	Entrée des Alliés à Paris.

Année	Vie de Chopin	Œuvres de Chopin	Dédicaces	Édition		Événements
1815	—				*Le Roi des Aulnes*, de Schubert.	Waterloo.
1816	Chopin commence l'étude du piano.				*Le Barbier de Séville*, de Rossini.	
1817	Chopin écrit ses deux premiers morceaux de musique.	*Polonaise en sol min. et si bém. maj.* *Marche Militaire*	A la comtesse Skarbek. Au grand-duc Constantin.	1830, Varsovie.	*Vies de Haydn et de Mozart*, de Stendhal.	La maison Rothschild s'installe à Paris.
1818	Chopin joue en public pour la première fois.				*Sonate op. 106*, de Beethoven.	
1819	—				*Quintette « La Truite »*, de Schubert.	Première traversée de l'Atlantique par un bateau à vapeur.
1820	Nombreuses auditions privées. La cantatrice Catalani lui donne une montre en or.				*Sonate op. 109* de Beethoven. *Méditations poétiques*, de Lamartine.	Invention de la lampe à incandescence.
1821	—	*Polonaise posth. en la bém. maj.* sans n° d'opus.	A Adalbert Zywny.	1864, Varsovie.	*Le Freischütz* de Weber. Naissance de Baudelaire.	Insurrection grecque.

DATES	VIE DE CHOPIN	ŒUVRES	DÉDICACES	DATES DE PUBLICATION	ÉVÉNEMENTS LITTÉRAIRES ET ARTISTIQUES	ÉVÉNEMENTS HISTORIQUES
1822	Compose une Marche pour le grand-duc Constantin.	Polonaise posth. en sol dièse min. sans n° d'opus.	A Madame Dupont.	1864, Varsovie.	Erard crée l'échappement double du piano. Ballades et Romances de Mickiewicz. 33 Variations op. 20, de Beethoven. Vie de Rossini, de Stendhal.	Champollion déchiffre les hiéroglyphes égyptiens.
1823	Chopin entre au lycée de Varsovie. Vacances à Zelazowa-Wola.					
1824	Séjour à Szafarnia. Etudie l'harmonie et le contrepoint avec Elsner.	Variations sur un air allemand, sans n° d'opus.	Sans dédicace.	1851, Paris.	Les Massacres de Chio, de Delacroix.	
1825	Concert en présence du tsar.	Rondo op. 1 en ut mineur.	A Madame Linde.	1825, Varsovie.		
1826	Cure aux eaux de Reinertz. Séjour à Antonin. Baccalauréat.	Polonaise de l'adieu en sol bémol sans n° d'opus (entre 1826 et 1830). Variations pour flûte et piano sur le thème de La Cenerentola de Rossini (posth.) sans n° d'opus.	A Guillaume Kolberg. Sans dédicace.	1826, Varsovie. 1872, Paris.		Mémoire de Lobatchevski sur la géométrie non euclidienne.

			A Titus Woyciechowski.	Varsovie.	Mort de Beethoven.	Bataille de Navarin.
1827	Chopin termine ses études classiques. Mort d'Emilie Chopin. Séjours à Stryzewo et Dantzig.	*Variations, op. 2 sur Don Juan.*	A Titus Woyciechowski.		Mort de Beethoven.	Bataille de Navarin.
		Polonaise en ré mineur, op. 71 n° 1 (posth.).	Sans dédicace.	1855, Paris.		
		Rondo à la mazur en la majeur, op. 5.	A Alexandrine de Moriolles.	1827, Varsovie.		
		Marche funèbre, op. 72 B (posth.).	Sans dédicace.	1855, Paris.		
		Nocturne en mi mineur, op. 72 A (posth.).	Sans dédicace.	1855, Paris.		
		Contredanse en sol bémol maj.	Pour l'anniversaire de Titus.	1934, Paris.		
1828	Voyage à Berlin et à Prague. Commence la composition des Etudes.	*Etudes n°s 1 et 2,* op. 10.	Voir plus loin.	1832, Paris.	Mort de Schubert.	
		Trio, op. 8.	Au prince Radziwill.	1833, Paris.		
		Rondo pour 2 pianos, op. 73 (posth.).	Sans dédicace.	1855 Paris.		
		Fantaisie op. 13 pour piano et orchestre sur des airs polonais.	A J. P. Pixis.	1833, Paris.		
		Rondo de concert ou « Krakowiak », op. 14.	A la princesse Adam Czartoryska.	1833, Paris.		

Dates	Vie de Chopin	Œuvres	Dédicaces	Dates de publication	Événements littéraires et artistiques	Événements historiques
1828 (suite)		Polonaise en si bém., op. 71, n° 2 (posth.).	Sans dédicace.	1855, Paris.		
		Sonate en ut mineur, op. 4 (posth.).	Sans dédicace.	1851, Paris.		
1829	Constance Gladkowska. Voyage à Vienne, Prague, Teplitz, Dresde et Breslau. Séjour à Antonin.	Polonaise en fa mineur, op. 71, n° 3, posth.	Sans dédicace.	1855, Paris.	Mendelssohn dirige à Leipzig la Passion selon saint Matthieu.	Braille invente l'écriture pour les aveugles.
		Valse posth. en mi maj. sans n° d'opus.	Sans dédicace.	1855, Paris.		
		Valse en si mineur, posth., op. 69, n° 2.	Sans dédicace.	1855, Paris.		
		Valse en mi maj., posth., op. 70, n° 3.	Sans dédicace.	1855, Paris.		
		2 Mazurkas, posth., op. 68.	Sans dédicace.	1855, Paris.		
		Concerto en fa mineur, op. 21.	A Delphine Potocka.	1836, Paris.		
		Polonaise pour cello et piano, op. 3.	A.J. Merck.	1833, Paris.		
1830	3 concerts à Varsovie. Chopin quitte Varsovie. Séjour à Vienne, après pas-	Grande Polonaise, op. 22.	A la baronne d'Est.	1835, Paris.	(Ch. y ajoute un Andante Spianato).	Révolution de Juillet. Insurrection polonaise.
		3 Ecossaises, op. 72, posth.	Sans dédicace.	1855, Paris.	Symphonie Fantastique, Berlioz	

Année		Œuvres	Dédicace	Publication	Musique	Histoire
1830 (suite)	sage à Breslau et Dresde.	*Valse en mi mineur* sans n° d'op. *Enchantements* pour chant et piano sans n° d'op. *Concerto en mi mineur,* op. 11.	Sans dédicace. Sans dédicace. A Kalkbrenner.	1833, Paris.		Défaite de l'insurrection polonaise. « L'ordre règne à Varsovie ».
1831	Vienne, Munich. A Stuttgart, Chopin apprend la prise de Varsovie. Il rédige le *Journal de Stuttgart* et compose fiévreusement plusieurs pièces de piano. Arrivée à Paris.	*1er Scherzo,* op. 20 (esquisse terminée à Zarisen, 1831). *Etude,* op. 10, n° 12. *Mazurka ut maj.,* sans n° d'op. *4 Mazurkas,* op. 6. *5 Mazurkas,* op. 7. *3 Nocturnes,* op. 9. *Nocturnes,* op. 15, n° 1 et 2. *Etudes,* op. 10, n°s 3, 4, 5. *Préludes,* op. 28, n°s 2 et 24.	A Th. Albrecht. Voir plus loin. Sans dédicace. A Mlle Plater. A M. Johns. A Madame C. Pleyel. A Ferdinand Hiller. Voir plus loin. Voir plus loin.	1835, Paris. 1832, Paris. 1833, Paris. 1832, Paris. 1832, Paris.	*La Norma,* Bellini. *Robert le Diable,* de Meyerbeer. Première exécution à Paris de la *Neuvième Symphonie.*	
1832	Premier concert à Paris. Séjour en Touraine.	Duo cello-piano sur *Robert le Diable,* sans n° d'opus.	Sans dédicace.		*Le Pré-aux-Clercs,* de Hérold. *Mes Prisons,* de Silvio Pellico. Mickiewicz fonde à Paris un	Mort de l'Aiglon. Tentative de soulèvement vendéen par la duchesse de Berry. Ministère Soult.

DATES	VIE DE CHOPIN	ŒUVRES	DÉDICACES	DATES DE PUBLICATION	ÉVÉNEMENTS LITTÉRAIRES ET ARTISTIQUES	ÉVÉNEMENTS HISTORIQUES
1833	Ch. fréquente Mickiewicz et Berlioz. Pose pour Vigneron. Joue avec Liszt et Hiller le *Triple concerto* de Bach.	*12 Etudes*, op. 10.	A Franz Liszt.	1833, Paris.	journal : *Le Pèlerin polonais.*	Le baron Taylor ramène à Paris l'obélisque de Louqsor. Eruption du Vésuve.
		Nocturne, op. 15, n° 3.	A Ferdinand Hiller.	1833, Paris.	Naissance de Brahms. *Lélia*, de George Sand.	
		Boléro, op. 19.	A la comtesse de Flahaut.	1834, Paris.		
		Variations brillantes sur « Je vends des scapulaires », op. 12.	A Mlle Horsford.	1837, Paris.		
		4 Mazurkas, op. 17.	A Mlle L. Frappa.	1834, Paris.		
		Rondo mi bémol mai, op. 16.	A Mlle Hartmann.	1834, Paris.		
1834	Voyage à Aix-la-Chapelle. Rencontre Mendelssohn à Düsseldorf. Concerts avec Liszt.	*Etudes*, op. 25.	A la comtesse d'Agoult.	1837, Paris.	Schumann : *Etudes symphoniques.*	Emeutes à Paris et à Lyon.
		Fantaisie-Impromptu, op. 66 posth.	A la baronne d'Est.	1855, Paris.	Gogol : *Tarass Boulba.*	
		Valse, op. 18.	A Mlle Horsford.	1834, Paris.	Lamennais : *Paroles d'un Croyant*, condamnées par l'encyclique *Singulari.*	
		Largo en mi bémol majeur, posth. sans n° d'opus.	Sans dédicace.	Paris,		
		Cantabile en si b. majeur.	Sans dédicace.	1834, Paris, édité en 1923.		

1835	Voyage à Dresde : Maria Wodzinska. Retrouve ses parents à Karlsbad.	4 *Mazurkas*, op. 24.	Au comte de Perthuis.	1835, Paris.	**Schumann** : *Carnaval op. 9.* Balzac : *le Lys dans la vallée.*	Création de l'Agence Havas. Attentat de Fieschi.
		4 *Mazurkas*, op. 67.	A Mlle Mlokosiewicz.	1835, Paris.		
		n° 1	A Mme Hoffmann. Sans dédicace.			Mort du maréchal Mortier.
		n° 3	A M. J. Dessauer.			
		n° 2 et 4	Au baron de Stockhausen.			
		Polonaises, op. 26.		1836, Paris.		
		1re *Ballade*, op. 23.		1836, Paris.		
		2 *Nocturnes*, op. 27.	A la comtesse d'Apponyi.	1836, Paris.		
		3 *Valses* posth., op. 69 n° 1.	A Mlle Charlotte de Rothschild [1]			
		op. 70 n° 1.	Sans dédicace.			
		op. 34 n° 1.	Sans dédicace.			

1. La *Valse* dite « de l'adieu » est dédiée à Mlle Charlotte de Rothschild. Elle n'a nullement été improvisée pour Marie Wodzinska avant le départ de Dresde. Chopin s'est contenté d'en remettre une copie à Maria et d'inscrire en épigraphe : « Pour Mlle Maria. »

DATES	VIE DE CHOPIN	ŒUVRES	DÉDICACES	DATES DE PUBLICATION	ÉVÉNEMENTS LITTÉRAIRES ET ARTISTIQUES	ÉVÉNEMENTS HISTORIQUES
1836	Rencontre de Chopin et de George Sand. Voyage à Marienbad : Maria Wodzinska. Revient par Leipzig où il rencontre Schumann et Mendelssohn. Se lie avec Bellini.	*Mazurkas*, op. 30 4 nos. Travaille aux *Préludes*. *Polonaise héroïque en la bémol*, op. 53.	A la princesse de Wurtemberg. Voir plus loin. A M. Léo.	1843, Paris.	Glinka : *Ivan Soussanine*.	Fondation de la Société Schneider et Cie. Paris inondé par une crue de la Seine. Inauguration de l'Obélisque et de l'Arc de Triomphe. Démission de Thiers. Essai de soulèvement de la garnison de Strasbourg par L.-N. Bonaparte.
1837	Rupture des fiançailles avec Maria Wodzinska. Bref voyage à Londres.	Travaille aux *Préludes* et à la *2e Ballade*. *2e Scherzo*, op. 31. *Ier Impromptu*, op. 29. *2 Nocturnes*, op. 32.	Voir plus loin. A la comtesse de Furstenstein. A la comtesse de Lobau. A la baronne de Billing.	1838, Paris. 1837, Paris. 1837, Paris.	Mort de John Field. Musset : *la Nuit d'Octobre*. Berlioz : *Requiem*. Naissance de Cosima Liszt.	Inauguration de la ligne de chemin de fer de Paris à Saint-Germain-en-Laye. Avènement de la reine Victoria. Prise de Constantine : mort de Damrémont.

1837 (suite).		*Variations en mi maj.* sur la *Marche des Puritains* de Bellini, posth, sans n° d'opus.	Sans dédicace.	1841, Paris.		
		Marche funèbre en *si* bémol mineur, op. 39 (fera partie de la *Sonate funèbre*).	Voir plus loin.			
1838	Liaison avec G. Sand.	2 *Polonaises*, op. 40.	A. J. Fontana.	1840, Paris.	Schumann : *Kreisleriana* dédiées à Chopin.	Bessel mesure pour la première fois la distance d'une étoile.
	Joue aux Tuileries et à Rouen.	4 *Mazurkas*, op. 33.	A Mlle Mostowska.	1838, Paris.	Liszt : *Six Etudes d'exécution transcendante*.	
	Voyage à Majorque.	4 *Mazurkas*, op. 30.	A la princesse de Wurtemberg.	1838, Paris.	Delacroix : Portrait de Sand et Chopin.	Création de la Société des Gens de Lettres.
		Travaille aux *Préludes*.	Voir plus loin.		Débuts de la Grisi.	Eclairage au gaz, place de la Concorde.
		2e *Ballade*, op. 38.	A Robert Schumann.	1838, Paris.		
		3 *Valses*, op. 34, n° 1.	A Mlle de Thun-Hohenstein.	1838, Paris.		
		n° 2.	A M. d'Ivri.			

DATES	VIE DE CHOPIN	ŒUVRES	DÉDICACES	DATES DE PUBLICATION	EVÉNEMENTS LITTÉRAIRES ET ARTISTIQUES	EVÉNEMENTS HISTORIQUES
1838 (suite)		n° 3.	A Mlle d'Eichtal.			
		2e *Impromptu en fa dièse maj.,* op. 36.	Sans dédicace.	1838, Paris.		
1839	Majorque. Retour à Marseille, Gênes, Nohant et Paris, rue Tronchet. Joue aux Tuileries.	4 *Mazurkas,* op. 41.	A Witwicki.	1839, Paris.	Naissance de Moussorgsky.	Arago présente les premiers daguerréotypes.
		Achève *Préludes,* op. 28.	A Camille Pleyel *		Mort de Maurice de Guérin.	
		3 *Etudes Moscheles* sans n° d'op.	Sans dédicace.	1840, Paris.	Stendhal : *la Chartreuse de Parme.*	Arrestation de Blanqui.
		Sonate funèbre, op. 39.	Sans dédicace.	1839, Paris.		
		3e *Scherzo en ut dièse mineur.*	Sans dédicace.	1839, Paris.		
		2 *Nocturnes,* op. 37.	Sans dédicace.			
1840	Année de travail ininterrompu rue Pigalle.	*Mazurka en la mineur,* op. 42.	A Emile Gaillard.		Mort de Paganini.	Création du timbre-poste en Angleterre.

1840 (suite)		*Polonaise en fa dièse mineur*, op. 44.	A la princesse de Beauvau.	1841, Paris.	Hugo : *les Rayons et les Ombres*.	Retour des cendres de Napoléon.
		Fantaisie en fa mineur, op. 49.	A la princesse de Souzzo.	1841, Paris.		Inauguration de la Colonne de Juillet.
		Valse en la bémol, op. 42.	Sans dédicace.	1840, Paris.		L.-N. Bonaparte débarque à Boulogne et est incarcéré au fort de Ham.
		Allegro de concert, op. 46.	A Mlle F. Müller.	1842, Paris.		Bugeaud gouverneur général des possessions nord-africaines.
1841	Concert, salle Pleyel. Eté à Nohant.	*Mazurka en la mineur sans n° d'op.*	A Emile Gaillard.		Naissance de Chabrier. Balzac : *Ursule Mirouët*. Victor Hugo gagne son procès contre Donizetti.	Création par Cook d'une agence de voyages.
		Prélude en ut dièse mineur, op. 45.	A la princesse Tchernitchef.	1841, Paris.		
		3e Ballade, op. 47.	A Mlle de Noailles.	1841, Paris.		
		2 Nocturnes, op. 48.	A Mlle L. Duperré.	1841, Paris.		
		Tarentelle, op. 43.	Sans dédicace.	1841, Paris.		
		Fugue en la mineur sans n° d'op.	Sans dédicace.	1862, Varsovie.		

* L'édition allemande est dédiée à J. C. Kessler.

Dates	Vie de Chopin	Œuvres	Dédicaces	Dates de publication	Événements littéraires et artistiques	Événements historiques
1842	Installation square d'Orléans.	3 *Mazurkas*, op. 50.	A Léon Szithowski.	1841, Paris.	Rossini : *Stabat Mater*.	Les Anglais prennent possession de Hong Kong.
	Concert salle Pleyel.	4ᵉ *Ballade*, op. 52.	A la baronne de Rothschild.	1842, Paris.	Flaubert : *Novembre*.	Mort accidentelle du duc d'Orléans.
	Eté à Nohant.	4ᵉ *Scherzo*, op. 54.	A Mlle de Caraman.	1843, Paris.	Mort de Stendhal.	
		3ᵉ *Impromptu en sol bémol*, op. 51.	A la comtesse Esterhazy.	1842, Paris.	Eugène Sue : *Les Mystères de Paris*.	
		1 *Mazurka en la mineur*, sans n° d'opus.	Sans dédicace.	1853, Paris.		
		2 *Valses* (posth.), op. 70.	Sans dédicace.	1855, Paris.		
1843	Eté à Nohant.	3 *Mazurkas*, op. 56.	A Mlle Maberly.	1844, Paris.	Wagner : *le Vaisseau fantôme*.	Prise de la Smala d'Abd el-Kader.
		2 *Nocturnes*, op. 55.	A Jane Stirling.	1844, Paris.	Poe : *le Scarabée d'or*.	Inauguration du chemin de fer Paris-Rouen.
		Feuille d'album en mi majeur.	A la comtesse de Cheremetiev.	1842, Paris.	Hugo : *Chute des Burgraves*.	

1844	Mort du père de Chopin. Eté à Nohant avec sa sœur Louise.	*Sonate en si mineur*, op. 58.	A la comtesse de Perthuis.	1844, Paris.	Mendelssohn : *Concerto violon*.	Mazzini fonde la Jeune-Europe.
		Berceuse 4, op. 57.	A Elise Gavard.	1845, Paris.	Vigny : *la Maison du berger*. Dickens de passage à Paris.	Victoire française sur les Marocains qui ont attaqué l'Algérie.
1845	Eté à Nohant.	3 *Mazurkas*, op. 59.	Sans dédicace.	1846, Paris.	Naissance de Fauré et de Widor.	La reine Victoria rend visite à Louis-Philippe.
		Barcarolle, op. 60.	A la baronne de Stockhausen. Voir plus loin.	1846, Paris.	G. Sand : *Lucrezia Floriani*. Chateaubriand termine les *Mémoires d'Outre-Tombe*. Renan défroqué. Première de *Tannhäuser* à Dresde.	Consécration de l'église de la Madeleine.
		Travaille à la *Polonaise-Fantaisie* et à la *Sonate* cello et piano.				
1846	Eté à Nohant. Premières disputes avec Sand.	Achève la *Polonaise-Fantaisie*, op. 61 et la *Sonate* cello piano op. 65. 2 *Nocturnes*, op. 62.	A Madame Veyret. A Albert Franchomme. A Mlle R. de Könneritz.	1846, Paris. 1846, Paris.	Berlioz : *la Damnation de Faust*. Baudelaire : *Salons*.	Début d'une nouvelle insurrection de la Pologne. L.-N. Bonaparte s'évade de Ham. Le Verrier découvre Neptune. Troubles au Faubourg Saint-Antoine.

Dates	Vie de Chopin	Œuvres	Dédicaces	Dates de publication	Événements littéraires et artistiques	Événements historiques
1847	Rupture avec G. Sand.	3 Valses op. 64 n° 1	A Delphine Potocka.		Mort de Mendelssohn.	Découverte de l'or en Californie.
		n° 2	A Madame N. de Rothschild.	1847, Paris.	E. Brontë : les Hauts de Hurle-Vent.	Emeutes rue Saint-Honoré.
		n° 3	A la comtesse Bronicka.	1847, Paris.		Guizot président du Conseil.
		Achève les 17 Chants polonais op. 74 (posth).	Sans dédicace.	1855, Paris.		Le duc d'Aumale remplace Guizot en Algérie.
		3 Mazurkas, op. 63.	A la comtesse Czornowska.	1847, Paris.		
1848	Dernier concert à Paris. Voyage en Angleterre et en Ecosse.	Valse en si majeur sans n° d'opus.	Sans dédicace.	1855, Paris.	Schumann : Album pour la jeunesse.	Révolutions en Europe.
					Dumas fils : la Dame aux camélias.	Marx et Engels : Manifeste du parti communiste. Emeutes et barricades à Paris : la famille royale s'enfuit.

| 1849 | Rue de Chaillot et place Vendôme. 17 octobre : mort de Chopin. 30 octobre : obsèques à la Madeleine. | 1 *Mazurka* op. 68, n° 4 (posth). | Sans dédicace. | 1855, Paris. | Liszt : *1er Concerto* pour piano et orchestre. Dickens : *David Copperfield*. | Réactions en Europe. Le choléra à Paris. Mort de Bugeaud. L.-N. Bonaparte arrive à Paris et est élu président de la République. |

TABLE

Prélude 9

ACHEVÉ D'IMPRIMER   SUR LES PRESSES DE
L'IMPRIMERIE AUBIN   86 LIGUGÉ / VIENNE
LE 5 FÉVRIER 1975

D. L., 1er trim. 1975. — Edit., 4140. — Impr., 8107.
Imprimé en France

ISBN 2-246-00015-7